MOLNÁR FERENC
SZÍNMŰVEK

VÁLOGATTA, SZERKESZTETTE
ÉS A JEGYZETEKET ÍRTA

VILÁGOS BEATRIX

MOLNÁR FERENC
SZÍNMŰVEK

EURÓPA KÖNYVKIADÓ
BUDAPEST, 1999

AZ ÖRDÖG

VÍGJÁTÉK HÁROM FELVONÁSBAN
(1907)

SZEMÉLYEK

LÁSZLÓ
JOLÁN
JÁNOS
AZ ÖRDÖG
ELZA
SELYEM CINKA
ANDRÁS
VENDÉGEK

HEGEDŰS GYULÁNAK

ELSŐ FELVONÁS

Szín: szoba a festőműterem mellett, Jánosnál. Hátul balról üvegajtó, portière-rel a színpad felé. Ha nyílik, belátni a műterembe. Jobbról hátul vágott sarokban bejáratajtó. Balról elöl ajtó. A háttérben a két ajtó közt antik szekrény. A szekrény előtt díszes terítővel leterített asztal, telerakva szobrokkal, edényekkel, arcképekkel stb. Az asztalnál jobbra és balra szék. Balról leghátul antik szekrény. Balról elöl a falhoz tolt asztal, olyanforma, mint a másik, csak kisebb. Az asztal mellett a falnál szék. Balról a szekrény és az asztal között a földön álló kleiderstokk teleaggatva színes jelmezekkel, sálokkal. Balról elöl nagy, álló, aranyozott templomi fakandeláber, tizenkét villamos körtével. Balról elöl nagyon széles pamlag, szőnyeggel leborítva, rajta színes párnák. A pamlag előtt kicsiny, de nem alacsony asztalka. Dohányzókészlet van rajta. A pamlag előtt jobbról puff. Jobbról, hátul az ajtó előtt spanyolfal. Jobbról elöl francia kandalló, melyből vörösen fénylik a parázs. A kandalló előtt, háttal a közönségnek, igen nagy, trónszerű, pirosarany karosszék, melynek támlája tökéletesen eltakarja azt, aki benne ül. A trónszék mellett, balról, alacsony török asztal könyvekkel. A szoba falain túlzottan sok, berámázott és berámázatlan kép, rajz, vázlat. Színes szövetek, miseruhák a falon. Gipszszobrok, fejek. Szőnyegek. A mennyezetről nagyon cifra, inkább táncterembe való csillár függ le. Délután három óra

ELSŐ JELENET

János, András, majd Cinka

A szín egy pillanatra üres

JÁNOS *(belép kalapban és télikabátban, ezeket leveti)* András! – András!

András előjön a műteremből

Hol mászkálsz?

ANDRÁS Sehol kérem.

JÁNOS Az ajtó tárva-nyitva, akárki bejöhet. *(András a műterembe rohan és bársonykabátot hoz ki. Mialatt András benn van)* Hol a mai újság? *(Megtalálja)* Na mi lesz? *(András bejön és rásegíti a kabátot, János rágyújt)* A szabó már kivasalta a frakkomat?

ANDRÁS Egy óra múlva küldi, nagyságos úr.

JÁNOS Jó. *(Pénzt ad neki)* Itt egy korona. Eredj le a fehérneműshöz, vegyél egy frakkhoz való fehér batiszt zsebkendőt. A régit vidd el mintának.

András indul

Megállj. Készíts ki az ágyra kemény inget, manzsettát, gallért. Keresd meg a kis gyöngyházgombokat, ott vannak a felső fiókban egy gyufaskatulyában. Várj. Add vissza a koronát. *(Megtörténik)* Itt egy ötös. Vegyél egy pár nyolcas számú fehér báli kesztyűt is. Majd elszámolsz. Mielőtt lemégy, eridj be a műterembe, tedd fel a dobogóra a velencei széket. Három órakor jön Lászlóné őméltósága, portréhoz ülni. Attól kezdve senkinek se vagyok itthon. *(Közben végigdőlt a kanapén)* Add ide a hamutartót. *(Megtörténik)* Mehetsz.

ANDRÁS Kérem, nagyságos úr.

JÁNOS Mi az?

ANDRÁS Itt a Cinka.

JÁNOS Hol?

ANDRÁS Bent az atelier-ban.

JÁNOS Menjen haza. Nem kell. *(Lapoz az újságban)*

ANDRÁS *(az üvegajtóhoz megy)* Nagysád. *(Eltávolító kézmozdulattal)* Ma nem kell modell.

CINKA *(belép)* Jó napot. *(Nincs válasz)* Ma nem festesz?

JÁNOS Nem. *(Lapoz)*

András bemegy a műterembe

CINKA *(búsan)* Alászolgája. *(Visszafordul)* És holnap?

JÁNOS Holnap se.

CINKA Alászolgája. *(A szemét törli)* Te már nem szeretsz engem, te már nem szeretsz engem.

JÁNOS Kezdődik megint.

CINKA Már ősz óta nem szeretsz. Én ezt mindjárt láttam, mikor tájképeket kezdtél festeni. Mikor szeretsz, mindig az aktomat fested. Tudom én, mit jelent az, mikor a tájképek gyönnek.

JÁNOS Buta vagy, Cinka.

CINKA Tudom. Felöltözve minden modell buta.

JÁNOS Eridj szépen haza.

CINKA Csak küldj, csak küldj. Menjek szépen haza. Már egy hét óta mindig úgy megyek el innen, hogy le sem vetkőztem. Hát mi vagyok én? *(Sírva fakadt, de rögtön abbahagyta)* Én ám tudok mindent.

JÁNOS Igen?

CINKA Nézz rám. Nézz csak rám. Te megnősülsz. Merd a szemembe mondani, hogy nem.

JÁNOS Nem.

CINKA Na ja, majd te nem mered a szemembe mondani. Egy Tóth Elza nevű lányt veszel el. A barátod felesége, a Lászlóné hozta össze a dolgot. Merd a szemembe... különben, hiszen hiába, mert te belemondasz a szemembe akármit.

JÁNOS Honnan veszed mindezt, angyal?

CINKA Egy ilyen szép fiatal asszony, mint ez a Lászlóné! Ahelyett, hogy ő maga barátkoznék veled, hát megházasít. Tudod, mert azt nem bántam volna. Engem úgyse szeretsz. Mindig tájképeket festesz.

JÁNOS Hát most mit akarsz tőlem?

CINKA *(átfogja a nyakát)* Semmit. Az ilyen szegény akt, mint én, nem akarhat semmit. Ha ti meg akartok nősülni, mink aktok csinálhatunk akármit, mégis elveszitek a privátot. Mondd legalább, hogy szeretsz.

JÁNOS Ühüm.

CINKA Hümmög. A régi szeretőm, a Náray, szebben hümmögött.

JÁNOS Mindenki úgy hümmög, ahogy tud.

CINKA Ezt is csak akttal lehet csinálni. Ismerem én már a festők szerelmét. Előbb: „édesem, drágám, Fornarinám, Fornarinám, micsoda háta, micsoda keble, micsoda vonala!" Aztán később: „sárga a bőröd, sárga a bőröd". – Aztán még később: „ma nem érek rá". Aztán a tájkép és püff, vége. Szeretsz?

JÁNOS *(mosolyogva)* Igen.

CINKA Ha úriember volnál, most megígérnéd nekem, hogy feleségül veszel. Látod, a Náray úriember volt, az mindig megígérte. Az nem volt smucig. Még ez se legyen nekünk? Unsz, unsz?

JÁNOS Hiszen, ha unnálak, már rég szakítottam volna veled. Gyere, édes kis unalmam. *(Megcsókolja)* Menj angyalom, menj haza, menj, menj!

CINKA Holnap se jöjjek? Holnapután se?

JÁNOS Nem.

CINKA Hát már soha nem fogod festeni az aktomat?

JÁNOS Majd este elmegyek hozzád, Lászlóékhoz az estélyre úgyis csak tizenegykor megyek.

CINKA De hát hogy fogsz festeni nálunk? Nem is látsz. Még a gáz sincs bevezetve. Csak petróleumlámpa ég.

JÁNOS *(az ajtónál)* Hát majd elfújjuk. Szervusz.

András belép és átmegy a műterembe. Cinka elmegy. János meggyújtja elaludt szivarját, a pamlaghoz megy, elővesi az újságot és lefekszik. Éles csöngetés. Hirtelen felugrik. Kissé izgatottan szól

András!

ANDRÁS Nyitom!

Átszalad a színen András, ki a bejáratajtón, melyet nyitva hagy. János a nyakkendőjét gyorsan megigazítja. Az újságot leteszi. A szivart belenyomja a hamutartóba. Haját elrendezi. A belépők elé megy. András künn marad

MÁSODIK JELENET

János, László, Jolán

László és Jolán belép

JÁNOS Csókolom a kezét. Szervusz. *(Üdvözlések)*

LÁSZLÓ *(siet)* Fiam, én csak idehoztam az asszonyt. Szaladok vissza az irodámba.

JOLÁN *(körülnéz)* Hát magánál ilyen?

JÁNOS Ugye furcsa? Cifra szemétdomb.

LÁSZLÓ Előbb azt gondoltuk, hogy ne ma kezdd meg festeni az arcképét. Ha hat évig tudtunk rá várni, ráért volna még holnapig. De az asszonyt oly idegessé teszi a készülődés erre a mai estélyre, hogy idehoztam. Tudod-e, hogy ez a házszentelő az első estélyünk?

JOLÁN Muszáj volt. Fiam, annyi revánssal tartozunk.

LÁSZLÓ Bár már túl lennénk rajta. Nem szeretem a flancot. Én Freebodynál tanultam az üzletet, Londonban. Annak kilencven millója van, és még sohase adott estélyt. Csak ezen a nyomorult Pesten kell. Mikor jöjjek az asszonyért?

JÁNOS Korán sötétedik. Háromnegyed óra múlva már nem lehet pingálni.

LÁSZLÓ Tehát?

JÁNOS *(órájára néz)* Négy óra körül.

JOLÁN *(egy aktra mutat)* Ez a kép kicsoda?

JÁNOS Egy modell.

JOLÁN Meg mertem volna rá esküdni. Az, aki most jött le a lépcsőn.

LÁSZLÓ Ja, a Selyem Cinka? Ezt meg kell nézni. *(Indul a kép felé)* Azaz nem is kell megnézni, minden perc drága. Remélem, most már végzel az ilyen Cinkákkal! Te is oka vagy, hogy ezt az estélyt adjuk. Ugye?

JOLÁN Bizony. Ma fog végleg beleszeretni Tóth Elzába.

JÁNOS A legjobb akarattal megyek. Visztek a vágóhídra. Nősülni! Nősülni!

JOLÁN Mily boldog lennék!

LÁSZLÓ Hát még én. Meg a lány is. Meg te is. Mindenki.

JÁNOS Adja Isten. A lány nagyon kedves.

JOLÁN Hát még ha…

JÁNOS Ha még egy szót szól, imádom is. De ez csak estére van kitűzve.

LÁSZLÓ Megyek. Az emberem minden percben telefonálhat. Fiuméból a kukorica ügyében. *(Megcsókolja Jolánt)* Négykor érted jövök, fiam. Légy nyugodt. Gerbeaud mindent elvégez. Semmi gondod semmivel. Szervusztok.

JÁNOS Nem félsz itt hagyni az asszonyt?

LÁSZLÓ Megmondjam őszintén? Azért sietek úgy, mert félek, hogy még meggondolom és visszaviszem.

JOLÁN Féltékeny vagy?

LÁSZLÓ Hazudjam? Akkor: nem. Ha nem félnék, hogy komikussá válok, azt mondanám: gyerekek, vigyázzatok magatokra. Isten áldjon meg. *(El)*

HARMADIK JELENET

János, Jolán

János kikísérte Lászlót. Visszajön. Az ajtót becsukja. Némán áll meg a küszöb mellett. Abban a pillanatban, mikor János visszajött, Jolán hevesen megrázkódott. Most végigsimítja homlokát.

JÁNOS Mi az?

JOLÁN *(idegesen, halkan nevet)* Se... semmi.

JÁNOS *(gyöngéden)* Megijedt valamitől?

Jolán nem felel

Nos?

JOLÁN *(idegesen, zavartan, mintha félne tőle)* Tudja... ahogy most itt Alfréd elment, úgy éreztem, mintha otthagytak volna valahol.

JÁNOS Hogyan?

JOLÁN Ilyen érzésem volt, mikor a mama otthagyott Drezdában, a panzióban. Hogy most itt maradok egyedül künn az idegen életben. Most majd magamnak kell gondolkoznom. Én... tudja, hisz hat évig soha nem akartam idejönni. *(Körülnéz)* Mint valami boszorkánykonyha. Régiségek, furcsa állatok, fejek... Maga úgy áll köztük, mint valami varázsló. Amíg az uram itt volt, észre se vettem. De mikor kiment, akkor egyszerre ezek a fejek mind rám néztek. *(Megborzong)*

JÁNOS Nem kell idegeskedni. Ez a szoba az atelierhoz tartozik és minden hölgy, akit lefestek, ide jön.

JOLÁN *(nyugodtan)* És minden hölgyet, aki idejön, lefest?

JÁNOS Nem.

Szünet

JOLÁN Hallotta, mit mondott az uram?

JÁNOS Hallottam.

JOLÁN Hat év óta, mióta a felesége vagyok s mióta maga a csöndes, jó, becsületes barátunk, egyszer-másszor tréfált erről. De most éreztem a hangján, hogy nem volt sok kedve a tréfához.

JÁNOS Hogy féltékeny.

JOLÁN Nem. De először vagyok itt... magánál, magával, egyedül.

JÁNOS Hat évig nem bolygattuk ezt a kérdést. Most, hogy úgy magától kipattant... de már hetek óta érzem, hogy ez szóba fog kerülni köztünk.

JOLÁN Pedig milyen jó, édes, csöndes nyugalom volt, hogy hat évig egy szót se beszéltünk róla. A tiszta lelkiismeret olyan, mint a langyos fürdő. Úgy – ül benne az ember. *(Mutatja egy testmozdulattal, lehunyva szemét, hogy hogyan ül az ember a jó langyos vízben)*

JÁNOS Csütörtökön, mikor először volt szó arról, hogy lefestem s hogy ide fog jönni, elpirult. Aztán rám nézett. Másképp, mint ahogy addig szokott nézni.

JOLÁN Ne beszéljünk róla. Nem, nem...

JÁNOS Ne féljen tőlem. Ha más volnék, nem csudálnám a szavát. De így. Milyen jólesik most így... egyszer, ártatlanul... végiggondolni az egészet. Hét éve van. Én nevelő voltam az ura családjában, és ott voltam, mikor először említették, hogy Alfrédnek feleségül kell vennie magát. Ez annak a napnak az estéjén volt, amelynek délutánján mi...

JOLÁN *(szelíden a kezére teszi a kezét, gyöngéd feddéssel)* János...

JÁNOS ...megcsókoltuk egymást. Gyerekek voltunk. És én ágrólszakadt szegény fiú voltam, aki Alfrédot meg a nővéreit rajzolni tanítottam... és maga még szegényebb volt, mint én: a lányok kis iskolai barátnéja, aki uzsonnázni jár a milliomos házba. Összenéztünk egyszer, a nagy, dúsgazdag famíliában, mi ketten, két odacsöppent szegény ember. Egy koldusfiú és egy kolduskisasszony. Mi értettük egymást. Aztán egy napon hallatlan szerencse kínálkozott magának. Alfréd bevallotta, hogy halálosan szereti.

JOLÁN Másnap.

JÁNOS A csóknak, az első gyerekes, szűzi csóknak a másnapján. Huszonnégy órával azután, hogy a két koldus egy pillanatra magára maradt az aranyos, csilláros szalonban, és hogy ezt a pillanatot egy csók töltötte ki, egy szegény, szomorú csók, ami... aminek most már az emléke is kihűlt.

JOLÁN Kihűlt, János. Józan emberek lettünk. Azóta nem beszéltünk róla. *(Ezt kérőleg mondta, mintegy, hogy ne folytassa)*

JÁNOS Nem. Maga feleségül ment Alfrédhez. A szegény hivatalnok lánya az udvari szobából az Andrássy útra került, a László-palotába. És én külföldre mentem. Az ő pénzükön. És egy év múlva megjöttem. És még mindig szerettem. De akkor már szenvedéssel, lemondással. És az első napon, mikor felmentem magához, s egyedül találtam, már én is úr voltam, már díjakat nyertem, ismert ember voltam, úsztam a pénzben, maga meg a saját palotájában állott, talpig selyemben, gyémántban és mikor egymásra néztünk, mégis csak a régi két kis fiatal koldus tekintete találkozott, de akkor... már nem csókoltuk meg egymást.

JOLÁN Édes János. Hagyjuk ezt.

JÁNOS Itt vége is van. Azóta hat év telt el. Az urának barátjává lettem. Mindennap láttuk egymást. És egy szó, egy tekintet nem esett köztünk. Sohse mertem ajánlani, hogy lefestem, mert féltem ettől. Maga is érezte. Sőt az ura is érezte. Hát lemondtam erről is. Van-e még egy ilyen történet a világon? Én nem szégyenlem magamat érte.

JOLÁN *(kezet fog vele)* Édes, becsületes jó barátom.

JÁNOS *(gyöngéden)* No, megnyugodott? Nem fél már, ugye?

JOLÁN Az uram hangja riasztott meg. Hisz ő majdnem tudja, hogy mi hogyan voltunk és soha, soha nem is gondolt semmit... De őt is megzavarta az, hogy mi ide jöttünk. Hat évig nem jöttünk. És most... itt vagyok. Hát ez gondolatokat ébreszt. És én félek attól, hogy gondolkoznom kell. Ettől ijedtem meg. Ettől féltem, mert egymástól nekünk már nem kell félnünk. Mi már nem szeretjük egymást, és még az is szép tőlünk, hogy erre az emlékre emlékszünk. Ugye?

JÁNOS Úgy van.

JOLÁN Mert hiszen, ha szeretnők egymást, maga nem nősülne meg. Igazam van, ugye?

JÁNOS Igaza van.

JOLÁN És megnősül. Én tudom, hogy boldog lesz, ha megnősül, és maga tudja, hogy én is boldog leszek, hiszen én akartam, hogy megnősüljön, én szerzek magának szép, okos feleséget.

JÁNOS Igen.

JOLÁN Hát most... ne gondoljunk... *(fojtott hangon, erőltetett mosollyal)* semmit. Jó? *(A kezét nyújtja, bátran, nyíltan)*

JÁNOS Jó. *(Erősen, férfiasan szorítanak kezet)* És...

JOLÁN És térjünk a tárgyra. Nem szóltunk semmit, nem történt semmi. Jó napot, művész úr. Azért jöttem, hogy tessék lefesteni.

JÁNOS *(más hangon)* Az este emlékezetből csináltam a képéhez egy vázlatot. Óh, hiszen sokat csináltam már. De most már egészen másként látom.

JOLÁN Miért?

JÁNOS Nem tudom. Tegnap még csak a felszínét láttam. De most, itt... megint belülről látom. Most úgy ragyog a tekintete, mint a gyémántból a tűz.

JOLÁN Az istenért, János, hiszen megegyeztünk, hogy... vége.

JÁNOS Nem tudtam egyszerre. Majd... lassacskán... megint abbahagyom.

JOLÁN *(nyíltan, becsületes komolysággal)* Nekem nem kellett volna ide eljönnöm.

JÁNOS Akkor sohse értettem volna meg az arcát.

JOLÁN János, vegye a festéket, palettát és gyerünk, ha már itt vagyunk. Essünk túl rajta.

JÁNOS Igaza van. Essünk túl rajta.

JOLÁN Hát kezdje. Mit kell csinálnom?

JÁNOS Mindenekelőtt tegye le a kalapját meg a kabátját. *(Mögéje megy és a kalaptűjéhez nyúl)*

JOLÁN *(elhúzódik)* Majd én. *(Egymásra néznek)* Nem szabad rólam... levenni valamit. *(Csönd. Leveszi kalapját)*

JÁNOS Parfümözi a haját?

JOLÁN Én? Soha.

JÁNOS Akkor ez... természetes illata a hajnak... Nagyon közel álltam hozzá.

Csönd

JOLÁN Most tanulmányoz?

JÁNOS Igen. Az ura azt kívánja, hogy mellkép legyen a portré.

JOLÁN Igen. Az övé lesz, ő parancsol. Én jobb szerettem volna egész alakot, kalappal, utcai ruhában.

JÁNOS Ő dekoltált mellképet akar. Sállal a válla körül. Ez ugyan édeskés... de ha neki így kell... *(Sálokat akaszt le a fogasról)* Már ki is kerestem egy csomó török sált.

JOLÁN Tehát?

JÁNOS Tehát mellkép. A nyaka szabadon.

JOLÁN Igen.

JÁNOS Hát akkor... siessünk, mert sötétedik. Itt vannak a kendők, ebben a skatulyában van tű... és én majd bemegyek a műterembe addig.

JOLÁN Addig? Meddig?

JÁNOS Amíg maga... Hát ahhoz, hogy a válla szabadon legyen... a... a blúzát le kell...

JOLÁN Hogyan?

JÁNOS *(zavartan)* Mintha otthon volna. Ezt az ajtót bezárom. *(Bezárja a bejáratajtót)* Így, ni. Bemegyek az atelier-be és ezt az ajtót zárja magára, amíg... *(A küszöbön áll. Benéz a műterembe. Halkan)* Hű... hogy esik a hó. *(Kinéz az asszonyra)*

JOLÁN *(zavartan)* Esik?

JÁNOS Nagyon. *(Szünet)*

JOLÁN Ne... ne, hagyjuk, inkább talán... talán holnap... vagy... most egy kicsit nem jól érzem magam... *(Ezt mind nehezen mondta. Most hirtelen megnyugodva)* És akkor elhoznám a szobalányomat.

JÁNOS *(a küszöbön)* Aztán kérdezné az ura, hogy miért... és különben is. Ha ezt itt bezárja. *(Benéz)* Hogy esik! Ha így esik, ilyen nagy pihékben... ez elfogja a világosságot... de nem baj... legalább keresnek a szegény emberek... *(Ezt az egészet halkan, akadozva mondta, miközben hol az asszonyra nézett, hol be a műterem nagy ablaka felé, s ezalatt lassan, zavartan, az ajtófélfával babrálva, csöndesen behúzódott a műterembe és most óvatosan, lassan becsukja az ajtót kívülről)*

Jolán, aki eddig háttal állott a műteremajtónak és némán nézett maga elé, most összerezzen és odanéz. Aztán leküzdi a zavarát, odamegy és bátran bezárja az ajtót. Lassan visszajön előre, kigombolja a nyakán a blúzt, aztán megijed és a nyitott blúzt összefogja. Leül. Ülve újra kezdi, lassan kigombolja az egészet, de nem veti le. Mustrál a sálok közt. Egyet kiválaszt. Aztán nyugodtan, naivul, mint aki egyedül érzi magát, leveti a blúzt és a nagy trónszék karfájára akarja tenni. Mikor odaér és kinyújtja a kezét, felsikolt, visszaretten, elejti a blúzt és hamarosan betakarja mellét, vállát a sállal. A nagy trónszékből vigyorogva kel föl az ördög

NEGYEDIK JELENET

Jolán, Az ördög

Az ördög 35–38 éves, karcsú, csinos fekete ember. A fejében valami kevés van a klasszikus Mefisztó-maszkból. Az arcbőre sötét. A haja ékbe fut. A szemöldöke kissé ferde. Lakkcipő, sötét nadrág, redingote, nagy écharpe az öltözéke. A legtökéletesebb, legdivatosabb elegancia. A nadrág nagyon szűk. A cipő nagyon hosszú és hegyes orrú. A kabát derékban szűk, alul erősen harang alakú

AZ ÖRDÖG Pardon, asszonyom. Elejtett valamit. *(Udvariasan felveszi a blúzt és feléje nyújtja)*

Jolán rémülettel nézi és gépiesen átveszi tőle a blúzt

Engedelmet kérek... ebédről jöttem ide... János nem volt itthon... vártam... aztán ebben a nagy székben elnyomott az álom. *(A szemét dörzsöli)* Bocsásson meg, hogy épp akkor keltem fel, amikor méltóságod le akart vetkőzni!

JOLÁN *(rémült felháborodással)* Kérem! Uram!

AZ ÖRDÖG *(hidegen)* Tudom, asszonyom. Ez gyanúsítás. Ön azért jött ide...

JOLÁN Hogy arcképemet festessem.

AZ ÖRDÖG Én egyszer a feleségemet egy fogorvosnál csíptem rajta. A gyanúsítást ő se tűrte. De aztán becsületből ki is húzatta egy egészséges fogát.

JOLÁN De én...

AZ ÖRDÖG *(kedvesen)* Én tudom, hogy önnek igaza van. De – ha akarom, hiszem, ha akarom, nem. Az igazsága nincs lenyelhető formába öltöztetve. Meztelen igazság. Legalábbis – félig már meztelen.

JOLÁN *(felháborodva)* Nem is tudom, uram, miért tűröm ezt a hallatlan beszédet. Egy idegen ember, aki itt meglep és... *(Az üvegajtóhoz rohan, kinyitja)* János!

ÖTÖDIK JELENET

Jolán, Az ördög, János

János megjelenik a küszöbön. Meglepetten nézi az ördögöt

AZ ÖRDÖG *(hirtelen, röviden)* Szervusz.

JÁNOS *(csodálkozva megy feléje)* Szer... szervusz.

AZ ÖRDÖG *(gyorsan)* Már nem méltóztatol rám emlékezni. Monte Carlóban.

JÁNOS Ah!

AZ ÖRDÖG Azon az izgatott napon.

JÁNOS Tudom már, tudom. Ősszel, mikor egyszer minden pénzem elveszett a ruletten. A hátam mögött állott egy sötét tekintetű ember... *(rámutat)* te voltál... még megijedtem, mert előbb úgy rémlett, hogy a croupier helyén is te ültél... és mikor vesztettem, mintha vigyorogtál volna rám... de emlékszem... a hátam mögött álltál, és mikor minden elveszett, ismeretlenül egy marék aranyat nyújtottál felém.

AZ ÖRDÖG Te visszautasítottad... kérő arccal.

JÁNOS Aztán...

AZ ÖRDÖG Aztán elfogadtad... tiltakozó arccal.

JÁNOS Öt perc alatt mindent visszanyertem vele. Még nyertem rá húszezer frankot. Babonás ereje volt annak a marék aranynak. Még emlékszem... feltűnt, mikor átadtad... a kezedtől meleg volt... szinte forró.

AZ ÖRDÖG Aztán visszaadtad és azt mondtad: „Vacsorázzunk együtt." Én azt mondtam: „Sajnálom, de este utazom Spanyolországba. Hanem majd meglátogatlak otthon, mikor egyszer szükség lesz reám." Hát most... itt vagyok.

JÁNOS *(már nyugodtabban)* Igen. Hozott Isten.

AZ ÖRDÖG Pardon, magam jöttem.

JÁNOS Igen. *(Zavartan néz rá)*

AZ ÖRDÖG A székben, a tűz mellett elaludtam.

JOLÁN *(ijedten)* De hiszen... mikor mi az urammal jöttünk... én világosan emlékszem, a szék üres volt! Nem ült ott senki!
AZ ÖRDÖG *(ellentmondást nem tűrő hangon)* Akkor talán én tévedek, asszonyom.

Halálos csönd. Furcsán néznek az ördögre

JÁNOS *(zavartan)* Parancsolj helyet foglalni. Bemutatlak... izé... a nevedet igazán...
AZ ÖRDÖG A név csak akkor fontos, ha az ember maga nincs jelen. Mert akkor a név egy írott arc. De ha az ember maga is itt van, mindegy. Válassz: Kovács, Szabó, Durand, Mayer... mellékes. Mondjuk: Kovács. Ha akarod: doktor Kovács.
JÁNOS *(nagyon zavartan)* Doktor Kovács.

Az ördög kezet csókol

AZ ÖRDÖG Más körülmények közt most venném a kalapomat és elmennék. De a tapintat kötelez, hogy ebben a kínos percben a nyakadon maradjak. *(Leül)*
JOLÁN Még most sem ocsúdtam fel ebből a... *(Hirtelen újra felháborodik)* Képzelje, János, ez az úr megengedte magának...
AZ ÖRDÖG *(hirtelen)* Régen halt meg a férje?
JOLÁN Nem, kérem. Nem vagyok özvegy.
AZ ÖRDÖG Elváltak?
JOLÁN Nem.
AZ ÖRDÖG Mert nem értem, hogy az önt ért inzultust egy harmadiknak panaszolja fel. Ez a férj ügye. *(Jánoshoz)* De ha te parancsolod, neked is állok rendelkezésedre. *(A székből kiveszi a cilinderét)* De ez esetben, asszonyom... ez beismerés.
JÁNOS Mit jelent ez a titokzatosság? Mi ez? Nem értek semmit. Maga... te idepottyansz hozzám, azt se tudom, hol jöttél be, mikor jöttél be... a hideg

futkároz a hátamon… és úgy viselkedel, mintha itt bárkit is valamin… ki kell mondanom a szót… rajtakaptál volna.

JOLÁN Igen! Igen!

AZ ÖRDÖG Énvelem most gorombáskodni is lehet, mert én nem mehetek el.

JOLÁN Ugyan miért?

AZ ÖRDÖG Mert ez azt mondaná: „Magatokra hagylak, pardon, hogy zavartam a mulatságot." Az ittmaradásom bizonyítja, hogy nem gondolok semmi rosszat.

JÁNOS Én pedig ezt a szívességet nem fogadom el ajándékba. Ez nekem jár!

Az ördög némán meghajtja magát. Kínos szünet

AZ ÖRDÖG És most, hogy rendben vagyunk, beszéljünk másról. – Esik a hó.

Csönd. Az asszony bámulva áll a műteremajtó mellett

Készül valami szép a tavaszi tárlatra? *(Csönd)*

JÁNOS *(kelletlenül)* Talán… küldök.

Csönd. Az ördög cigarettára gyújt

AZ ÖRDÖG Megengedi, asszonyom?

Jolán erre hirtelen felébred a bámulatból, hirtelen bemegy a műterembe, és úgy becsapja az ajtót, hogy csak úgy durran

HATODIK JELENET

János, Az ördög

AZ ÖRDÖG *(szünet után)* Temperamentumos asszony. Szép asszony.

JÁNOS *(oda se néz)* Igen.
AZ ÖRDÖG Kár, hogy nem szereti az urát.

János hirtelen feléje fordul

Hogy honnan tudom? Onnan, hogy mikor bajban volt, te jutottál az eszébe.

János a dohányzószervizt bosszúsan csapja az asztalra

AZ ÖRDÖG Nem szereti az urát, tehát az ura vagy ordináré ember, vagy lángész. Ezt a kettőt nem szokták szeretni. Az asszony nem szereti a földszintet, mert fél, hogy valaki bemászik az élete ablakán. A magas emeletre meg – nehéz feljárni. Az ő ideáljuk... *(kezével mutatja a közepes színvonalat)* a mezzanin.

János az órájára néz idegesen és a műteremajtó felé megy

AZ ÖRDÖG *(kényelmesen végigdől egy széken, nagy füstöt fúj és hidegen mondja)* A vállát már másodszor látom.
JÁNOS Micsoda?
AZ ÖRDÖG Először Párizsban láttam a Louvre-múzeumban. Akkor egy Aphrodite-szobor válla volt. Ugye, hogy olyan?
JÁNOS *(kelletlenül)* Nem tudom.
AZ ÖRDÖG *(felül. Gonosz gúnnyal)* Melyiket nem láttad?
JÁNOS Az Aphroditéét – láttam.
AZ ÖRDÖG Hát akkor hidd el nekem, mert én szerencsés voltam mind a kettőt láthatni. Alkaménesz óta csak egy szobrászt tudok, aki ilyen vállakat gömbölyít.
JÁNOS Kicsoda?
AZ ÖRDÖG A jólét. Ilyen apró, puha vonalak csak olyan nők testén vannak, akik nagyon finom ételeket esznek. Ez az asszony egy milliomosnak a felesége.

János újra, türelmetlenül a műteremajtó felé megy

Most öltözik?

JÁNOS *(idegesen)* Igen.

AZ ÖRDÖG Van a műteremben tükör?

JÁNOS Van.

AZ ÖRDÖG Akkor ez egy tisztességes asszony.

János kérdőleg bámul rá

Aki tükör mellett is ily sokáig öltözik, annak nincs gyakorlata a vetkőzésben.

JÁNOS Nekem ugyan ehhez a hölgyhöz semmi közöm, de ez ízléstelen volt.

AZ ÖRDÖG *(felkel)* Ezt sértő szándékkal mondtad?

JÁNOS *(támadólag)* Igen!

AZ ÖRDÖG *(leül)* Akkor te pedig tisztességes ember vagy.

János rábámul

Ilyen helyzetben, ilyen végtelen ostobául csak tisztességes ember viselkedhetik.

HETEDIK JELENET

Voltak, Jolán majd András

JOLÁN *(belép felöltözve, rá se néz az ördögre, Jánoshoz siet)* Hány óra?

AZ ÖRDÖG Tíz perc múlva itt lesz.

JOLÁN *(haragosan)* Kicsoda?

AZ ÖRDÖG Az ura.

JOLÁN *(elbámul)* Hát akkor ön mégsem aludt ott a székben.

AZ ÖRDÖG Dehogynem. Csakhogy a „hány óra" mindig a férjét jelenti. És az asszonyi sejtés mindig pont tíz perccel előre érzi meg a férjet. Ha ez a tíz perc nem volna, több volna az elvált asszony, mint fű a réten.

JOLÁN *(kezibe veszi a kalapját)* Hát nem lesz vége ennek a témának?

AZ ÖRDÖG Én már másról kezdtem beszélni. Időről, tárlatról. De János tért vissza erre a tárgyra.

JOLÁN János?

JÁNOS Én? Egy árva szóval sem...

AZ ÖRDÖG *(közbevág)* De egy árva mozdulattal. Fölkelt, megnézte az óráját és idegesen ment az ajtó felé. Félt szegény.

JÁNOS Ugyan mitől?

AZ ÖRDÖG *(Jolánhoz)* Hogy az ura aközben talál jönni, miközben ön öltözik. És okosan félt.

JOLÁN Már megint... } *(Egyszerre)*
JÁNOS Micsoda... }

AZ ÖRDÖG Kérem, kérem, kérem. Hadd mondom meg. Mi történik? Bejön az ura. Azt mondja: „Na, itt vagyok, hadd látom a megkezdett képet!" Kép – az nincs. – Ugye? János nem is nyúlt az ecsethez. Az ura elcsodálkozik. – Hallgat. – Megdöbben. – Valami furcsa szorongást érez a torkában. Nehezen jön belőle a szó és azt mondja: „Hát igen, de ha nem volt festés... semmi... – hát akkor *mért öltözik?*" Képzelje el ezt a pillanatot. Hárman kínosan bámulnak egymásra. János mond valamit, de akkor ez már semmi. Nem történt semmi rossz és mégis baj van. Tudják, mi ez? Ez a látszat. Gazságból kivágja magát az ember, de a látszat, az ragad, mint az enyv. Akármit mondasz, rossz. Akármerre mozdulsz, jobban beleragadsz. És egy ilyen pillanat örökre beleül a férj szívébe. *(Jolánhoz)* Hadd váljak barátjává ennek a furcsa helyzetnek a révén, amibe kerültem. Hazamennek együtt és az ura egy szót se szól az úton. És ha maga azt kérdi: „Miért hallgatsz?" – akkor már vér csöpög a szívéről. Még ha anynyit mond is: ŰMenjünk kocsin!" – ez is rossz, ez is átkos, gyanús, kínzó, emögött is keres valamit.

JÁNOS De még ha így is volna… nem vagyunk ketten? Itt vagy te!

AZ ÖRDÖG *(gonosz hidegséggel)* Úgy van. Itt vagyok én, aki egy szóval ki tudom magukat húzni a látszatból. De én egy furcsa, bolond, szinte ijesztő természet vagyok, s ahogy magamat ismerem, képes vagyok arra, hogy egy árva szót sem szólok. Kínos csönd. Aztán ezt mondom: „Pardon. Sajnálom, hogy én is rosszkor jöttem." Veszem a kalapomat és – diszkréten el. Sőt még dadogok is, ha kell.

JOLÁN Micsoda tréfa ez? De hiszen ez gyalázat, amit beszél!

AZ ÖRDÖG Feltétlenül az. De ez még nem minden. Vagyok olyan korrekt úriember, hogy ha most az ura bejön, előbb konstatálom, hogy nincs egy ecsetvonás sem, aztán – bocsánatot kérek tőle.

JOLÁN Miért?

AZ ÖRDÖG Amért végignéztem, látatlanul, akaratlanul az ön vetkőzését.

JOLÁN *(rémülten)* Kicsoda maga?

AZ ÖRDÖG Valaki vagyok, aki a kellő pillanatban jött. Sehonnan se jöttem és sehova se megyek. *(Nagyon nyomatékosan)* Itt vagyok! *(Az asztalra üt)*

JOLÁN Mit jelent ez a csapda? Mit akar tőlem? Belekapaszkodik egy gonosz látszatba… öt perce ismerem… és a torkomra teszi a kezét.

AZ ÖRDÖG Ez csak a tisztelet jele. Más szépasszonynál, öt perc múltán, nem oda teszem.

JÁNOS *(felpattan)* Nem fogom tűrni! *(Az ördög felé megy, aki mozdulatlanul, emelt fővel áll)*

Ebben a pillanatban csöndesen bejön András a bejáratajtón és rögtön meg is szólal

ANDRÁS *(megáll az ajtóban)* Frakkot hoztak a szabótól. De nem a nagyságos úr frakkja.

AZ ÖRDÖG Jó. Tegyék be a hálószobába.

András indul

JÁNOS De ha nem az enyém.

AZ ÖRDÖG *(egyik kezével int Andrásnak, hogy mehet. András el is megy. A másik kezével visszatartja az András felé induló Jánost)* Csak maradj. Az enyém. Az én frakkom.

JÁNOS Hogyan...

AZ ÖRDÖG Összegyűrődött a táskámban és kivasaltattam. A szabót ideadresszáltam. Át kell öltöznöm, mert ma estére meg vagyok híva egy szépasszonyhoz estélyre. Városligeti fasor 65. Gróf Schellenburg-villa.

JOLÁN *(ijedten)* De hiszen a gróf... már nem lakik ott. Kinevezték követségi tanácsosnak... a villát eladta. Mi vettük meg.

AZ ÖRDÖG Tudom. Beszéltem vele Párizsban.

JOLÁN Hát ott most csak mi lakunk... és nálunk van estély.

AZ ÖRDÖG Vagy... megint tévedtem volna: nem vagyok talán meghíva?

JOLÁN *(lehajtja a fejét, halkan)* De igen. Meg van híva.

AZ ÖRDÖG Asszonyom, ön az imént azt kérdezte: mit akarok öntől. Ezt akartam. Köszönöm.

Szünet

JOLÁN De az uram...

AZ ÖRDÖG El lesz tőlem ragadtatva. Fiuméből jövök és kellemes hírül hozom neki, hogy az amerikai kukorica füstöl, mert dohos lett a hajón.

JOLÁN *(hirtelen, érdeklődve)* Az amerikai tengeri füstöl?

AZ ÖRDÖG Mégis szereti az urát. Örül neki, hogy füstöl?

JOLÁN Örülök. Mi tudniillik... *(szégyenlősen)* hosszra játszunk.

JÁNOS Mit jelent az, ha füstöl?

AZ ÖRDÖG Az azt jelenti, hogy őméltósága férje sokszor tízezer forintot fog nyerni a tőzsdén, s erre a füsthírre megkapja az új toalettet, amit kért.

JOLÁN Hát azt is tudja, hogy új ruhát kértem?

AZ ÖRDÖG *(az asszony kalapjára mutat)* A kalap, látom, új. Valamit meg csak kell kérni hozzá.

JOLÁN Ön talán nős ember?

AZ ÖRDÖG Nem. De azért meglátom az ilyet. A feleség egyébként is olyan, mint a monokli. Elegáns viselet, de nélküle jobban lát az ember.

JOLÁN Miért mondja ezt?

AZ ÖRDÖG Mert maga meg akarja házasítani Jánost, én meg le akarom őt erről beszélni.

JÁNOS De… Kérlek…

AZ ÖRDÖG *(közbevág)* Ne szólj. Művész ne házasodjék meg. Az asszony esküszik: mindhalálig melletted lesz. Másnap egyet lép és elébed áll.

JOLÁN De nem az igazi asszony!

AZ ÖRDÖG Igaza van. De igazi asszony mindig csak egy van: másnak a felesége.

JOLÁN Pfuj. Milyen cinikus gondolat.

AZ ÖRDÖG Nem. Praktikus csupán. Az olyan tigrisnek, amely egy embert már fölfalt, a hátára kell ülni. Mindig meg kell várni, míg egy a torkába ugrik. Csak ezzel a módszerrel érdemes bemenni az őserdőbe.

JOLÁN De ha már az első férfi, a férj erős! Ha már az megszelídíti a tigrist! Ezt hogy hívják?

AZ ÖRDÖG Ezt állatszelídítőnek hívják. És pénzért mutogatják, ketrecben, a nyavalyás tigrisével együtt.

JÁNOS Nem kell a tigrisek közé menni. Otthon kell maradni.

AZ ÖRDÖG De te már nem maradtál otthon! Te már elmentél hazulról, mikor művész lettél, és ezért ott hagytad a meleg hivatalt, a kényelmes polgári erkölcsöt és a fix fizetést. Te már benne vagy a rengetegben! Neked már küzdened kell! Ne menj te férjnek!

Ah, hiszen, ha… *(más hangon, kettőjükre mutatva)* milyen csodaszép pár volnátok, így, ketten.

Jolán feláll és homlokára téve a kezét, elfordul. Innen kezdve a jelenés végéig majdnem egészen besötétedik, csak a kandalló világít pirosló fénnyel, a puffon ülő ördögre

JÁNOS Komolyan kérlek…

AZ ÖRDÖG *(szavába vág)* Föl kell ébredni, ez az élet kulcsa, és ezt eltitkolják előttetek. Te tele vagy tűzzel, tehetséggel… ez az asszony forró és szép…

JÁNOS Most nagyon komolyan kérlek… reszket a szívem, mikor a szemedbe nézek… hagyd abba… Ne beszélj. Mi hat esztendő óta nyugodtan…

AZ ÖRDÖG *(innen kezdve halkan, rábeszélőleg, melegen duruzsoló hangon, majdnem suttogva beszél. Egy-egy felháborodást mozdulattal csillapít el. Egyre nagyobb hévvel beszél, egyre melegszik)* Akármit mondasz, a szemed int nekem: „ne hidd, hazudik!" Én a szemetekkel beszélek. A szem az emberi tisztesség biztonsági lámpája. Mikor már minden sötét a hazugságtól, az ő kis reszkető fénye titkosan csillog.

JÁNOS Ne vágj mindig a szavamba! Hat esztendő óta nyugodtan élünk együtt. Jolán nem törődik velem és én… én… közömbös… közömbös… én…

AZ ÖRDÖG *(hirtelen)* Mit fizetsz, amért most a szavadba vágok?

Csönd. János lehajtja a fejét

JOLÁN Nem tudom, mit tud erről ön, aki, úgy látom, mindent tud. De aki Jánost csak egyetlen rossz gondolattal gyanúsítja, az romlott lélek…

AZ ÖRDÖG Hát ez rossz, ez a gondolat? Dehogy rossz! Jó ez, jó meleg, sugárzik belőle minden, ami fényes öröm csak van ebben a ti szomorú életetekben! Csak meg kell érte fizetni, adta fösvény népség!

Ha bort iszol, tönkremégy belé. De amíg részeg vagy, kis fehér angyalok muzsikálnak a szívedben. Megfizetsz érte, de megéri. A cukortól elvásik a fogatok. De édes volt. A legszebb nótáitokba belehal, aki csinálta. Szegény emberi virtus, spórolni, ellökni a bort, a nótát, az asszony száját... A legutolsó faggyúgyertya megtanít arra, hogy érdemes elpusztulni egy kis melegért, meg egy kis világosságért. Az élet arra való, hogy elégjetek benne! Forrni kell, égni, másokon végigtiporni! Tudom, tudom, komisz beszéd. Azt mondja a nagy tan: szeressétek egymást. De ehhez ti még fiatalok vagytok azzal a rongyos pármillió éves kis életkorotokkal. Ezért voltak ennek a gondolatnak csak aszkétái, vértanúi vagy hazugjai. Ne hazudjunk. A diadalmas világ a kedves és okos komiszaké, ide nézzetek rám, az enyém a világ, és amit én itt a fületekbe duruzsolok, az mindenkinek a titkos vallása... ez nem vízzel keresztel, hanem tűzzel... érted, fiam? Magatokat szeressétek, puha bársonyban járjatok, igyatok sok édes bort, csókoljátok egymás száját, és részegedjetek meg, gyermekeim, részegedjetek meg...

Éles csöngetés. Senki se mozdul

JOLÁN *(megbabonázva, nagyon halkan)* Az uram.

AZ ÖRDÖG *(bosszúsan, hangosan térdére csap. Feláll. Egészen más, hideg gúnyos hangon, mint aki dühös, amért megzavarták)* A kukorica!

NYOLCADIK JELENET

Voltak, András, László

András kinyitja az ajtót és László belép. András bejön utána. László megáll a küszöb előtt. János és Jolán feláll

LÁSZLÓ Elkéstem egy kicsit. A pincérekkel sok baj volt és a fiumei ember még mindig nem telefonált. A sötétben üldögéltek?

András egyet csavar a falon. A kandeláber kigyullad. András el

LÁSZLÓ *(észreveszi az ördögöt)* Pardon, László vagyok.

Az ördög mormog valamit

JOLÁN Egy furcsa úr, akihez létrával fog menni a halottkém.

LÁSZLÓ Van szerencsém.

AZ ÖRDÖG Azt akarja mondani, hogy az akasztófán végzem? Nem. A halottégetés híve vagyok. Az gyönyörű dolog. Egyszer láttam egy stanicliban egy egész berlini családot. Nagyon megható volt.

LÁSZLÓ *(udvariasan nevet)* Bizarr gondolat. *(Körülnéz)* No gyerekek, hol a kép, hol a kép? Égek a kíváncsiságtól. Hadd látom.

JÁNOS Nem láthatod, mert nincs.

LÁSZLÓ Hát nem festettél? *(Órájára néz)* Másfél óra telt el.

JÁNOS Nem.

Szünet

JÁNOS Sötétedett és mikor hozzá akartam fogni...

LÁSZLÓ De hát... amíg be nem sötétedett?

AZ ÖRDÖG *(előlép)* Én vagyok az oka. Jöttem és eldiskuráltuk az időt. De a méltóságos asszony elmésen fizetett ki az alkalmatlankodásomért. Meghívott ma estére.

LÁSZLÓ Igen. Nagyon örülök.

AZ ÖRDÖG Nem jövök üres kézzel. Tegnap Fiumében kukoricakirályokkal beszéltem.

LÁSZLÓ Tudom, tudom, baj van. Füstöl az amerikai.

JOLÁN *(ijedten)* Hát az nekünk nem jó?

LÁSZLÓ Bizony nem. Életemben először titkoltam el előtted, hogy besszre játszom.

JÁNOS Mit csinál az, aki besszre játszik?

AZ ÖRDÖG Magának vermet ás, hogy más essen bele. Megnyugtathatom, az amerikai nem dohos.

LÁSZLÓ Nem füstöl?

AZ ÖRDÖG Nem.

JOLÁN De hiszen az előbb azt mondta…

AZ ÖRDÖG Az egy hajó kéményének a füstje volt. Csak meg tudok különböztetni egy tengeri hajót egy hajó tengeritől!

JÁNOS Furcsállom az értesüléseidet.

AZ ÖRDÖG Ezt láttam. Hát már mindent titkoljak el, amit láttam?

LÁSZLÓ Ön kereskedő?

AZ ÖRDÖG Nem. De azért néha rossz helyen, rossz időben kereskedem.

JÁNOS *(belevág)* Csak tizenegy felé jöhetek…

Diskurál vele

JOLÁN *(az ördöghöz)* Azonnal akarok magával beszélni, négyszemközt. *(Körülnéz)* De hogyan?

AZ ÖRDÖG Hogyan? Így ni. *(Lászlóhoz)* Akar látni valami rosszat? Nézzük meg azt a szénvázlatot, amit János tegnap csinált őméltóságáról.

LÁSZLÓ Hol van?

AZ ÖRDÖG A műteremben.

LÁSZLÓ *(a műterem felé indul)* De hát miért nem festettél ma semmit? Mit csináltatok? *(Jánossal el a műterembe. Az asszony utánuk. Leghátul az ördög)*

Mikor az ördög a küszöbhöz ér, megszólítja Jolánt

AZ ÖRDÖG Én itt maradok. Jöjjön ki.

Visszafordul. A bejáraton belép Cinka

KILENCEDIK JELENET

Az ördög, Cinka

CINKA Bocsánatot kérek...

AZ ÖRDÖG A művész urat keresi?

CINKA *(izgatottan)* Igen.

AZ ÖRDÖG Várjon, fiam, az előszobában. Most megrendelők vannak itt. *(Kitolja, kiszól utána)* Csak üljön le, mindjárt elmennek. *(Visszajön)*

TIZEDIK JELENET

Az ördög, Jolán

JOLÁN *(besiet)* Azért akartam magával négyszemközt maradni, hogy megmondjam...

AZ ÖRDÖG Ez hazugság.

JOLÁN Micsoda?

AZ ÖRDÖG Akármi, amit mond. Azért akar velem beszélni, mert érezte, hogy az ura rosszkor jött. Magát ez bántja.

JOLÁN De higgye el nekem...

AZ ÖRDÖG Ilyet meg asszony ne mondjon.

JOLÁN De ha igazat akarok mondani!

AZ ÖRDÖG Ha igazat mond, akkor csal! Maguk nők csak hazudjanak szépen, így még megértjük egymást valahogy.

JOLÁN De hát már teljesen az lesz a vége, hogy azt gondolom és azt mondom, amit maga akar?

AZ ÖRDÖG Ott még nem tartunk, fájdalom. Mit parancsol velem?

JOLÁN Meg akarom kérni, hogy ne jöjjön el ma este hozzánk.

AZ ÖRDÖG Hm.

JOLÁN Most két perc alatt lélegzethez jutottam. Én boldog és tisztességes asszony vagyok. Az is maradok.

És bánt a maga frivol hangja, a szava, a gondolata, meg az a rejtő erő, amivel valami cél felé megy. Már rajtakaptam magam, hogy érdekelt, amit mondott. De hála istennek, belecsöngetett a szónoklatába a drága jó uram. Jókor jött.

AZ ÖRDÖG Csattanónak jött a mondatom végére. Én néztem a maga arcát. Hohó, madame! Abban a percben mi hárman *egy* párton voltunk.

JOLÁN Könyörgök, hagyja abba.

AZ ÖRDÖG Hogyan? Már – fél?

JOLÁN Nem. *(Ridegen, hivatalosan)* Kérem, ne jöjjön el hozzánk ma este.

AZ ÖRDÖG El fogok jönni.

JOLÁN És ha az uram fogja mondani, hogy ne jöjjön?

AZ ÖRDÖG Az ura azt fogja mondani, hogy jöjjek.

JOLÁN És ha én az *uram előtt* fogom felszólítani, hogy ne jöjjön el?

AZ ÖRDÖG Alkudjunk. Mondok valamit. Ha ma délután, itt az ura előtt, még egyszer meg nem hív, nem megyek el. De ha még egyszer meghív, ott leszek.

JOLÁN *(megkönnyebbülten)* Ez már beszéd. Lássa, most kedves volt. Szinte kezdek megnyugodni.

TIZENEGYEDIK JELENET

Voltak, János, László

János és László kijönnek a műteremből. László rögtön az ördöggel kezd diskurálni, János pedig Jolán felé megy

JOLÁN Megyünk?

László Igen. Öltözz, fiam.

JÁNOS *(fölsegíti Jolánra a kabátot)* Most látom, milyen rossz a vázlat.

JOLÁN Ne nézzen így, János.

JÁNOS Ha nem is nézem, látom.

JOLÁN *(keze fejével eltakarja az arcát)* Nem fog lefesteni, János. Gyerünk innen... haza, haza, haza... *(Az ördög és László felé indul)*

AZ ÖRDÖG *(felkiált)* Hogyan? Ön képviseli Pesten Freebody barátomat?

LÁSZLÓ Barátja?

AZ ÖRDÖG Húsz éve. Most is náluk laktam Londonban! Tudja hogy... *(fanyar arcot vág)* baj van?

LÁSZLÓ Érdekes! Ön már a második, aki ilyesmit mond.

AZ ÖRDÖG A fiatal Freebody elvesz egy Fleury-Ravarin lányt. A Fleury-Ravarin-cégről pedig egész Európában tudják, hogy a tönk szélén áll.

LÁSZLÓ Tudom. *(Megdöbbenve)* Annak a lányát veszi el?

AZ ÖRDÖG Az még nem volna baj. De hogy lábra állítsa a részvényeket... de ez nagyon hosszú história és nekem most sürgős dolgom van. *(Indul)*

LÁSZLÓ *(visszatartja)* De kérem! Roppantul érdekel! Képzelheti, hisz az én bőrömről is van szó!

AZ ÖRDÖG Majd egyszer elmondom.

LÁSZLÓ Hát ma este... hiszen hozzánk jön.

AZ ÖRDÖG Apropos. Jó, hogy említette. *(Jolánra néz)* Épp most exkuzáltam magam a méltóságos asszonynak. Nem mehetek el. Az imént jutott eszembe, hogy ma este föl kell mennem az angol főkonzulhoz.

LÁSZLÓ Hát holnap reggel.

AZ ÖRDÖG *(bocsánatkérő mozdulattal)* Hajnalban utazom.

LÁSZLÓ Nekem ez az információ kell. Erőszakot fogok alkalmazni. Édesem, kérd meg, hogy jöjjön el.

JOLÁN *(zavarban)* De ha fontos dolga van.

AZ ÖRDÖG Na hát... fontosnak éppen nem nagyon fontos. Egy kis áldozattal...

LÁSZLÓ No lássa!

JOLÁN A világért sem akarom, hogy áldozatot hozzon.

AZ ÖRDÖG *(homlokára csap)* Oh, bocsánatot! Most jut eszembe, hogy az angol konzul nincs is Pesten! Így hát ha őméltósága...

LÁSZLÓ Na, Jolán! *(A kalapját veszi)*

JOLÁN *(megadja magát)* Akkor... legyen szerencsénk.

AZ ÖRDÖG Pardon, asszonyom. Nem jól hallottam.

JOLÁN Legyen szerencsénk.

AZ ÖRDÖG *(összecsapja a bokáját)* Köszönöm.

LÁSZLÓ *(Jánoshoz)* Te előbb máshová mész?

JÁNOS Egy műkereskedő...

LÁSZLÓ Nősülni jössz, és még mindig... műkereskedők?

JOLÁN *(érdeklődve)* Mi az?

JÁNOS Az izé... a...

AZ ÖRDÖG Pszt! *(Szünet)* Nem kopogtattak az ajtón?

Mind figyelnek

LÁSZLÓ Nem hallottam.

AZ ÖRDÖG Most megint. Alighanem itt a műkereskedő. *(Kinyitja a bejáratajtót)* Ja, maga az, szívem? Tessék. *(Beereszti Cinkát)*

CINKA Jó estét.

JÁNOS Jó estét.

AZ ÖRDÖG *(Lászlóhoz halkan)* Legyünk diszkrétek. Gyerünk. *(Cinka mereven nézi Jolánt)*

AZ ÖRDÖG A műkereskedő.

LÁSZLÓ Szervusz. *(Előremegy sunyi nevetéssel)*

AZ ÖRDÖG *(Jolánhoz)* Maga nem nevet?

JOLÁN Nem.

JÁNOS *(a műterem felé mutat)* Kérem, kisasszony, mindjárt jövök.

AZ ÖRDÖG Kérem? kisasszony? Ez jó.

JÁNOS Kezét csókolom.

Jolán néma főhajtással indul

AZ ÖRDÖG *(útját állja)* Most én hálás leszek a meghívásért. Én visszajövök ám ezek közé, mert tetszik tudni, én úgy itt felejtem a télikabátomat, mint annak a rendje! *(Kezet csókol Jolánnak, aki visszanéz Jánosra és Cinkára. Jolán el)*

ANDRÁS *(rásegítvén az ördögre az általa a kezébe adott kabátot)* Kérem, ez a gazdám kabátja.

AZ ÖRDÖG Fogja be a száját! *(El. András fejcsóválva utána)*

TIZENKETTEDIK JELENET

János, Cinka

JÁNOS Minek jöttél ide? Mit akarsz? Hát nem megmondtam, hogy elmegyek hozzád?

CINKA *(sírásra álló hangon)* Most szégyelltél a privát előtt.

JÁNOS De ha megmondtam, hogy elmegyek! Mit akarsz?

CINKA Lent ültem a kávéházban és meggondoltam... mégis... édes János... *(belekapaszkodik)* ne nősülj meg.

JÁNOS Összetöröd a galléromat.

CINKA Tudod, az előbb még nem bántam. De most, mikor láttam, hogy idejöttek ezek, a szívemre szaladt az egész ügy. Ne nősülj meg.

JÁNOS *(elérzékenyül)* Na ne sírj mindig, fiam. Az nem szép. *(Megsimogatja)*

CINKA *(kedvesen)* Ugye rémisztő buta vagyok?

JÁNOS Igen, igen, fiam. Most kedves vagy. Látod, így szeretlek, ha ilyen szép buta vagy. Most majd fogok veled szépen, nyugodtan beszélni arról a házasságról. Na gyere fiam. Maradj most itt. Jó is, hogy most itt vagy. Vesd le szépen a kabátkádat. Így ni. *(Lesegíti róla félig)* Én vagyok a te barátod és te vagy az én... az én... az én... az én...

TIZENHARMADIK JELENET

Voltak, Az ördög

AZ ÖRDÖG *(nesztelenül lép be és folytatja a mondatot)* ...az én... az én... az én... télikabátom itt maradt. Az ostoba inasod a tiedet adta rám. *(Leveti)* Hát én már mindig olyankor jövök, amikor nőket vetkőztetsz?

CINKA *(rémülten)* Micsoda? *(Visszakapja a kabátját)* Hát még ez is?

AZ ÖRDÖG Mi ez? Női szabónál vagyok?

Cinka kitörő sírással el

TIZENNEGYEDIK JELENET

János, Az ördög

JÁNOS Na ezt szépen elintézted.

AZ ÖRDÖG Ha ez köszönet, szívesen.

JÁNOS *(udvariatlanul)* Majd behozatom a kabátodat. Nem tartóztatlak.

AZ ÖRDÖG Leszakadt az akasztója. Az inasod most varrja. Ha készen lesz, behozza. Borzasztó volt!

JÁNOS Mi?

AZ ÖRDÖG Hogy ez az asszony hogy belekapaszkodott az ura karjába. Menekült hozzá valami elől.

JÁNOS Csak nem akarod azt mondani, hogy előlem?

AZ ÖRDÖG Mondd, édesem. Jó – szamárnak lenni?

JÁNOS Nem kéne veled szóba állnom, de bosszant, hogy okos ember létedre ezt nem érted. Ezzel az asszonnyal hat éve mindennap látjuk egymást és soha, soha nem jutott eszembe, hogy... és ha egy pillanatra mégis... hát kinevettem magamat.

AZ ÖRDÖG Csak rá kell nézni. Akkor a tiéd, amikor akarod. Csak a kezedet kell kinyújtani utána. És a szerencsédet, a boldogságodat jelenti... a nagy életet, amelyen lusta vagy elindulni! Más ember egy életen át küzd egy ilyen asszonyért, te meg találod. Talált kincs!

JÁNOS Éppen nem talált kincs.

AZ ÖRDÖG Tavaly, ősszel, szeptember hatodikán – még a dátumot is megjegyeztem – egy nagy hátborzongató történet esett meg velem. A nyári ruháimat eltettem, az őszieket vettem elő, s öltözködés közben az egyik őszi mellényem zsebében találtam egy aranyat, amely ott lapult, ki tudja mióta. Ejnye – mondom –, talált pénz! Nézegetem, forgatom – ugyan mikor felejthettem ezt a zsebemben? És ahogy nézem, egyszerre csak kiesik a kezemből. Valahova elgurult. Hát lehajoltam utána. Keresem, nem találom sehol. Idegessé tett, hogy így nyomtalanul eltűnt, kutatom, nincs sehol. Keresem egy félórát, háromnegyed órát – nincs. Most már bántott, hajszolt valami, most már a fogamat összeszorítva, dühvel kerestem, észre se vettem, hogy bútorokat döntök fel – nincs. Behívom az inast. Kerestük együtt, estig. Már csurgott rólam a veríték, reszketett a kezem az izgatottságtól, éreztem, hogy meg *kell* találnom ezt az aranyat – de hiába volt minden. Akkor egyszerre felugrom és rákiáltok az inasra: „Te megtaláltad és zsebre vágtad, gazember!" Az inas dühbe jön, gorombán felel vissza. Meg akarom ütni – villan egyet a szeme, és előkapja a bicskáját. A revolveremhez nyúltam. *(Kivesz a zsebéből egy fényes revolvert, és szép lassan leteszi az asztalra)* Ezzel a revolverrel, ezzel, ni... látod? Ezzel a revolverrel, majdnem embert öltem egy aranyért, ami nem kellett, amiről addig nem is tudtam, amit találtam, de ami abban a percben, hogy volt, megvolt. Az enyém volt.

JÁNOS *(kissé zavartan)* Én... én... a talált pénzt borravalónak adom.

AZ ÖRDÖG Én is annak akartam adni. De elgurult! És ami gurul előlünk, annak utánamegyünk! Azt kergetjük! Hisz ez a férfi! És utánamégy te is a talált aranyadnak, ha majd egyszer gurul előled! És akkor, ami addig talált arany, rongyos arany volt, szép, fényes arannyá válik, ami csillog, ami drága, ami kéne!

JÁNOS Talált aranyért revolverhez nyúlni!

AZ ÖRDÖG Így drágul meg majd ez a kis asszony is a szemedben. Majd érzed: ez szárnyakat adott volna! Ez meleg, színes! Az ő forró lélegzetén a legszebb lázak gyúlnak! Majd mondod, ha gurul: nagy ember lehettem volna… művészet? Dehogy! A szeretőd kedvéért, hogy egyre jobban és halálosabban csókoljon! *(Kezébe akad a sál, ami Jolánon volt)* Ez az a sál, ami azon a szép, édes mellén volt.

JÁNOS *(halkan, érzékien)* Olyan a melle, mint egy kis párna.

AZ ÖRDÖG A szeme alvó parázs. Mint a fátyollal letakart gyémánt.

JÁNOS *(halkan ismétli)* …mint a gyémánt…

AZ ÖRDÖG Két szép ember. Ez felfokozza a gyönyörűséget. Nem az esik jól neked, hogy ő szép, hanem, hogy te vagy szép!

JÁNOS *(nagy izgalomban)* Hiszen te megbolondítasz… te itt tragédiát főzöl… romlásba viszel… ne beszélj!!

AZ ÖRDÖG Megint félsz! Takarékoskodol! Mikor az élet csak akkor kincs, ha pazarolják!

JÁNOS De… miért mondod ezeket… hogyan… miért… *(Ijedten)* Ki küldött téged?

AZ ÖRDÖG *(elsötétült arccal)* Senki. Itt vagyok.

JÁNOS Nem. Tudod? Nem! Nem kell a talált arany! Esztendőkig jártam körüle, majd csak elmegyek mellette most is!

AZ ÖRDÖG *(hirtelen)* És ha majd elgurul előled? Ha elviszi más?

JÁNOS *(felháborodva)* Kicsoda?

AZ ÖRDÖG *(diadallal)* Én!

Szünet

JÁNOS Te???

AZ ÖRDÖG Ma este! Ma éjjel! Egy estén az enyém! Úgy játszom vele, ahogy akarok! És odajön, ahova viszem! Hahó! Hatezer év óta nem volt ilyen szeretőm!

JÁNOS *(rémülten)* Mit mondtál?

AZ ÖRDÖG Szeretőm! Úgy fog hajlani, ahogy hajlítom! Gyere el ma este oda a szalonjába, a csillárja alá, a parfümbe, a sok meleg lélegzet közé és nézd végig, hogyan szédül el egy asszony! Mire kihajnalodik...

JÁNOS Elég!

AZ ÖRDÖG És akkor jössz te is! Szaladsz a kincsed után! És minden órában, amiről nem tudod, hogy hol töltötte, nálam volt! A ligetben látsz egy lefüggönyözött kocsit. Megdobban a szíved: „Kik ülnek ebben?" Tudod, kik? Mi ülünk majd benne! És az utcasarkon két összebújt ember surran előled. Megijedsz: Kik voltak ezek? Mi voltunk! És minden kocsiban mi ülünk, minden sötét utcában mi osonunk, ketten – minden függöny mögött, ahol hirtelen elalszik egy lámpa, mi öleljük egymást és kinézünk a forró szobából, rád, a te vad, szerelmes, szomorú, sápadt arcodba, a te ijedt szemedbe, és össze fogunk bújni és nevetni fogunk rajtad, édesen, melegen...

JÁNOS *(a legnagyobb izgatottságban)* Elég volt!!

AZ ÖRDÖG *(egy hanggal fölébe csap)* Nevetni fogunk rajtad, te szomorú ember, te alkalom-elszalasztó, és ő fog jobban nevetni, édesen, sikoltozva, mint akit csiklandoz egy férfi!

JÁNOS *(ordítva)* Te!!! *(Rácsap a revolverre. Az ördög villámgyorsan lecsap a kezére)*

Szünet. János lehajtja a fejét. Lassan elhúzza az ördög keze alól a kezét. Aztán az ördög is elveszi a kezét a pisztolyról. János a földre néz. Ebben a pillanatban nesztelenül megjelenik András az ördög mögött a bundával. Az ajtót nyitva hagyta. Most rásegíti az ördögre a bundát és az ajtóhoz áll. Az ördög a cilinderét a kezébe veszi. Az asztalhoz lép, elveszi onnan lassan a revolvert. A kezében tartja

AZ ÖRDÖG *(nagyon halkan, szomorú mosollyal, atyai, meleg, vontatott hangon)* Látod, fiam. Te is hozzányúlsz… talált aranyért… ehhez a revolverhez… *(Fölteszi a cilinderét és nem veszi le szemét Jánosról)*

János egy helyen áll és komoran néz a földre. Az ördög lassan az ajtóhoz megy. A küszöbről visszanéz. Villan egyet a szeme. Aztán eltűnik. András csöndesen beteszi utána az ajtót és némán áll mellette. Egy pillanatnyi szünet. Aztán hirtelen függöny

MÁSODIK FELVONÁS

Hall, a László-villában. Háttérben balról ajtó, melytől 8-10 lépcső vezet le. Jobbról s a háttér jobb felén télikert üvegfallal a kertre. Jobbról elöl ajtó. Kanapé, fotelek, asztal íróeszközzel. Történik aznap éjszaka éjfél után

ELSŐ JELENET

Vendégek, majd Elza, Az ördög

Mikor a függöny felgördül, urak és hölgyek sétálnak a hallban és a télikertben. A hátsó ajtó, mely egy díszes szalonba nyílik, nyitva van. Az emeletről keringő hallatszik fojtott hangon, cigánybanda játssza

ELSŐ HÖLGY Ki az a fekete ember, kit maga az előbb a faképnél hagyott?

A MÁSODIK HÖLGY Nem tudom.

EGY ÚR Velem is kellemetlenkedett. Tizenkét évvel ezelőtt magyarosítottam a nevemet, még a régi nevemen szólított.

ELSŐ HÖLGY Ki az? Kellemetlen fráter.

MÁSODIK HÖLGY Odamegy az uramhoz és azt mondja neki: Ma olyan hideg lesz éjszaka, hogy az ön fogai vacogni fognak a pohárban.

EGY HÖLGY Jolán azt mondja, hogy Száki János hívatta meg. Annak a barátja. *(Közben lárma)*

ELSŐ KÖVÉR HÖLGY *(jön le a lépcsőn)* Hallatlan.

TÖBBEN Micsoda?

A KÖVÉR Az a fekete ember, a Száki barátja, védelmébe vette Tóth Elzát, a szemtelen Elzát és maliciákat mond mindenkinek, aki Elzát bántja. Én például azt mondtam az Elzának: fiam, magát ma este itt férjhez fogják adni, örülök, hogy végre baleknak látom. Hát azt mondja nekem: önök pedig elefántok. Én tudom, mi az elefánt, de az én termetemmel, ha ezt nekem mondják… *(Szörnyűködés)*

AZ EGYIK Jön! jön! Elzával jön! Én nem akarok vele találkozni!

A MÁSIK Én se! *(Elmenekülnek a télikerten át. Több úr vígan utánuk szalad)*

EGY ÚR *(fenn az ajtónál)* Jön!

Hirtelen csönd támad. Az az úr is elmenekül. Fenn az ajtóban megjelenik az ördög, karon fogva Elzával. Lassan jönnek le a lépcsőn. Mögöttük becsukódik az ajtó és elhallgat a zene

AZ ÖRDÖG *(a hölgyekhez)* Itt nagyon nagy a csönd, hölgyeim. Ahol ennyi hölgy hallgat, ott rosszat beszéltek valakiről.

Halk nevetés. Duruzsoló, társalgó moraj indul meg. Az ördög előrejön Elzával

ELZA Miért hozott ide? Azt mondtam, olyan helyre vezessen, ahol négyszemközt beszélhetünk.

AZ ÖRDÖG Nem telik bele öt perc, négyszemközt leszünk. Csak meg kell mondani mindenkinek azt, amitől elmegy. Aki ehhez ért, az tudja, mi a magány.

ELZA Miért mond maga mindenkinek kellemetlenségeket?

AZ ÖRDÖG Ma éjjel itt egy feladatot kell véghezvinnem, és ehhez szükségem van az egyedüllétre. Na már most, ha kellemes vagyok, körülrajong a társaság. Ha hallgatok, hozzám jönnek azok az öreg urak, akiket senki sem hallgat végig, és nem mennek le a nyakamról. Hát kellemetlen vagyok, mert magam akarok lenni. A malícia a gőgös lények rovarpora. És most bízza rám a takarítást. *(A kövér hölgyhöz lép)* Ne vegye sértésnek, amit az imént mondtam. Mi itt ma valamennyien elefántok vagyunk.

A KÖVÉR Köszönöm. Újból köszönöm.

AZ ÖRDÖG Ez csak névleg házszentelő estély. Valójában nagy elefántestély. Mi ma azért vagyunk itt, hogy ne lássuk, mikor Lászlóné férjhez adja a szemtelen Elzát.

ELSŐ HÖLGY Hallottam, Száki Jánossal boronálják össze.

A KÖVÉR Ez nagyon szép, nemes dolog.

AZ ÖRDÖG Ez új divat: megházasítani az udvarlót.

MÁSODIK HÖLGY Hiába gúnyolódik, ez legalább becsületes.

HARMADIK HÖLGY Tisztességes.

AZ ÖRDÖG Mikor a férfi kezd veszedelmessé válni, mikor méltóztat érezni, hogy: Jesszusom, ez az ember nagyon is érdekel – mikor nem tetszik tudni bróm nélkül elaludni, ha ott vacsorál maguknál, akkor hirtelen fogják és feleséget szereznek neki. Én tudok egy hölgyet, aki már két embert rázott le így. Az egyik egy mérnök volt.

MÁSODIK HÖLGY *(találva érzi magát)* Ne menjünk egy pohár pezsgőre a büfébe? *(Egy másik nővel elmegy a lépcsőn)*

AZ ÖRDÖG *(a kövér nőhöz)* A tisztességben maradásnak ez az egyetlen trükkje, amit Pesten eszeltek ki. Ebben a lusta városban. Máshol végigélik az asszonyok a szerelmeiket. Vagy félrelépnek, vagy megküzdenek magukkal, belesoványodnak, beletörődnek – de ez a parasztos megoldás, a drámának ez az elkerülése, ez a mienk. Nem szeretem az olyan lelki drámát, amely helyszerzéssel végződik. Az ilyen asszony nem hősnő, hanem cupringer.

A KÖVÉR Óh!

AZ ÖRDÖG Maguk sohasem tornáztak. Maguk nincsenek lelki válságokra berendezve, mint a francia vagy az orosz nők. Maguk nem gyalogolnak keresztül vízen, sáron, havon. Maguk konfortábliba ülnek, testileg is, lelkileg is. Csak drámát ne! Még a színházban se! A nyugtalanító férfi – el! Fort mit Schaden. És ezt nevezik a magyar írók az asszonyi élet rejtelmeinek. Emelem a poharamat a budapesti nőkre.

Két-három nő sértődötten el

ELSŐ ÚR Ön rútul gondolkozik a mi hölgyeinkről.

A KÖVÉR Csak mondják meg neki. *(A második úrra mutat)* Ide nézzen Bodajki úrra. Ez még abból az iskolából való, amely tisztelte a nőket. Férfiakkal szemben bátor. Velünk olyan, mint a kezes bárány.

AZ ÖRDÖG *(végignéz rajta)* Nem szeretem az olyan bárányt, amelyik váltókon kezes.

A második úr sértődötten távozik

ELSŐ ÚR Ön rútul gondolkodik a mi hölgyeinkről.

AZ ÖRDÖG Nem rútul. Szabadon. Én szabadgondolkozó vagyok. Ne ijedjen meg ettől a szótól. Ez Pesten azt jelenti, hogy szabad gondolkodni. Nem azt, hogy muszáj.

Az első úr sértődötten el

A KÖVÉR Mit csinál maga, ha majd olyan emberre akad, aki nem dugja zsebre a malíciát, mint ezek. Valami bátor emberre. Bár itt volna az uram. Az egyszer megütött egy cirkuszi birkózót.

AZ ÖRDÖG Gyáva fráter!

A KÖVÉR Micsoda?

AZ ÖRDÖG Most már nem ez a bátorság, nagysád. Azelőtt ahhoz kellett bátorság, hogy megüssek egy atlétát. Merjen az ura nyilvánosan megütni egy nyomorékot. Akkor elhiszem róla, hogy bátor ember.

A KÖVÉR No, ez szép. A szamárról van följegyezve, hogy megrúgja a haldokló oroszlánt.

AZ ÖRDÖG Ojjé! a szamaraknak már egészen új eljárásuk van. Megcsókolják a haldokló oroszlánt. Hátha felgyógyul.

A KÖVÉR Magával nem lehet bírni.

NEGYEDIK HÖLGY Christennével hiába kezd. Azt nem főzi le. Ő köztük a legférfiasabb asszony.

AZ ÖRDÖG A férfiasság szép dolog. A jó szivar illatos, ugye? De mit tart ön az olyan gyöngyvirágról, amelynek szivarszaga van?

A KÖVÉR *(a negyedik hölgyhöz)* Ezt neked köszönhetem. *(Sértődötten el)*

NEGYEDIK HÖLGY No, maga ugyan finoman beszélt a hölggyel.

AZ ÖRDÖG Csak nem fogok vele finoman beszélni! Nézze meg az ember! Hiszen ez úriasszony, nem konyhaszolgáló!

NEGYEDIK HÖLGY Nekem ebből elég volt. *(El)*

AZ ÖRDÖG *(ötödik hölgyhöz, aki egy hölggyel beszélget)* Ennek a hölgynek az ura kárpitos.

ÖTÖDIK HÖLGY Igen. Honnan tudja?

AZ ÖRDÖG A ruhájáról. Ilyen szövetben ma már csak fotelek és díványok járnak. De meg ne mondja neki.

ÖTÖDIK HÖLGY *(nevet)* Hová gondol. *(Nevetve a másik nőhöz megy)* Te...

AZ ÖRDÖG *(Elzához)* Most el fogja neki mondani.

ÖTÖDIK HÖLGY *(a hatodikhoz)* De add a szavadat, hogy nem fogsz megharagudni érte.

AZ ÖRDÖG Most a szavát fogja adni.

HATODIK HÖLGY Szavamat adom.

ÖTÖDIK HÖLGY Azt mondta, hogy... *(Beszél vele)*

AZ ÖRDÖG És most meg fog haragudni.

HATODIK HÖLGY Szemtelenség!

ELZA Miért mondta ezt neki?

AZ ÖRDÖG Hogy kimenjen.

ELZA Miért nem mondta neki magának?

AZ ÖRDÖG Hogy összevesszenek.

ÖTÖDIK HÖLGY Ez a legnagyobb arrogancia. *(Kimegy)*

Hatodik hölgy De Lili, na ne haragudj... *(Utánaszalad)*

AZ ÖRDÖG Kettőt egy csapásra. *(Körülnéz és meglátja az utolsó embert, akit még nem mart ki. Ez egy éltes úr. Odamegy hozzá)*

AZ ÉLTES ÚR *(fölkel)* Radványi Radó vagyok.

AZ ÖRDÖG *(ismétli)* Radványi Radó. Hm...

AZ ÉLTES ÚR Igenis, Radványi Radó.

AZ ÖRDÖG Hm. Ismeri ön azt a régi, jó magyar nevet, hogy: Füspök?

AZ ÉLTES ÚR Ismerem.

AZ ÖRDÖG Füspök. Ha az ember látja, Püspöknek olvassa, mint ahogy az értelem kívánja. Első látásra megesküdnék rá, hogy Püspök, és csak ha aztán jól megnézi, akkor látja, hogy nem Püspök, hanem Füspök.

AZ ÉLTES ÚR Mit akar ezzel mondani?

AZ ÖRDÖG Semmit. Csak ez jut mindig eszembe, mikor kitért izraelitát látok. Első látásra Püspök. Utóbb kisül, hogy már régen Füspök.

Az éltes úr sértődötten el

AZ ÖRDÖG *(Elzához)* És most, hogy magunkra maradtunk, parancsoljon velem.

MÁSODIK JELENET

Elza, Az ördög

ELZA Azért húztam félre, mert nekem is mondott valami kellemetlent, amire felelni akarok. *(Figyel a zenére)* Négyest táncolnak. Lemond róla?

AZ ÖRDÖG Egy négyesről egy kettesért, mindig.

ELZA Megvet engem, hogy udvariaskodik velem?

AZ ÖRDÖG Nem. Magamat vetem meg, ha udvarias vagyok.

ELZA Azt már szeretem, ha így beszél. Mert velem nem szokás udvariaskodni. Énrajtam minden férfi kipróbálja, hogy milyen goromba tud lenni. Nekem olyan arrogáns hírem van, hogy...

AZ ÖRDÖG Tudom.

ELZA Úgy hívnak, hogy szemtelen Elza.

AZ ÖRDÖG Tudom.

ELZA Engem zavarba hoz azzal, ha gyöngéd. Akkor én nem tudok epét kifejteni. Kérem, legyen valamivel gorombább, hiszen azért választottam éppen magát a sok frakkos alak közül, mert olyan kellemetlen.

AZ ÖRDÖG Kegyeskedjék parancsolni velem, kedves nagysád.

ELZA Hát hogy szemtelenkedjem én most magával?

AZ ÖRDÖG Hódoló szolgája vagyok, csináljon velem, amit akar.

ELZA Pfuj, milyen neveletlen. *(Feláll)*

AZ ÖRDÖG Végeztünk?

ELZA *(hirtelen)* Nem. Mikor a négyesre beharangoztak, valami olyat mondott, amiből arra következtettem, hogy Jánosnak barátja. Úgy van?

AZ ÖRDÖG Úgy.

ELZA Tudja, én az ilyen frakkos alakokat, mint maga, nem veszem komolyan. Amit így estélyen beszélnek, az olyan, mint a tegnapi újság. De nevettek rajtam a frakkosok meg a félmeztelenek.

AZ ÖRDÖG Kicsodák?

ELZA A nők. Hát ezt az egyet nem akarom. Nevetséges nem akarok lenni. Elhatároztam, hogy fölvilágosítom a közvéleményt. A maga kérdése kapóra jött. Hallgasson ide. Üljön le.

AZ ÖRDÖG Köszönöm. *(Nem ül le)*

ELZA Üljön le, ha mondom. Nem udvariasság ez. Szeretem, ha ül az, akivel beszélek. Ülő emberrel szemben könnyebben van igaza az embernek.

AZ ÖRDÖG Kérem. *(Leül)*

ELZA Maga azt kérdezi tőlem, hogy én vagyok-e az, akit hozzáadnak Jánoshoz? Így kérdezte, ugye?

AZ ÖRDÖG Így.

ELZA Nem úgy, hogy én vagyok-e az, aki hozzámegy?

AZ ÖRDÖG Nem így.

ELZA Hát igenis én vagyok az. De énrajtam ne mulasson senki, mert én mindent tudok. Érti? Tudom, mi van.

AZ ÖRDÖG Értem. *(Fel akar kelni)*

ELZA Üljön le. Nekem ne jöjjenek gratulálni, hogy aztán, ha elmennek, a markukba nevessenek. Én nem veszem be a maszlagot. Érti? Én tudom, kik maguk. Maguk mind egy maffiába tartoznak. Maguk mind férjhez akarnak engem ehhez a fiúhoz kenni.

AZ ÖRDÖG Pardon.

ELZA Léha fráterek, akiknek a veséjükbe látok. Én hozzámegyek, ha megkér. Tudja? Én hozzámegyek.

AZ ÖRDÖG Nem hiszem.

ELZA Akár hiszi, akár nem. A felesége leszek.

AZ ÖRDÖG Hát ha már megtisztelt a bizalmával, hadd mondom meg én is a magamét. Nem lesz ebből semmi. *(Fölkel)*

ELZA Üljön le.

AZ ÖRDÖG Pardon, most üljön le maga, mert most nekem kezd igazam lenni. Én tudom az intim okát ennek a partinak. De ön…

Arra megy egy inas

Kérem.

Az inas megáll

Itt a ruhatári számom. A télikabátomban van egy sárga bőrtárca. Hozza azt be.

INAS Igenis. *(El)*

AZ ÖRDÖG Ön vagy nem tudja az okát, vagy…

ELZA Vagy?

AZ ÖRDÖG Vagy nem akarja tudni. Ön belemegy abba, hogy…

ELZA Mibe megyek bele? Nem kell kanyarognia, hisz épp ezt akarom megmondani. Belemegyek abba, hogy felesége legyek egy férfinak, aki egy más nőt szeret. Mondjak olyat, amitől elájul? Hát én belemegyek abba, hogy nászútra menjek egy emberrel, aki még akkor is egy más nőre fog gondolni és aki a legszebbet, amit férfi nőnek adhat, a fantáziáját otthagyta egy asszonynál, mikor engem elvett. Maga nem ismeri a szemtelen Elzát.

Az inas behozza a bőrtárcát, átnyújtja az ördögnek és kimegy

AZ ÖRDÖG Nem is hittem, hogy ennyire izgatja ez a téma.

ELZA *(növekvő izgalommal)* De énrajtam ne nevessen senki! Ne higgyék, hogy maguk hecceltek bele. Ne mulassanak rajtam! Vegyék tudomásul frakkosok és félmeztelenek, hogy én tudom, hová megyek. Tudom, kinek a kedvéért megyek. És büszkén, fölemelt fejjel megyek! Mindent tudok és mégis hozzámegyek.

AZ ÖRDÖG Miért? *(Kinyitja a bőrtárcát)*

ELZA Mert… szeretem ezt az embert! *(Hirtelen néma sírásba fullad)*

AZ ÖRDÖG Parancsoljon! *(A nyitott neszesszerből egy finom női zsebkendőt húz elő és átadja)* Ezt a bőrtáskát mindig magamnál hordom, mikor nők közé megyek. Ez egy sírási neszesszer. Ebben megvan minden, ami a női síráshoz szükséges. Mindenekelőtt zsebkendő.

ELZA *(átveszi a zsebkendőt. A szemét törülve)* Szeretem.

A következők alatt az ördög sorra mindenfélét vesz elő a táskából és sorrend szerint átadja Elzának, aki mindent gépiesen átvesz és használ. 1. kis tükröt, 2. kis fésűt, mellyel Elza a frufruját igazítja, 3. púderes tupflit, 4. púderes skatulyát, mellyel Elza a szeme vörösségét tünteti el. Az itt következő beszélgetés ezalatt folyik

AZ ÖRDÖG Hát ez az a híres szemtelenség?

ELZA Nem ez az. Mikor négyesre harangoztak, még fiatal lány voltam. Most már öregasszony vagyok. Maga volt az első, akinél el akartam kezdeni a közvéleménycsinálást. És már itt megbuktam. Mit csináljak?

AZ ÖRDÖG Szép kisasszony, neki kell menni a küzdelemnek. Nyíltan kell! Támadni kell! Szépnek kell lenni.

ELZA Még azt is megpróbálom.

AZ ÖRDÖG Szemébe kell nézni annak az asszonynak. Ugye érzi néha, hogy nehéz küzdeni egy asszony ellen... tudom, hogy lánynak ez a legkeservesebb... hogy az ellenfele már... izé... ivott a szerelemből, hogy ért hozzá... hogy... Mondjak olyat, amitől elájul?

ELZA Mondjon.

AZ ÖRDÖG Hogy ez az asszony már felszabadult ennél a mesterségnél...

ELZA Akkor?

AZ ÖRDÖG Akkor gondoljon arra... én mondom magának, bennem nincs sok szív, de férfi vagyok a fejem búbjától a talpamig... egy nagy dolog van a világon... a legnagyobb erő még a legszebb, legingerlőbb asszonnyal szemben is... szűznek lenni!

ELZA *(púderezve magát)* Gondolja?

AZ ÖRDÖG És *így* kell szembeszállni vele. Hogy ő is nekivaduljon! Nem kell félni tőle!

ELZA Gondolja?

AZ ÖRDÖG Hogy ő is belemenjen a háborúba. Hogy amikor már mindenikük kijátszotta az utolsó aduját is, akkor maga még mindig megállhasson vele szemben fölemelt fejjel, mint mondani tetszett és arcába mosolyoghasson a szűz lány rettenetes fölényével. Hímpor, hímpor, frissesség, érintetlenség!

ELZA Szabad nekem ezt hallgatnom, amit maga beszél?

AZ ÖRDÖG Nem szabad, de épp azért csak hallgassa. Győzni fog. És most menjen, táncoljon vele. De ne utánozza az asszonyokat. Ne kacérkodjék. Ne szemtelenkedjék.

ELZA Hisz én utálom magamat, mikor szemtelen vagyok, de muszáj, mert különben hol az egyéniségem?

AZ ÖRDÖG Ugyan, ugyan. Süsse le a szemét, szégyellje azt a szép fehér nyakát, nézzen félve, reszketve a fiú szemébe, éreztesse vele azt, ami lányban a legizgatóbb: hogy maga zsákmány, aki vár az édes elrablásra. Föl a fejet, kislány. Na, ne lógjunk így. Így ni. És ha még egyszer az életben valaki magának azt mondja, hogy szemtelen, mondja meg neki, hogy egyszer egy idegen úrral félrevonult a hallba, és azt hitte, hogy le fogja főzni, túl fogja kiabálni és attól az úrtól oly csöndesen, oly piszén, oly szerényen, úgy lefőzve és megcsöndesedve ment el, hogy az az úr mélyen elszégyellte magát és azon kezdett gondolkozni, vajon nem ő-e a legnagyobb gazember ezen a világon? Amiben talán igaza is volt. *(A lépcsőig kisérte)*

Fenn a lépcső fölött az ajtóban megjelenik János

HARMADIK JELENET

Elza, János, Az ördög

ELZA *(hirtelen hátat fordít neki, és az ördöghöz fordul)* Hát ne szemtelenkedjem?

AZ ÖRDÖG Nem.

JÁNOS *(lejön)* Kerestem mindenütt, kis Elza.

ELZA *(lesüti szemét)* Igen.

JÁNOS Miért vonult ide?

ELZA Magányra volt szükségem. Akit érdekelek, az úgyis megtalál.

JÁNOS Szomorúnak látszik. Olyan kislányos így. Valami bánata van.

ELZA Óh nincs.

JÁNOS Fenn a táncteremben majdnem asszonyos volt, friss, vidám, kacér, most meg ilyen csöndes. Mi történt magával? *(Körülnéz, meglátja az ördögöt)* Ja?? Most már értem.

AZ ÖRDÖG Ne hidd, hogy én szomorítottam el.

JÁNOS *(Elzához közel megy)* Nem is hiszi, mennyivel szebb így. A másik modora nem áll jól magának. Ez az igazi. Az ember szeretné dédelgetni, vigasztalni, bocsásson meg, de az ölébe venni, simogatni.

ELZA *(szégyenlősen)* De János...

AZ ÖRDÖG Megbocsájtanak, de üdvözölnöm kell a háziasszonyt. *(Felszalad a lépcsőn, el)*

János és Elza helyet foglalnak a színpad jobbfelén

ELZA Ki ez az ember? Félek tőle.

JÁNOS Állítólag ismerősöm. Erőszakkal a barátom. Én egy neuraszténiás bölcsnek nézem. De ne róla beszéljünk. Örülök, hogy magát ilyennek látom. Ebben a romlott, forró levegőben... Nem érzi, hogy ma itt különösen forró, izgató a levegő.

ELZA De igen. Mintha valami vad meleg szél fújna. Olyan, mint a sirokkó. Én úgy félek.

JÁNOS Ezt se mondta még soha. Pedig mily jó bátorítani egy szép gyereket, mikor fél.

Az ördög megjelenik fent az ajtóban, Jolánnal karon fogva. Lejönnek és balról helyezkednek el. Az ördög köhécsel

NEGYEDIK JELENET

Az ördög, Jolán, János, Elza

JOLÁN Nini. Talán ne zavarjuk az ifjú párt.

AZ ÖRDÖG Nem kell túlságosan tapintatosnak lenni. *(Helyet mutat balról Jolánnak. Leülnek)*

ELZA Itt van Jolán, nem érdekli?

JÁNOS Már üdvözöltem. Beszéljünk magáról. Ma mindennél jobban érdekel az, hogy… *(Beszélnek)*

JOLÁN Úgy látom, ezek végre megtalálták egymást.

AZ ÖRDÖG Lehet. Kellemetlenül érinti?

JOLÁN A világért sem.

AZ ÖRDÖG Menjünk máshová?

JOLÁN Nem, nem. Örülök, mikor ily szépen látom fejlődni a fáradozásom gyümölcsét. *(Beszélnek)*

ELZA Ezek rólunk beszélnek.

JÁNOS Ne törődjék vele. Örüljünk, hogy végre egy pillanatra magunk maradtunk. Boldog vagyok, mert úgy érzem, hogy ma este végre fölfedeztem magát.

Elza Miért néz mindig oda?

JÁNOS Csak éppen… véletlenül. *(Beszélnek)*

JOLÁN Hagyjuk őket. Hát mégis eljött, erőszakos ember.

AZ ÖRDÖG Nem jöttem ok nélkül. Ma délután vállalkoztam valamire.

JOLÁN Mire?

AZ ÖRDÖG Megígértem valakinek, hogy a mai éjszakán elcsavarom az ön fejét.

JOLÁN Kinek ígérte meg?

AZ ÖRDÖG Jánosnak. Még a részleteket is szíveskedtem előre bejelenteni.

JOLÁN És János?

AZ ÖRDÖG Hogy mit mondott?

JOLÁN Tűrte ezt?

AZ ÖRDÖG Felelt valamit. Mondhatom, kissé meglepő volt a felelet. De most nem mondom meg, félek, hogy bántaná magát.

JOLÁN Nem bánt. Mondhatja bátran.

AZ ÖRDÖG Majd talán később. Folyton a túlsó oldalra néz.

JOLÁN Nem. *(Hirtelen)* Érdekes szeme van magának.

JÁNOS Más világ. Ahány nő, annyi világ. Maga nekem új világot jelent.

ELZA Ugyan mit jelenthet egy ilyen nagy művésznek az én kisleány életem?

JÁNOS Talán mindent.

AZ ÖRDÖG Mintha aludnék. De ha egyszer valaki megcsókolja a szemét, fölébred a tekintete és én látom, mennyi forró asszonyiság ég a maga alvó szemében.

JOLÁN Nem szeretem, ha így beszél. Olyan érzés, mintha gyújtogatna.

AZ ÖRDÖG A kis fehér keze már ég. Érzem, ahogy a kezemhez ér.

JOLÁN *(kacéran)* Ugye, az gyerekes volna, ha most elhúznám innen a kezemet. *(A kezük, ahogy egymás mellett ülnek, összeér)*

JÁNOS Az ejt gondolkodóba, hogy még ilyen szelídnek nem láttam.

ELZA Nem tudom, de mintha magával szemben egészen más volnék.

JÁNOS Szinte szégyellem a régi bűneimet, mikor a tiszta gyermekarcába nézek.

ELZA Talán ettől olyan meleg a tekintete. Süti a homlokomat.

AZ ÖRDÖG Délután óta csudálatosan kivirágzott az arca.

JOLÁN Talán azért, mert egy különös valaki ül mellettem, egy ismeretlen lény, akiről csak azt érzem, hogy férfi, de annak aztán az!

AZ ÖRDÖG Megszépül, mikor ezt a szót mondja: férfi. Milyen szép lehet, mikor már nem mondja.

JÁNOS Oh, egy ilyen érzés letörli a régi bűnöket. Modern embernek az első szerelme rendszerint egy utolsó lány. De az első lány aztán az utolsó szerelme.

ELZA Én még soha nem voltam szerelmes. De már kétszer ábrándultam ki.

AZ ÖRDÖG Arra vagyok büszke, ha egy asszonynak ismeretlenül tetszem. Akkor tudom, hogy magamért szeret.

JOLÁN Annyiban igaza van, hogy... az ismeretlenség határozottan... határozottan...

JÁNOS Illúzió dolgában... ami az illúziókat... ami azt illeti...

AZ ÖRDÖG Ezért nem teszek önnek vallomásokat.

JOLÁN Igen... vallomások? Nem hinném, hogy... habár... tényleg... nézet dolga... különben...

ELZA Nem jól nevelik a mai lányokat.

JÁNOS Semmi kétség... a leánynevelés nálunk... a közfelfogás... alapjában véve... tulajdonképpen...

JOLÁN ...a lényege... a lényege a dolognak...

JÁNOS ...tulajdonképpen...

ELZA *(hirtelen feláll)* Kísérjen fel kérem az emeletre. Bodajkinak ígértem a második négyest.

JÁNOS *(feláll)* Már megy?

ELZA *(majdnem sírva. Sürgető hangon)* Igen. Igen. Jöjjön.

János áll

Jöjjön.

Elza a lépcső felé megy. János utána. Mikor elhaladnak Jolán mögött, Jolán hanyagul hátraszól

JOLÁN Te nem táncolsz?

Az ördög udvariasan feláll

ELZA *(megáll)* Hogy táncolnék, mikor állok. *(Egy lépést tesz a lépcső felé. Élesen)* De most táncolni megyek.

JOLÁN *(feláll)* Csak menj, fiam.

ELZA Én ugyan utálom a táncolást, de ma táncolok reggelig, ha másért nem, hát azért, mert vannak, akiknek ez nem tetszik. És amíg ilyen van, addig táncolok, még ha térdig kopik is a lábam! *(Dacosan néz rá)*

Pillanatnyi szünet. Jolán egy lépést tesz feléje, mintha mondani akarna neki valamit, de János közibük lépve, karját nyújtja Elzának, és mind a ketten sietve lemennek a lépcsőn

ÖTÖDIK JELENET

Jolán, Az ördög

Az eddig vontatott, alakoskodó hang helyébe friss, harcos hang lép. A beszédek gyorsan, izgatottan követik egymást

JOLÁN Hallotta ezt?

AZ ÖRDÖG Igen.

JOLÁN Ez a lány nagyon biztos a dolgában, hogy így mer velem beszélni. Eddig ezt nem merte. *(Hirtelen)* János szereti ezt a lányt.

Az ördög Megálljunk. Most, lássa, most megmondom, mit felelt nekem délután János.

JOLÁN Mikor arra vállalkozott, hogy...

AZ ÖRDÖG Hogy elcsavarom a fejét. Le akart lőni.

JOLÁN *(titkolt örömmel)* János?

AZ ÖRDÖG Ő, személyesen. Ezzel a revolverrel ni! *(Megmutatja)* Elvettem tőle.

JOLÁN Magát le akarta lőni énmiattam.

AZ ÖRDÖG Rám fogta ezt a revolvert, amely mind a hat golyóra meg van töltve.

JOLÁN Délután még meg akarta ölni. Miattam. És most mégis ilyen nyugodtan nézte, látta, tűrte, hogy suttog a fülembe, hogy udvarol, hogy én magához hajolok, hogy összeér a kezünk, hogy szinte túlmegyünk azon a határon... Hiszen ez... ez megszerette ezt a lányt.

AZ ÖRDÖG Tessék. Hát érdemes asszonyért embert ölni?

JOLÁN Elhiszem, hogy megtette, mert becsül, mert tisztel, mert maga bizonyára olyanokat mondott, amik... ezért hálás is vagyok neki. De azt látom, hogy ezek tetszenek egymásnak. Ezek szeretni fogják egymást.

AZ ÖRDÖG Érdekes, mennyire felháborítja önt, hogy egy kedves terve sikerült.

JOLÁN Hát azt hiszi, hogy sikerült?

AZ ÖRDÖG Nem tudom. De tudom a módját, amivel erre a kérdésre választ kaphatunk.

JOLÁN Hogyan?

AZ ÖRDÖG Tisztázzuk kérem. Délután meg akart ölni, mert bejelentettem neki, hogy ön az enyém lesz. Én azt mondom, hogy ez szerelem. Ne mondja, hogy tisztelet. Tiszteletből mozsárágyút szoktak elsütni. A revolver az egészen más. Ezzel szemben ön azt mondja: a lányt szereti. Hogy melyikünknek van igaza, azt mondja meg ő maga.

JOLÁN *(tiltakozólag)* Kérem...

AZ ÖRDÖG Tudom. Pardon. Tudom, hogy ez önt csak annyiban érdekli, mert öntől ered ennek a házasságnak a terve és szeretné, nagyon szeretné, ha a dolog... izé... sikerülne. De épp ezért érdekli.

JOLÁN Érdekel, érdekel.

AZ ÖRDÖG Ő fogja megmondani, melyik volt komoly. A délutáni merénylet vagy ez a kivonulás. Jó?

JOLÁN Hogyan... beszélni vele?

AZ ÖRDÖG Nem.

JOLÁN Csak nem hallgatózni?

AZ ÖRDÖG Nem.

JOLÁN Hát?

AZ ÖRDÖG Mint minden nehéz csomót, úgy ezt is vágni kell. Van énnekem egy módszerem erre. Már sokszor bevált. De ígérje meg, hogy nem kérdez részleteket.

JOLÁN Nos?

AZ ÖRDÖG Ez egy kísérlet, az én találmányom. Ez a leghígabb limonádéoldatban is halálbiztosan kimutatja a férfit. A dolog meglepően egyszerű. Az imént a lépcsőházban láttam önt egy hosszú, uszályos belépőben.

JOLÁN Igen.

AZ ÖRDÖG Menjen ki és vegye ezt magára. Tűzze össze jól, hogy ne lássék ki egyéb, mint födetlen válla, a nyaka meg a cipője orra. Aztán jöjjön le ide. Ő minden kérdés, célzás nélkül el fogja árulni magát. Méltóságod mindent meg fog tudni, anélkül, hogy egyebet csinálna, mint hogy itt van.

JOLÁN Furcsán kezdődik a kísérlet. És maga olyan furcsán néz rám, hogy kíváncsiskodás nélkül engedelmeskedem. Néha megvillan a szeme és akkor úgy érzem, mintha az egész emberiség minden esze a maga homloka mögött volna.

AZ ÖRDÖG Ilyen kevésre becsül?

JOLÁN Most mindjárt menjek?

AZ ÖRDÖG Most mindjárt. Ha valakinek feltűnik, mondja egyszerűen, hogy fázik.

JOLÁN *(izgatottan)* De ha az sül ki, hogy...

János megjelenik a lépcső fölött

AZ ÖRDÖG *(nem néz hátra)* Jön. Ez a pillanat.

JOLÁN Megyek. *(Izgatottan kapja föl a sleppjét és elszalad)*

HATODIK JELENET

János, Az ördög

JÁNOS *(lesiet a lépcsőn)* Ki volt az, aki most innen kiszaladt?

AZ ÖRDÖG Innen?

JÁNOS Igen. Mikor bejöttem, valaki ott kiszaladt. Mintha azért szaladt volna ki, mert én jöttem.

AZ ÖRDÖG Nem szaladt innen ki senki. *(Cigarettára gyújt. Szünet)* Elragadó teremtés az a kis fehér lány.

JÁNOS Igen. *(Szünet)*

AZ ÖRDÖG Rosszkedvűnek látszol.

JÁNOS Én? Nem. Nincs valami különös jó kedvem, de nincs is rá okom...

AZ ÖRDÖG Csak nem vagy még az esti beszélgetésünk hatása alatt.

JÁNOS Na hallod, ha azt hiszed, hogy nekem nincs egyéb gondom, mint... mint... mint...

AZ ÖRDÖG Hát persze, persze. *(Kicsit gondolkozik)* Nem érdekes az, hogy az ember néha belelovagol valamibe, mint én ma délután, és csak aztán jön rá, hogy: a teremburáját, minek csináltam én ezt az egészet? Nem voltam ízléses. Mi?

JÁNOS Óh kérlek.

AZ ÖRDÖG Igazán távol van tőlem még a gondolata is annak, hogy őméltóságát olyan szemmel nézzem, mint nem tudom én... valami...

JÁNOS Ejnye de furcsán beszélsz, nem ismerek rád.

AZ ÖRDÖG Nem, csak kellemetlen rám nézve.

JÁNOS Micsoda?

AZ ÖRDÖG Hogy feltüzeltem magam, meg talán téged is, és a beszéd hevében olyan hangot mertem magamnak megengedni egy úriasszonyról beszélvén, amit sajnálok. Szeretném a falba verni a fejemet. És pláne semmi közöm nincs hozzá. Kedves, csinos, derék kis asszony. És azzal vége. Hagyjuk ezt a témát.

JÁNOS Nagyon furcsa vagy.

AZ ÖRDÖG Parancsolsz egy cigarettát?

JÁNOS *(kelletlenül)* Nem. Köszönöm.

Kínos szünet

AZ ÖRDÖG Gyere fel a büfébe. Megiszunk egy konyakot. Nagyszerű Martelljük van.

JÁNOS Nem. Nincs rá gusztusom.

AZ ÖRDÖG Mondom, rossz kedved van. Talán valami kellemetlenséged volt?

János Nem volt semmi.

AZ ÖRDÖG Hát akkor miért vagy ilyen kelletlen? Ilyen morózus.

JÁNOS Ha nagyon érdekel, én meg is mondom neked.

AZ ÖRDÖG Nem szoktam indiszkrét lenni.

JÁNOS Én neked nagyon szívesen megmondom.

AZ ÖRDÖG Kérlek, hagyjuk. *(Indul)*

JÁNOS Ne hagyjuk. Ha talán téged most már nem is érdekel, engem kezd borzasztóan érdekelni, hogy miért vagyok rosszkedvű. Engem megdöbbentett az a változás, amin, *(órájára nézve)* ...öt óra idő alatt átmentél. Ez a változás izgat engem. De valahogy azt ne hidd, hogy őméltósága miatt beszélek most egy kicsit izgatottan veled. Jobb, ha ezt az ügyet nyíltan kiküszöböljük.

AZ ÖRDÖG Természetesen!

JÁNOS Én ide azzal a szent elhatározással jöttem, hogy azt a kislányt megkérem. Hónapok óta készülök erre, most csak megerősödtem abban a hitemben, hogy boldog leszek vele.

AZ ÖRDÖG Bravó. Látod, ezt már szeretem. *(Kezet nyújt, amit János nem fogad el)*

JÁNOS Gratulálsz? Helyesled?

AZ ÖRDÖG El vagyok ragadtatva. Ez végre józan beszéd. Miért nézel úgy rám?

JÁNOS *(közel megy hozzá)* Az a nő, aki innen az imént kiszaladt, Jolán volt.

AZ ÖRDÖG Ugyan te bolond. *(Lesüti a szemét)*

JÁNOS *(rekedten, rosszul titkolva nagy izgatottságát)* Öregem, nekem megmondhatod, én egy szegény, nősülésre ítélt legény vagyok. Én igazán nem...

AZ ÖRDÖG De ugyan kérlek... hogy... hogy... hogy gondolhatod, hogy őméltósága éppen mikor... És különben is miért szaladt volna ki?

JÁNOS *(kínosan nevet)* Én már nem vagyok ám az, aki hét órakor voltam. Lehűtötte a fejemet ez a tizenhárom fok nulla alatt.

AZ ÖRDÖG Tizenhárom fok van nulla alatt? Ne mondd.

JÁNOS Annyi. *(Rövid szünet, mely alatt fájdalmas mosollyal nézi)* Nagyon érdekelnek a hőmérsékleti viszonyok?

AZ ÖRDÖG Nem... de... nulla alatt tizenhárom, ez igazán ritkaság... pláne december elején.

JÁNOS Pláne december elején. *(Mosolyogva néz)* Délután még nem voltál ilyen élhetetlen.

AZ ÖRDÖG *(zavart színlel)* Élhetetlen?

JÁNOS Úgy viseled magad, mint valami jogász.

AZ ÖRDÖG *(földre süti szemét)* Mennyiben... Jogász?

JÁNOS *(végignézi)* Nem vagy te úriember, doktor.

AZ ÖRDÖG Hogy értsem ezt?

JÁNOS Értsd, ahogy akarod. Úriembernek lenni, ehhez tehetség is kell. Úgy látom, neked nincs ehhez tehetséged.

AZ ÖRDÖG Mi ez?

JÁNOS Aki nem tud tökéletesen titkolni olyasmit, aminek az eltitkolása gentleman-kötelesség, az nem úriember. De nem tehet róla.

AZ ÖRDÖG Hogy eltitkolok valamit?

JÁNOS De rosszul.

AZ ÖRDÖG Ugyan mit?

JÁNOS Ismétlem, az a nő, aki innen az imént kiszaladt, Jolán volt. Nekem megmondhatod, én innen ma mint vőlegény fogok távozni. Velem nem kell számolni. És én tudok diszkrét lenni. Nos?

AZ ÖRDÖG Nem... de... bár komoly ember vagy... ma nem, nem, megint ostoba voltam, megint elgaloppoztam magam. Gyerünk fel a táncterembe. *(Indul)*

JÁNOS *(megfogja a karját, tréfásan)* Na ne izélj, öreg. Úriemberek közt vagyunk. Engem nem érdekel az a hölgy, sokkal jobban érdekelsz te meg egy ilyen gyors siker. Az istállóját neki, hát amiért férj leszek, hadd tanulom én is meg a módját. No, te... hát na!

AZ ÖRDÖG Gentleman vagy. Nem kérdezem, mondom. Igen.

JÁNOS Igen.

AZ ÖRDÖG És tudod, mi az élet?

JÁNOS Igen.

AZ ÖRDÖG És ma délután nem voltam nálad, és nem mondtam semmit. Eléggé sajnálom, amit mondtam. És... Hát amit itt a házasságról beszéltél, az mind egy férfi komoly szava. Ebben ne is merjek kételkedni.

János igenlően int

Becsületszó.

János kezet ad neki

Ülj le. Nem is tudod, mennyire megkönnyebbültem. Most fellélegzem, mert van valaki, akiről tudom, hogy hideg és okos, akinek az én szerelmi ügyemhez semmi érdeke nem fűződik, aki az a hideg harmadik... remélem... még van időd, ha talán, amit az előbb mondtál...

JÁNOS Szó sincs róla. Az elképzelhető leghidegebb harmadik vagyok. Szóval jó volt a megfigyelésem?

Az ördög némán int a fejével. Szünet

JÁNOS Látod, hidegen hagy a dolog. De érdekel, nem tagadom. Már csak azért is, mert magam is férj leszek nemsokára. Jó ismerni a technikát.

AZ ÖRDÖG Ne kívánd ezt. Mindenki, aki a gazság technikáját ismeri, már tartalékos gazember.

JÁNOS És az asszony?

AZ ÖRDÖG Hogyan... az asszony?

JÁNOS Ilyen hamar megszédült?

Az ördög kézmozdulattal inti, hogy de még mennyire

És a férje?

AZ ÖRDÖG Vak. Süket. Sánta.

JÁNOS *(rosszul titkolt fájdalmassággal)* Ma délután, nálam, ott beszélted tele a fejét.

AZ ÖRDÖG Meg vagyok rémülve tőle. Annyira elvesztette a fejét, a józanságát... Azt hiszem, csalódtunk benne mind a ketten, mikor azt hittük, hogy ártatlan teremtés. Rettenetesen ügyes nő, aki, úgy látom, megdöbbentő módon ért ahhoz, hogyan kell a környezetét becsapni, és be is csapja, már ki tudja, mióta. Vagy az is lehet, hogy jó becsületű asszony, túlságosan is ártatlan, és akkor megijedek magamtól, mert azt kell hinnem, hogy valami hipnotikus hatással vagyok rá, hogy ily gyorsan, ily könnyen... és ezt nem szeretném, mert ez nem kellemes dolog, ha tudom is én... valami beteges idegzetű... hiszen érted!

JÁNOS Értem.

AZ ÖRDÖG Ez a félelem kínoz, ezért örülök, hogy ilyen okos emberrel beszélhetek róla. Kolosszális nő. Fantasztikus, bátor, olyan vakmerő, hogy elhűl bennem a vér. Bolondul szereti a veszélyt. A minél nagyobbat. És tudod, most még tele vannak az ilyen nehézségek gyönyörrel, felkorbácsolják a lelkemet... egy csók... az ajtó mögött, amely előtt a férj egy lépésnyire áll... és most valami, amit épp akkor beszéltünk meg, amikor te jöttél... és... amikor ő... kiszaladt... mert... ő volt az.

JÁNOS Nos? Nos?

AZ ÖRDÖG Vad ötletünk támadt. Azt mondtam neki: ma itt estély van nálad. Itt van egész Pest. Mind a sok bankigazgató, képviselő, ügyvéd, egyetemi tanár a feleségével, mind az a sok ember, akinek a tiszteletéből élsz. Vannak vagy százharmincan. Mert ugye, annyian vannak?

JÁNOS Igen, igen.

AZ ÖRDÖG Azt mondtam: Fogd magad, menj fel a szobádba. És öltözködjél addig, amíg nem lesz rajtad más, mint csak az a belépő. Érted? Semmi más. Egy modern Monna Vanna. A cipőd és a selyemharisnyád, mert ezt látják. De azontúl semmi. Ahogy az isten megteremtett egyszer jókedvében és... és... és a belépő.

JÁNOS Ezt mondtad neki?

AZ ÖRDÖG Ezt.

JÁNOS És ő?

AZ ÖRDÖG Belement. Be fog jönni ide, aztán velem a nagy szalonba a százharminc vendég közé, az egész világ elé, födetlenül, ruhátlanul, mint egy pogány istennő, aki részeg valami nagyon édes bortól és el akarja kábítani a szeretőjét valami istenien vakmerő dologgal... Tudod, hogy a karomon vezessem... és...

JÁNOS Hogyan?

AZ ÖRDÖG Fölveszi a belépőjét... és nem lesz alatta semmi. És ezt csak én fogom tudni meg ő... Meg... most már te. Hát ez valami rettenetesen szép érzés lehet. Ilyen izgató keverékét az asszonyi édességnek és a nagy veszedelemnek nem is tudtam elképzelni. És ez az első nap. Most képzeld, milyen szerető lesz ebből az asszonyból! Miket talál ez ki! Micsoda olthatatlan szenvedély! Micsoda izgató érdekesség! Lobog bennem a vér, magas, piros lánggal, ha erre gondolok! Haj hó!!

JÁNOS *(kitörve)* Hazudsz!

AZ ÖRDÖG Micsoda?

JÁNOS Hazudsz, te kalandor.

AZ ÖRDÖG Bocsáss meg... de hiszen most te kelepcébe csaltál engem... megcsaltál... te szereted azt az asszonyt!

JÁNOS Hát tudd meg, igenis szeretem. De hogy sejtelmed legyen róla, mennyire szeretem, tudd meg azt is, hogy meg fogok nősülni.

AZ ÖRDÖG Hogyan...

JÁNOS Hallgattam itt ezt a vérlázító hazugságot, amit kieszeltél. Nézem, hogyan mulattatja magát egy romlott idegrendszer egy ilyen gondolattal. Mert ezt itt a magad mulatságára hazudtad. Százat ismerek ilyet, aki hazudik nőkről, nem is azért, hogy hencegjen, hanem, hogy mialatt hazudik, élvezzen. De ha csak vallomást akartál kicsikarni belőlem: igenis, szeretem. És az én szerelmem tiszta, szent, én ennek a szerelemnek kiállok az útjából, érted? Elveszek feleségül egy szegény kislányt, kiegyezem a boldogtalanságommal. De a fél életemet feláldozom ennek az asszonynak a tisztességéért, meg azért a tudatért, hogy talán ő is szenved énmiattam. Hogy ne rántsam le az ő tiszta, hófehér lelkét egy piszkos hotelszerelem sarába... Hazugságokba, bujkálások, véres, sáros, piszkos könnyek közé... amikről te nem tudsz, mert piszkos vagy magad is, mint a többi, mert méltatlan vagy még arra is, hogy a cipője porát lecsókoljad. És most meg foglak büntetni azért, amiért elárultam magamat. A gaz hazugságodért ki foglak kergetni innen, a saját felelősségemre, a magam úri passziójából, mintha télikabátot loptál volna. És figyelmeztetlek, hogy jobban teszed, ha csöndesen, elegánsan, magadtól mégy el, mert abban a nem várt esetben, ha nem mennél el magadtól, én megfogom a gallérodat és kidoblak. Takarodjál!

AZ ÖRDÖG *(nagyon komolyan, gőgösen néz rá, csípőjére tett kézzel)* Most megint hozzányúlnál ahhoz a revolverhez, de tisztelettel figyelmeztetlek, hogy most nálam van.

JÁNOS *(feléje megy)* Azt mondtam, hogy takarodjál.

Az ördög egyre hátrál a lépcső felé

Ebben a pillanatban ezen a világon semmitől sem félek. *(Támadólag megy feléje)*

AZ ÖRDÖG *(hátrál, néhány lépcsőfokon föl is megy, aztán hirtelen a csukott ajtóra néz, mely ebben a pillanatban kinyílik. Kiegyenesedik. Diadalmas örömmel néz Jánosra)* Itt van!

Nagy csönd. A két férfi némán áll egy kis ideig. Az ördög a lépcsőn félreáll, mintegy egymaga áll sorfalat az érkező Jolánnak. Jolán belép az ajtón, felemelt fővel, félig lehunyt szemmel, lassan, méltóságteljesen jön le a lépcsőn. Mikor leér, lassan fölemeli a szemét és ránéz Jánosra. Az ördög lejön utána. Jolánon nagyon gazdag, földig érő, uszályos belépő van, melyből csak a cipője orra látszik ki s mely födetlenül hagyja dekoltált vállát. A belépő elöl nyílik, de most földig össze van fogva

HETEDIK JELENET

János, Az ördög, Jolán, majd László

Jolán nyitva hagyta az ajtót, úgyhogy most nagyon fojtott, halk zene hallatszik. Valami fájdalmas keringő

JOLÁN Még ma nem is beszéltem magával, János.

JÁNOS *(mereven nézi a köpenyt. Halkan az ördöghöz)* Mi ez?

AZ ÖRDÖG Ez egy belépő. *(Fölényesen mosolyog és szorosan Jolán mellé áll)*

JOLÁN Úgy látszik, az estélyünk mégis sikerült. Az emberek jól érzik magukat. A fiatalság olyan bolondul táncol, mintha a lányoknak mindnek ez volna az első báljuk, a férfiaknak meg az utolsó.

AZ ÖRDÖG Csupa mámor a levegő. A jó pezsgő gőze száll. Furcsa, hogy ebben a mulató miliőben János ilyen szomorúnak látszik.

JOLÁN Szomorú?

JÁNOS Nem! Jól mondta, csak annak látszom. Belül e pillanatban olyan víg vagyok, amilyen még nem voltam soha életemben.

JOLÁN Ennek örülök.

JÁNOS Húszéves vagyok, gyerek vagyok, szamár vagyok.

AZ ÖRDÖG *(vígan)* Na-na-na.

JÁNOS *(Jolánhoz)* Higgye el. Tombol bennem valami vad vígság. Ilyet még nem hallott tőlem, de szeretném magamat leinni a sárga földig.

JOLÁN János! Maga mondja ezt? Soha életében nem ivott egy korty bort.

JÁNOS Ma csupa olyan dolgok történnek velem, amik soha életemben nem fordultak elő. Például még soha életemben nem nősültem.

JOLÁN És ma nősül?

JÁNOS Feltétlenül.

AZ ÖRDÖG Én már gratuláltam is neki. Vérbeli kislány.

JÁNOS Ő is csak bálvány, amit faragok magamnak, hogy a magam szívét szeressem benne. Ezért szép. A bálvány maga kő, fa, kóc, csepű vagy pláne rongy. Minden rongy.

AZ ÖRDÖG Mégiscsak keserű vagy belül is.

JÁNOS Ez a legénybúcsú keserűsége. Az ember kiadja magából az utolsó epét, és aztán jön a tiszta, derűs élet, a nyugalom, a szent boldogság, a szűz lány és a szűz szerelem.

JOLÁN El vagyok ragadtatva magától.

JÁNOS Undorító, hogy ma mindenkinek tetszem.

JOLÁN Úgy látom, János, maga már ivott. Legalább a tónusából dűl az alkohol.

JÁNOS No végre, hogy nem tetszem.

AZ ÖRDÖG Ma kötekedő hangulatban van. Hozzám is szigorú volt.

JÁNOS *(nem tudva magát türtőztetni)* Meg fog hűlni. Miért nem veti le a belépőjét.

AZ ÖRDÖG Valószínűleg, mert fázik.

JOLÁN *(összébb vonja magán a belépőt)* Fázom.

AZ ÖRDÖG Ha nem tudnám, hogy az ilyen kicsinyesség távol van öntől, még azt hinném, hogy azért nem veti le, mert szép és drága.

JOLÁN Ne foglalkozzunk annyit evvel a belépővel. *(Jánoshoz)* Láttam, nagyon jól érezte magát a kislánnyal.

JÁNOS Nagyon.

AZ ÖRDÖG Mulatságos volt, hogy hogyan beszélt egymással ez a két különböző ember. Én szeretem az ilyen pikantériákat.

JOLÁN *(körülnéz)* Én nem tudom... Maguk nem fáznak itt? Mintha hideg volna.

AZ ÖRDÖG Én is azt akartam mondani az előbb.

JÁNOS Olyan meleg van, hogy... valóságos forróság.

JOLÁN Tudja isten, én mégis fázom.

AZ ÖRDÖG Talán nincs elég melegen öltözve. Ez meggondolatlanság.

JOLÁN Előbb-utóbb rájön az ember, hogy ami ezen a világon édes, az mind meggondolatlanság.

JÁNOS *(izgatottan)* A vakmerőség is édes?

JOLÁN Mit érdekli ez magát? Volt már maga valaha életében vakmerő?

JÁNOS *(végleg elvesztve önuralmát)* Nem féltek tőlem?

Jolán megretten

AZ ÖRDÖG *(hidegen)* Én még a bevégzett férjektől sem félek. Hogy félnék egy vőlegénytől?

A télikert felől besiet László

LÁSZLÓ *(az állás szerint Jánoshoz ér legelőször)* Összeesküvés?
AZ ÖRDÖG Nem.

László karon fogja Jánost és lassan oldalt megy vele

LÁSZLÓ *(halkan)* Na, mi van a kis Elzával? *(Csöndesen beszélnek)*
JOLÁN *(a színpad másik oldalán az ördöghöz hirtelen)* Mit mondott maga erről a belépőről ennek az embernek?
AZ ÖRDÖG A belépőről semmit nem mondtam. Arról beszéltem, ami alatta van.
JOLÁN Maga ennek az embernek... csak nem azt mondta, hogy...
AZ ÖRDÖG Nos.
JOLÁN Az izgatottságából, a beszédjéből azt veszem ki... csak nem hitette el vele, hogy ez alatt... nincs... Feleljen!
AZ ÖRDÖG Eltalálta.
JOLÁN De hisz ez iszonyú!
AZ ÖRDÖG Nem szeretem ezt a felháborodást. Maga az első célzásnál nagyon jól tudta, hogy mit mondtam neki, és örült ennek, mert látta, hogy sikerült a kísérletem, hogy most el fogja magát árulni, most kitör belőle a féltékenység, a szerelem, a vad szenvedély... látta a szemén, érezte a hangján, hogy ő most elképzeli magát ez alatt a belépő alatt, és a csontjai reszketnek erre a gondolatra... ezt maga látta, ezt maga élvezte, ezt maga nagyon jól tudta.
JOLÁN Hogy meri azt mondani, hogy tudtam? Ha ezt tudtam volna...
AZ ÖRDÖG Kérem, maga az első célzásra ledobhatta volna magáról a belépőt, vagy kinyithatta volna vagy kinyitná most. Hiszen még most sem nyitja ki!
JOLÁN *(a szemébe néz nagyon fölényesen)* Honnan tudja maga azt, hogy én nem voltam tisztában a maga ötletével már akkor, mikor ezt a belépőt fölvettem?

AZ ÖRDÖG *(meglepődve)* Hogyan...
JOLÁN Hát azt hiszi, nem értettem rögtön?
AZ ÖRDÖG Hogyan... kitalálta a gondolatomat?
JOLÁN Ki én.
AZ ÖRDÖG Szóval most ön... úgy van, ahogy mondtam, vagy úgy... ahogy ő gondolja!
JOLÁN Na, édesem! Most mutassa meg, mit tud! Most tessék kombinálni!

János ez utolsó szavak alatt a lépcsőig kísérte Lászlót, aki sietve távozik. János megvárja, míg becsukódik mögötte az ajtó, aztán hirtelen Jolánhoz lép

JÁNOS Jolán...
JOLÁN *(a támadó föllépésre az ördöghöz fordul)* Doktor, megígérte, hogy elkísér... körül kell járnom a termeket... az uramat se láttam egy fél óra óta... százharminc vendégem van... illik mindenikkel legalább egy szót váltani. Kérem a karját.
AZ ÖRDÖG Nem is hiszi, milyen örömmel... *(A karját nyújtja feléje)* Gyerünk.
JOLÁN *(hanyagul hátraszól)* János... maga nem jön?
JÁNOS Nem. *(Hirtelen)* De maga itt marad.
JOLÁN *(megáll, még mindig az ördög karján)* Tessék?
JÁNOS Itt marad.
AZ ÖRDÖG *(agresszív hangon)* Hogyan!
JÁNOS Mert én akarom. Itt marad, mert egy szóm volna önhöz.

Az ördög elereszti az asszony karját

Kérlek, te is itt maradhatsz. Illetve... neked is azt parancsolom, hogy maradj itt.
AZ ÖRDÖG *(egy lépést tesz feléje)* Mi ez?
JOLÁN *(kezét a homlokára teszi. Nagyon izgatottan)* Kérem, doktor, vezessen azonnal a szobámba... nem jól érzem magam...

JÁNOS *(mint aki átvette a parancsnokságot)* Innen nem mozdul senki. *(A lépcsőre lép, becsapja az ajtót, a zene ezért elvágódik)* Számoljunk le egy kicsit.

JOLÁN *(nagyon izgatottan)* Kérem, doktor, azonnal nyújtsa a karját, és vezessen a szobámba.

AZ ÖRDÖG *(nyugodtan)* Méltóságos asszonyom, minden tekintetben rendelkezésére állok.

JÁNOS *(Jolán elé lép)* Itt fog maradni. Ne kényszerítsen arra, hogy megérintsem.

JOLÁN *(dacosan)* Hozzám akar nyúlni? Ha őrült, elvitetem!

AZ ÖRDÖG *(fenyegetőleg áll elébe)* Ha azonban nem őrült… *(A szemébe néz)*

JÁNOS Jolán, kérem, vesse le a belépőjét.

JOLÁN *(élesen)* Nem.

JÁNOS Jolán, vesse le a belépőjét.

JOLÁN *(az ördögre néz)* Kénytelen vagyok az ön védelmét kérni… az uram nincs itt… a ház tele van vendégekkel…

Az ördög közibük áll

JOLÁN *(félre)* Vergődik… De mindent megérdemel.

JÁNOS Nem veti le. Nem meri levetni.

Jolán nem felel

Én… a halálba megyek. *(Jolán válla felé kap, hogy lerántsa róla a belépőt)*

Az ördög kivédi a mozdulatot, elkapja János karját, mielőtt még Jolánt érinthette volna és nem ereszti el

JOLÁN *(fölegyenesedik)* Miért nem engedte, hogy letépje rólam?

Csönd. Az ördög lassan elereszti János karját

AZ ÖRDÖG *(halkan, szégyenlősen, de őszintén)* Mert ebben a pillanatban, méltóságos asszonyom, magam sem tudom, hogy hogy áll az az ügy az öltözetével.

Csönd

JOLÁN *(az ördöghöz)* Kérem doktor, segítse le a belépőmet. *(Feléje fordítja a vállát)*

AZ ÖRDÖG Asszonyom… nem merem.

JÁNOS Én igen… *(Utányanyúl vadul)*

JOLÁN *(felsikolt)* Nem! *(Görcsösen összefogja a belépőt)*

Az ördög bámulva áll, aztán megvakarja a tarkóját, mint aki jelzi, hogy baj van. A két férfi megdöbbenve, mozdulatlanul áll. Jolán lassan indul a lépcső felé

JOLÁN *(az első lépcsőfokon megáll és visszanéz. Fájdalmas megvetéssel)* Férfiak.

Fent az ajtóban megjelenik László

LÁSZLÓ Az urak meg fognak bocsátani, édesem, de a kegyelmes úr most elmegy. Illik, hogy néhány szót szólj hozzá. Gyere, fiam.

JOLÁN *(a lépcsőn)* Kérlek, Alfréd, segítsd le a belépőmet. *(Háttal áll a két úrnak)*

LÁSZLÓ Nagyon szívesen, angyalom. *(Leveszi róla a belépőt és a karjára veti. Jolán az iménti estélyi ruhájában van)*

JOLÁN És most gyerünk. *(Sietve el Lászlóval az ajtón)*

János megszédülten néz utána. Csönd és pillanatnyi szünet. Aztán felriad János és az ördög felé fordul

JÁNOS Mi volt ez? *(Ökölbe szorított kézzel, támadólag lép az ördög felé)*

Az ördög, aki az első támadó mozdulatra már a revolverzsebéhez nyúlt, most hirtelen előkapja a revolvert és gyorsan János jobb kezébe adja. János gépiesen átveszi

AZ ÖRDÖG Vigyázz, meg van töltve. *(Nyugodtan, a legnagyobb biztonságban nézeget másfelé, mint aki érzi, hogy nem történhetik semmi baja)*

János az első pillanatban mozdulatot tesz a revolverrel, de aztán érzi, hogy nem tudja, mit csináljon vele. Leereszti, csöndesen a fotelbe ejti, lehorgasztja a fejét és hátat fordít az ördögnek

AZ ÖRDÖG *(ezalatt lassan, nyugodtan átsétált jobb felé, nagyon csöndesen)* Ha most nem adok egy töltött revolvert a kezébe, hogy lelőjön vele, még talán meg is ütött volna. *(A télikerten át elsétál)*

NYOLCADIK JELENET

János, majd Elza

János még mindig áll. Most a télikert felől belép Elza, utcára öltözve, beburkolt fejjel, belépőben, mint ahogyan bálból mennek haza a leányok

ELZA *(a bejárathoz közel marad. Halkan)* Mi már megyünk. A legtöbb vendég el is ment.

JÁNOS *(az első szóra már megfordult és nézte Elzát. Most hirtelen felkiált)* Édes, szép, szegény kis gyerek. *(Feléje indul, látszik, hogy most meg akarja csókolni. De abban a pillanatban, amint két lépésnyire ér hozzá, hirtelen megjelenik az ördög és nyugodtan átsétál közöttük. Megáll)*

INAS *(jobbról nesztelenül jön, Elzához)* A kedves mama őnagysága lent vár a vesztibülben.

JÁNOS Lekísérem. *(Jobbról kifelé indulnak, lassan)*

AZ ÖRDÖG *(az inashoz)* Maga pedig menjen velük, és vigyázzon, hogy el ne csússzék a havon a kisasszony, mikor beszáll a kocsiba.

Inas el. Az ördög nyugodtan ahhoz a fotelhez sétál, amelyben a revolvere van, elveszi onnan és zsebre dugja. A lépcső felől belép Jolán

KILENCEDIK JELENET

Az ördög, Jolán, majd László

JOLÁN *(sietve jön le az asztal felé)* A maga kísérlete sikerült. *(Leül az asztalhoz)*

AZ ÖRDÖG Mit csinál?

JOLÁN *(tollat fog)* Levelet írok. Megnézheti kinek. *(Ír)*

AZ ÖRDÖG Nagyságos Száki János úrnak. Ez csak a boríték. Mi lesz benne?

JOLÁN *(nagyon izgatottan)* A megoldás lesz benne. *(Homlokára teszi a kezét)* Nem tudok többé a szemébe nézni. Mikor most az előcsarnokban találkozott a pillantásunk, azt hittem, összeesem. Ennek a néhány vendégnek, aki még itt van, azt mondtam, hogy rosszul érzem magam és visszavonulok. Már mennek úgyis, négy óra van. *(A tollhoz nyúl)*

AZ ÖRDÖG És mit akar írni?

JOLÁN Levelet. Rettenetesen sikerült a maga próbája. Megírom neki, hogy azonnal takarodjék, menjen el rögtön. Elhitte rólam ezt az aljasságot... ezt a... Ezzel legalább örökre vége mindennek. Ne lássam soha többé, mert...

AZ ÖRDÖG Mert szereti.

JOLÁN *(megijed)* Mi? *(Erőt vesz magán)* Nem, mert azt tette, amit tett. És most írom, rögtön írom, amíg izzik a gyűlöletem.

AZ ÖRDÖG Sajnálom, hogy éppen én...

JOLÁN Nem haragszom. Sőt köszönöm. Minden rosszasága mellett maga okos embernek látszik. Nekem olyan szolgálatot tett, amiért mindent megbocsátok. *(A tollhoz nyúl)* És ha ezt a levelet megkapja, akkor legalább örökre visszatér a nyugalmam, amely már ma éjszaka majdnem elveszett.

AZ ÖRDÖG Felajánlok még egy szolgálatot.

JOLÁN Mit?

AZ ÖRDÖG Én kezdtem, hadd végezzem is én. Azt hiszem... talán jó volna, ha én diktálnám azt a levelet. Nekem most hidegebb a fejem, mint a magáé. Szigorú, kitiltó levelet. Maga talán nem is tudna.

JOLÁN Gondolja?

AZ ÖRDÖG Röviden, szárazon, örökre.

JOLÁN *(hirtelen elhatározással)* Diktálja!

AZ ÖRDÖG De olyan lesz, mint mondta. Nagyon szigorú.

JOLÁN *(tollal a kezében)* Olyan, olyan.

AZ ÖRDÖG És örökre.

JOLÁN Örökre.

AZ ÖRDÖG Hát írja, – Uram! *(Könnyedén a fotel hátára támaszkodik és Jolán válla fölött nézi az írást)*

JOLÁN *(ismétli, leírja)* Uram!

AZ ÖRDÖG „Amint ezt a levelet elolvasta, azonnal menjen el a közelemből. Ne is kérdezősködjék. Menjen el. Soha többé az életben mi ketten nem fogjuk látni egymást. Arról, hogy én ne lássam, gondoskodni fogok magam. Hogy ön ne lásson, erről ön fog gondoskodni, ha ugyan maradt még a lelkében valami csöpp tisztességérzés."

JOLÁN Érzés.

AZ ÖRDÖG „Én önt próbára tettem, mert komolyan vettem a mi kettőnk testvéri viszonyát. Ön engem megsértett abban, ami nekem a legszentebb. Tele vagyok fájdalommal s ennek ön az oka, aki még ma délután azt hazudta nekem, hogy egy férfi szent hitével tisztel. Az a testvéri hang, amelyen délután beszéltünk, úgy hatott rám, mint valami balzsam. Boldog és tiszta voltam. És mi történt? Most e próbán elhitte rólam a legrosszabbat, amit nőről el lehet hinni. Mert elvakult. Mert nem úgy szeret, mint a testvérét, hanem úgy, mint ahogy bűnös asszonyokat szokás szeretni. És ez a szerelme…”

Jolán visszanéz az ördögre

„…ez a szerelme, mely délután még megnyugtató volt, itt megmutatkozott a maga igazi formájában. Nem szebb, nem különb ez, mint akármelyik más férfi vágya, aki bírni akar engem. Meg vagyok csalva. Örökre elvette a lelkem nyugalmát. Amióta elárulta magát, önre gondolok, érzek valahol egy férfit, akit kínoz a szomjúság utánam. Tudom, hogy nem tud aludni. Az én fehér karommal álmodik ébren. Érzem a távolból a nyugtalanságát és ez halálra izgat. Kikezdi a lelkemet. Most már az én szent csöndességemnek is vége. Férfival álmodó asszony lettem, és ebből nem lehet kigyógyulni. Most már én tudom a földiségét ennek a szerelemnek, most már nem tudok az uram szeme közé nézni, most fölszabadítottam minden érzékemet. A hallgatásom most már nem csöndes szomorúság, hanem elfojtott tombolás, amibe bele fogok pusztulni. Mindennek vége, kiszabadult belőlem az asszony, a becsület láncára vert szerelmes asszony. Választanom kell: meghaljak-e vagy kínlódjam. Vannak pillanataim, mikor megbocsátok a gonoszságának. Vad, féltékeny hím volt, mikor a ruhát le akarta tépni rólam. A természetes érzésem azt súgja: ez szép volt, ez a férfi szeret és ilyenkor ujjonganék, hiszen szeret az, akiért magamra vettem egy egész élet szenvedését, hiszen nem kell mást tennem, mint csak az ő vállára kell hajtanom ezt az elkínzott, izzó, kis fejemet, hiszen ott megvan minden vigasztalás, hiszen a te egy csókod…”

Jolán visszanéz

„A te egy csókod mindenért megvált engem, hiszen a te ölelésed az én megsemmisülésem, minden fájdalomnak a vége, hiszen, ha egyszer odabújhatnék a melledre, elkészülve a legvadabb öleléseidre, mint a martalékod, akkor akár meg is halhatnék mindjárt, mert akkor bevégződött rám nézve az élet. A melledre bújni, a szemedbe mosolyogni, élve, reszketve, de várva minden rosszat, amitől félek. Most minden, minden elsüllyedt, eltűnt körülem, nem látok mást, mint a te forró szádat, ami arra született, hogy én rátapasszam az én szomjas, szegény számat…"

Jolán lázasan ír, majd hogy az asztalra nem hajtja a fejét

„ezt a szenvedőt, ezt a minden csókon keresztül is szüzet, ami a tied János, a tied, vedd el, elbágyadva adom oda a te mohó férfiszádnak, vedd el, hiszen addig vagyok csak szegény, amíg mindent el nem vettél tőlem. Ma éjszaka virrassz miattam, mint ahogy én is virrasztani fogok teéretted, édesen rossz lelkiismerettel, hogy tudjam, hogy te sem alszol, hogy a nagy fényes szemed felém néz a távolból, felém, aki reszketve, sírva, meghódolva, megbukottan várlak, várlak, minden szerelmes gondolatommal várlak… áldjon meg az isten."

Szünet. Az ördög, aki a székre hajolva az utolsó szavakat már a fülébe suttogta az asszonynak, most elhagyja a fotelt. Az asszony ráhajlik a levélre. Aztán felnéz

JOLÁN Mit írtam én itt le?
AZ ÖRDÖG Egy nagyon szigorú, kitiltó levelet.
JOLÁN Írtam… szégyellem, hogy leírtam, de mikor láttam, hogy mit akar, már csak arra voltam kíváncsi, hogy tudom-e abbahagyni. Nem tudtam. Istenem… a toll vitte a kezemet. *(Nézi a levelet)* Most lefőzött.

Az ördög elveszi az asztalról a levelet, beteszi a borítékba

JOLÁN *(rémülten)* Mit csinál?

AZ ÖRDÖG *(hidegen)* Átadom a levelet a címzettnek.

JOLÁN *(felsikolt)* Csak nem gondolja, hogy... ah! de hiszen csak tudja, hogy nem akartam én ezt leírni.

AZ ÖRDÖG *(hidegen)* Asszony néha nem akarja azt, amit ír. De mindig azt írja, amit akar.

JOLÁN De hiszen én ezt nem neki írtam... magamnak írtam! *(Nagy rémületben)* De hiszen... *(A lépcső felől belép László)*

LÁSZLÓ Nini. *(Az ördögre mutat)*

AZ ÖRDÖG Parancsol!

LÁSZLÓ Ez aztán a derék ember, már mindenki elment, ő még mindig mulattatja a háziasszonyt.

AZ ÖRDÖG *(zsebre dugja a levelet)* Ilyen kedves társaságban, mint a méltóságos asszony, nem csoda, ha elfeledkezem mindenkiről.

LÁSZLÓ Megiszik velünk egy pohár konyakot? Így kedélyesen... en famille.

AZ ÖRDÖG Köszönöm. Nekem holnap korán reggel fontos látogatást kell tennem. *(Meghajol)* Méltóságos asszonyom... *(kezet nyújt Lászlónak)* nagyon örültem, hogy ebben a vendégszerető házban tölthettem egy estét. Köszönöm.

LÁSZLÓ Részemről a szerencse. Remélem, máskor is megtisztel.

Az ördög némán meghajol, indul a télikert felé. Jolán, mikor látja, hogy az ördög el akar menni a levéllel, felcsuklik, halkan sikoltva. Az ördög sarkon fordul

AZ ÖRDÖG Parancsol!

JOLÁN *(halálos rémületben, de mosolyt erőltetve, mintha semmiségről volna szó)* Itt az asztalon... egy... cédula volt... véletlenül... nem vette magához? *(Nagyon sírhatnék)*

AZ ÖRDÖG *(az íróasztalára mutat)* Ott? Valami reklámcédula volt... De talán László urat érdekli... *(Hirtelen a belső zsebéhez nyúl)*

JOLÁN *(hirtelen, halálos rémületben)* Nem! *(Hirtelen elcsöndesült hangon)* hacsak az volt… *(halkan, keservesen nevet)*

AZ ÖRDÖG *(nagyon halkan)* Kezét csókolom. *(Hirtelen elmegy a télikerten át)*

TIZEDIK JELENET

Jolán, László

LÁSZLÓ *(visszajön onnan, ameddig elkísérte az ördögöt. Fáradtnak látszik)* Nagy munka volt ez az estély, édesem… Láttam, hogy fárasztott téged… Elvonultál, angolosan…

JOLÁN *(végigsimítja homlokát)* Igen.

LÁSZLÓ Látom, téged izgat ez. De meg is szépít. Ma gyönyörű voltál. Mintha ma este virágzottál volna ki. Szeretnélek mindig így látni.

Jolán az asztalhoz támaszkodik

Fáradt vagy?

Jolán igent int

LÁSZLÓ *(hozzája megy)* Édes, szép kis feleségem… Az enyém vagy, ugye?

JOLÁN Igen.

LÁSZLÓ *(megcsókolja)* Édes…

JOLÁN *(kelletlenül)* Kérlek.

LÁSZLÓ *(az órájára néz)* Négy óra múlt. Gyere szépen, édes fiam… vesd le szépen ezt a királynői ruhád… és pihenj le szépen az ágyacskádba… *(Hozzája bújik)* Igen?

JOLÁN Hagyj, kérlek… nagyon ideges vagyok…

LÁSZLÓ Hogy ég az arcod, mint a tűz…

JOLÁN *(nagyon idegesen, szinte durván)* Alfréd.

LÁSZLÓ Jó, megyek. *(Jobb felé indul)* Itt akarsz maradni?

JOLÁN Itt ülök még egy kicsit. Hagyj, kérlek.

LÁSZLÓ Jó.

Szünet. Inas a télikert felől jön

JOLÁN Mit akar?

INAS *(nagyon halkan)* A csillárokat jöttem eloltani, méltóságos asszonyom.

JOLÁN Oltson el mindent.

Az inas eloltja előbb a télikert világítását, aztán felmegy a lépcsőn és ott eloltva az összes többi világosságot, kimegy az ajtón. Most a télikert üvegfalán kilátni a kertbe, mely hóval van borítva és melyen ragyog a holdfény. Kis szünet. Aztán László nagyon csöndesen szól

LÁSZLÓ Virrasztani akarsz itt, fiam? Okosabb, ha aludni mégy. *(Vár, aztán vállat von és elmegy)*

JOLÁN *(fáradt, nagyon csöndes hangon)* Okosabb, ha aludni megyek? *(Lassan, megadva magát, az ajtó felé indul)*

Ebben a pillanatban látszik, amint az ördög a kertben az üvegfal mentén jobbról jön. Az üvegfalnál megáll, benéz. Cilinder, bunda van rajta, égő szivar a szájában. Aztán elmegy az üvegfal mögött balra. A kert hátterén fehér kőfal van. Ezen, amint elmegy, óriásira nő, felszalad az árnyéka

Nem megyek. *(A fotelbe veti magát)*

Legördül a függöny

HARMADIK FELVONÁS

Ugyanaz a szín, mint az első felvonásban. Délután fél három óra

ELSŐ JELENET

Az ördög, András

Mikor a függöny felgördül, az ördög a szoba közepén áll, András pedig jobbról, a bejáratajtó közelében

AZ ÖRDÖG Mit akar?

ANDRÁS Fel akarok menni a nagyságos úrhoz jelenteni, hogy egy hölgy van itt.

AZ ÖRDÖG Miféle hölgy?

ANDRÁS Úrihölgy.

AZ ÖRDÖG És mit akar?

ANDRÁS Beszélni akar a nagyságos úrral. Mondtam neki, hogy a nagyságos úr az éjjel bálban volt, és még mindig nem kelt föl, de erre azt mondta, hogy majd megvárja.

AZ ÖRDÖG Ismeri maga azt a hölgyet? Volt az már itt?

ANDRÁS Nem volt itt soha.

AZ ÖRDÖG Bocsássa be.

András el, belép Elza

MÁSODIK JELENET

Az ördög, Elza

AZ ÖRDÖG Ah?!

ELZA Maga itt is itt van? Micsoda maga itt? Titkár?

AZ ÖRDÖG Jó barát vagyok, semmi más. Véletlenül talál itt. Kezét csókolom.

ELZA Jó napot. Nekem nem mondták, hogy van itt valaki. Akkor nem is jöttem volna be. De ha csak maga az a valaki, hát most már itt maradok. *(Leül, majdnem háttal neki)*

AZ ÖRDÖG János az éjjel – ma reggel jött haza.

ELZA Tudom. Mit jelent ez?

AZ ÖRDÖG Azt jelenti, hogy még mindig az ágyban fekszik. Én már nyolckor talpon voltam, ő meg még délután fél háromkor is fekszik. De lehet, hogy már öltözik. Bejelentsem neki talán a kedves meglepetést?

ELZA Nem szükséges, megvárom. Legalább körülnézek itt. Én tudniillik még nem voltam itt soha.

AZ ÖRDÖG Tudom.

ELZA Honnan tudja?

AZ ÖRDÖG Az inastól. Az, hogy egy nő mindennap idejár, titok maradhat az inas előtt. Azt, hogy még soha nem volt itt, nem lehet előtte eltitkolni.

ELZA Magam jöttem ide. Tudja, hogy ez nem illik?

AZ ÖRDÖG Tudom.

ELZA Honnan tudja?

AZ ÖRDÖG Ezt is az inastól. Azt mondta, hogy aki künn vár – úrilány.

ELZA Láttam rajta, hogy annak tart. Ez az inas az első férfi Pesten, aki úgy beszélt velem, ahogy úrilánnyal beszélni illik.

AZ ÖRDÖG Kokottnak nézte. Tévedett.

ELZA Én tévedtem. Úgy látszik, itt nem ő az inas.

AZ ÖRDÖG Nem tévedett. Ő az inas. Amennyiben nem anyakönyvvezető.

ELZA Miért?

AZ ÖRDÖG Úrilány előtt egy garzonlakás ajtaját csak két ember nyithatja ki. Vagy az inas, vagy az anyakönyvvezető. Gusztus dolga, ki melyiket választja.

ELZA Figyelmeztetem, hogy én egyszer egy barátnőm lakásán egy férfit, aki mikor magunkra maradtunk, megcsókolt, tettleg inzultáltam.

AZ ÖRDÖG Én pedig egyszer egy barátom lakásán egy nőt, aki mikor magunkra maradtunk, tettleg inzultált, megcsókoltam.

ELZA Ez itt nem a maga barátjának a lakása. Ez itt festőműterem, ahova eljöhet mindenki portrét rendelni. Ez így van. Ne csináljon ilyen gúnyos képet.

AZ ÖRDÖG Pardon, nem én vagyok a festő. Én olyan képet csinálok, amilyen nekem tetszik.

ELZA Mi van abban, ha én idejövök lefestetni magamat? Akár, ha egyedül is? Ez ellen nagyon kevés kifogás eshetik.

AZ ÖRDÖG Kifogás: kevés. Ráfogás: sok.

ELZA Mondja mindjárt, hogy azt fogják rám, hogy a szeretője akarok lenni!

AZ ÖRDÖG Azt nem. De súlyosabbat. Hogy akar a felesége lenni. *(Csönget)*

ELZA És ha ez nekem eszem ágában sincs?

AZ ÖRDÖG Akkor én legyek juhászkutya hat hétig.

Megjelenik András az ajtóban

András... azt a kis sárga bőrtáskát... a télikabátomból.

András el

ELZA Ne féljen, ma nem fogok sírni.

AZ ÖRDÖG Nem félek. Én csak a nevető nőktől félek. *(Átveszi a táskát, leteszi)* Miért jött ide?

ELZA Ma meg akarom rendelni az arcképemet Száki Jánosnál és e célból mindennap ide fogok jönni.

AZ ÖRDÖG Mindennap ide fog jönni és e célból megrendeli az arcképét.

ELZA Frakkos nem tagadja meg magát. Bosztont táncol a mondatokkal. Hol előretolja, hol megfordítja őket. De én szívesen táncolok úgy, ahogy maga vezet. Én ma föltettem magamban, hogy elkezdem a harcot. Most mindennap egy óráig itt fogok ülni vele, kettesben, szép pózban, kicsinosítva és meg fogom mutatni, mit tudok.

AZ ÖRDÖG Magába akarja szerettetni.

ELZA Mindennap egy óráig, másfél óráig a szemembe kell néznie. Befolyást gyakorolok rá. Más boldog lányok másként kapják a szerelmet. Énnekem, úgy látszik, küzdenem kell érte. Kiülöm magamnak.

AZ ÖRDÖG Nem tudja, hogy van itt még valaki, aki idejár a portréját lefestetni?

ELZA Tudom. Azért jövök én is. Harcoljunk egyforma eszközökkel. Meglátjuk, kinek a portréja sikerül jobban.

AZ ÖRDÖG Micsoda bátor hang! Tegnap még nem beszélt így!

ELZA Tudja, tegnap még haboztam. Azt tanácsolta, hogy küzdjek. Gondoltam: szép, amit mond, de... aludjunk rá egyet. Én óvatos lány vagyok ám. Én az ilyesmire nemcsak egyet, hanem kettőt is szoktam aludni. Egyet pró és egyet kontra.

AZ ÖRDÖG Nos és?

ELZA Nem tudtam elaludni. Épp azokon az éjszakákon nem tud elaludni az ember, amikor olyasmik történnek vele, amikre jó volna aludni egyet. Ugye, ez szomorú?

AZ ÖRDÖG És miért nem várta meg a holnapot?

ELZA Mert örülök, hogy egyszer életemben vad és meggondolatlan vagyok. Most beledobom magamat a küzdelembe, így, álmatlanul, izgatottan, idegesen, amíg bolond vagyok. Oly szép, oly izgató volt az a tanács, amit adott!... és olyan becsületes...

AZ ÖRDÖG Ezt kikérem magamnak.

ELZA Miért?

AZ ÖRDÖG Mert becsületes ember nem adhat ilyen tanácsot fiatal úrikisasszonynak.

ELZA Hogyan?

AZ ÖRDÖG Nagyon sietett az éjjel. Nem várta meg a végét. A vége az lett volna, hogy hagyja ezt. Maga nem alkalmas az ilyen harcra.

ELZA Miért? Úgy érzem, elég okos és elég bátor vagyok!

AZ ÖRDÖG Ön okos és bátor. Egyesíti magában egy tudós és egy oroszlán tulajdonságait. Csak az a baj, hogy olyan bátor, mint egy tudós, és olyan okos, mint egy oroszlán.

ELZA *(megroppanva, kislányosan)* De hát... mit csináljak?

AZ ÖRDÖG Akinél üveg van, az ne kezdjen verekedést. Vagy ne sajnálja összetörni az üveget.

ELZA Szomorú alak lehetek... nézzen rám. Ki vagyok én? Egy kis szerelmes lány, aki itt áll egyedül az élet közepén... nem aludt, nem evett... lázas a virrasztástól... elvesztette az eszét... idejött egyedül... Csak most veszem észre, milyen borzasztót csináltam, mikor idejöttem... huh! *(Ijedten rázkódik össze)* Mit csináljak?

AZ ÖRDÖG Maga szereti azt az embert?

ELZA Szeretem.

AZ ÖRDÖG Volt már erről szó maguk közt?

ELZA Soha.

AZ ÖRDÖG Szóval János csak épp kezdett úgy viselkedni, hogy...

ELZA Igen.

AZ ÖRDÖG És maga nem éreztette Jolánnal, hogy szereti a fiút?

ELZA Nem. Akartam, de már nem volt rá időm tegnap.

AZ ÖRDÖG Feleljen őszintén. Van-e tudomása arról...

ELZA Borzasztó ez. Úgy kérdez, mint valami bíró.

AZ ÖRDÖG Nem. Maga felel úgy, mint valami vádlott. Álljon fel, kislány. Én majd leülök. Azt akarom, hogy magának legyen igaza. Tudja-e azt, hogy János Jolánt szereti? Vigyázzunk: szereti, de a legbensőbb becsülés határán belül.

ELZA Ismerem ezt a becsülést. Volt egy szobalányunk, aki a mamát méltóságos asszonynak nevezte és ellopta közben a fél staffirungját.

AZ ÖRDÖG Kislány, beszéljen több tisztelettel azokról a dolgokról, amikkel a nőket becsapják. Ha ezek a komisz hazugságok nem volnának, olyan volna a szerelmi életünk, mint a macskáké.

ELZA Utálom a hazugságot.

AZ ÖRDÖG A hazugságot, fiam, tisztelni kell. Mátyás királlyal meghalt az igazság és mégis megvagyunk. De ha egyszer valamelyik királlyal meg talál halni a hazugság, elmehetünk a fenébe.

ELZA Hát jó, elhiszem, hogy becsüli.

AZ ÖRDÖG Szóval tudja, hogy a fiú szereti.

ELZA Hogy tudom-e? Egyebet se tudok.

AZ ÖRDÖG Akkor beláthatja, nincs mást tennie, mint kiállani az útból. Lemondani.

ELZA De hát miért mondta tegnap, hogy küzdjek? Mikor tanácsot kértem.

AZ ÖRDÖG Nem én mondtam, édesem. Maga mondatta velem. A magyar nyelv egyik legnagyobb hazugsága ez a kifejezés: tanácsot kérni. Az ember sohse kér tanácsot. Az ember ad egy tanácsot másnak, a maga számára, és ezt hallani akarja. A tanácsadó tükör, amiben a kétkedő ember megnézi magát. Aki még mindig nem tudja, hogy mikor tanácsot ad, csak tükör, az megérdemli, hogy befoncsorozzák.

ELZA Hiszen, ha tudnék lemondani!

AZ ÖRDÖG Tanulja meg!

ELZA Kitől? Az anyám nem tud lemondani egy premierről. Az apám nem tud lemondani egy szivarról.

Egész életemben arra tanítottak, hogy minden van, ami kell. És most mondjak le egyszerre mindenről? Hol vegyem? Hol vegyem?

AZ ÖRDÖG Hiszen maga okos lány. Vannak nők, akik abból élnek, hogy minden órában lemondanak egy férfiról.

ELZA Az istenért… kiről beszél?

AZ ÖRDÖG Ne vesse meg a rossz nőket. Tőlük tanulunk csókolni mi férfiak, és tőlük tanulnak velünk bánni maguk, nők. Tisztelje a rossz nőket, fiam, mert ezt a tudományt ők tartják fenn. Ők vigyáznak az örök tűzre, nem a Veszta szüzek. Engem csak az vigasztal, hogy a tudomány még a Veszta szüzekről is kimutatta, hogy rossz nők voltak. Különben, mit tudom én. Én nem tartottam nekik az – örök tüzet.

ELZA De hát hol vegyek én egy rossz nőt?

AZ ÖRDÖG Hát… leánynak bizony nehéz egy kicsit. Hm. Lássuk csak. Hiszen az első nő, akivel az életben találkozunk, már félrelépett nő: a dada. Él még a dadája?

ELZA Az én dadám tisztességes nő volt.

AZ ÖRDÖG Fogadni mertem volna. A szobalányuk csinos?

ELZA Nem. Csúnya. Önkéntes az öcsém.

AZ ÖRDÖG Baj, baj. Megálljunk csak! Megvan. Hát majd én beíratom magát a lemondás iskolájába. *(Az ajtóhoz megy, kiszól)* Cinka… miért vár, fiam, az előszobában? Hiszen megfázik. Jöjjön be, várjon itt, itt be van fűtve. *(Bevezeti Cinkát)*

Cinka némán meghajol Elza felé. Elza viszonozza a köszönést. Cinka leül. Csönd

AZ ÖRDÖG *(tüntetően köszörüli a torkát)* Khm, khm. *(Nézegeti őket)*

Szünet

AZ ÖRDÖG *(mintha unatkoznék)* Bizony, bizony…

Szünet. Az ördög hangosan kezd dúdolni egy dalt, mint aki magában van, és nem tud mit csinálni, közben szép lassan kimegy a bal első ajtón, ravaszul visszanézve rájuk

HARMADIK JELENET

Cinka, Elza

Egy ideig szünet, aztán megszólal Cinka

CINKA Nagyságos asszony is a festőt várja?

ELZA Igen.

CINKA Én is. *(Szünet)* A festő lumpolt az éjjel és ilyenkor mindig soká alszik.

ELZA Igen.

CINKA Igen. Hát ha az ember már sokáig nem alszik, akkor… aludni kell.

ELZA Igen.

CINKA Nagyságos asszony talán a portréját festeti vele?

ELZA Szeretném.

CINKA Mert én mindenkit ismerek, aki ide szokott járni. Én itt itthon vagyok. Én itt modell vagyok. Itt mindig csak engem festenek, mikor ingyen festenek. Nagyságos asszonynak jó Lenbachos feje van.

ELZA Kegyed már harmadszor mondja nekem: nagyságos asszony. Én még leány vagyok.

CINKA Bocsánat. Én már nem vagyok leány és mégse vagyok nagyságos asszony. Nevem Seiden Cecília, de ezek a festők csak Selyem Cinkának hívnak. De azért én a keresztlevelemben Seiden vagyok. Született Seiden.

ELZA Az én nevem Tóth Elza.

Szünet. Cinka nagyot néz

CINKA Hallottam már nagysád nevét. Igen. Ismerjük mink, jómódú nő tetszik lenni. Gazdag házilány. Tudom. Mink Budán laktunk, de tönkrementünk.

ELZA *(sajnálkozva)* Ugyan…

CINKA Nem baj. Én a kórusban voltam a Népszínháznál, és az volt a bajom, hogy megismerkedtem egy gyógyszerésszel, egy főhadnaggyal meg egy szerkesztővel. A szerkesztő nagyon édes ember volt. Úgy hítták, hogy Zrínyi.

ELZA Szép név.

CINKA De Adolf.

ELZA Az már baj. *(Szünet)*

CINKA Én ismerem ám kegyedet.

ELZA Honnan?

CINKA Csak úgy névről. De én tudom, hogy… kegyed kicsoda… Én itt modell vagyok. A házhoz tartozom. Én adom mosásba a fehérneműjét.

ELZA És… nem lop a mosóné?

CINKA Nem, kérem. Csak tépi a ruhát. Én tudom a festőnek a dolgait.

ELZA Érdeklik önt az ő dolgai?

CINKA Óh igen. De most már nem leszek nála modell.

ELZA Miért?

CINKA Mert megnősül.

ELZA Amért megnősül, festő marad továbbra is. Akkor is kell neki modell.

CINKA Na ja, de… az egészen más. Egy legénymodell az más. Nekem nincs szívem az ilyenhez. Tetszik tudni… én… én a fehérneműjét adtam mosásba… aztán most menjek… csak festeni… az a szívire megy az embernek. Nem mondom, hogy bánom, neki jobb, hanem… minek egyem le a májamat.

ELZA Kegyed szereti a festőt?

CINKA Óh, nagyon jó fiú.

ELZA Festi önt most?

CINKA Nem. Most mindig vagy tájat fest, vagy udvari tanácsost.

ELZA Hát akkor ön most nem mint modell van itt.

CINKA Én mindig mint modell vagyok itt. Mink mindig mint modell megyünk a festőhöz. Ő az oka, ha ő nem mint festő viselkedik.

ELZA Kérem, kérem. Kisasszony olyasmiről akar velem beszélni, amihez nekem semmi közöm.

CINKA Óh, kérem, ha én őszinte vagyok nagysádhoz, a nagysád is lehet velem őszinte. Én a nagysádot nem akarom sérteni.

ELZA Tudom, de...

CINKA Pedig a nagysád okos lánynak látszik. Én tudom, hogy a nagysád az, aki arra van kiszemelve, hogy a festő elvegye.

ELZA *(feláll)* Kérem.

CINKA No ja, ha a nagysád pikírozottan beszél! Én szeretem a nagysádot, én örülök, hogy olyan csinos... mert a festő is szép ember... én nem haragudnám önre, ha ön volna a modell és én volnék a privát. Voltam én is privát. Mink Budán laktunk, de tönkrementünk.

ELZA Bocsásson meg, én nem...

CINKA Óh, kérem, én kérek bocsánatot, ha talán megsértettem. Ne tessék hinni, hogy én azért nehezteleк kegyedre... vagy hogy sajnálom a nagysádtól a festőt, vagy hogy irigykedek... én nagyon boldog leszek, ha hallom, hogy a festő jól él a nagysáddal. Nem vagyok azért buta lány. Nekem nem is fáj, hogy látom most itt nagysádot finom ruhában, és egyáltalán olyan finoman... én tudom, hogy ennek így kell lenni... és őszintén meg is mondom kegyednek, én ma azért jöttem ide...

ELZA *(részvéttel)* Kedves kisasszony... ne vegye rossz néven... ha talán valami olyat mondtam... de ez a váratlan találkozás egy kicsit idegessé tett, és...

CINKA Tudom érteni, kérem. Én is sokszor voltam ideges, amíg tönkre nem mentünk.

ELZA Én barátilag szeretnék önnel beszélni.

CINKA Velem lehet is, mert én jó lány vagyok. Én már régen tudom, hogy a festő… megmondom kegyednek, azért jöttem ide, hogy… tudniillik tegnap este itt voltam… innen sértődve mentem el. Nem vesztünk össze, de tudom, hogy ő már un engem, és máson jár az esze. Elszaladtam innét, mégis buta vagyok, mert még sírtam is. Aztán ő nagyon jó fiú, megsajnált, és mielőtt az estélyre ment, eljött hozzám, frakkban… De én letagadtattam magamat. Pedig tudtam, hogy azért jön, hogy kibékítsen. Csakhogy az már nekem nem kell. Slussz, hát slussz.

ELZA Szerette magát?

CINKA Én szerettem őtet.

ELZA És most?

CINKA Megmondom őszintén… ha egy férfi mást akar, nem lehet semmit csinálni. Ez olyan, mint az állomás, kérem. Az állomás ott áll és a vonat jön. Aztán elmegy a vonat, de az állomás nem szalad utána. Most már ha az ember kis állomás, hát csak egy percig áll nála a vonat. Aztán gyön egy másik vonat.

ELZA Ön szerette és mégis így beszél?

CINKA Szerettem. De a nagysádék azt hiszik, hogy ennek addig muszáj tartani, amíg mi nők szeretnénk. Ehhez gyakorlat kell, kérem. Tegnap este, mikor nem eresztettem be, már gyakoroltam magamat. Most majd így lassan megszokom, hogy nem jön. Aztán, ha már megszoktam, akkor mindegy lesz már nekem is. Éljen jól.

ELZA És hát akkor most miért van itt?

CINKA Mert azért mégis buta vagyok. Tegnap este okos voltam. Kezdtem leszokni róla. Ma megint megbutultam, kedvem támadt idejönni. Pedig tudtam, hogy hiába jövök. De az ember úgy elmegy néha… a szívit fájatni. *(Sírni kezd, keresgéli a zsebkendőjét, de nem találja)*

Elza meglátja az asztalon az ördög sárga bőrtárcáját, szomorú mosollyal veszi ki belőle a zsebkendőt és Cinka felé nyújtja, aki átveszi

ELZA No, édes kisasszony...

CINKA Jó, hogy így eszembe jutott megint minden. Most már meg se várom. Megint gyakorolom magamat. Most el fogok menni, anélkül, hogy láttam volna. Tőlem ne tessék félni. Nem érdemes. Annál én okosabb nő vagyok. Most elmegyek. Szépen lemegyek a lépcsőn és ide soha többé nem jövök vissza. Ez olyan biztos, mint a halál. Ha másképp csinálnám, csak magamat kínoznám meg. Hány óra, kérem?

ELZA Három.

CINKA Mert van itt egy fiatal festő a Kmetty-utcában... bizonyos Cserényi... nagyon tehetséges ember. Még nem állított ki, de fog. Annál van dolgom.

ELZA Önt festi?

CINKA Már festett. Ma csak azért megyek, mert megígértem neki... izé... ott akarok lenni fél négykor... a mosóné jön hozzá. *(Elszalad)*

Szünet. Elza utánanéz. Aztán egyszerre meggondolja magát, körülnéz, felugrik és sírásba fulladó hangon, melyet azonban elfojt, kiált utána

ELZA Kisasszony... Kisasszony... *(Keresi a ridiküljét, amit az asztalra tett és megint megtalálja az ördög sárga táskáját. A földhöz vágja sírva)* Én is megyek, édes kisasszony... *(Elrohan jobbra)*

NEGYEDIK JELENET

Az ördög, András

Mikor Elza elment, csöngetés hallatszik. A csöngetésre belép András

ANDRÁS *(egyenesen a nagy karosszékhez megy, megáll előtte)* A nagyságos úrnak méltóztatott csöngetni?

AZ ÖRDÖG *(aki a karosszékben ül, most egy kicsit kihajol belőle, hogy lássák)* Igen, én csöngettem.

ANDRÁS Parancsol valamit?

AZ ÖRDÖG A teámmal mi van? Van a háznál rum?

ANDRÁS Van.

AZ ÖRDÖG Sok rumot hozzon hozzá. *(Kijön a székből)* A nagyságos úr még öltözik?

ANDRÁS Igen.

AZ ÖRDÖG Kereste valaki délelőtt?

ANDRÁS A László méltóságosék szobalánya volt itt vagy háromszor.

AZ ÖRDÖG Mit akart?

ANDRÁS Hogy fölkelt-e már a nagyságos úr. Mondtam neki, hogy még alszik és ki van adva az ordré, hogy csak délután háromkor költsem fel.

AZ ÖRDÖG Más nem volt itt.

ANDRÁS Nem.

AZ ÖRDÖG Jól van. Gyerünk avval a teával. Majd hozza fel a gazdája szobájába. *(El a műterem felé)*

ÖTÖDIK JELENET

András, Jolán

Csöngetés, mikor az ördög kiment. András a bejáratajtón sietve el. Erre belép rögtön Jolán, utána András

JOLÁN *(izgatottan viselkedik)* Itthon van a gazdája?

ANDRÁS Igenis, méltóságos asszony.

JOLÁN A szobalányom azzal jött vissza, hogy háromkor kel föl. Most pont három. Fölkelt már?

ANDRÁS Tíz perce kelt föl.

JOLÁN Amióta hazajött, egyfolytában aludt? Ezt azért kérdezem, mert tudni akarom, hogy hajnal óta, amikor hazajött, beszélt-e vele valaki.

ANDRÁS Nem költöttem fel.
JOLÁN Nem hoztak neki valami levelet?
ANDRÁS Nem.
JOLÁN *(megkönnyebbülten)* Hála Istennek. *(Andráshoz)* Azonnal jelentse be neki, hogy itt vagyok és beszélni akarok vele rögtön.
ANDRÁS Méltóságos asszonynak alighanem várnia kell néhány percig. Most jövök tőle. Még öltözik. Hanem ha parancsolja, szólok a doktor úrnak.
JOLÁN *(ijedten)* Micsoda doktornak?
ANDRÁS Akivel tegnap együtt méltóztattak itt lenni.
JOLÁN Az ott van nála?
ANDRÁS Igen.
JOLÁN Végem van. *(Andráshoz)* Maga ott volt körülötte?
ANDRÁS Segíteni szoktam neki az öltözködésnél.
JOLÁN Nem látta, hogy az az ember átadott-e neki valami levelet... valami írást... valami cédulát?
ANDRÁS Meglehet, mert amikor ő jött, én kimentem.
JOLÁN Kéretem a doktor urat, hogy azonnal jöjjön le ide. Ne mondja, hogy én kéretem.
ANDRÁS Igenis. *(Elsiet a műterem felé)*

Jolán egy pillanatig izgatottan jár fel-alá. Belép az ördög

HATODIK JELENET

Jolán, Az ördög

AZ ÖRDÖG *(mozdulatot tesz, melyen csodálkozik, hogy Jolán itt van)* Hogyan? Ön az a hölgy, aki sürgősen beszélni óhajt velem?
JOLÁN Én.
AZ ÖRDÖG Parancsoljon velem. Hisz tudja, hogy mindig...

JOLÁN Egy szót se addig, míg a kérdésemre nem felelt. Reszketek. Nem is merem megkérdezni... nézzen rám... doktor...

AZ ÖRDÖG Átadtam!

JOLÁN Ah! *(Nagyon halk sikolyt hallat. A szoba túlsó sarkába megy, és ott leül. Mereven néz maga elé)*

AZ ÖRDÖG *(a belépő Andráshoz, aki a teát hozza)* Ide tegye. Köszönöm.

András el a műterem felé

JOLÁN És ő elolvasta?

AZ ÖRDÖG El.

Szünet. Az ördög a teával foglalkozik

JOLÁN Istenem.

AZ ÖRDÖG *(miután kitöltötte a teát, melléje ül. Halkan beszél)* Mikor végigolvasta, akkor újra kezdte. Azt kérdezte tőlem: Tudod te, mi van ebben a levélben? Azt feleltem, hogy sejtelmem sincs róla. Mondtam, hogy én csak egy megbízható férfiember vagyok, akire maga rábízta ezt a levelet. És miután láttam, hogy a levél borzasztó hatást tett rá, kimentem diszkréten a szobából. De nem tudtam úgy sietni, hogy ne hallottam volna, amint a párnába rejtve a fejét, sírt.

JOLÁN Sírt. *(Nem kérdi, hanem mondja)*

AZ ÖRDÖG A síró férfit nem szeretem. De ha már hallottam... nem tehetek róla... nagy, boldog, férfias sírás volt, szeretném azt mondani, hogy diadalmas sírás.

JOLÁN Azért jöttem ide, mert meg akartam akadályozni, hogy megkapja azt a levelet, várni akartam itt, amíg fölkel, hogy én legyek az első, akivel ma beszél. Meg akartam kérni, hogy adja vissza felbontatlanul, ha megkapja. És elkéstem.

AZ ÖRDÖG Nem ön késett el. Én siettem. Most már, hogy végleg megtisztelt a bizalmával, boldog vagyok, hogy ilyen pontos voltam.

JOLÁN Hát komoly dolog az élet? Boldogság, boldogtalanság azon múlik, hogy valaki öt perccel három előtt jön-e, vagy öt perccel három után.

AZ ÖRDÖG Úgy van.

JOLÁN *(maga elé néz)* Sírt?

AZ ÖRDÖG A boldogságtól.

JOLÁN Mikor reggel fölébredtem, boldogan lustálkodtam vagy egy percig az ágyamban, tökéletesen megfeledkeztem mindenről, ami velem történt. Még üres volt a fejem az álomtól. Aztán egyszerre eszembe jutott minden. Mintha valaki kézzel a szívemre ütött volna. Mint a bolond, úgy kapkodtam magamra a ruhát. Az ön szállására szaladtam volna, de nem tudtam, hol lakik. Hát ideküldtem a cselédet, majdnem nyugodt voltam mostanáig... azt hittem, jókor érkezem... és most vége. Most már hiába minden. Hatévi csöndes szenvedés... minden felszabadult... Nem merek beszélni vele, és mégis érzem, hogy beszélnünk kell. Megszökném előle, de nem ő jön utánam, hanem az én levelem megy őutána... azok után, amiket tegnap forró fejjel csináltam... üldözi... kínozza, égeti... és én...

AZ ÖRDÖG Nem lehet.

JOLÁN Hogy fogok a szemébe nézni? A nászéjszakámon... egy ember előtt, akit nem szerettem, mikor ketten maradtunk... reszkettem, haldokoltam... de a szemébe néztem. Most találkoznom kell vele... és nem tudom, mi lesz velem.

ANDRÁS *(átmegy a színen, a műterem felől jövet, elviszi az üres csészét, és jobb felé megy a bejárat irányában)* Már jön a nagyságos úr. *(El)*

AZ ÖRDÖG Én... megyek... el.

JOLÁN *(megfogja a karját)* Nem... ne menjen.

AZ ÖRDÖG Beláthatja, hogy nem maradhatok itt.

JOLÁN Maradjon. Most nem szabad vele négyszemközt beszélnem. Itt kell maradnia énmiattam, hogy legyen itt valaki... hiszen maga tudja, mi van ebben a levélben.

AZ ÖRDÖG De ha itt maradok, nem lehet önök közt szó a levélről, és akkor elhalasztódik mindaz, amit ön neki mondani akar. Én itt csak akadály vagyok.

JOLÁN Most már őszintén akarok vele beszélni. Még egyszer utoljára meg fogom kérni...

JÁNOS hangja *(a színfal mögött)* András!

AZ ÖRDÖG *(hirtelen)* Jön.

JOLÁN *(hirtelen)* Hát... legalább maradjon a közelben.

AZ ÖRDÖG *(a bal ajtóra mutat)* Itt leszek. Ha úgy érzi, hogy szüksége van rám, hívjon. *(El gyorsan)*

Balra János megjelenik a műteremajtóban

HETEDIK JELENET

János, Jolán

JÁNOS *(belép. Némán, hosszan, kezet csókol Jolánnak. Halkan)* Énnekem most térden állva kellene bocsánatot kérnem attól, akit ezen a világon a legjobban tisztelek és becsülök, azért, amit az éjszaka tettem.

JOLÁN *(elhaló, gyönge hangon)* A doktor itt van a szomszéd szobában. Röviden beszéljünk, János. Én voltam a meggondolatlan, mert nekem nem volt elég ez a mi sok keserves évünk... felgyúlt a szívem, éreztem, hogy... bele kell mennem ebbe a próbába... óh, nem azért, mert tudni akartam... igaz-e a becsülése... János, én azt tudom... *(Kezet nyújt neki. János megfogja a kezét)* Egy pillanatra sem kételkedtem benne... de nem bírtam magammal... tudnom, éreznem kellett, szomjas voltam arra, hogy szeret-e?... úgy, ahogy én sejtettem... minden éjszakán... minden...

JÁNOS Óh... *(Megcsókolja a kezét. Aztán elbocsátja. Inkább Jolán szabadítja ki a kezét a kezéből)*

JOLÁN Huszonnégy óra alatt annyi minden történt velünk. Hiába vannak az évek és a századok... az egész emberiség története elfér egy napba, egy olyanba, mint ez a mi tegnapunk... Most megpróbálom... minden utolsó, szegény kis erőmet összeszedem... megpróbálom, el lehet-e mondanunk ugyanazt, amit ezen a helyen tegnap délután mondtunk el... tudunk-e még egyszer becsületesen kezet fogni egymással, mint tegnap... van-e még erőnk, hogy megújítsuk a mi szomorú szerződésünket... amit annyi hosszú esztendőn át állottunk...

JÁNOS Jolán... édes kislányom...

JOLÁN Nem lehetett másképp. Az a néhány perc, ami alatt az éjszaka érezte, hogy tüzel felém a szerelme... nem az, amit álomba fojtott... hanem az, amiről eddig csak maga tudott... hogy megláthattam egy pillanatra azt, ami eddig csak a magáé volt, hogy föllángolt előttem, amit eddig parázsnak hazudott... felforralt, elvette az eszemet... belementem egy vad tréfába, hogy beleláthassak a lelkébe... mert nem akartam egyebet... nem voltam erős... nem tudtam megtagadni magamtól ezt a gyönyörűséget, oly közel volt, oly könnyű volt... hogy csak egyszer lássam úgy rám nézni, ahogy akkor rám nézett... hogy csak egyszer árulja el magát... először és utoljára.

JÁNOS Édes kisleányom...

JOLÁN De megbűnhődtem ezért az egy pillanatért. Megégtem. János. Most már azt se tudom ismételni, amit az előbb mondtam... arról a kézszorításról... elvesztem... János. *(Lassan a székhez megy, leül. Nincs ereje. Kis szünet. Aztán fölemeli a fejét)* Szeretlek...

JÁNOS *(hozzásiet)* Jolán... *(Mikor hozzáér, az asszony fölpattan a székről és egy halk, félig sírás, félig nevetéssel átöleli. Megcsókolják egymást)*

JOLÁN *(hirtelen megriad, nagyon összerázkódik. Súgva)* A doktor... *(a másik szoba felé mutat)* ott van. *(A szájára teszi az ujját, jelezve, hogy legyen csönd. Súgva, lehunyt szemmel, nagyon szemérmes dévajsággal)* Nem sejtette, mi van a levélben.

JÁNOS Nem sejtette...

JOLÁN Nem.

JÁNOS Melyik levélben?

JOLÁN *(mosolyogva)* Hogyhogy?

JÁNOS Édes szívem... milyen levélről beszélsz...?

JOLÁN A levelem... No, ne... ne tégy úgy... most diszkrét vagy és finom... beszélhetsz róla bátran... nem szégyellem... Félig öntudatlanul írtam, meg is bántam, de most már nem bánom. Büszke vagyok rá. Egy asszony nem mindig akarja azt, amit leír, de mindig azt írja le, amit akar. Olvassuk el együtt.

JÁNOS Jolán... én komolyan nem tudok levélről. Levelet írtál nekem?

Jolán *(megriadva)* Hogyan... *(A szívére teszi a kezét)*

JÁNOS Nem. Nem kaptam.

JOLÁN Nem kaptad meg...

JÁNOS Nem.

JOLÁN De hiszen... *(egy pillanatra elhallgat, aztán az ajtóhoz rohan és felrántja)*

Az ördög belép

NYOLCADIK JELENET

Jolán, János, Az ördög

JOLÁN *(akadozva)* A... a... a... levelem... *(Fürkészőleg nézi az arcát)*

AZ ÖRDÖG Ezer bocsánat, méltóságos asszonyom... most jut eszembe, hogy... a levelet... elfelejtettem átadni. *(A zsebébe nyúl és kihúzza)* Itt van. *(Bocsánatkérő mozdulatot tesz)*

Kis szünet, mely alatt János ránéz, a Jolán szívére tett kézzel, ijedten, tanácstalanul néz hol rá, hol Jánosra. Az ördög finoman mosolyog

AZ ÖRDÖG *(nagyon kedvesen, halkan)* Legyen a mentségem, hogy vannak levelek, amiket nem szükséges átadni...

JOLÁN *(az ördögre meredve)* Most látom, hogy nem tudom, ki ez az ember...

AZ ÖRDÖG De ha úgy gondolja... *(János felé nyújtja a levelet)*

JOLÁN *(hirtelen)* Nem!

János átvette a levelet

Nem akarom, hogy elolvassa...

JÁNOS Asszonyom... az ön parancsa.

JOLÁN Tépje el.

János eltépi a levelet

A tűzbe... a tűzbe...

János a kandallóba dobja a levelet. A tűz fellobban

AZ ÖRDÖG Én sajnálnám a legjobban, ha kellemetlenséget okoztam volna hanyagságommal.

JÁNOS *(sértő hangon)* Már mégy?

AZ ÖRDÖG Négykor indul a vonatom, megyek. Még egyszer bocsánat, méltóságos asszonyom. Így jár az, aki nem tudja, milyen fontos dolgot bíznak rá. Csak sejtettem volna is, hogy abban a levélben olyan lelki válságoknak...

JÁNOS *(szigorúan)* Nem fogom megengedni, hogy bármily burkoltan is, de meggyanúsítsad ezt a levelet. Őméltóságához engem a legmélyebb tisztelet köteléke fűz. Abban a levélben nem lehetett más, mint valami közömbös értesítés. Ezt te tudhatod a legjobban.

AZ ÖRDÖG Ebben igazad van. *(Áll és vár)*

JÁNOS Le fogsz késni a vonatról.

AZ ÖRDÖG *(meghajol)* Asszonyom. *(Kezet fog Jánossal)* Szervusz. Még egyszer bocsánat a levélért. *(El a bejáratajtón)*

KILENCEDIK JELENET

Jolán, János, majd Az ördög

JOLÁN Nem azt bánom, hogy nem adta át a levelet... Most már odaadnék egy csomó évet az életemből, ha nem dobattam volna a tűzbe.

JÁNOS De hát mi volt abban a levélben?

JOLÁN Minden, amit tudsz. Minden, amit most el is mondtam. *(A tűzbe néz)* És most ott ég... az első szerelmes levelem... az én szegény, reszkető kis írásom... amit együtt akartam veled olvasni. Igaza van. Nem volt rá szükség. De most szükség volna rá... azért kértem, mert ennél akartam most megrészegedni... most itt... nem tudok nélküle... nem tudom nélküle elveszteni a józanságomat... *(Szenvedélyesen)* János... ott benn a műteremben... tegnap... láttam tokaji bort... adj inni belőle...

János Hozom... menyasszonyom! *(A műterembe rohan)*

Jolán lassan, boldogan utána indul

AZ ÖRDÖG *(belép a bejáratajtón, sapkában, bundával, kis útitáskával)* Ma határozottan szórakozott napom van. *(Levelet húz elő a külső zsebéből)* Hát nem egy számlát adtam oda az előbb e helyett a levél helyett? *(Átadja Jolánnak a levelet)*

JOLÁN *(feltépi a levelet, ráismer. Örömmel sikolt fel)* Ez az! *(A kebléhez szorítja)* János! *(Berohan utána a műterembe)*

TIZEDIK JELENET

Az ördög egyedül

Az ördög egyedül marad. Maga elé néz, nagyon komolyan. Aztán lassan a műteremajtóra néz. Majd megint a földre. A közönségre néz. Miután még egyszer a műterem-ajtóra nézett, előrejön, egészen a színpad elejére, arcán látszik, hogy a közönségnek mondani akar valamit. Mikor odaért, egy pillanatig hallgat, aztán az artisták rendes mozdulatával és arckifejezésével, amellyel egy produkciót befejeznek, halkan, röviden, de élesen ennyit mond

–Voilà!!

Hirtelen felkapja a táskáját, amit az előbb letett a földre és nagyon gyorsan távozik a bejáratajtón. Az ajtót becsapja. Nagyon rövidke szünet. Aztán hirtelen függöny

LILIOM

EGY CSIRKEFOGÓ ÉLETE ÉS HALÁLA

KÜLVÁROSI LEGENDA HÉT KÉPBEN

(1909)

SZEMÉLYEK

LILIOM
JULI
MARI
FICSUR
HUGÓ
LINZMANN
MUSKÁTNÉ
LUJZA
HOLLUNDERNÉ
A HOLLUNDER FIÚ
ORVOS
FOGALMAZÓ
BERKOVICS
AZ ESZTERGÁLYOS
KAPITÁNY
ÖREG RENDŐR
BUDAI RENDŐR
DR. REICH
KÁDÁR ISTVÁN
I. DETEKTÍV
II. DETEKTÍV
I. LOVASRENDŐR
II. LOVASRENDŐR
NÉGY KIS CSELÉD
NÉGY DETEKTÍV

Történik a Városligetben
és a másvilágon

ELSŐ KÉP

A Városliget egy zuga. Fák, bokrok. Elöl középen egy pad. Tavaszi délután, alkonyat felé

Mikor a függöny felgördül, a színpad egy pillanatig üres. Aztán beszalad Mari, a színpad közepén megáll és visszanéz

MARI Julika!

Nincs válasz

Julika! Hadd! Hadd! Gyere! Hadd! *(Indul visszafelé)*

JULI *(bejön, izgatottan, vissza-visszanéz)* Nézd csak! Ilyen szemtelen.

MARI *(kifelé néz)* Ott van ni! Megint gyön!

JULI Tőlem gyöhet, én nem csináltam semmit. Csak egyszerre rám ugrik, meg kiabál, meg elmond mindennek, meg...

MARI Ott gyön ni. Gyere, szaladjunk. *(Húzza kifelé)*

JULI Nem szaladok én. Nem csináltam semmit. Nem félek tőle.

MARI Gyere, mer az megver.

JULI Nem megyek én. Ha megver, megver.

MUSKÁTNÉ *(jön)* Nem köll szaladni, ne féljen, nem eszem meg. Én csak figyelmeztetem magát, édes lányom, hogy az én körhintámba be ne tegye többet a lábát. Én ott megtűrök mindent, nekem muszáj, mert ez az üzletem. Én nem nézem, úri hölgy, vagy bárcás, nekem mindegy, csak öt vasat fizessen. De ha valaki az én hintámon illetlenül viselkedik, az ki lesz tiltva.

JULI Ezt nekem mondta?

MUSKÁTNÉ Magának, maga cseléd. Az én körhintámon…

JULI Énnekem mondta, hogy viselkedtem? Megfizettem a menetet, és felültünk a szarvasra. Egy szót se szóltam, csak a barátnémmal beszéltem.

MARI Mit akar tőle? Nem is ő szólt, hanem a Liliom gyött oda.

MUSKÁTNÉ Az nekem mindegy. Aztán győsjjön a rendőrség, és vegye el tőlem a licencemet. Maga majd megfizeti nekem azt, maga rongyos?

JULI Rongyos, aki mondja.

MUSKÁTNÉ Hát többet nem ül föl. Fogdostatja magát a kikiáltóval. Nem sül ki a szeme?

JULI Mit mondott?

MUSKÁTNÉ Azt hiszi, nem láttam. Azér, mert benn ülök a hinta közepibe, a tükörnél, látok én mindent. Felültek a szarvasra és az egész menet alatt hagyta magát a Liliomtul fogdosni. Szép kis disznó.

JULI Nem is fogdosott, mert engem nem fogdoshat senki.

MUSKÁTNÉ Oda volt dűlve magához az egész menet alatt.

JULI Hát oda volt dűlve, mert odadűlt. Oda dűl, ahova akar. Én csak nem mondhatom neki, hogy ne dűljön hozzám, mikor illedelmesen odadűl. Nem is nyúlt hozzám.

MUSKÁTNÉ Átfogta a derekát.

MARI Abba is van valami?

MUSKÁTNÉ Maga fogja be a száját, magát nem kérdeztem. Majd éppen magát kérdezem, hogy mibe van valami? Szép kis szemét.

JULI Átfogta a derekamat, másnak is átfogta, azt a Liliomtúl megszoktuk.

MUSKÁTNÉ Hát majd én leszoktatom róla, édes lányom. Az én körhintámon nem lesz fogdosás, ha szerelmeskedni akar, menjen az állóhelyre, a Barokaldicirkuszhoz. Ott katonát is kap.

JULI Köll a kutyának.

MARI Hogyne, még katona. Ette vóna meg a fene mind.

MUSKÁTNÉ Csak ezt akartam mondani, édes lányom. Tudja, csak azér, mert jobb ez így. Mer ha oda találja dugni az orrát, hát én hátba vágom, édes lányom, úgy, hogy megnémul tőle. Nem hagyom a licencemet elvenni a rendőrségtől, mert azt ott is tudják, hogy az én körhintámon nincs erkölcstelenség.

JULI Ezt mind akár ne is mondta volna. Mert ha nekem kedvem szottyan fölülni a maga hintájára, megfizetem a menetet és fölülök. Szeretném látni, hogy hozzám nyúl valaki.

MUSKÁTNÉ No hát győjjön, fiam, holnap. Aztán próbálja meg.

MARI Meg is próbáljuk.

MUSKÁTNÉ Olyat még nem látott a liget.

JULI Talán ledob?

MUSKÁTNÉ Le én, édes lányom.

JULI Hát aztán, ha én vagyok az erősebb?

MUSKÁTNÉ Akkor be se piszkolom a kezemet az ilyen cseléddel. Majd lelöki a Liliom. Már az tudja, hogy köll elbánni a mindenesekkel.

JULI Hogy engem lelök a Liliom?

MUSKÁTNÉ Le, édes lányom, hogy azt sem tudja, honnan gyütt.

JULI Hogy engem... *(Hirtelen elhallgat)*

Muskátné hátranéz. Négy vihancoló cseléd közt bejön Liliom

LILIKE Eriggyetek innen, mer aki nem megy el, azt szájon kapom!

EGY KIS CSELÉD Adja vissza a zsebkendőmet!

LILIKE Nem mentek innen?

MIND A NÉGY Adja vissza! Nézze meg az ember!

AZ EGYIK *(Muskátnéhoz)* Nagysága, kérem...

MUSKÁTNÉ Fogd be a szád!

LILIKE Nem méc innen? *(Nekiugrik, mind a négy vihâncolva kiszalad)*

Muskátné Mit csinált már megint?

LILIOM Mi köze hozzá? *(Julira néz)* Már megint ezzel van baja?

JULI Liliom úr, kérem...

LILIOM *(elébe áll)* Ne kiabálj!

JULI *(meghúzódva)* Nem kiabálok.

LILIOM Na hát. *(Muskátnéhoz)* Mi baj van? Mit csinál ez itt?

MUSKÁTNÉ Azt csinálja, hogy jár a szája. Még neki áll följebb. Ki lett lökve a körhintáról, és nézze meg magának ezt a cselédet, Liliom, jól nézze meg magának ezt a hölgyet, ez ki van tiltva az én körhintámról.

LILIOM Ki vagy tiltva? Akkor mars haza!

MARI Gyere innen, hadd itt őket. *(Húzza Julit)*

JULI Nem megyek. Nem hagyom magamat.

MUSKÁTNÉ Ha még egyszer meglátja, ne eressze föl, és ha fölül, lökje le. Érti?

LILIOM Hát aztán mit csinált?

JULI *(izgatottan, komolyan)* Liliom úr... tessék most megmondani igaz lelkére... lelök engem, ha fölülök a hintájára?

MUSKÁTNÉ *(Julihoz)* Leiöki.

MARI Nem magát kérdezték.

JULI Tessék megmondani, Liliom úr, szemtől szembe. Lelök engem?

Kis szünet

LILIOM Lelöklek én, fiam, ha tudom, mér. De ha nem tudom, hát már mér löknélek le?

MARI *(Muskátnéhoz)* Na lássa!

JULI Köszönöm a jóságát, Liliom úr!

MUSKÁTNÉ Hallotta, mit mondtam? Ha ez a cseléd oda meri tenni a lábát, ki lesz dobva. Értette? Nem tűrök fogdosást az intézetemben.

LILIOM Micsoda fogdosást?

MUSKÁTNÉ Láttam jól, ne adja a bankot.

Juli Hogy maga átfogta a derekamat.

LILIOM Én?

MUSKÁTNÉ Igen, maga. Láttam, ne féljen.

LILIOM Hát aztán nekem nem szabad átfogni a lányok derekát? Maj magához megyek engedélyér, ha valakinek át akarom fogni a derekát?

MUSKÁTNÉ Magának szabad, tehet, amit akar... éntőlem elmehet vele aludni is... de őneki nem szabad... az én hintámon nincs fogdosás.

Nagy szünet

LILIOM *(Muskátnéhoz)* Hát most fogja be a száját.

MUSKÁTNÉ Mit mondott?

LILIOM Fogja be a száját, és menjen vissza az intézetibe.

MUSKÁTNÉ Micsoda?

LILIOM Mit akar ettül? Erre a véznára mászik rá? Amér én megfogtam? Gyere lányom, a hintára, amikor akarsz, azér is gyere oda, minden délután és ülj föl a legszebb szarvasra, és ha nincs pénzed, hát a Liliom fizeti a menetet és ha valaki hozzád mer nyúlni, hát a Liliom majd megmutatja, mi az, amit hogy mondunk: Balkézzel srégen a tüdőre egy mejjpor köhögés ellen.

MUSKÁTNÉ Te rongyos!

LILIOM Te disznó!

JULI Köszönöm a finomságát, Liliom úr.

MUSKÁTNÉ Hát azt hiszed, hogy téged nem lehet kidobni? Mér? Amér te vagy a legjobb csalogató a ligetbe? Már ki is vagy dobva. Már el is vagy bocsátva.

LILIOM Rendben van.

MUSKÁTNÉ Már ki is dobhatlak, ha akarlak.

LILIOM Csak úgy, ahogy mondta. Ki vagyok dobva, hát rendben van. Ne szíjja vissza.

MUSKÁTNÉ Már megin adod a bankot, a kedvességedre föl. Már megin goromba vagy.

LILIOM Kidobott, hát ki vagyok dobva.

MUSKÁTNÉ Már megin gorombáskodsz velem. *(Elérzékenyül)*

LILIOM Jól van hát, rongyos vagyok, hát azt hiszem, engem nem is lehet kidobni, hát már el is vagyok bocsátva, rongyos vagyok.

MUSKÁTNÉ Tönkre akarod tenni az üzletemet?

LILIOM Rongyos vagyok. Majd cilindert húzok. Ki vagyok dobva.

MUSKÁTNÉ Nem is vagy kidobva. Csak ez a cseléd...

LILIOM Mars, el innen.

MUSKÁTNÉ Megveretlek a Hózlingerrel, Liliom. Egyszer már...

LILIOM Mars haza. Kidobtál, most mars.

Juli *(félénken)* De hát, Liliom úr, hajaszondja, hogy nem dobta ki.

LILIOM Befogni a szájat itten.

JULI Csak azér, mert énmiattam van az egész hecc.

LILIOM Kérjen bocsánatot ettül.

MARI Ahá!

MUSKÁTNÉ Én? Kitül?

LILIOM Ettül a kis maznátul, kérem, nagysága.

MUSKÁTNÉ Hát ha nekem adod a bazilikát? Hát ha nekem adod a Lánchidat? Hát ha az öreg Rótsild tányéron hozza ide az egész pézit? Hát még akkor is, ha közel gyön a hintámhoz, nem rúgom el úgy, hogy hetet bokázik?

LILIOM Hát, nagysága, kérem. *(Leveszi a sapkáját)* Most aztán tessék szép csöndbe, rendbe elmenni innen. Mer én még nem vertem meg hölgyet, kivéve, mikor özvegy Holcerné három hétig feküdt bele, de ha a nagysága most el nem megy innen, és békin nem hagyja ezt a szegény bogarat, én a nagyságának igazán megmutatom, hogy mi az, amit hogy mondunk: balkézzel srégen a tüdőre egy mejjpor köhögés ellen.

MUSKÁTNÉ Látod, fiam, most aztán te se köllesz nekem többet. Isten áldjon meg, fiam, be se gyere holnap. El vagy bocsátva. *(Elmegy)*

Erősen alkonyodik

MARI *(őszinte részvéttel)* Szegény Liliom.

LILIOM Ne sajnálj, fiam, mer hozzád vágok valamit. *(Julihoz)* És te se sajnálj, te kis cselédbogár.

JULI *(ijedten)* Én nem is sajnáltam, Liliom úr.

LILIOM De sajnálsz, látom az orrodon. Te is kaphatsz valamit. Olyan képet vágsz, mintha a Liliom most elmehetne koldulni, mer a nagyságos Muskátné özvegyné kidobta. Úgy nézz rám, bogár, hogy engem a legelőkelőbb körhintások már kidobtak. Nekem jöhet a Muskátné imponálni, az nekem fiatal.

JULI De hát most mit fog csinálni, Liliom úr?

LILIOM Most, fiam, iszok egy sört. Azt tanuld meg, fiam: minden ijedtségre egy sör.

JULI Hát lássa, mégis megijedt.

LILIOM Csak a sörért, fiam.

MARI Hát most már...

LILIOM Mi az, most már?

MARI Hát most már maradjon velünk, Liliom úr.

LILIOM Fizeted a sört?

Nagy csönd

LILIOM *(Julihoz)* Hát te?

Csönd

Mennyi pénzed van?

JULI Nyóc.

LILIOM Hát neked?

Mari szégyenlősen a földre néz és nem felel

LILIOM *(szigorúan)* Mennyi van?

Mari sírni kezd

LILIOM Most már tudom. Azér nem kell bőgni. Hát maradjatok itt, a Liliom elmegy a körhintához és elhozza a frakkját, meg a klakk-cilindert, meg mind a három fehérneműt, aztán megyünk a Hungária-kertbe. Ne félj, én fizetek. Itt várjatok a padon. *(Elmegy. A lányok utánanéznek)*

MARI *(meglöki Julit)* Sajnálod?

JULI Hát te?

MARI Én úgy módjával. De tejúgy bámúsz utánna, hát azért...

JULI *(leül)* Nem is bámulok. Csak mer kidobták.

MARI *(büszkén)* Mijértünk rúgták ki. Mer téged kedvel.

JULI Nem is kedvel.

MARI De kedvel. *(Kelletve magát)* Nekem is van, aki kedvel. *(Ő is leül)*

JULI Micsoda?

MARI Amíg neked nem vót, nem mondtam. De most megmondom. *(Dicsekedve)* Szívemnek is van szerelme!

JULI Nem szégyelled magad?

MARI Nem én. Szívemnek édes szerelme.

JULI Hát aztán kicsoda? Micsoda?

MARI Katona.

JULI Milyen katona?

MARI Éppen azt nem tudom. Valami katona. Hányféle van?

JULI Hát sokféle. Huszárkatona, tüzérkatona, furvézerkatona és rongyos baka, gyalogsági.

MARI Kalaaz a villamostul, az is katona?

JULI Az nem katona. Az kalaaz.

MARI Hát rendőr? Az se katona?

JULI Nem. Az csak rendőr, vagy biztos, vagy konstábler.

MARI Pedig van kardja. Kalaaznak nincs kardja. Akinek kardja van, az katona.

JULI Díszmagyarnak is van kardja, mégse katona. Képviselőnek is van kardja, mégis asse katona.

MARI Hát akkor csak ki katona?

JULI Mán mondtam. És tiszt, az is katona. Meg honvéd is katona.

MARI Szanité, az milyen?

JULI Az is, csak nem egészen, csak félig. Úgy mondjuk, ez itt katona, ez meg szanité.

MARI Hát honnan tudom, mellik a katona?

JULI Ha kardja van, csak ha nem rendőr. Így van.

MARI *(nagyon büszkén)* Hát a fináncí?

JULI Az fináncí.

MARI Annak puskája is van, kardja is van. Márpedig az csak nem katona.

JULI Az olyan, mint a szanité.

MARI Az is ződ.

JULI A tiéd talán ződ?

MARI Isten ments, dehogy ződ?

JULI Aki ződ, az csak félig katona.

MARI Hát aki bordó?

JULI Az huszár. De csak a nadrágja. A vártüzérnek stráfgya van. Barna, az trénkatona, rongyos furvézer. Majd megtanulod te is, ha már egy évig jársz a ligetbe, mint én. De mos még falusi vagy.

MARI *(kissé elkeseredve)* Hát mirű ismerem föl, hogy mellik a katona?

JULI Csakis egyrű.

MARI Mirű?

JULI Egyrű.

Szünet. Mari elpityeredik

Minek bőgsz?

MARI Minek csúfúsz? Kigúnyúsz. Mer te pesti vagy, én meg csak most gyöttem. Honnat tudjam én a katonát? Inkább mondd meg, ne csúfúj.

JULI Nyisd ki a füled. Csakis egyrű ismerszik meg, ha katona. Ha szalutál. Errű az egyrű.

MARI Akkor jó.

JULI Micsoda?

MARI Azt mondom, akkor jó. Csak mer a Hugó... a Hugó...

JULI *(nevetve, csúfolódva)* Micsinyál?

MARI Hugó. Úgy híjják: Hugó. Ez a neve.

JULI Micsinyál?

MARI Hugó. *(Keservesen sír)*

JULI Már megin nyikorogsz? Minek sírsz?

MARI Minek gúnyúsz?

JULI Nem gúnyúllak én. De ha azt mondod, hogy Hugó, hát akkor muszáj nevetni. *(Évődve)* Hát hogy híjják?

MARI Mos nem mondom.

JULI Jó. Ha nem mondod, akkor nem katona.

MARI *(szégyenkezve)* Hát mondom.

JULI Na?

MARI Nem mondom. *(Bőg)*

JULI Nem is katona. Bizonyosan postás, levélhordó.

MARI Nem, nem. Inkább mondom.

JULI Na?

MARI *(földerülve)* De ne nézz rám. Arra nézz, akkor mondom.

Juli elfordítja a fejét

MARI *(Most már ő is csak nehezen tudja visszatartani a nevetést)* Hugó. *(Ő is nevet)* Ez a becsületes neve. Hugó, Hugó, katona-hugó.

JULI Milyen katona?

MARI Piros.

JULI A nadrággya?
MARI Nem.
JULI Kabáttya?
MARI Az se.
JULI Hát?
MARI *(hangosan kivágja)* Sapkája!

Nagy szünet

JULI Hordár az, fiam, ott gyöjjön rá a frász. Piros sapka az hordár. Se kardja, se puskája.
MARI *(ragyogva)* De szalutál. Te mondtad, errű ismerszik meg.
JULI Nem is szalutál, mer köszön.
MARI Énnekem mindig szalutál. Azér, mer Hugó, azért lehet katona. Szalutál is, piros sapkája is van, egész nap a sarkon áll, őrségen.
JULI És mit csinál?
MARI Köpik.
JULI Hordár az, fiam. Az a rangja.
MARI Hát a Liliomnak ugyan mi a rangja?
JULI *(kicsit találva érzi magát)* Hogy jut eszedbe a Liliom? Mi közöm hozzá?
MARI Nekem sincs a Hugóhoz. Minek gúnyúsz a Hugóval? Hát én is gúnyúllak a Liliommal.
JULI Én nem is szóltam hozzá. Ő karolt át a hintán. Nem mondhatom csak neki, hogy ne karoljon, ha már karol.
MARI Talán nem is esett jól?
JULI Nem.
MARI Hát akkor minek nem gyösz haza? Mer várod.
JULI Hiszen mondta, hogy várjuk.

Liliom megjelenik, nagy csönd

LILIOM Még mindig itt vagytok? Mér nem mentek még haza?

MARI Azt mondta, hogy várjunk.

LILIOM Mindig neked jár a szád. Ki kérdezett?

MARI *(feleselve)* Hát kérdeztc, hogy mér…

LILIOM Nem hallgatsz? Mit csinálok én kettővel? Csak az egyiket gondoltam. Az egyik menjen haza.

Szünet

MARI Na gyere.

JULI Hát gyere.

Nem mozdulnak

LILIOM Az egyik menjen haza. Hol szolgálsz?

MARI Brájer igazgató, huszadik szám, Damjánovics utca.

LILIOM Hát te?

JULI Én is abba a házba.

LILIOM Hát az egyik csak menjen haza. Melyik akar itt maradni?

Nincs válasz

Mér nem beszéltek?

MARI *(mint valami nagyon fontos dolgot, úgy mondja)* Elcsapják ám, ha itt marad.

LILIOM Kit?

MARI A Julikát. Csak hétig van kimenője.

LILIOM Elcsapnak?

JULI El.

LILIOM Hát engem nem csaptak el? Mi?

JULI De… magát is elcsapták.

LILIOM Na látod.

MARI Hát elmenjek, Julika?

JULI Én… én nem tudok erre felelni neked, Marika.

MARI Hát csak maradj itt, ha akarsz, Julika.

LILIOM Aztán elcsapnak.

MARI Hát elmenjek, Julika?

JULI *(zavarban)* Ejnye, hát mit akarsz má tőlem, Marika?

MARI Hát te jobban tudod.

JULI *(nagyon meghatott hangon, csöndesen)* Hát menj csak szépen haza, Marika.

MARI *(lassan, kopogó léptekkel elmegy, de ugyanúgy visszajön)* Szerbusz! *(Vár egy pillanatig, aztán látva, hogy Juli nem mozdul, végleg elmegy)*

Már sötét van. A most következő beszélgetés alatt a távolban lassú egymásutánban több kis fénypont gyullad ki, a ligetben meggyújtják a gázlámpákat. Liliom és Juli a padra ülnek, mialatt alig hallhatóan, nagyon csöndesen, nagyon messze megszólal egy zongoraverkli, amely azonban nem állandóan kíséri a párbeszédet, hanem hol elcsöndesedik, hol megint hallatszik, mintha a szél néha-néha erre hozná a hangját. Nagy ritkán itt-ott emberi hangok is hallatszanak a távolból, néha egy-egy papírsíp hangja, egy-egy szerény csöngetés. A kép végéig egyre sötétebb lesz, holdsugár nincs, csak a tavaszi ég ragyog átlátszó sötétkéken

LILIOM Most aztán te is úgy vagy, mint én.

Juli nem felel

Most… te se vagy hivatalba.

Juli nem felel. Innen kezdve a beszélgetés egyre csöndesebbé válik, úgy, hogy a végén már-már csöndes suttogássá halkul

Vacsoráztál már?

JULI Nem.

LILIOM Akarsz a sörkertbe jönni, vacsorázni?

JULI Nem.

LILIOM Hát máshova?
JULI Nem.

Szünet

LILIOM Nemrég jársz a ligetbe. Nem láttalak, csak háromszor. Máskor nem voltál?
JULI Voltam.
LILIOM De te már láttál engem.
JULI Láttam.
LILIOM Tudtad, hogy én vagyok a Liliom?
JULI Mondták.
LILIOM Van szeretőd?
JULI Nincs.
LILIOM Ne hazudj!
JULI Nincs. Mondanám, ha volna. Nem is vót soha.
LILIOM *(csöndes fölháborodással)* Ejnye, de szemtelen vagy. Mingyár itt hagylak.
JULI Mégse vót.
LILIOM De vót.
Juli *(kissé fájdalmas szemrehányással)* Mér mongya, hogy vót?
LILIOM Mer csak úgy, egy szóra itt maradtál velem, te rongyos. Mán te tudod a járást.
JULI Nem tudom a járást, Liliom úr.
LILIOM Most mán csak azt mondd, hogy azt se tudod, mér ülsz itt. Hát itt ülsz velem a sötétbe. Ha még nem lett volna bakád, nem gyöttél volna olyan könynyen. Mentél te már, azért gyösz. Hát minek vagy itt?
JULI Mer, hogy ne hagyjam egyedül.
LILIOM De buta vagy, te bogár. Én nekem van, ha köll. Nem csak cseléd, szobalány is, nevelőné is, franciáné is. Akár húsz is.
JULI Tudom, Liliom úr.
LILIOM Mit tudsz?
JULI Szeretik a nők. Nem is azért ülök itt. Csak mer jó volt hozzám.
LILIOM Hát ha csak ezér ülsz itt, haza is mehetsz.

JULI Most már nem megyek, ha itt maradtam.

LILIOM Hát ha itt hagylak?

JULI Akkor se megyek, Liliom úr.

LILIOM Tudod, milyen vagy te? Volt egyszer nekem egy szeretőm, megállj, elmesélem, hogy volt. Egyszer este, mikor eloltottuk a lámpákat a hintán…

Most jön a razzia. Ez úgy történik, hogy jobbról jön két polgári ruhás rendőr (néma személyek), elmegy a padon ülő pár előtt és néhány lépésnyire tőlük megáll, jön a kapitány Berkovics detektívvel, civilben, lassan a padon ülő pár elé megy és mikor elébük ér, jön a háttérben még két-három polgári ruhás rendőr és tiszteletteljes távolban megáll. Ez a két-három ember szintén néma személy. A kapitány minden izgalom nélkül, csöndesen, hivatalosan beszél. Berkovics detektív túlbuzgó és brutális ember

KAPITÁNY Kicsoda maga?

LILIOM Én?

BERKOVICS Álljon föl. A rendőrség. *(Meglöki, Liliom fölåll)*

KAPITÁNY Hogy hívják?

LILIOM Závoczki Endre.

Juli csöndesen sírni kezd

BERKOVICS Ne sírj, nem esznek meg. Ez a razzia.

KAPITÁNY Fogja csak egy kicsit.

Berkovics szorosan Juli mellé áll

Micsoda maga?

LILIOM Mutatványos.

BERKOVICS Nagyságos kapitány úr, ez a Liliom. Már volt benn egypárszor a kerületben.

KAPITÁNY Ja, te vagy az? Kinél vagy most?

LILIOM Özvegy Muskát körhinta.

KAPITÁNY Mért nem mégy haza?

LILIOM Hát... mer csak itt... ülünk evvel a lánnyal.

KAPITÁNY A szeretőd?

LILIOM Nem.

KAPITÁNY Hát te kicsoda vagy?

JULI Zeller Júlia.

KAPITÁNY Cseléd?

JULI Mindenes lány, kérem. Nagyságos Kolics hivatalnoknál, államvasúti hivatalnok, Damjanics utca húsz.

KAPITÁNY Nézze meg a kezit.

BERKOVICS *(megnézi Juli tenyerét)* Cseléd.

KAPITÁNY Mit ülsz itt evvel a jasszal? Mér nem mégy haza?

JULI Kimenőm van, nagyságos úr.

KAPITÁNY Jobban tennéd, ha nem ülnél itt evvel a csirkefogóval.

BERKOVICS Majd a bokorban lesznek mindjárt, nagyságos uram.

KAPITÁNY Elveszi a pénzedet. Mi már ismerjük ezt az urat. Az ilyen buta cselédekre utazik, mint te, elveszi a pénzedet, és aztán majd jössz holnap a kerületbe, de kirúglak.

JULI Nekem nincs egy krajcárom se, kérem.

KAPITÁNY Hallod, Liliom?

LILIOM Nem azér ülök vele.

BERKOVICS Fogd be a szád, ne feleselj. *(Meglöki)*

KAPITÁNY Felvilágosítlak, lányom, hogy kivel vagy. Ez egy cselédcsábító, a hintánál is azért tartják. Szegény cselédeknek házasságot ígér, és elszedi a pénzt meg a gyűrűt.

JULI Gyűrűm sincs.

BERKOVICS Ne feleselj.

KAPITÁNY Semmi közöm hozzád, örülj, hogy megmondtam. Apád nem vagyok, hála istennek. Cselédcsábító, csirkefogó. Majd jössz aztán. Nem kell félni tőle, eljöhetsz velünk. A titkos rendőr hazakísér.

JULI Muszáj menni?
KAPITÁNY Nem muszáj.
JULI Hát akkor itt maradok, nagyságos kapitány úr.
KAPITÁNY Én figyelmeztettelek.
JULI Köszönöm a jóságát, nagyságos kapitány úr.
KAPITÁNY Jöjjön, Berkovics.

Mind elmennek. Juli és Liliom lassan visszaülnek a padra. Kis szünet

JULI Na és aztán?
LILIOM *(elgondolkozva)* Mi?
JULI Kezdett valamit mesélni.
Liliom Én kezdtem?
JULI Volt egy szeretője. Azt mondta: Egyszer este, mikor eloltották a lámpát a hintán. Eddig mondta.
LILIOM Igen. Hát mikor eloltottuk a lámpát a hintán... jött egy izé... egy lány, egy nagy kendőbe... és... hát odajött... és... mondd, hát... azér nem... hát, hogy nem... nem félsz itt velem... hát, hogy mondta a kapitány... hogy miféle vagyok... a pénzedet elveszem...
JULI Nem kell azt... tőlem... elvenni... Mostan nincs, de ha lesz... én... odadom. Mind.
LILIOM Nekem?
JULI Ha kéri...
LILIOM Hát már volt... akinek adtál?
JULI Nem.
LILIOM Nem volt szeretőd soha?
JULI Nem.
LILIOM De sétálló... az csak volt... akivel sétáltál?
JULI Vót.
LILIOM Baka?
JULI Földi.
LILIOM Minden baka földi... Hová való vagy?
JULI Ide nem messzire.
LILIOM Aztán szeretted?

JULI Minek kínoz, Liliom úr. Nem szerettem, csak úgy mentünk néha.

LILIOM Hová?

JULI Ide a ligetbe.

LILIOM Aztán az erényed, az hol veszett el?

JULI Nekem nincs is erényem.

LILIOM De vót?

JULI Nem is vót, mert én tisztességes leány vagyok.

LILIOM De csak segélyezted a bakát?

JULI Minek kínoz, Liliom úr?

LILIOM Segélyezted?

JULI Hát azt csak muszáj. De nem szerettem.

LILIOM Hát engem szeretsz-e?

JULI Nem, Liliom úr.

LILIOM Akkor minek ülsz itt velem?

JULI Csak ülök.

LILIOM Nem gyösz velem a táncterembe?

JULI Nem. Vigyázok a tisztességemre.

LILIOM Minek?

JULI Mert nem akarok soha férhez menni. Ha úgy volna, hogy férhe megyek valaha, akkor nem bánnám, nem vigyáznék az ártatlanságomra, mer akkor úgy is mindegy. De nem mék férhez, hát vigyázni kell, hogy az ember tisztességes lány maradjon.

LILIOM És ha én most azt mondanám... elveszlek?

JULI Maga?

LILIOM Ugye most megijedsz? Mer most eszedbe jutott, hogy mit mondott a kapitány! Most megijedsz.

JULI Nem én, Liliom úr. Tőlem azt mondhat, amit akar.

LILIOM Nem mernél hozzám jönni... feleségnek?

JULI Én csak azt tudom, hogy ha én szeretek valakit, nem bánom, ha meg is halok.

LILIOM Gyönnél ilyen csirkefogóhoz? Már... ha szeretnél?

JULI Akkor a hóhérhoz is... Liliom úr. *(Szünet)*

LILIOM Ahogy mondod... hogy nem szeretsz... Hát mér nem mész szépen haza?

JULI Most már nem mehetek haza. Már most mindenki lefeküdt.

LILIOM Bezárták az ajtót?

JULI Be. *(Szünet)*

LILIOM Lehet ám... jasszból is... gazemberből is... ember.

JULI Lehet. *(Szünet)*

LILIOM Nem vagy éhes?

JULI Nem. *(Szünet)*

LILIOM Na... és... ha elvenném a pénzed? Ha volna.

Juli Hát elvenné. *(Szünet)*

LILIOM Csak oda... kéne... menni... a Muskátné visszavenne. Akkor megin volna... keresetem...

Szünet, sötét van

JULI *(nagyon halkan)* Ahhoz... ne... menjen... *(Szünet)*

LILIOM Sok agácifák vannak itten. *(Szünet)*

JULI Ahhoz ne menjen vissza. *(Szünet)*

LILIOM Pedig az... egy szóra... mindjárt visszavenne... én tudom, mer... tudom mér... ő is tudja... *(Szünet)*

JULI Most én is érzem... Ez itt mind agácivirág... *(Szünet)*

LILIOM Fehéragác. *(Szünet)*

JULI A szél hozza erre.

Elhallgatnak. Nagy szünet. Függöny

MÁSODIK KÉP

Egy városligeti gyorsfényképész műhelye. Áll pedig ez egy deszkafallal körülkerített kis udvarból, amely mögött a mutatványostelep bódéi látszanak. Hátul deszkapalánk, amelyen függönnyel elzárható bejárat van. Ugyanezen a hátsó deszkafalon rozoga ablak. Balról fedett bódé határolja a kis udvart, a bódéba két ajtó nyílik. Az elülső a szobába, amelyben Liliomék laknak, hátrább egy másik a sötét kamrába. Jobbról szintén deszkapalánk, amelyre fotografus háttér van akasztva. Az egyik sarokban fotografálógép. A hátsó deszkafalnak támasztva balról rozoga kanapé. Délelőtt. Juli és Mari vannak ott

MARI Azt mondod: megverte a Hózlingert.

JULI Megverte.

MARI Pedig a Hózlinger sokkal erősebb.

JULI Mégis megverte. Úgy fogta meg, hogy megverte. Mert az nem az erőben van, hanem a fogásban.

MARI És elvitték a rendőrök.

JULI Elvitték, de másnap hazajött. Most már két hónapja, hogy itt lakunk a fényképésznél, már kétszer vitték el a rendőrök. De nem tudták megbüntetni.

MARI Miért?

JULI Mert igaza volt.

HOLLUNDERNÉ *(Nagyon öreg asszony, egy csomó fát cipel keresztül az udvaron, hátul jön be, és balfelé igyekszik)* Csak a pofája jár, mindig a pofája jár, se nem dolgozik, se nem lop, a más szegény ember keserves fájával tüzelnek. Nem sül le a bőr az arcáról, egészséges, erős ember.

JULI Köszönöm.

HOLLUNDERNÉ Az ilyet kellene eltoloncolni, rongyos csibészt, nem a tisztességes munkást. *(El)*

MARI Ki ez?

JULI Ez a fényképész. A Liliomnak valami rokona. Ő adott lakást nekünk itt a bódéban ingyen.

MARI Minek hoz fát?

JULI Mindent hoz. Ha ő nem hozna, levegőt ebédelnénk. Nagyon jó asszony, csak jár a szája.

Szünet

MARI *(kicsit szégyenlősen)* Mán most tudom, hogy nem katona.

JULI Még összegyösz vele?

MARI Össze.

JULI Sokat?

MARI Sokat. Elvesz.

JULI Feleségnek?

MARI Feleségnek.

JULI Na látod, hogy nem katona. *(Szünet)*

MARI *(szégyenlősen, de kissé dicsekedve)* Most kacérkodok vele.

JULI Hogyan kacérkodsz vele?

MARI Mondja, hogy menjek a ligetbe. Aztán nem megyek a ligetbe. Aztán kendőt ígér, mégse nem megyek. Akkor szépen hazakísér és nem történik semmi erkölcs.

JULI Így kell kacérkodni?

MARI Csak így. Tilos, tilos, de szívem joga.

JULI Nem veszekedtek soha?

MARI Csak mikor érzékiség van.

JULI Érzékiség?

MARI Megfogja a kezemet és úgy sétálunk. Aztán lóbálni akarja a kezemet, én meg nem hagyom. Aszondom: maradhasson. Ő meg aszongya: mér olyan dacos? Megin akarja lóbálni, megin nem hagyom. Aztán sokáig nem hagyom, addig, amíg egyszer csak hagyom. Akkor lóbáljuk a kezünket. Föl, le, föl, le, és ez az érzékiség. Ez is tilos, de szívem joga.

JULI Így élsz boldogan.

MARI Meg még boldogabban is. A legszebb a szívszerelme.

JULI Az is van?

MARI Az úgy van, hogy most már háromkor virrad. Hát akkor már megvolt a kacérság is, meg az érzékiség is, szívem joga, hát elkövetkezik a szívszerelme. A padra ülök és a Hugó fogja a kezemet. Bort nem iszunk, csak piros lemonádét. Hát nem részeg a Hugó. Hát a pofáját az arcomhoz támasztja és hallgatunk. Aztán leragad a szeme és akkor lecsúszik az arcomról, mert elalszik. De azért fogja a kezemet álmában. És én nézdegélek jobbra-balra, és szagulom a virágszagot, mer az is hajnalban van. De ő nem érzi, mer alszik. És én is szeretnék aludni, de nem alszok. Csak úgy megvagyunk ott ketten. És ez a szívszerelme. *(Nagy szünet)*

JULI Már este elment és még mindig nem jött haza.

MARI Itt van tizenhat krajcár. Villamos nyóc oda, nyóc vissza. Kisasszonyér a zenedébe. De gyalog gyöttünk. Itt van, tedd el. *(Átadja)*

JULI Most már három forint negyvenhat.

MARI Három forint negyvenhat.

JULI Nem megy munkába.

MARI Lusta?

JULI Mesterséget nem tud. Napszámot nem vállal. Fekszik a hasán.

MARI Nem szép tőle.

JULI Nem szép tőle. Kólicséknál új lány van?

MARI Már a harmadik, mióta te elmentél. A Hugó hivatalszolga lesz. Egy állami ügyvéd beszerezte. Lakást is kap.

JULI A körhintához nem megy vissza. Kérdezem, mért, nem mondja. Múlt hétfőn megütött.

MARI Visszaütötted?

JULI Nem.

MARI Minek nem hagyod ott?

JULI Nem hagyom ott.

MARI Minek nem hagyod ott? *(Szünet)*

HOLLUNDERNÉ *(fazék vizet hoz ki a szobából. Dörmögve)* Kártyázni, azt tud, meg verekedni, azt is tud, meg cselédektől a pénzt elszedni, mert a rendőrség az ilyet eltűri. Itt volt az esztergályos.

JULI Levesnek való víz?

HOLLUNDERNÉ Itt volt az esztergályos. Szép, barna ember. Özvegy ember. Két gyereke van. Pénze van. Üzlettye van.

JULI *(Marihoz)* Nem is negyvenhat. Három forint hatvanhat.

MARI Én is azt számoltam. Hatvanhat.

HOLLUNDERNÉ Elviszi a hivatalba és elveszi. Már ötször volt itt. Két gyereke van.

JULI Ne fáradjon, Hollunder néni, én majd hozok vizet.

HOLLUNDERNÉ Ott kint vár.

JULI Nem köll.

HOLLUNDERNÉ Majd elgyön megint. Majd ha megint megveri. *(Indul kifelé. Dörmögve)* Mer verekedni, azt tud, szép kis asszonyt fejbe ütni, azt tud. A bőr, az nem sül le az arcáról, mert a rendőrség, az az ilyet... tűri... *(Hátul el)*

MARI Esztergályos el akar venni téged?

JULI El.

MARI Minek nem mész hozzá?

JULI Csak.

MARI De ha ver is. Fejbe is üt. Csak mind azér, mert ő a Liliom?

JULI Mer ő a Liliom.

MARI De hiszen csibész.

JULI Olyannak is kell lenni.

MARI Mikor ott ült a padon veled... én néztem... akkor szelíd volt.

JULI Szelíd volt.

MARI Aztán vad lett?

JULI Vad is lett. De mikor ott ültünk, szelíd volt. Most is néha szelíd. Nagyon szelíd. Délután ide hallatszik a verkli. Azt sajnálja. Akkor szelíd.

MARI Mit mond?

JULI Nem mond az semmit, csak olyan szép, szelíd. Csúnya nagy szeme van. Aztán úgy néz vele.

MARI Szemedbe néz?

JULI Inkább úgy mellé. Én se tudom nézni, mer ő nem szereti, hogy nem dolgozik. Azér vert meg hétfőn.

MARI Mer ő nem dolgozik? Hát az aljas, ha nem dolgozik, azér megver?

JULI Mer bántja.

MARI Fájt?

JULI Nem. *(Szünet)*

MUSKÁTNÉ *(nagyon kiöltözve jön be hátul)* Jó napot! A Liliom itthon van?

JULI Nincs.

MUSKÁTNÉ Elment?

JULI Még nem gyött haza.

MUSKÁTNÉ Akkor megvárom. *(Leül)*

MARI Hát hogyan mer maga ide bejönni?

MUSKÁTNÉ Maga itt a háziasszony, lelkem? Vigyázzon, mer a szájára ülök.

MARI Hogyan mer maga ide bejönni a Julihoz?

MUSKÁTNÉ *(Julihoz)* Ne feleljen neki, lelkem. Látom, hogy maga tudja, mért jöttem. Annak a rongyosnak akarok kenyeret adni.

MARI Annak nem kell a maga kenyere.

MUSKÁTNÉ *(Julihoz)* Ne feleljen neki, lelkem. Butába még ilyen ostobát nem is láttam.

MARI Szerbusz.

JULI Szerbusz.

MARI *(a hátsó ajtóból)* Hatvanhat.

JULI Igen.

MARI Szerbusz. *(Elmegy)*

Juli a szobaajtó felé megy

MUSKÁTNÉ Nálam kapott mindennap egy koronát. Vasárnap forintot. Sört, szivart fizetett neki a publikum.

Juli megáll az ajtóban és nem felel neki

Inkább éhen hal, mint bocsánatot kér. De nem bánom. Visszaveszem anélkül is.

Juli nem felel

Bevallom, nagyon kérdezik a népek, hogy hova lett. Nekem muszáj nézni, hogy az üzletem menjen. Tőlem éhen is halhat, nem jönnék utána, ha az üzletbe nem volna jó.

A hátsó ajtón bejön Liliom Ficsurral. Szünet

JULI Itt van a Muskátné.
LILIOM Látom.
JULI Azt csak mondhatnád, hogy jó napot.
LILIOM Minek az neked? Minek macerálsz?
JULI Nem macerállak.
LILIOM Hát fogd be a szád. Mer most mingyár az jön, hogy egész éjjel lumpoltam, nincs keresetem, nincs ebéd.
JULI Nem mondok én semmit.
LILIOM De látom az orrodról, hogy akarod mondani. Erigy innen, mer megint lesz mejjpor. *(Haragosan járkál. Mindenki fél tőle, aki mellett elmegy, az félreáll)*

Ficsur ide-oda cammog, a földön keresgél

MUSKÁTNÉ *(hirtelenráripakodik Ficsurra)* Maga viszi kártyázni a cehellibe, magát becsukatom.

FICSUR Maga nekem fiatal. *(A hátsó ajtón kimegy, és kint járkál. Szünet)*

JULI Itt van Muskátné.

LILIOM Ő beszéljen, ha akar valamit.

MUSKÁTNÉ Minek jársz a Ficsurral? Egyszer majd magával visz, mikor lopni megy.

LILIOM Avval járok, akivel akarok. Mit akar?

MUSKÁTNÉ Hát tudod.

LILIOM Nem tudom én.

MUSKÁTNÉ Hát minek volnék itt? Azt hiszed, rongyos, vizitelek nálad?

LILIOM Tartozok valamivel?

MUSKÁTNÉ Tartozol is, de azt nem számítom. Majd tehozzád jövök pénzér. Mer olyan sok jövedelmed van. Tudod te jól, minek vagyok itt.

LILIOM Hiszen fölfogadta a Hózlingert.

MUSKÁTNÉ Hát fölfogadtam.

LILIOM Tud az úgy, mint én.

MUSKÁTNÉ Tud, ne félj. Nem is küldöm el. Csak kevés az ember. Kettő is elférne.

LILIOM Sose volt kettő. Mindig én voltam egyedül csalogató.

MUSKÁTNÉ Hát kidobhatom a Hózlingert.

LILIOM Minek azt kidobni, ha olyan jól tud.

MUSKÁTNÉ *(vállat von)* Hát tud. *(Eddig még nem nézett Liliomra)*

LILIOM *(Julihoz)* Erigy, kérj a fényképésztől kávét.

Juli hátul kimegy

Hát olyan jól tud az a Hózlinger?

MUSKÁTNÉ *(feléje fordul, ránéz)* Mér nem alszol éjszaka? Hiszen úgy nézel ki, hogy köpedelem.

LILIOM Hát… olyan jól tud az a Hózlinger?

MUSKÁTNÉ Simítsd ki a hajad a homlokodból. *(Liliom hajához nyúl)*

LILIOM Hagyja csak maga az én hajamat.

MUSKÁTNÉ Hagyom, ne félj. Ha azt mondtam volna, hogy lógasd a szemedbe, hát félresimítottad volna. Hallom, megverted ezt a... ezt a...

LILIOM Semmi köze hozzá.

MUSKÁTNÉ Szép kis bátorság. Ilyen véznát verni. Ha meguntad, hadd ott, de gyönge teremtést nem üt meg az ember.

LILIOM Hogy hagyjam ott?... Kéne?

MUSKÁTNÉ Haj... de nagyra vagy megint... *(Nagy zavarban van)* Úgy köll nekem, minek jövök utánad. Az ember ki van téve... hogyha szívén viseli az üzletet. Csak el tudnám adni azt a hintát, sose láttál volna.

LILIOM Nem jól megy?

MUSKÁTNÉ Ha van eszed, visszagyösz. Jól megfizetek.

LILIOM Hiszen tele van úgy is.

MUSKÁTNÉ Tele van, tele van. De az nem az igazi.

LILIOM Csak szépen mondja meg, hogy én hiányzok.

MUSKÁTNÉ Nekem nem hiányzol, csak a cselédek... azok buknak rád... kérdezik... ha van eszed, visszagyösz.

LILIOM Hogy itt hagyom ezt a...

MUSKÁTNÉ Hiszen vered.

LILIOM Nem verem. Micsoda beszéd az, hogy verem. Hát egyet odasóztam neki, aztán tele van vele a város. Azér még nem verem.

MUSKÁTNÉ Jó, jó, jó, jó, nem szóltam semmit. Nem avatkozok bele.

LILIOM Verem!

MUSKÁTNÉ Nem tudom, mit szeretsz rajta. Két hónapja ülsz itt vele... már az életedet is megunhattad. Mikor ott a... hinta... meg színház... meg pénz is volna... valaki ilyen buta legyen... a szép, gyönyörű életet ott hagyja... *(Ránéz)* Hol jártál megin az éjjel, hogy így nézel ki?

LILIOM Hagyja csak.

MUSKÁTNÉ Sohse néztél így ki. Itt eszed magad. *(Szünet)* Új verklit vettem.

LILIOM *(csöndesen)* Tudom.

MUSKÁTNÉ Honnan tudod?

LILIOM Ide hallatszik.

MUSKÁTNÉ Jó, mi?

LILIOM Nagyon jó. Olyan jó... jól vágja.

MUSKÁTNÉ Jól fordul rá a hinta. Négy új tükör is van rajta. Meg kidobtam azt a két fekete lovat, aminek a füle már úgyis le volt törve.

LILIOM Mi van helyette?

MUSKÁTNÉ Na találd ki.

LILIOM Zebra.

MUSKÁTNÉ Nem. Automobil.

LILIOM Automobil?

MUSKÁTNÉ Az. Olyan fújóval. Nálam van az első. Szép, piros automobil, mind abba akarnak ülni, mert fújója is van. Aztán nyomják, járatják, divatba van.

LILIOM Automobil...

MUSKÁTNÉ Az. Ha van eszed, visszagyösz. Minek rágod itt magadat? Ott a szépművészet, az való neked. Művész vagy te. Nem vagy te tisztességes ember.

LILIOM Hogy hagyjam itt ezt a kis...

MUSKÁTNÉ Mi az annak? Visszamegy szolgálni.

LILIOM Rongyos kis bogár.

MUSKÁTNÉ Ott a szépművészet, az való neked. Sör, virzsinia, egy korona hétköznap, kettő vasárnap. Meg vettem én már neked órát is.

LILIOM Nem olyan ez, hogy visszamenne szolgálni.

MUSKÁTNÉ Ne félj, nem iszik gyufát. Ha mind gyufát innának...

LILIOM *(miután egy kicsit nézte, nagy elégtétellel)* Hát nem köll a publikumnak a Hózlinger!?

MUSKÁTNÉ Tudod, te rongyos, nagyon jól tudod.

LILIOM Hát...

MUSKÁTNÉ Jókedv, az is valami. Jó, szép, könnyű élet, csupa jó, szép lányok, meg sör, meg szivar, meg muzsika, meg jó, szép, könnyű élet, meg boldogult férjem gyűrűjét is neked adom, na, mit akarsz még?

LILIOM Nem olyan az, hogy visszamegy szolgálni. Hát... hát.. nem bánom, hogy ha... azér itt megvagyok vele... hát itt maradhat azér... ha én a művészetbe megyek...

MUSKÁTNÉ Ajjaj!

LILIOM Mi az, hogy ajjaj?

MUSKÁTNÉ Kicsúfolnak a lányok... Hazaviszed a pénzt az asszonynak... Még sohse hallottam, hogy feleséges ember... hiszen ha tudják, kinevetnek...

LILIOM Tudom ám én, maga mit akar.

Muskátné *(lesütött szemmel)* Hencegni, azt tudsz.

LILIOM Hát nekem adja a gyűrűt.

Muskátné *(végigsimítja a haját)* Neked.

LILIOM Nagyon rosszul vagyok ám idehaza.

MUSKÁTNÉ *(mint fenn)* Nem vigyáz rád senki. *(Szünet)*

Juli bejön és letesz egy bögre kávét. Muskátné elkapja a kezét Liliom fejéről. Szünet

LILIOM Akarsz valamit?

JULI Nem.

Szünet. Juli el balra a bódéba

MUSKÁTNÉ Az öreg asszony azt mondja, hogy egy esztergályos van itt, valami özvegy ember.

LILIOM Tudom, tudom.

JULI *(bejön balról)* Liliom... nehogy elfelejtsem, majd aztán mondok valamit.

LILIOM Jó.

JULI Mer azt... meg akarom mondani... már tegnap akartam...

LILIOM Jó, jó.

JULI De négyszemközt. Gyere be egy kicsit... megmondom...

LILIOM Most dolgom van, látod.

JULI Csak egy percig tart az egész.

LILIOM Na eriggy, mer...

JULI Hát hadd mondom meg.

LILIOM Nem takarodsz mindgyár, ha mondom...

JULI *(erősen)* Nem.

LILIOM *(feláll)* Micsoda?

JULI Nem.

MUSKÁTNÉ *(feláll)* Na, ne kezdj itten. Én majd kimegyek addig a fényképészhez, aztán visszagyövök a válaszér. *(Kisiet hátul)*

JULI Nem bánom, ha meg is ütsz. Ne nézz így rám, mer nem ijedek meg tőled. Én most nem ijedek meg senkitől. Én azt mondtam, hogy mondani akarok neked valamit.

LILIOM Hát ki vele. De hamar.

JULI Azt nem lehet hamar. Mér nem iszod meg a kávét?

LILIOM Ezt akartad mondani?

JULI Nem. Idd addig ki, addig majd megmondom.

LILIOM *(a kávéhoz megy és issza)* Na?

JULI Hát hogy kérdezted tegnap, hogy a fejem fájt.

LILIOM Igen.

JULI Na hát ez.

LILIOM Beteg vagy?

JULI Nem. Csakhogy kérdezted, hogy a fejem fájt. És hogy mondtad, hogy másféle kedvem van.

LILIOM Hát azt is mondtam. Talán az esztergályos?

JULI Énnekem... mi? Dehogy az esztergályos. Csak... azt nehezen tudom megmondani, de neked azt tudni kell... én... én nem ijedtem meg tőle, mer annak úgy kell lenni...

LILIOM *(leteszi a kávét)* Mi?

JULI Ha az ember férfival van.

LILIOM Igen.

JULI Énnekem gyerekem lesz. *(Nagyon gyorsan siet ki a hátsó ajtón)*

Szünet. Ficsur benéz az ablakon

LILIOM Ficsur!

Ficsur bejön

Te Ficsur... a Julinak gyereke lesz.
FICSUR Hát aztán?
LILIOM Semmi. *(Hirtelen)* Eriggy ki.

Ficsur kimegy. Kis szünet

MUSKÁTNÉ *(hátul bejön)* Láttam, kiment.
LILIOM Kiment, igen.
MUSKÁTNÉ *(pénzt vesz elő)* Adok neked tíz koronát előlegbe.
LILIOM Igen.
MUSKÁTNÉ Mér nem veszed el?
LILIOM Menjen haza, Muskátné.
MUSKÁTNÉ Ejnye... mi van veled?
LILIOM Menjen haza, nagysága. *(Visszamegy a kávéhoz)* Hagyjon engem reggelizni. Nem látja, hogy reggelizek?
MUSKÁTNÉ Bolond vagy te.
LILIOM Nem méc?! *(Feléje fordul)*
MUSKÁTNÉ *(visszateszi a pénzt)* Többé az életbe Muskátnét nem látod.
LILIOM Hát nem látom.
MUSKÁTNÉ Isten áldjon meg.
LILIOM Isten áldja meg.

Muskátné el

Ficsur!

Ficsur bejön

Hát mi az... hogy mondtad, hogy pénzt lehetne...

FICSUR Hát lehetne.

LILIOM Mennyit?

FICSUR Pár forintot. Öreg csibész vagyok én. Velem jöhetsz.

HOLLUNDERNÉ *(bejön)* Reggel kávét, délbe levest, este megint kávét, tűzifát, azt mind én adjam... adja vissza a bögrémet...

Megkezdődik a délutáni élet a ligetben. Megszólal a távolban a verkli

LILIOM Hollunder néni. *(A felvonás végéig látni rajta, hogy idegessé teszi a verkli hangja)*

HOLLUNDERNÉ *(Ficsurhoz)* Nem méc innen, te rongyos! Mindjárt hívom a fiamat.

FICSUR Fiatal nekem a maga fia. *(Kisompolyog)*

LILIOM Hollunder néni.

HOLLUNDERNÉ Mi köll?

LILIOM Mikor magának a fia született... mikor magának a fia született...

HOLLUNDERNÉ Na?

LILIOM Semmi.

HOLLUNDERNÉ *(dörmögve, kimenőben)* Aludja ki magát, rongyos csibész. Éjjel részegeskedni, meg kártyázni, azt tud, más ember nyakán élni, azt is tud. *(El hátul)*

LILIOM Ficsur.

FICSUR *(besompolyog)* Hát a Julinak gyereke lesz. Ezt már hallottam.

LILIOM Hát hogy mondtad... hogy lehetne pénzt... a bőrgyári pénztárnoktól...

FICSUR Hát bizony... de akkor... *(Odahúzódik hozzá)* Csak úgy, hogy együtt.

LILIOM Igen. *(Elgondolkozik. Idegesen)* Erigy ki, Ficsur. Majd... majd aztán gyere vissza.

Ficsur kisompolyog és végleg el. A verkli egyre szól, Liliom hallgatja egy kicsit, aztán a hátsó ajtóhoz megy

LILIOM *(az ajtóból kiordít)* Hollunder néni... *(Naiv örömmel)* A Julinak gyereke lesz! *(Bejön, feláll a kanapéra a hátsó deszkafal mellett és a deszkafal tetejére könyökölve, elbámul a liget felé, hallgatja a verklit, aztán egyszerre túlordítja)* Nekem gyerekem lesz! *(Fölemeli a két karját)*

JULI *(a bódéból jön)* Mi az? Mi van itt?

LILIOM *(leszáll a díványról)* Semmi. *(Aztán ráveti magát a kanapéra, arcra)*

Juli nézi egy kicsit, aztán odamegy és betakarja. Lábujjhegyen a hátsó ajtóig megy, a küszöbre áll, az ajtófélfának támaszkodik, a liget felé néz, és hallgatja a verklit. Kis szünet. Függöny

HARMADIK KÉP

Ugyanaz a díszlet. Liliom és Ficsur egymás mellett ülnek. Juli a színen foglalatoskodik. Ficsur egy nótára tanítja Liliomot

FICSUR Harmadik vers!

Vigyázz, vigyázz, te Jáninger
Vasgyerek a Bérci,
Bekasztliznak a központba,
Sírhat majd a Rézi.
Ott gyön már a zsaru, a zsaru, a zsaru.

LILIOM Vigyázz, vigyázz, te Jáninger, Vasgyerek a...
FICSUR és LILIOM *(együtt)* Bérci!

Bekasztliznak a központba,
Sírhat majd a Rézi.

LILIOM Ott gyön már a zsaru, a zsaru, a zsaru.

Juli gyanakodva néz rájuk és bemegy a házba

FICSUR *(hirtelen odahajlik Liliomhoz és titokzatosan mondja)* Ahogy végigmész a Francia úton, ott látod a töltést... előbb jön a sorompó, aztán le a bőrgyárig semmi, még csak őrház se.
LILIOM És arra jár?
FICSUR Arra. Lent a töltés alatt jár, a kis úton. Tavaly óta egyedül jár, azelőtt mindig volt vele valaki.
LILIOM Minden szombaton?

FICSUR Minden szombaton.

LILIOM A pénzt... azt mibe viszi?

FICSUR Bőrzsákba. Abból fizeti a munkásokat.

LILIOM Sokat visz?

FICSUR Tizenhatezer koronát, pont.

LILIOM Hogy híjják?

FICSUR Linzmann Izraelita.

LILIOM Pénztárnok?

FICSUR Pénztárnok. De ha oldalba szúrom, már nem pénztárnok. Ha a fejire ütök, akkor is már mingyár nem pénztárnok.

LILIOM Meg köll neki halni?

FICSUR Nem muszáj. Ideadhatja a pénzt halál nélkül is. De a legtöbbje már inkább meghalni szeret.

Juli kijön a házból és átmegy a színen, ki a hátsó ajtón. Ezek a színen való átjárkálásai Julinak azt jelentik, hogy gyanít valamit; ijedten, sőt gyanakodva nézegeti őket, ittott meghallja utolsó szavaikat; szóval, anélkül, hogy ezt nagyon éreztetné a közönséggel, Juli, dacára minden titkolódzásnak, körülbelül sejti, hogy a két ember min töri a fejét

FICSUR *(amint Julit látja, hirtelen)* Aztán aszongya:

Sírhat majd a Bársony Rézi
Ha belesző zárva.

LILIOM és FICSUR *(együtt)*

Elkísérik a Rézit is
A nagy sárga házba.
Itt van már a zsaru, a zsaru, a zsaru.

LILIOM

Sírhat majd a Bársony Rézi,
Ha belesző zárva.

Juli kimegy

De aztán nem kell mindjárt rögtön Amerikába menni?

FICSUR Nem.

LILIOM Hát?

FICSUR A pénz el lesz ásva hat hónapig. Ennyi az ideje. Hat hónap múlva kikel a földbül.

LILIOM Aztán?

FICSUR Aztán addig a hat hónapig csak úgy élsz, mint eddig. Nem nyúlsz a tőkéhez.

LILIOM Éppen hat hónap múlva gyön a gyerek.

FICSUR Hát... akkor a gyereket is visszük. De már munkába állasz három hónappal előbb. Ez azér van, hogy mindig mondhasd: kuporgatom a pénzt, kivándorlunk Amerikába.

LILIOM Én szólítom meg?

FICSUR Az egyik megszólítja a beszéddel, a másik megszólítja kis késsel. Ez attul függ, hogy kinek mihez van szíve. Majd csak te szólítsd beszéddel.

LILIOM Nem hallottad?

FICSUR Mit?

LILIOM Onnan kívülről... mintha kardot csörgettek vóna.

Ficsur kifelé figyel. Szünet

Mit mondok neki?

FICSUR Azt mondod: jó estét, kérem szépen, hány óra?

LILIOM Aztán?

FICSUR Aztán én akkor már szúrok. És akkor mindjárt előveszed te is a kést.

BUDAI RENDŐR *(belép és körülnéz, hirtelen csönd támad)* Jó napot kívánok!

FICSUR és LILIOM Jó napot!

Ficsur *(kikiált)* Gyöjjön, fényképész! Keresik!

Szünet, a rendőr vár

Sírhat majd a
Bársony Rézi
Ha belesző zárva,
Elkísérik a Rézit is…

LILIOM és FICSUR *(együtt halkan)* A nagy sárga házba. Ott jön már a… *(a végét szöveg nélkül dúdolják, hogy a rendőr a csúfnevét ne hallja)*

Ének alatt megjelenik Hollunderné és a fia

RENDŐR Papírképet is csinál?
A FIÚ Hogyne, kérem. *(A palánkon függő képmintákra mutat)* Tessék… amilyet tetszik. Egész alak?
RENDŐR Egész alak.

Az öregasszony előtolja a sarokból a fényképezőgépet, ezalatt a fiú beállítja a rendőrt, sietve futkos a rendőr és a gép között, be-benéz a gépbe, majd fejét beborítva a fekete kendővel, a géppel együtt közelebb megy a rendőrhöz. Hollunderné ezalatt a sötétkamrából lemezt hozott, és a gépbe tette. Ezalatt Liliom és Ficsur között oldalt, ahol összebújtak, a következő egészen csöndes párbeszéd fejlődik

LILIOM Idevaló?
FICSUR Nem idevaló.
LILIOM Hová való?
FICSUR Budai. *(Szünet)*
LILIOM *(hirtelen előtörő groteszk gyermekes panasszal)* Szegény, rongyos életem van nekem!
FICSUR *(kedves vidámsággal, atyailag biztatja)* Majd elmegyünk Amerikába.
LILIOM Mi van ott?
FICSUR *(nagy tisztelettel)* Gyáripar.
A FIÚ *(a rendőrhöz)* Kérem most nyugodtan maradni. Egy… kettő… három *(lekapja a lencséről a fedőt. Visszateszi)* Köszönöm.

HOLLUNDERNÉ Öt perc múlva vissza tetszik gyönni. Kész lesz.

RENDŐR Hát majd visszagyövök. Most köll fizetni?

A FIÚ *(elolvadva az udvariasságtól)* Biztos úrnak nem szükséges előre.

A rendőr leereszkedő barátsággal szalutál és kiballag. Hollunderné a kamrába viszi a lemezt, a fiú is bemegy vele, miután a gépet visszatolta a helyére

HOLLUNDERNÉ *(miközben a két csirkefogó előtt elmegy, alig érthető duruzsolással, az ő rendes modorában szidja őket)* Itt ülnek és elrondítják nekem a helyiséget, mér nem mennek sétálni? Most már olyan jól megy nekik, hogy enekűnek. *(Hirtelen ráripakodik Ficsurra)* Nem félsz a zsarutól?

FICSUR *(megvetőleg)* Eriggy, mer rádlépek.

LILIOM Aszondod: a Hózlingert szeretik a hintánál?

FICSUR De még hogy!

LILIOM Az asszonyt is láttad?

FICSUR Láttam. Már fésüli is a Hózlingert.

LILIOM Fésüli?

FICSUR Tisztítja.

LILIOM Hát csak tisztítsa.

FICSUR *(a bódéajtó elé tolja)* Na eriggy.

LILIOM Hova?

FICSUR Vedd a kést.

LILIOM Melyiket?

FICSUR A konyhakést. Köll az egyiknek kis bicska, az van nekem. De ha vitatkozik, akkor a nagy kés is kell.

LILIOM Minek az? Ha komiszkodik, én olyat vitatkozok a fejire, hogy megkancsalodik tűle.

FICSUR Hát csak köll valami. Bottal nem vághatod el a nyakát.

LILIOM A nyakát köll elvágni?

FICSUR Nem köll. Csak ha ő akarja. *(Szünet)* Persze, gőzhajón ülni, az jó lesz. Gyáripart élvedzni, az is jó lesz. De dolgozni, attól félsz.

LILIOM Meglátja a Juli, ha elveszem a kést.

FICSUR Hát vedd el úgy, hogy ne lássa meg.

Liliom *(egy lépést tesz a bódé felé. A rendőr beballag és kopogtat a sötétkamra ablakán)* Itt a rendőr.

HOLLUNDERNÉ *(kijön)* Azonnal, mindjárt, kérem.

Betipeg a bódéba. Liliom egy pillanatnyi habozás után nekidurálja magát és határozott léptekkel utána megy. A rendőr gúnyosan nézi Ficsurt. Ficsur fölkel, gúnyos büszkeséggel elsétál két-három lépést a rendőr orra előtt, aztán megáll, háttal a rendőrnek, hirtelen a rendőr felé fordul, mint ahogy a gyermekekkel szoktak tréfálni, ujjal mutat rá és megszólítja

FICSUR Krisztina körút és Retek utca sarok.

RENDŐR *(gőggel, lassan)* Honnan tudja?

FICSUR Arra járok hivatalba.

RENDŐR Micsoda maga?

FICSUR Zongoratanár.

A rendőr nagyon megnézi, mintha kezdene rájönni, hogy ez tréfál vele, komoran pödör egyet a bajuszán

A FIÚ *(kijön a kamrából, és átadja a kész képet a rendőrnek)* Tessék, kérem.

A rendőr megnézi a képet, fizet és elballag, miközben egy pillanatra megáll és jól megnézi Ficsurt. Mikor elment, Ficsur az ajtóból még utánanéz. Ezalatt Liliom kijött a házból a kabátját gombolva. Ficsur megfordul, és meglátja Liliomot

FICSUR Mit nézel?

LILIOM Nem is nézek.

FICSUR Hát mit csinálsz?

LILIOM Gondolok.

FICSUR *(odamegy hozzá)* Na, mondd szépen. Megszólítod. Hogyan szólítod meg?

LILIOM *(elfogódott hangon)* Jó estét kívánok, kérem szépen, hány óra? Ha felel, mit mondok neki?

FICSUR Nem felel.

LILIOM Nem felel?

FICSUR Nem az. *(Tapogatja a kabát alatt a kést)* Hol van? Merre van?

LILIOM *(anélkül, hogy odamutatna)* Balrul.

FICSUR Úgy van. A szív iránt. *(Kitapogatja)* Már látom... Ez az ni! Ez még mind az... Itt már hegyesedik... *(A hegyéhez ér)* Itt a szeme. Evvel néz.

Juli megint belép és lassan elmegy előttük, de ezúttal feltűnően aggódva nézi őket, meg is áll egy pillanatra

FICSUR *(oldalba löki Liliomot)* Hát énekelj, énekelj!

LILIOM *(reszketve énekel)* Ott gyön már a zsaru, a zsaru, a zsaru...

FICSUR *(bátorítólag, hangosan, testével a taktust jelezve, mint egy karmester, aki nincs megelégedve a tempóval)* Te Jáninger, mit csinálsz itt a Hermina úton...

LILIOM Te Jáninger, mit csinálsz itt a Hermina úton... *(Juli kimegy a hátulsó ajtón; követi a szemével, mikor elment, megszólal)* Éjjel... álmomba... ha visszagyön a lelke, mit csinálok?

FICSUR Annak nem gyön vissza.

LILIOM Mér?

FICSUR Mer zsidó nem jön vissza.

LILIOM Hát aztán még...

FICSUR *(kissé türelmetlenül)* Mi van még?

LILIOM A másik világon... mikor az Úristen elébe megyünk, hát annak mit mondok?

FICSUR Mink nem kerülünk elejibe.

LILIOM Miért?

FICSUR Hát kerültél te már a főkapitány elejibe?

LILIOM Nem.

FICSUR Ellenőrig megyünk... legföljebb a kapitányig, ha megyünk.

LILIOM A másik világon is úgy van?

FICSUR Csak úgy. Az is rendőri hivatal, csak másik kerület.

LILIOM Hivatal?

FICSUR Úrnak mennyország. Ilyen rongyosoknak rendőrség. Pénzes embernek finom muzsika.

LILIOM Nekünk nem muzsika?

FICSUR Nem, fiam. Nekünk igazság. Mer a másik világon csupa igazság van. Ahol pedig igazság van, ott csak köll kapitánynak lenni.

LILIOM Jó estét kívánok, kérem szépen, hány óra? *(A szívére teszi a kezét)*

FICSUR Minek teszed oda a kezedet?

LILIOM Dobog a szívem a kés alatt.

FICSUR Gyugd a másik oldalra. *(Fölnéz az égre)* Lassan, szépen elindulunk.

LILIOM Korán van még.

FICSUR Gyere. *(Éppen indulnak, mikor Juli kívülről bejön és útjukat állja)*

JULI Hova méc?

LILIOM Hiszen azt mondtad, hogy két hétig nem beszélsz hozzám. Minek beszélsz hozzám?

JULI Hová méc Ficsurral?

LILIOM Hova megyek a Ficsurral.

JULI Maradj itthon.

LILIOM Nem maradok.

JULI Maradj itthon, mer eső lesz és megázol.

FICSUR Nem lesz eső.

JULI Honnan tudja azt maga?

FICSUR Nekem mindig szólnak előbb.

JULI Maradj itthon, este gyön az esztergályos és már én megkértem, adjon neked munkát.

LILIOM Nem tudok én... esztergálni.

JULI *(egyre növekvő ijedtséggel, amelyet azonban nagyon eltitkol)* Maradj itthon, jön a Marika a vőlegényével a fényképészhöz, elhozza megmutatni.

LILIOM Láttam én már vőlegényt.

JULI Maradj idehaza, pénzt hoz a Marika, neked adom az egészet.

LILIOM *(kifelé indul)* Sétálni... megyünk... a Ficsurral. Aztán visszagyövünk.

JULI *(sírni szeretne, de nevető arcot erőltet magára)* Maradj idehaza, sört hozok neked, bort hozok neked.

FICSUR Gyösz, vagy nem gyösz?

JULI Nem is haragszok már rád, mer megütöttél.

LILIOM *(durván, mely durvaság alatt az rejtőzik, hogy nem bírja nézni a szenvedő asszonyt)* Eriggy, mer... *(Fölemeli a kezét)* Hagyj békén elmenni...

JULI *(reszketve)* Mi van a kabátodba?

LILIOM *(kivesz a zsebéből egy pakli piszkos kártyát)* Kártya.

JULI *(mint fenn, de egészen halkan)* Mi van a kabátodba?

LILIOM *(határozottan)* Eriggy az útból!

JULI *(elébe áll, hadarva, izgatottan, remélve, hogy ezzel még visszatartja)* A Marika vőlegényétől kérdeztek gyermektelen házaspárt az Aradi utcába házfelügyelőnek... szoba, konyha, tyúkot is szabad tartani.

LILIOM Eriggy az útból!

Juli kiáll az útból. Liliom kimegy, Ficsur utána. Juli egyedül marad, nekitámaszkodik az ajtófélfának, és elgondolkozik

HOLLUNDERNÉ *(jön a házból)* Nem találom sehol a kést. Maga tette el?

JULI *(rémülten)* Nem.

HOLLUNDERNÉ Az előbb még ott volt az asztalon. Nem járt benn más, csak a Liliom.

JULI Az nem vette el.

HOLLUNDERNÉ Más nem volt benn.

JULI Minek vette vóna el?

HOLLUNDERNÉ Eladják. Megisszák.

JULI *(vidáman)* Véletlenül... látja néni... gyanúsítja, pedig én éppen most kerestem ki minden zsebit, hogy van-e nála pénz... és csak egy pakli kártya volt nála, más semmi.

HOLLUNDERNÉ *(dörmögve megy vissza a házba)* Kártya van nála, kártya van nála, most mennek a méltóságos urak a kaszinóba kártyázni. *(El)*

Juli tanácstalanul néz utána. Szünet után megjelenik a hátulsó ajtóban derült és boldogságtól ragyogó arccal előbb Mari, aztán Hugó

MARI Kukuk!

Bejönnek, vigyorogva, szégyenlősen megállanak Juli előtt, aki hirtelen arra fordul a hangra

MARI Szerbusz.

JULI Szerbusz.

MARI Hát elgyöttünk.

JULI Igen.

MARI Hát ez itt a Hugó.

HUGÓ *(odalép, kezet nyújt)* Nevem Beifeld Hugó. *(Félszegen hajol meg)*

JULI Nevem Zeller Juli.

Kezet ráznak. Szünet. Hugó nagyon el van fogulva. Hogy senki se szól, Hugó megint Juli kezéhez nyúl és hevesen megrázza. Szünet

MARI Ez itt a Hugó.

HUGÓ Igen.

JULI Igen. *(Szünet)*

MARI Hát a Liliom hol van?

HUGÓ Igen, kérem... hol van kedves férje?

JULI Elment.

MARI Hova ment?

JULI Sétálni.

MARI Igen.

JULI Igen.

Hugó Igen. *(Szünet)*

MARI Hát már a Hugó elsejétől nem áll a sarkon, mer állást kap. Elsejétől már nem hordár, hanem kaszinó.

HUGÓ *(mentegetve Marit)* Hát nem tudja kérem a kifejezéseket... *(Ránevet)* Hehehe... a kaszinóba felvettek második komornyiknak. Nagyon jó kis állás kérem, aki megbecsüli magát.

JULI Igen.

HUGÓ Fizetés... az is nagyon szép... de a fő a borravaló, mert én a baccarat-nál vagyok... és kártyánál meg lehet keresni, kérem, csak borravalóban minden este húsz-harminc koronát.

JULI Minden este?

MARI Igen.

HUGÓ Kétszobás lakást béreltünk... de ha majd jobban megy...

MARI Akkor házat veszünk Tétényen.

HUGÓ Hát kérem, az ember megbecsüli magát... és hát ugyan Tétény... hát az bizony nem a fővárosi élet... de hát... ha ad az isten gyereket... hát a gyerekeknek... sokkal jobb. A kaszinóba bejárhatok onnan is. *(Kis szünet)*

MARI Szép gyerek a Hugó.

JULI Igen.

MARI Jó gyerek a Hugó.

JULI Igen.

MARI Csak zsidó.

JULI Nem baj, az is ember.

MARI Hát nem kívánsz nekünk gratulát?

JULI Igen. *(Megöleli Marit)*

MARI Hát a Hugót nem csókullod meg?

JULI De azt is. *(Megöleli a Hugót, de ott marad a nyakán)*

HUGÓ Miért sír, kedves nagysád? *(Juli válla fölött átint a fejével Marinak, kérdőleg)*

MARI Mer jó lélek. *(Ő is elérzékenyül)*

HUGÓ *(nagyon elérzékenyülve)* Köszönjük a szíves részvétet. *(Ő se tudja magát visszatartani. Sír. Kis szünet. Hollunderné belép a fiúval, a fiú azonnal a géphez megy)*

HOLLUNDERNÉ Hát ha tetszik, gyerünk kérem, mert aztán besötétedik. *(A szín jobb oldalára vezeti őket a fotográfus-háttér felé, ahol mind a kettő rögtön barátságos arcot vág)* Egész alak?

MARI Két egész alak.

HOLLUNDERNÉ Vőlegény, menyasszony.

MARI Igen.

HOLLUNDERNÉ és A FIÚ *(egyszerre darálják emelt hangon, mint a leckét)* Akkor a hölgy az úrra néz, az úr meg bele a lencsébe. *(Az öregasszony igazgatja őket)* Így, kérem.

A FIÚ *(aki azalatt a fekete kendő alá bújt, most a kendő alatt felordít)* Jó, most jó, most nagyszerű.

MARI *(mereven, de boldogan, mozdulatlan arccal, a szája sarkából beszélve)* Julikám, Julikám, mit mondsz hozzá?

JULI Igen, fiam.

A FIÚ Most, kérem, szíveskedjen nyugodtan maradni. Hármat olvasok, és attul kezdve kérem mozdulatlanul. *(Megfogja a lencse fedőjét. Fenyegető hangon)* Egy… kettő… három. *(Lekapja a fedőt, nagy csönd)*

Amikor az „egy" elhangzott, nagyon messziről hallani a nagy csöndben Ficsurt és Liliomot, amint az előbbi kis nóta refrénjét éneklik. Ez az ének a „három" után is tart még egy darabig, egészen, amíg a függöny le nem megy. A „három" után mindenki mereven áll. Juli csöndesen az asztalra hajtja a fejét. Az ének egyre távolodva lassan elhangzik. Függöny

NEGYEDIK KÉP

Künn a városon túl, a földeken. Hátul vasúti töltés húzódik jobbról balra, amelynek közepén deszkaállványból piros-fehér vasúti jelzőtábla nyúlik ki, a tábla alatt kis piros lámpa, amely most még nem ég. Ezen a helyen falépcső vezet fel a töltésre. A töltés lábánál, jobb oldalon, két-három darab korhadt talpfa egymásra rakva. Hátul egy távírópózna. A háttérben veteményes földeket, fákat, palánkokat, a messzeségben gyárkéményeket és néhány kis házat látni. Hat óra, kezd alkonyodni. Liliom és Ficsur a falépcsőn állva figyelnek a vonat után

LILIOM Még hallani.

FICSUR Figyelj csak. *(Figyelnek a vonat után)*

LILIOM Ha a füledet a sínre teszed, Bécsig hallod, amint megy.

FICSUR Ühüm!

LILIOM Bécsnek megy, amelyik most elment.

FICSUR Tovább nem?

LILIOM Tovább is. *(Szünet)*

FICSUR Most mindjárt hat óra.

Liliom lejön a lépcsőről

Hová mégy?

LILIOM Sehova. Mindig félsz, hogy megugrok.

FICSUR Már mért ugornál meg, mikor tizenhatezer korona van nála?

LILIOM Nahát!

FICSUR Nahát. Szépen várni kell, amíg jön. Aztán szépen megkérdezed tőle.

LILIOM Jó estét kívánok. Kérem szépen, hány óra?

FICSUR Aztán majd megmondja, hány óra.

LILIOM Hátha nem jön?

FICSUR Muszáj neki. Minden szombaton fizeti a munkásokat. *(Ezalatt lejött a lépcsőről)* Éppen ma ne jöjjön?

Liliom a lépcsőre ment, s a síneket nézi

Mit nézel?

LILIOM Azt nézem, hogy ennek a sínnek sehol sincs vége.

FICSUR Minek nézed?

LILIOM Csak nézem. A vonatot is mindig nézem. Mikor úgy este ott lent állok, erre jön, aztán leköp.

FICSUR Leköp?

LILIOM Le, a mozdony. Lefröcsköl. Aztán megy tovább, én meg itt maradok leköpve. De a szememet, azt elhúzza.

FICSUR Elhúzza?

LILIOM Úgy utána kell nézni, amíg csak látom.

FICSUR Urak ülnek benne.

LILIOM Újságot olvasnak.

FICSUR Szivaroznak.

LILIOM Mellre szíjják. *(Szünet)*

FICSUR Gyön?

LILIOM Nem gyön. *(Szünet)*

FICSUR Már mint… nem a vonatot kérdezem, hanem a Linzmannt.

LILIOM Hát hiszen *(szégyenkezve)* én se a vonatra mondtam. *(Lejön. Csönd. Titokzatosan)* Hallod a sürgönydrótot?

FICSUR Ha fúj a szél.

LILIOM Ha nem fúj, akkor is hallom. Csöndesen morog. Beszélnek rajta.

FICSUR Kicsodák?

LILIOM Zsidók.

FICSUR Táviratoznak?

LILIOM Beszélnek, aztán felelnek, mind ebbe a vékony drótba. Aztán morog, morog.

FICSUR Mit morog?

LILIOM Aszongya huszonhárom, huszonhárom, huszonhárom. Én meg hallgatom.

FICSUR Minek hallgatod?

LILIOM A madár is hallgatja. Úgy nézi a fél szemével, hogy mit mondanak.

FICSUR A madarat is nézed?

LILIOM Ő is néz engem.

FICSUR Azér vagy te ilyen beteg, mert egy vasad sincs. A madár is azér néz téged, mer nincs pénze.

LILIOM Lehet.

FICSUR Akinek pénze van, az nem néz.

LILIOM Hát mit csinál?

FICSUR Hát éppen azt, hogy csinál. Valamit csinál. Csak az dolgozik, akinek van pénze. Hát most aztán majd lesz pénz.

LILIOM Jó estét kívánok. Kérem szépen, hány óra?

FICSUR Mégse gyön. Van-e kártyád?

Liliom szó nélkül átadja a pakli kártyát

Van-e pénzed?

LILIOM Tizenegy.

FICSUR *(lovagló ülésben ül le a talpfára úgy, hogy bal felé néz)* Hatos?

LILIOM Krajcár. *(Ő is leül a talpfára lovagló ülésben, szembe Ficsurral)*

FICSUR Hát akkor tizenegy.

LILIOM Tedd ki!

FICSUR *(kiteszi a pénzt, aztán oszt neki kártyát, magának is vesz egyet)* Huszonegyes lesz.

LILIOM *(megnézi a kártyáját)* Az. Hopp a bank!

FICSUR Disznót kaptál. *(Oszt)*

LILIOM Blatt. *(Kap egy kártyát)* Blatt. *(Még egy kártyát kap)* Fuccs!

Ficsur besöpri a pénzt

Hát... hát most...

FICSUR Most nincs tovább. Nincs több pénzed?

LILIOM Nincs.

FICSUR Hát akkor nincs tovább... Vagy ha akarod...

LILIOM Mit?

FICSUR Becsületszóra.

Liliom Hozomra?

FICSUR Nem... Hanem... majd lefogom...

LILIOM Lefogod? Miből?

FICSUR *(kissé zavartan)* Hát majd a pénzből. Vagy ha te nyersz, te fogod le. Aki nyer, az veszi el tőle a pénzt.

LILIOM *(hátranéz, várja a pénztárnokot)* És az fizeti ki a másikat.

FICSUR Az.

LILIOM *(zavartan, idegesen)* Jó. Hát akkor mennyi a bank?

FICSUR Hát ha van nála tizenhatezer, ebből nyolcezer az enyém, hát nyolcezer a bank.

LILIOM Jó.

FICSUR Aki szerencsésebb, annak több lesz. *(Oszt)*

LILIOM Hát száz korona.

Ficsur kártyát ad neki

Reszto.

FICSUR *(kimutatja a saját kártyáját)* Huszonegy. *(Gyorsan kever)*

LILIOM *(izgatottan közelebb lovagol a talpfán Ficsurhoz)* Hát dupla vagy semmi.

FICSUR *(oszt neki)* Dupla vagy semmi.

LILIOM Blatt. *(Kártyát kap)* Reszto.

FICSUR Huszonegy. *(Megmutatja és gyorsan kever)*

LILIOM *(ijedten)* Te... nem csalsz te?

FICSUR Én? Hát úgy nézek én ki? *(Oszt neki)*

LILIOM *(izgatottan hátranéz)* Ezer.

FICSUR *(hidegen)* Korona.

LILIOM Korona. *(Kártyát kap)* Blatt! *(Még egy kártyát kap)* Fuccs! *(Most már nagyon ideges, mint a kezdő kártyások, mikor sokat veszítenek. Kapkodva, zavartan, elvakultan játszik, látszik rajta, hogy most már semmi mással nem törődik, csak azzal, hogy visszanyerje a pénzét)*

FICSUR Kapok ezerkétszázat.

LILIOM Dupla vagy semmi. *(Izgatottan. Kártyát kap)* Blatt. *(Kártyát kap)* Blatt! *(A földre dobja három kártyáját)*

FICSUR *(a földön összeolvassa)* Tíz... tizennégy... huszonhárom... Kapok kétezernégyszázat.

LILIOM Hát most?...

FICSUR *(kiválaszt a pakliból egy kártyát és odaadja neki)* Nesze itt van a piros ász. Duplázhatod.

LILIOM *(mohón)* Jó. Még. *(Még egy kártyát kap)* Reszto.

FICSUR *(felmutatja a maga kártyáját)* Tizenkilenc.

LILIOM Nyert. *(Szinte könyörögve)* Még csak egyszer adj egy ászt. A zöld ászt add ide. *(Megkapja)* Dupla vagy semmi.

FICSUR *(hidegen)* Azt nem lehet.

LILIOM Miért?

FICSUR Mert ha elveszted, azt már nem tudod kifizetni. Az már összesen kilencezer-hatszáz és neked csak nyolcezer koronád van.

LILIOM *(nagyon izgatottan)* Hát akkor... tudod ez disznóság.

FICSUR Csak háromezer-kétszázat tehetsz.

LILIOM *(mohón)* Hát háromezer-kétszáz. *(Kártyát kap)* Reszto.

FICSUR Én is ászra megyek. De ezt már kigusztálom. *(Liliom is hozzáhajol és együtt gusztálnak)* Huszonegy. *(Hirtelen zsebre vágja a paklit. Szünet)*

LILIOM Hát mostan... tudod, most mindent elvesztettem, most megmondom... te egy utolsó... te egy utolsó...

E pillanatban belép jobbról Linzmann, 40–42 éves, hatalmas, tagbaszakadt, vörös szakállú zsidó, oldalán bőrtáska. Ficsur köhögéssel ad jelt, aztán elmegy Linzmann és a töltés közt jobb felé, Linzmann háta mögött előrejön és követi őt. Liliom meredten áll, a talpfarakástól balra 2-3 lépéssel, ahova hátrált, mikor Ficsur eltette a kártyát. Pontosan szembe találja magát Linzmann-nal

LILIOM *(egész testében reszketve)* Jó... jó estét kívánok. Kérem szépen, hány óra?

Ficsur némán Linzmann felé ugrik, jobb kezében a kis késsel, de Linzmann bal kezével megkapja Ficsur jobb kezét a csuklónál és így hirtelen leszorítja Ficsurt a földre, ahova az kényszerűségből letérdel. Jobb kezével hirtelen jobb kabátzsebéhez kap, onnan lassú mozdulattal Browning-revolvert húz elő, és azt lassan, nyugodtan fölemelve a levegőbe, Liliom mellének szegzi, Liliom a revolvertől kétlépésnyire áll. Nagy szünet

LINZMANN *(a lehető legtermészetesebb, nyugodt hangon)* Öt perc múlva fél hét.

Szünet

LINZMANN *(gúnyosan néz Ficsurra)* Épp a bicskás kezedet fogom. Még jó, hogy nem a másik kezedbe vetted.

Szünet

LINZMANN *(egyikről a másikra nézeget)* Szép két madár. *(Ficsurhoz)* Úgy éljek, neked valamivel kisebb szerencséd van, mint Rótsildnak. *(Liliomhoz)* Te meg, ha csak szemeddel pislogsz, körösztül vagy lőve kétszer egymás után. Nézheted a csövet, fiam. Van benne mag, van.

FICSUR Eresszen el, nem csináltam semmit.

LINZMANN *(gúnyosan megrázza Ficsurnak a kezét, amelyben még mindig benne van a bicska)* Hát ez mi? Ja úgy, tudom már. Te tudod, hogy nekem van a zsebemben egy alma. Azt meg akartad hámozni. Most már tudom. Bocsánatot kérek a tévedésért. Pardon.

LILIOM De én... én...

LINZMANN Azt is tudom, fiam. No, hát nem tudom? Hogy hány óra. Ja. Öt perc múlva fél hét.

FICSUR Hagyjon minket, méltóságos úr. Nem bántottuk.

LINZMANN Először is, fiam, nem vagyok méltóságos úr. Másodszor ezért a pénzért már kegyelmes urat is mondhattál volna. És harmadszor, behízelegni most igazán nem fogod magad nálam.

LILIOM De én csak nem csináltam semmit, kérem.

LINZMANN Nézz csak hátra egy kicsit, fiam. Csak bátran. Nézz hátra, de nehogy próbálj elszaladni, mert akkor lelőlek.

Liliom lassan hátrafordítja a fejét

Kik jönnek ott olyan gyorsan?

LILIOM *(Linzmann felé néz)* A rendőrök.

LINZMANN *(Ficsurhoz)* Ne mozgasd a kezedet, mert... *(Liliomhoz negédesen)* Hányan vannak azok a rendőrök?

LILIOM *(a földre sütve szemét)* Ketten.

LINZMANN És min ülnek a rendőrök?

LILIOM Lovakon.

LINZMANN És mi tud jobban szaladni, egy ló vagy egy ember?

LILIOM Egy ló.

LINZMANN Hát akkor most már hiába is szaladnál el. *(Nevet)* Még én ilyen peches két rablógyilkost nem láttam. Becsületszavamra mondom, ennél nagyobb pechet nem is lehet elképzelni. Direkt nálam volt a Browning és ha nincs nálam a Browning? Jöhettek volna négyen is Linzmann bácsi ellen. És ha még ez volna az egész! Nem is néztétek, marhák, hogy honnan jöttem? Hát honnan jöttem? Már visszajöttem a gyárból. Mikor odamentem, tizenhatezer-négyszáz korona volt nálam. Most nincs nálam egy vas sem. *(Bal felé kikiált)* Hé', rendőrök! Jöjjenek már, mert ez itt nagyon mozog.

Ficsur hatalmas rántással kiszabadítja magát és elrohan, mint a villám. Erre az első pillanatban Linzmann feléje fordul a revolverrel, de ez alatt a pillanat alatt Liliom felrohan a töltésre, mire Linzmann, látva, hogy ez mégiscsak közelebb van hozzá, hirtelen feléje fordítja a revolverét

LINZMANN *(ordít)* Meg ne mozdulj, mert keresztüllőlek. *(Bal felé kiált a rendőröknek)* Szálljon le a lóról. *(Revolverét Liliomra szegezve tartja, aki arccal a közönség felé fordulva áll a töltésen)*

A töltés bal szélén megjelenik egy hatalmas rendőr, szintén revolverrel a kezében

ELSŐ RENDŐR Megálljunk!

LINZMANN Na, öregem, kérem szépen, hát hány óra? Tíz esztendő, de börtön!

LILIOM Én titeket itt hagylak mostan.

Linzmann hangosan nevet

LILIOM *(akitől a rendőr 3-4 lépésnyire van, Linzmann ugyanolyan távolságra, arcát az ég felé emelve, hangosan felzokog és kirántja a kését. Erre a mozdulatra a rendőr megáll. A zokogás közben harsányan felkiált)* Juli... kis bogaram... Zeller Júlia mindenes cseléd. *(Hirtelen oldalt fordul, a mellébe döfi a kést, megtántorodik, lebotorkál, lezuhan a töltés túlsó oldalán, eltűnik szem elől)*

Nagy csönd. A második rendőr elöl balról bejön

LINZMANN Mi az?

Első rendőr a töltésen a lépcsőig megy, ott lenéz hátra a töltés mögé, majd a töltés túlsó oldalán lemegy oda, ahova Liliom lezuhant. Linzmann és a második rendőr felsiet a töltésre. Lenéznek a túlsó oldalra

LINZMANN Megszúrta magát?

ELSŐ RENDŐR *(hangja)* Meg az, alaposan.

LINZMANN *(izgatottan a második rendőrhöz)* Én megyek, telefonozok a mentőknek. *(Lesiet és balra elszalad)*

MÁSODIK RENDŐR A Heizler fűszereshez menjen, onnan telefonáljon a gyárba. Ott is van orvos. *(Aztán lekiált a töltés mögé)* Megyek, odakötöm a lovakat egy fához. *(Lejön és balra elmegy)*

A színpad üres. Szünet. Besötétedett. Ebben a szünetben a kis piros jelzőlámpa magától kigyullad

ELSŐ RENDŐR *(hangja)* Te, Mihály!

MÁSODIK RENDŐR *(hangja)* Mi kell?

ELSŐ RENDŐR *(hangja)* Kivegyem a melléből a kést?

MÁSODIK RENDŐR hangja Ne vedd ki, mert akkor elfolyik a vére. *(Szünet)*

ELSŐ RENDŐR *(hangja)* Te, Mihály!

MÁSODIK RENDŐR *(bejön balról)* Mi kell?

ELSŐ RENDŐR *(megjelenik a töltésen)* Sok itt a szúnyog.

MÁSODIK RENDŐR Igen.
ELSŐ RENDŐR Nincs egy szivarod?
MÁSODIK RENDŐR Nincs. *(Szünet)*
ELSŐ RENDŐR *(leül a falépcsőre és pipára gyújt. Lassan, csöndesen, szomorúan beszél)* Hát ahogy mondom, Mihály, evvel az új fizetési rendezéssel úgy vagyunk, hogy a régi skála szerint én most már sokkal előbbre tartanék. De hát emelték a fizetést, és így most nekem kevesebb van, mint vóna. De hát én hogy magyarázzam ezt meg a miniszternek? Kínlódok tovább. Döglődök, kínlódok, szomorkodok.
MÁSODIK RENDŐR Hja, ja!
ELSŐ RENDŐR Bizony, bizony.

Nagyon messziről a vasúti őrház csengője szól. Függöny

ÖTÖDIK KÉP

Ismét a fotográfus-műhely. Ugyanaznap este. Félórával az előbbi kép után. Az udvaron, a hátsó ajtó körül állonganak összebújva, csoportban Hollunderné, a Hollunder fiú, Mari és Hugó. Juli balról áll, 4-5 lépésnyire tőlük, egyedül

HOLLUNDER FIÚ *(aki most érkezett meg kívülről, kissé izgatottan adja elő a történteket)* Már hozzák. A bőrgyárból kértek meg két munkást, azok hozzák tragacson.

HUGÓ És orvos?

FIÚ A rendőr telefonált a központba, mindjárt kijön a rendőrorvos.

MARI Még talán életben marad, szegény.

FIÚ Nagyon megszúrta magát, de azért még él, mert lélegzik. Még beszélni is tud, csak nagyon csöndesen. Sokáig feküdt úgy, eszmélete nélkül, de a tragacson magához jött.

HUGÓ Ez a rázástól van, ahogy hozták.

MARI Na, eresszék be őket…

Utat engednek. Két munkás behozza Liliomot tragacson, amelynek négy lába van és amely körülbelül olyan magas, mint egy ágy. Leteszik balról, hátul, pontosan a rozoga kanapé elé, úgyhogy a feje balról esik, a lába jobbról, a munkások visszasompolyognak az ajtónál álló csoporthoz, majd kimennek. Juli úgy áll ott a színpadon, hogy most a tragacs mellé áll, és Liliom arcát nézi, anélkül, hogy megmozdult volna. A többiek meghatva, a hátsó ajtó körül szorongnak. Bejön az első rendőr

ELSŐ RENDŐR Maga a felesége?

JULI Én vagyok.

ELSŐ RENDŐR A gyári orvos úr bekötözte, és azt parancsolta, hogy ne vigyük a Rókusig, mert azt már nem bírja ki. Most nyugalom kell neki, és várják meg a rendőrorvost, amíg jön. *(A csoportra néz)* Békibe köll hagyni. *(Elmegy, a csoport utat enged neki. Szünet)*

HUGÓ *(szelíden kifelé tolja a többieket)* Kérem, az illendőség miatt most menjünk innen ki. Ne zavarjuk.

MARI *(Julihoz)* Julikám, mit mondsz hozzá?

Juli ránéz, és nem felel

Julikám, nem kell semmi tőlem?

Juli nem felel

MARI Itt kint leülünk a padra, Julikám.

Hollunderné és a fia, már Hugó felszólítására kimentek. Most Mari és Hugó kimegy. Juli leül a tragacs szélére, és nézi Liliomot, Liliom a kezét nyújtja feléje. Juli megfogja a kezét. Még nincs egészen sötét. Jól látni őket

LILIOM *(kissé feltámaszkodik, és csöndesen, tréfásan, de végül nagyon elfogódottan, dacosan beszél)* Mostan én, fiam... már csak hogy éppen meg akarom mondani... mint ahogy a vendéglőbe, mikor vége van a vacsorának, aztán ahogy mondja az ember... fizetni. Cáln. Hogy mi vót. Be lesz mondva az egész. Hogy hát rád ütöttem... hát hogy nem azért, mer dühös voltam... hanem, mer, hogy én nem tudom nézni, hogy sírnak... hogy bőgsz... aztán, mer énmiattam bőgsz... meg hogy én csak azt tudom, ami a mesterségem... és én nem vagyok házmester... és én nem megyek vissza, fogdosni a lányokat... és köpök rájuk... tudod?

JULI Igen.

LILIOM Meg hogy a Hózlinger… hát ő is tudja, hát gyöjjön ki a hintásné a Hózlingerral… ugyanazt a vicceket mondja, amiket én találtam ki… és tőle is fölveszik, hát úgy is jó… és hogy én nem tudtam rád keresni… se lakás, se ebéd… és én tudom, hogy te azt nem érted… mert én tényleg egy disznó vagyok… de nem vagyok házmester… és gondoltam, lehetne Amerikába… tudod?

JULI Igen.

LILIOM Hát, hogy én… nem akarok én bocsánatot kérni… eszem ágában sincs… ha akarod, csak mondd a gyereknek…

JULI Igen.

LILIOM …a gyereknek mondd, hogy gazember voltam, csak mondd… ha van hozzá pofátok… csak mondjátok… én megpróbáltam, gondoltam, lehetne Amerikában… és ehhöz is semmi közöd, nem akarok én bocsánatot kérni… most már gyöhet tőlem a rendőrség… és ha a gyerek fiú lesz, akkor… vagy ha lány lesz, akkor… talán én még máma este látom az Istent… hát én majd szólok, Julikám. Csak oda eresszenek hozzá… hogy ne úgy, mint itt Pesten… hogy már lent a portásnál megakad az ember… és ha gyön az esztergályos, hát csak… menj férjhez hozzá… ha van pofád, csak menj hozzá… mondd csak a gyereknek, hogy ő az apja… elhiszi, ha elhiszi… tudod?

JULI Igen.

LILIOM Na és még hogy… megvertelek… hát te tudod, hogy igazam volt… és teneked nem kell arra emlékezni azért… nem muszáj, hogy neked is igazad legyen… hadd, hát mondd: legyen a Liliomnak igaza… mert én úgyse bánom, hogy kinek van igaza… az olyan mindegy… úgyis senkinek sincs igaza… de azér mindenki henceg… mer nem tudja…

JULI Igen.

LILIOM Hát aztán most fogd meg a kezemet.

JULI Hiszen mindig fogom.

LILIOM Hát szorítsd meg jobban. Úgy. Hát most mondja neked a Liliom… szerbusz. *(Szünet)* Mondd te is szépen.

JULI Szerbusz. *(Megemeli a kezét)*

Liliom csöndesen hátrahanyatlik, meghal. Szünet. Juli elereszti a kezét. Orvos az első rendőrrel belép, hátul

ORVOS Jó estét. A felesége?

JULI Igen, kérem.

Az orvos és a rendőr mögött lassan bejön Mari, Hugó, Hollunderné, a fiú, Muskátné, de tiszteletteljesen az ajtó körül maradnak

ORVOS *(Liliom fölé hajol és megnézi)* Gyertyát kérek!

Juli a bódéból égő gyertyát hoz

ORVOS *(a gyertyavilágnál megvizsgálja Liliomot, aztán hirtelen otthagyja)* Van itt tinta és toll?

HUGÓ *(szolgálatkészen öntöltőtollat ad neki)* Öntöltő.

ORVOS *(nyomtatványt vesz elő a zsebéből és miközben egy ott levő kis asztalon, a gyertya mellett ír, mondja)* Hát, szegény asszony, a maga ura meghalt… vegye, kérem, tudomásul… a jó Isten majd megsegíti… itt hagyom ezt az írást, ezt át kell adni azoknak, akik jönnek a királyi törvényszéki orvostani intézetből… most mindjárt intézkedem, hogy elszállítsák… *(Fölkel)* Szappant kérek és törülközőt.

RENDŐR Már készítve van, kérem. *(A hátsó ajtó felé mutat)*

ORVOS Isten megáldja, asszony.

JULI Kezit csókolom.

Orvos és rendőr elmegy, a többiek lassan közelednek Juli felé

MARI Hát Julikám... isten nyugosztalja most már boldogult uradat... de neked, ha sértésnek nem veszed Marikádtól, neked bizony így jobb.

HOLLUNDERNÉ Neki is jobb szegénynek, magának is jobb.

MARI Mit mondsz, Juli... mondom, neked jobb... fiatal vagy... majd gyön valami derék ember... igazam van?

HUGÓ Igaza van neki.

MARI Te mondd, Juli, hogy igazam van.

JULI Igazad van, Marikám, te nagyon jó vagy.

A FIÚ Itt van az a derék ember, az az esztergályos, most már megmondhatom... mindennap üzent valamit... egyszer ezt, egyszer azt... kérdezett magára...

MARI És özvegy ember, két gyereke is van...

HOLLUNDERNÉ Neki is jobb szegénynek, magának is jobb. Mert ez rossz ember volt.

MARI Bizony nem volt jó ember, ugye, Hugó?

HUGÓ Nem, asszonyság, itt mondom: hogy nem volt jó ember. Egy asszonyt nem ütnek.

MARI Igazam van? Te mondd, Julikám, hogy igazam van.

JULI Igazad van, Marikám.

A FIÚ Az magának egy szerencse. Nem?

HOLLUNDERNÉ Neki is jobb, neki is jobb.

HUGÓ Visszakapta, kérem, a szabadságát. Hány éves?

JULI Tizennyolc.

HUGÓ Mi az? Gyerekkor. Igazam van?

JULI Igaza van, Hugó. Maga nagyon jó.

A FIÚ Ez egy szerencse. Nem?

JULI Igen.

A FIÚ Egy szerencsétlenség volt, ahogy eddig volt. Hiszen enni se lett volna neki, ha a mamám nem engedi őket itt lakni a váróteremben. Ha most jön az ősz, meg a tél, ebben a faházban úgyse lakhattak volna. Nem?

MARI Persze. Megfagytak volna, mint a madarak. Ugye, Julikám?

JULI Igen, Marikám.

MARI Esztendőre nem is fogsz rá emlékezni. Ugye?

JULI Igazad van, Marikám.

Hugó És ha valami kell, hát itt vagyunk. Most elmegyünk, de holnap reggel megint eljövünk. Gyere, Mari. Isten áldja meg. *(Kezet fog Julival)*

JULI Isten áldja meg.

MARI *(megöleli Julit, sírva)* Nagy szerencse ez neked, Juli, én mondom, nagy szerencse.

JULI Ne sírj, Marikám.

Mari és Hugó elmennek

HOLLUNDERNÉ Csinálok egy kis feketekávét magának, nem evett semmit. Aztán majd jöjjön át a házba, addig itt lesz a fiam.

Elmegy a fiával együtt. A csoportból csak Muskátné maradt ott, aki most Julihoz lép

MUSKÁTNÉ Nem tetszik rossz néven venni, ha megnézem?

JULI Magánál szolgált.

Muskátné megnézi Liliomot

MUSKÁTNÉ *(Julihoz fordul)* Most már megbékélhet velem, asszonyság.

JULI Nem haragudtam az asszonyságra.

MUSKÁTNÉ Mégis… békéljen meg velem.

JULI *(emelt, egyhangú, nagyon erélyes hangon, szinte diadalmasan, a pontnál nem eresztve le a hangját)* Nem békélek meg.

MUSKÁTNÉ Hát én megbékélek magával, asszonyság. Mindenki szidja szegényt, csak mi ketten nem. Maga se mondja, hogy rossz volt.

JULI *(még emeltebb hangon, nagy, keserű diadallal, megint nem eresztve le a hangját a pontnál)* De én azt mondom.

MUSKÁTNÉ Megbocsátom magának, asszonyság. Engem is megütött. Nem bánom. Elfelejtettem.

JULI *(az ezentúl következő feleleteket hidegen, az asszonyra rá se nézve adja. Röviden, határozottan beszél)* Azt megteheti.

MUSKÁTNÉ Ha valamivel segíthetem...

JULI Nem köll.

MUSKÁTNÉ Tartozom neki két korona hátralékkal.

JULI Adta volna meg neki.

MUSKÁTNÉ Csak mert úgy gondoltam, hogy amért szegény meghalt, hát asszonyság azért még hozzája tartozik.

JULI Nem tartozok hozzája.

MUSKÁTNÉ Jó, kérem. Ne vegye tolakodásnak, csak azér maradtam itt, mer csak mi ketten vagyunk a világon, akik szeretjük, hát tartsunk egymással.

JULI Nem tartok az asszonysággal.

MUSKÁTNÉ Akkor nem is szerette úgy, mint én.

JULI *(ráhagyja)* Nem.

MUSKÁTNÉ Én jobban szerettem.

JULI Jobban.

MUSKÁTNÉ Isten áldja meg.

JULI Isten áldja meg.

Muskátné elmegy. Juli a gyertyát Liliom fejéhez állítja a kis asztallal együtt és leül a tragacs szélére, az arcába néz Liliomnak

JULI *(édes, forró, őszinte hangon)* ...te csak most aludjál, Liliom... nekik semmi közük hozzá... ennek sincs semmi köze hozzá, a többinek sincs semmi köze hozzá. Még neked se mondtam meg soha... csak most mondom... bevallom... öreg, komisz, szemtelen fiú... komisz, durva, komisz, édes, drága... te csak most aludjál, Liliom... kinek mi köze a szegény cselédhöz... neked se mondom... nem mondom, amit igazán gondolok, mert kinevetsz vele... de most nem hallod Julikádat... *(őszinte, kedves, anyai szemrehányással, de nagy megbocsátással)* nem volt szép, hogy megütöttél, mejjbe vágtál... fejemet ütötted... arcomat megcsaptad... itt hagytad Julidat... csúnyán bántál velem, nem volt szép... de most már te csak aludjál, Liliom... öreg, komisz, csibész fiú... én téged nagyon... mindegy, nem bánom... úgy szégyellem, úgy szégyellem, de most már megmondtam... úgyis tudtad... mégis szégyellem, jaj de szégyellem... te csak most aludjál, Liliom...

Fölkel, bemegy balra a bódéba, becsukja az ajtót, aztán megint kinyitja, visszajön a színpadra, kezében egy bibliával. Leül a gyertya mellé és olvassa a bibliát, de oly halkan, hogy nem érteni, csak a duruzsolását hallani, amint silabizál, mint a gyerekek

ESZTERGÁLYOS *(megjelenik az ajtóban, hátul, de alig látni)* Asszonyság!

JULI *(nem ijed meg a hangtól)* Ki az? Ki van ott?

ESZTERGÁLYOS *(nagyon csöndesen)* Az esztergályos.

JULI Mit akar az esztergályos?

ESZTERGÁLYOS Ha valamiben segítségére lehetnék... Itt maradjak?

JULI *(hálásan, melegen, de határozottan)* Ne maradjon itt, esztergályos.

ESZTERGÁLYOS Holnap se jöjjek?

JULI Holnap se.

ESZTERGÁLYOS Asszonyság, nem haragszom meg érte, de érett ember vagyok, két gyermekem van, ne jöjjek hiába... ha valaha jönnék, hiába jönnék?

JULI Hiába jönne, esztergályos.

ESZTERGÁLYOS Áldja meg az Isten.

JULI Áldja meg az Isten. *(Tovább olvas)*

Most bejön Ficsur, oldalogva, mint a kutya, odasompolyog a tragacshoz és nézi Liliomot, sőt a fejével int is neki, Juli abbahagyja az olvasást. Ficsur erre megijed, elsompolyog a tragacs mellé jobbra, leül és rágja a körmét. Juli feláll. Erre Ficsur is feláll és félelemmel nézi Julit, aki merőn rászegezi tekintetét. Eloldalog a hátsó ajtó felé

FICSUR *(a hátsó ajtóból visszaszól, nagyon félénken, összeszorult torokkal, halkan)* Csak mer az öreg fényképészné mondta, hogy készen van a kávé, menjen át.

Juli kimegy a hátsó ajtón, amelynek küszöbje mellett Ficsur tisztelettel félrevonul. Ficsur az ajtóból még egyszer visszanéz Liliomra, lábujjhegyre állva, aztán elmegy ő is. Most a nagy csöndben egyedül fekszik a halott. Kicsiny szünet után egyszerre a magasból, nagyon magasból 24 prímhegedű uniszónó hangja egy ünnepélyes, mennyből hangzó tételt játszik, amely a legmélyebb húron kezdődik. A tétel utolsó 4-5 taktusa előtt megjelenik a hátsó kis ajtóban, a koromsötétségben két szép, magas férfi, fekete ruhában, vastag bottal, fekete puha kalappal, fekete kesztyűben, az arcuk bajusztalan, márványfehér, komoly és szelíd. Lassan bejönnek, az egyik megáll közvetlenül a tragacs előtt, a másik tőle jobbra egy lépésre. Lassan felülről szelíd, violaszín fény ömlik el az arcukon

ELSŐ *(Liliomhoz)* Keljen föl és jöjjön.
MÁSODIK *(szerényen)* A rendőrség.
ELSŐ *(kissé hangosabban, de mindvégig szelíd, lágy, halk, mély hangon)* Hallja, hogy keljen föl! Nem hallotta?
MÁSODIK A rendőrség.
ELSŐ *(megérinti Liliom vállát, közelebb hajol hozzá)* Keljen föl és jöjjön.

Liliom lassan, ünnepélyesen felül az ágyban

MÁSODIK Jöjjön.

ELSŐ *(atyai hangon)* Azt hiszi, ezzel aztán rendben van minden.

MÁSODIK *(emelkedő hangon, ünnepélyes szigorúsággal)* Megszúrni magát, megállítani a szívét, itt hagyni így az asszonyt, meg a testében a gyereket.

ELSŐ Így könnyű is volna.

MÁSODIK Ha evvel minden rendben volna.

ELSŐ Jöjjön, magának erről el kell számolni. *(Miközben mind a ketten lehajtják a fejüket és szemüket lesütik, nagyon halkan)* Isten detektívjei vagyunk.

Liliom nagyon ünnepélyesen, felfelé tartott arccal, nagyon megkönnyebbülten kiszáll az ágyból

ELSŐ Velünk jön. El kell számolni.

MÁSODIK Előre.

ELSŐ Így könnyű volna embernek lenni.

MÁSODIK *(halkan)* Előre.

Liliom indul előttük, két-három lépést tesz, akkor megáll és rájuk néz, felsóhajt

ELSŐ Nincs annak olyan könnyen vége. Tudják a nevét most is. Emlékeznek az arcára. Tudják, mikor mit mondott. Mit hova tett. Milyen volt a nézése, a hangja, a keze fogása. Hogy kopogott a lépése. Amíg van, aki emlékszik az emberre, addig sok elintéznivaló van ám még. Drága fiam, te nem tudtad, az ember csak akkor hal meg, amikor elfelejtik.

MÁSODIK *(nagyon csöndesen)* Előre.

Most ismét megzendül az előbbi tétel fenn a magasban, mind a hárman kimennek lassan, legelül Liliom, utána a két detektív. Eltűnnek, a színpad teljesen üres és koromsötéten marad, az egy szál égő gyertyával, miközben az égi muzsika egyre távolodik a detektívekkel együtt, mintha útjukban kísérné el őket. Távozásuk után egyre halkabban szól, de végigzenéli ugyanazt, amit az imént. Az utolsó hang után egy pillanatra csönd, majd hirtelen.

Függöny

HATODIK KÉP

A másvilágon. Fehér hivatalszoba egy kopott íróasztallal. Hátul lóca. Hátul középen ajtó. Hátul nagy ablak, amelyen át rózsaszínben gomolygó felhőtengerre látni. Jobbról elöl vasajtó, rácsos lyukkal. Balról elöl ajtó. A hátsó ajtó fölött csengő. A lócán két ember ül, egy úriruhás és egy kopottas. Nagyon messze egy angyalt hallani, amint trombitál. Azt fújja lassú tempóban, hogy: Ott jön már a zsaru. Látni, amint Liliom és utána a két detektív jön künn az ablak előtt. Aztán csöngetnek, meglódul az ajtó fölött a csengettyű. Jobbról belép egy rendőr, hosszú fehér szakálla van, kopasz. Rendes pesti rendőri ruha van rajta. Félméteres kulcs a kezében. A hátsó ajtóhoz megy, kinyitja, némán vált üdvözletet a két detektívvel s megint bezárja az ajtót. Liliom körülnéz

ELSŐ *(az öreg rendőrhöz)* Értesítse a fogalmazó urat.

ÖREG RENDŐR A fogalmazó úr mindjárt itt lesz. Ezek ketten már régóta várják. Tessék csak leülni. *(Balra elmegy)*

LILIOM Szóval itt vagyunk?

MÁSODIK Itt, fiam.

LILIOM Ez az a rendőrség?

ELSŐ Ez az, fiam.

LILIOM Aztán, ha szabad kérdeznem, mit csinálok én itt?

ELSŐ Elszámolsz, fiam. Ülj le a lócára.

Liliom leül a két ember mellé. A két detektív az íróasztal közelében áll

ÚRI RUHÁS *(halkan)* Szintén öngyilkos?
LILIOM Szintén.
ÚRI *(a kopottasra mutat)* Szintén.
KOPOTTAS Nevem Kádár István.
ÚRI Doktor Reich vagyok.

Liliom nézi őket

És ön? Hogy hívják?
LILIOM *(csirkefogósan)* Semmi közötök hozzá.

Úri és Kopottas egymásra néznek

ÚRI Én részemről nyomasztó adósságok miatt. És ön?
LILIOM Bicskával.
ÚRI *(félrébb húzódik)* Revolver jobb.
LILIOM Ha énnekem pénzem lett volna revolverre.
MÁSODIK DETEKTÍV Csönd!

Balról belép a fogalmazó, egyenruhában, sapka nélkül. Hosszú fehér szakálla van, kopasz és hófehér az a kis haja, amely oldalt van. Utána visszajön a rendőr és leül a lócára. A fogalmazó írások közt lapoz. Mikor bejött, mindenki felállt

FOGALMAZÓ Üljenek le. *(Mindenki leül)*
ÖREG RENDŐR Fogalmazó úrnak alássan jelentem, ezek itt a tegnapiak. A számok már be vannak írva a könyvbe.
FOGALMAZÓ 16 472. szám.
ELSŐ *(noteszébe néz)* 16 472. *(Az úriruháshoz)* Álljon fel.

Úri felkel

FOGALMAZÓ Neve?
ÚRI DOKTOR Reich.

FOGALMAZÓ Kora?

ÚRI Negyvenkét éves.

FOGALMAZÓ Az öngyilkosság neme?

ÚRI Revolver.

FOGALMAZÓ Browning? Clement?

ÚRI Nem. Webly Scott.

FOGALMAZÓ *(beírja)* Cselekedett valami jót a földi életben?

ÚRI *(nagy elbeszélésbe kezd)* Én, kérem, ügyvéd voltam...

FOGALMAZÓ *(nagyot köhög és leinti)* Akkor hagyjuk ezt most, kérem. Hát én mindenekelőtt megkérdezem, akar-e, mielőtt a nap felkel, visszamenni a földre? Értésére adom, hogy ehhez joga van. Értette?

ÚRI Igen.

FOGALMAZÓ Aki természetesen halt meg, az elvégezte. De aki maga vetett véget az életének, az a sietségben, az izgatottságban el szokott felejteni valamit. Van valakije, akinek mondani akar valamit, van, amit el akar intézni?

ÚRI Az adósságaim...

FOGALMAZÓ Azok itt nem számítanak. Itt másról van szó. Itt az ön lelkéről van szó.

ÚRI Akkor kérem... akkor hát az, hogy... mikor éjjel elszöktem hazulról, a kis Oszkár fiam aludt. Nem mertem felkölteni, hogy elbúcsúzzam tőle. Szerettem volna megcsókolni. De nem mertem. Féltem, hogy fölébred.

FOGALMAZÓ *(II. detektívhez)* Doktor Reich visszamegy és Oszkár fiát megcsókolja. Mehet.

ÚRI Evvel az úrral megyek?

II. DETEKTÍV Igen.

ÚRI Nagyon köszönöm. *(Meghajol és a II. detektívvel el hátul)*

FOGALMAZÓ *(beírja, aztán megszólal)* 16 473.

I. DETEKTÍV *(noteszébe néz)* 16 473. *(Liliomhoz)* Állj fel.

LILIOM Doktor Reichnak azt mondta: álljon fel. Mért vagyok én csak: állj fel? *(Feláll)*

FOGALMAZÓ Neve?

LILIOM Liliom.

FOGALMAZÓ Ez a csúfneve.

LILIOM Igen.

FOGALMAZÓ Mi az igazi neve?

LILIOM Endre.

FOGALMAZÓ A vezetékneve?

LILIOM Závoczki. Az anyám után.

FOGALMAZÓ Mi jót cselekedett a földi életében?

Liliom hallgat

Mért ölte meg magát?

Liliom hallgat

FOGALMAZÓ *(a detektívhez)* Vegye el tőle a kést.

A detektív elveszi Liliomtól a konyhakést

Ha visszamegy a földre, visszakapja a tárgyait.

LILIOM Visszamegyek a földre?

FOGALMAZÓ Akkor feleljen, ha kérdezem.

LILIOM Kérem, én nem feleltem, én kérdeztem.

FOGALMAZÓ Itt nincs kérdezés. Itt már csak felelet van. Závoczki Endre! Mindenekelőtt megkérdezem, akar-e most elintézni valamit, visszamenni, ha valamit...

LILIOM Eszem ágában sincs.

FOGALMAZÓ Mit csináljak vele! Nincs valakije, akit álmában...

LILIOM Eljöttem, hát eljöttem. Minek menjek vissza?

FOGALMAZÓ *(beírja)* Nem él a jogával.

Liliom a lóca felé megy

Maradjon itt. Feleljen a kérdéseimre. Tisztában van azzal, hogy lenn hagyta a feleségét támasz, kenyér nélkül?

LILIOM Tisztában vagyok vele.

FOGALMAZÓ Megbánta ezt?

LILIOM Nem.

FOGALMAZÓ Tudja-e, hogy a felesége várandós és hat hónap múlva gyermeket fog szülni?

LILIOM Tudom.

FOGALMAZÓ Az is támasz és kenyér nélkül marad. Ezt se bánja?

LILIOM Eljöttem, hát eljöttem.

FOGALMAZÓ Itt nem kell makacskodni, mert én keresztüllátok magán, mint egy darab üvegen.

LILIOM Akkor mért kérdeznek? Mért nem hagynak pihenni?

FOGALMAZÓ Itten tisztulni és javulni kell. Az emléket, amit lenn hagyott, széppé kell tenni.

LILIOM Hagyjanak aludni.

FOGALMAZÓ Itt hiába makacskodik, mert itt már végtelen a türelem. Mi ráérünk.

LILIOM Egyet kérdeznék. Tessék nekem megmondani... nagyságos uram... a kis gyerek... hogy az... fiú lesz vagy lány?

FOGALMAZÓ Meg fogja látni.

LILIOM Látni fogom a kisgyereket?

FOGALMAZÓ Akkor már nagy gyerek lesz. De tartsunk szépen rendet.

LILIOM Látni fogom a gyereket?

FOGALMAZÓ Ismétlem a kérdést. Megbánta-e, hogy hűtlenül elhagyta őket, hogy rossz férj és rossz apa volt?

LILIOM Én rossz férj voltam?

FOGALMAZÓ Az.

LILIOM És rossz apa?

FOGALMAZÓ Az.

LILIOM Mert én nem tudtam dolgozni... én nem tudtam nézni, hogy a Juli mindig... mindig...

FOGALMAZÓ Mit szégyenli kimondani? *(Hangosan)* Mindig sírt. Mit fél ettől a szótól? Mért szégyelli, hogy szereti?

LILIOM *(vállat von)* Nem... szégyellem... mindig... nem tudtam azt nézni... és én azért rossz voltam, mert utáltam a ringlihöz visszamenni?... mert hagytam magamat a Ficsurtól rábeszélni?... és jött egyszerre minden... a rendőrség... a zsidó a revolverrel... pedig én ott ártatlanul álltam... már a pénzt el is kártyáztam... és mégis bezártak volna... *(Támadólag)* Rossz voltam, mert nem mentem lopni? Lopni kellett volna menni a Juliért?

FOGALMAZÓ *(erősen)* Bizony, öcsém.

Szünet

LILIOM *(miután nagyot bámult)* Hát ezt nem tudtam.

FOGALMAZÓ Megütötted a szegény kis cselédet. Szegény, árva kis cselédet ütötted, mert szeretett téged. Mért ütötted?

LILIOM Mert úgy összegyöttünk... ő is mondott valamit, aztán én is mondtam... és neki igaza volt... és én nem tudtam rá mit felelni... és akkor... *(a torkát mutatja)* itt úgy fölment nekem... és megütöttem.

FOGALMAZÓ Megbántad?

LILIOM Mikor arra a kis vékony nyakára ráütöttem... akkor tetszik tudni... hát hogy ahogy mondunk... *(Ránéz a fogalmazóra)*

FOGALMAZÓ *(tollal a kezében, írásra készen)* Megbántad?

LILIOM *(mereven nézi)* Nem is bántam meg.

FOGALMAZÓ Terajtad nehéz segíteni.

LILIOM De legalább nem is köll.

FOGALMAZÓ Az Aradi utcában házmesteri állást kínáltak... *(Az iratokba néz)* Hol van ez?

ÖREG RENDŐR Az iktatókönyvben, nagyságos uram.

FOGALMAZÓ *(kikeresi egy nagy könyvből)* Egy szoba, konyha, negyedpénzek, tyúkot is szabad volt tartani. Mért nem fogadtad el?

LILIOM Én nem vagyok házmester. A házmester… ahhoz házmesternek köll lenni.

FOGALMAZÓ Ha azt mondanám: Liliom, menj vissza az ágyadba, reggelre meggyógyultan ébredsz fel benne, elmennél házmesternek?

LILIOM Nem.

FOGALMAZÓ Mért nem?

LILIOM Mert… mert ezért haltam meg.

FOGALMAZÓ Nem igaz, fiam. Te azért haltál meg, mert szeretted a kis cselédet és a gyerekedet.

LILIOM Nem.

FOGALMAZÓ Nézz a szemembe.

LILIOM *(bátran a szemébe néz)* Nem.

FOGALMAZÓ *(szigorúan)* Ülj vissza a helyedre, azonnal. Haszontalan fráter, ez még az én türelmemet is próbára teszi. 16 474.

I. DETEKTÍV *(noteszébe néz)* Kádár.

Kopottas föláll

FOGALMAZÓ Most jött meg?

KOPOTTAS Most.

FOGALMAZÓ Mennyi ideig égett a tisztítótűzben?

KOPOTTAS Tizenhárom évig.

FOGALMAZÓ Detektív, maga volt vele?

I. DETEKTÍV Igenis, kérem.

FOGALMAZÓ Kádár István, maga tizenhárom évi tisztulás után hazalátogatott a családjához a földre, hogy bebizonyítsa nekünk, hogy megjavult. Mi szépet cselekedett?

KOPOTTAS Elmentem haza, aludtak szépen szegény árváim. De esett az eső és becsurgott a kis házba. Akkor én nekiálltam és megfódoztam a háztetőt, hogy meg ne ázzanak a szegények. A kopogásra felébredtek, megijedtek, de bement hozzájuk az anyjuk és mert sírtak, azt mondta nekik: ne féljetek, ne sírjatok, szegény apátok jött vissza a másvilágról, ő kopog, fódozza a háztetőt.

FOGALMAZÓ Detektív.

I. DETEKTÍV Igaz, nagyságos uram.

FOGALMAZÓ Kádár, maga gyönyörűt cselekedett. Kádár, maga a legszebb jutalomban részesül. És ez olyan szép, hogy benne lesz az olvasókönyvekben, hogy meg legyenek hatva a gyerekek, mikor tanulják. Kádár, menjen be ezen az ajtón *(bal felé mutat)* ...magára örök fényesség vár.

Öreg rendőr nagy tisztelettel balra kibocsátja a kopottast. Mikor ez kimegy, a bal ajtó mögül vakító fény sugárzik be a szobába. Aztán az ajtó becsukódik a kopottas ember mögött, aki szemét eltakarja a nagy fény láttára

FOGALMAZÓ Liliom.

Liliom feláll és odamegy hozzá

Hallottad ezt?

LILIOM Hallottam.

FOGALMAZÓ Ez az ember úgy került ide, mint te. De megtisztult, megjuhászodott és a vizsgát kiállotta. Gyönyörű szépet cselekedett.

LILIOM Megfódozta a házat. Hát aztán? Háztetőt fódozni minden cserepes tud. Kikiáltónak menjen a ligetbe!

FOGALMAZÓ Liliom, te tizenhat esztendeig fogsz égni a rózsaszínű tűzben, amíg meg nem nő a gyermeked. Addigra belőled is kiég a büszkeség és a dac. És amikor tizenhat éves lesz a lányod...

LILIOM A lányom?

FOGALMAZÓ A lányod.

Liliom a földre néz, aztán eltakarja a szemét és sírni akarna, de hangos és szomorú nevetésbe kezd

Mikor tizenhat éves lesz a lányod, te is lemégy a földre egy napra.

LILIOM *(csodálkozva emeli rá a szemét)* Én?

FOGALMAZÓ Igen, te. Olvashattad versekben és mesékben, hogy az elhaltak néha megjelennek a földön.

LILIOM Azt hittem, ez hazugság.

FOGALMAZÓ Láthattad, hogy igaz. Az elhalt anyáról hallottad-e, hogy éjjel megjelent az árváinál és betakarta őket?

LILIOM Szavaltam is.

FOGALMAZÓ Ugye, milyen szép volt ez tőle?

LILIOM Szép volt, hát szép volt.

FOGALMAZÓ És hallottad most Kádár Istvánt, hogy megfódozta a háztetőt.

LILIOM Hát megfódozta. Hát aztán?

FOGALMAZÓ Ejnye, fiam. Hát ezek mind előbb itten kiégtek, kitisztultak a rózsaszínű tűzben, aztán visszaküldtük őket egy napra a földre, hogy mutassák meg, mennyit haladtak.

LILIOM Hát ez olyan vizsga?

FOGALMAZÓ Ez olyan vizsga.

LILIOM És megmondják, mit kell csinálni?

FOGALMAZÓ Azt már nem.

LILIOM Hát?

FOGALMAZÓ Azt neked kell kitalálnod. Azért tisztulsz itt tizenhat évig. És ha valami nagyon szépet, nagyon gyönyörűt csinálsz a gyermekeddel, akkor...

LILIOM *(szomorúan mosolyogva)* Akkor?

Mindenki feláll és lehajtja a fejét

FOGALMAZÓ Most pedig el fognak téged vinni innen. Most én elbúcsúzom tőled, és tizenhat esztendő telik el, amíg újra látlak. De énelém már csak akkor kerülsz, ha a földről visszajöttél. Hát vigyázz magadra, valami nagyon szépet gondolj ki, mert ettől függ, hogy melyik ajtót nyitom ki előtted. Most elmehetsz.

Az öreg rendőr kinyitja a bal ajtót, amelyen át ismét besugárzik a fehér fény. Az öreg rendőr feszes haptákban áll. A fogalmazó kimegy, méltóságteljesen. Bátran néz a fénybe. Szünet

I. DETEKTÍV *(Liliomhoz lép)* Erre, fiam. *(A jobb ajtóra mutat. Ő maga elmegy hátul)*

LILIOM *(az öreg rendőrhöz)* Kérem szépen.

ÖREG RENDŐR Mit akar?

LILIOM De nem haragszik meg?

ÖREG RENDŐR Mit akar?

LILIOM *(súgva)* Egy cigarettát.

Szünet

ÖREG RENDŐR *(egy kicsit habozik, aztán rosszallólag csóválja a fejét, de előkapar a zsebéből egy cigarettát, óvatosan körülnéz és titokban odacsúsztatja Liliom kezébe)* Nesze... te haszontalan!

Liliom rágyújt. Most kitárul a jobb ajtó, erős rózsás fény dől be rajta. Liliom megdöbbenve egyenesedik ki, aztán ismét a foga közé kapja a cigarettát, mindkét kezét nadrágzsebbe süllyeszti, meghajolva, lábujjhegyen lopózik ki az ajtón, a fénybe, miközben halkan tisztelettel mondja: „Ujjé..." Az öreg rendőr katonásan masírozik ki utána.

Függöny

HETEDIK KÉP

Kis düledező ház egy palánkkal körülvett üres telken. A ház előtt kis kertben, melyet derékig érő karókerítés vesz körül, ebédre terített asztal áll két személyre. Verőfényes tavaszi vasárnap. Hátul palánk, melynek nagy kocsikapuja van. A palánkon túl egy külvárosi utca, messze ellátni a földekre. A kis kertben áll Juli, Lujza, Mari és Hugó. Tizenhat évvel az ötödik kép után. Hugón rendes polgári ruha van, vastag aranylánc, Marin tipikus terézvárosi toalett, nagy kalap

JULI Hát nem maradtok itt ebédre.

Mari Nem lehet, fiam. Amióta Hugó megvette a Központ kávéházat, azóta Hugónak mindig ott kell lenni a Központ kávéházban.

JULI És te is ott ülsz egész nap?

MARI Ott ülök a kassza mellett, fiam, és olvasom a lapokat meg vigyázok a pincérekre.

JULI És a gyerekek?

MARI Hát, fiam, modern házaséletben csak természetes, hogy a szülők alig látják a gyermekeket. A három lánynak ott van a kisasszony, a két fiúnak meg a nevelő.

LUJZA Mari néni, maradjanak itt ebédre.

MARI Nem lehet, kislányom, majd máskor. Na, jöjjön, Hugó.

JULI Mióta magázod a Hugót?

HUGÓ Én ezt jobban szeretem, nagyságos asszonyom. Amíg tegeződtünk, könnyebben jött a veszekedés. Amióta magázódunk, úgy élünk, mint az udvari tanácsosok. Csókolom kezét.

JULI Isten megáldja, Hugó.
MARI Pá, édesem. *(Ölelkeznek)* Pá, kicsikém.
LUJZA Kezeit csókolom.

Hugóék elmennek

JULI Na, fiam, hozd az ebédet.

Lujza bemegy és kihozza a levest, leülnek az asztalhoz

LUJZA Anyám, igaz, hogy nem dolgozunk többet a jutagyárban?
JULI Igaz, fiam.
LUJZA Hát hol fogunk dolgozni?
JULI Hugó bácsi beszerzett minket, fiam, egy nagy-nagy berendezési vállalathoz, ahol semmi mást nem csinálnak, csak csupa kávéházakat. Az ő kávéházát is onnan rendezték be. Függönyöket fogunk csinálni, tudod, olyan nagy ablakra valót, hímzettet, applikációval.
LUJZA Jobb lesz, mint a jutagyárban.
JULI Nem olyan piszkos munka, és jobban is fizetik. Nagy szerencse az ilyen szegény özvegyasszonyra, mint a te anyád. *(Esznek)*

Most a nagy kocsikapuban megjelenik a Liliom a két detektívvel. A két detektív lassan továbbsétál, eltűnik, és Liliom egyedül marad a kapuban. Úgy van öltözve, mint halála napján. Sápadt, de nem öregedett meg. Lassan bejön és a kerítésnél megáll. Az asztalnál Juli háttal ül feléje, Lujza pedig szemben a publikummal

LILIOM Adjon Isten jó napot.
LUJZA Jó napot.
JULI *(rá se néz)* Már megint valami koldus. Mit akar, szegény ember?
LILIOM Semmit.

JULI Pénzünk nekünk nincs, szegény ember, de egy tányér levest, azt kaphat.

Lujza bemegy a házba

Messziről gyött?
LILIOM Messziről.

Juli nemigen néz rá. Ha feléje néz is, csak úgy félvállról. A szemük nem találkozik.

JULI Fáradt?
LILIOM Nagyon fáradt vagyok.
JULI Hát ott van a kis kertajtónál egy kő, üljön le rá, már hozza a lányom a levest.

Lujza kiviszi Liliomnak a levest

LILIOM Ez a lánya, asszonyság?
JULI Ez bizony.
LILIOM Maga a lánya?
LUJZA Igen, kérem.
LILIOM Szép, egészséges lány. *(Kezében a leveses tányér, a másik kezével a lány karja után nyúl, de az elhúzza)*
LUJZA *(anyjához megy)* Anyám…
JULI Mi az, fiam?
LUJZA Meg akart fogni…
JULI Ugyan ne szamárkodjál. Mért akart volna megfogni? Ülj le és egyél.

Most esznek. Künn Liliom eszi a levest, egyre be-benéz hozzájuk. Benn a két nő egykedvűen kanalazza a levest

LILIOM A gyárban dolgozik, asszonyság?
JULI Ott.
LILIOM A lánya is?
JULI Az is.

LILIOM Hát... hát... kedves férje? *(Szünet)*

JULI Nekem nincs férjem. Özvegyasszony vagyok.

LILIOM Özvegyasszony?

JULI Özvegyasszony.

LILIOM És a kedves férje... boldogult férje régen halt meg? *(Szünet)*

LILIOM Nem tetszett nekem felelni. Bátorkodtam kérdezni, hogy tisztelt férje régen halt-e már meg?

JULI Régen.

LILIOM Mibe halt meg? *(Szünet)*

LUJZA Nem tudják, mibe halt meg. Elutazott Amerikába dolgozni és ott a kórházban meghalt, szegény. Én nem is ismertem.

LILIOM Amerikába utazott?

LUJZA Igen. Még mielőtt én születtem.

Liliom arcán szomorú öröm látszik, mert ebből megtudta, hogy Juli kegyes hazugsággal tisztogatta az emlékét a gyerek előtt

LILIOM *(remegő hangon)* Amerikába utazott?

JULI *(feláll)* Hát hallja, hogy oda. Minek kérdezi annyit? Tán csak nem ismerte?

LILIOM *(leteszi a tányért)* Tudja isten... én annyi sok embert ismerek, lehet, hogy őtet is ismertem.

JULI Hát ha ismerte, hagyjon minket békén szegénnyel. Elég az hozzá, hogy elment Amerikába, és ott halt meg.

LILIOM Jól van, jól van, kérem, azért ne tessék rám haragudni. Nem akartam én megbántani az asszonyságot. *(Szünet)*

LUJZA Az én apám nagyon szép ember volt.

JULI Ne beszélj annyit.

LUJZA Hát csak ezt mondtam.

LILIOM Ezt csak szabad mondani szegény árvának az apjáról.

JULI Jól van, jól van.

LUJZA Az én apámnak volt három fehér csontgolyója, és azzal úgy tudott dobálni, hogy a színházba is fel akarták venni.

JULI Ki mondta ezt neked?

LUJZA A Hugó bácsi.

JULI Micsoda Hugó bácsi?

LUJZA A központi kávés. Beifeld Hugó.

LILIOM Aki hordár volt?

JULI Maga mindenkit ismer?

LILIOM A Beifeld Hugó még nem mindenki. Sok embert ismerek. Mért éppen a Beifeld Hugót ne ismerném?

LUJZA Az barátja volt az apámnak.

JULI Nem volt barátja.

LILIOM Tisztelt férjéről szigorúan tetszik beszélni.

JULI Ejnye, de sok baja van velem. Tisztelt férjemről úgy beszélek, ahogy nekem tetszik, senkinek semmi köze hozzá. Ez már igazán csak az én dolgom.

LILIOM A maga dolga.

Mind a hárman tovább esznek

LUJZA *(Julihoz)* Talán ismerte az apámat.

JULI Eriggy, kérdezd meg tőle.

LUJZA *(odamegy Liliomhoz, Liliom feláll)* Ismerte az apámat?

Liliom int, hogy igen

LUJZA *(Julihoz)* Ismerte.

JULI *(feláll)* Ismerte a Závoczkit?

LILIOM A Liliom. Hogyne.

LUJZA Igaz, hogy olyan szép ember volt?

LILIOM Nem is volt olyan szép.

LUJZA De jó ember lehetett…

LILIOM Nem is volt olyan jó. Ahogy én tudom, ahogy mondunk: egy csibész volt, vicceket csinált a ligetben.

LUJZA *(örömmel)* Vicceket csinált?

LILIOM Vicceket csinált, meg dalokat énekelt a ringlispílen.

LUJZA Dalokat énekelt a ringlispílen?

LILIOM De verekedő, szemtelen ember volt, édes lányom, mindenkit megütött, bizony még a maga kis édes mamáját is megverte.

JULI Nem igaz.

LILIOM De igaz.

JULI Nem szégyelli magát, itt hazudozni a gyerek előtt az apjáról? A mi levesünket, a mi kenyerünket eszi és a mi emberünket szidja? Menjen odébb, szemtelen, hazudó.

LILIOM Kérem, én…

JULI Nem hagyom, hogy félrevezesse a gyereket. Vedd el tőle, fiam, a tányért, és menjen az útjára. Ha nem volna szegény rongyos koldus, majd megmutatnám neki, hogy merre menjen.

Lujza átveszi a tányért

LILIOM Hát nem ütötte?

JULI Nem. Soha. Mindig jó volt hozzám. *(Szünet)*

LUJZA *(súgva)* Mondja… vicceket csinált?

LILIOM De még milyen szép vicceket!

JULI Ne beszélj vele. Menjen Isten hírével.

LUJZA Menjen Isten hírével.

Juli visszaül az asztalhoz enni

LILIOM Kisasszony… énnekem van a zsebemben egy pakli kártya… én olyan gyönyörű kunsztokat tudok vele, hogy nagyon fog nevetni, ha meglátja.

Lujza bal kezében a tányér, a jobb kezével megfogja a kis kertajtót

Hadd gyövök be, kedves kisasszony, megmutatom a kunsztokat.

LUJZA Hagyjon nekünk békét. Menjen Isten hírével.

LILIOM Kisasszony, ne tessék engem elkergetni... Hadd gyövök be egy percre, csak egy kis percre... csak éppen, amíg valami szépet mutatok... *(Kinyitja a kertajtót)* Kisasszony, én hoztam magának valamit. *(Körülnéz, hogy a detektívek nem látják-e, aztán a zsebéből nagy vörös zsebkendőbe takart csillagot vesz elő. A zsebkendőt lefejti róla, a csillagot felmutatja. A csillag sugárzik)*

LUJZA Mi ez?

LILIOM Psssszt! *(Súgva)* Csillag! *(Körülnéz, aztán a kezével félkört ír le, jelezve, hogy lopta)*

JULI Ne fogadj el tőle semmit... biztosan lopta valahol. Menjen Isten hírével.

Lujza *(szigorúan)* Menjen innen. Takarodjék. *(Becsapja előtte az ajtót)*

LILIOM *(végtelen keserűséggel)* Kisasszony... édes kisasszony... nekem valami nagyon szépet kell mutatni vagy csinálni... most kell valami nagyon szépet...

LUJZA *(jobb kezével kifelé mutat)* Ott az ajtó!

LILIOM Kisasszony...

LUJZA Mars.

LILIOM Kisasszony... *(Hirtelen ránéz és ráüt a kezére, hogy csak úgy csattan)*

LUJZA Anyám! *(Meredten nézi Liliomot, aki összetörve, lehajtott fejjel áll ott. Juli fölkel, és rémülten nézi Liliomot. Tulajdonképpen most néz először a szemébe. Nagy szünet)*

JULI *(lassan megindul feléjük)* Mi történt itt?

LUJZA *(rémülten, egyre Liliomot nézve)* Anyám... ez az ember... én mutattam neki az ajtót... és ő ráütött a kezemre, hogy csak úgy csattant... *(emelt hangon)* és anyám... én nem is éreztem az ütést... pedig nagyot csattant... és én... mintha megcsókolta volna valaki a kezemet... anyám... *(Az anyja mögé búvik)*

Liliom büszkén felemeli a fejét, és ránéz Julira

JULI *(fojtott hangon)* Eriggy, lányom. Most rögtön menj be a házba. Most rögtön menj be a házba.

LUJZA *(indul)* Anyám... olyan forró és puha volt a keze... *(sírva)* mintha a meztelen szívét tette volna a kezemre! *(Eltakarja az arcát)*

JULI Most rögtön menj be a házba.

Lujza lassan a házba megy

JULI *(utánanéz, amíg el nem tűnik. Akkor lassan visszafordul Liliom felé)* Maga megütötte a gyermekemet.

LILIOM Megütöttem.

JULI Maga... azért jött, hogy megüsse a gyerekemet?

LILIOM Nem azért jöttem, mégis megütöttem. És most már megyek is el.

JULI *(nézi, nagyon nézi, aztán fájdalmas, remegő sejtéssel, mint aki nem meri hinni, amit lát)* Édes, jó Krisztusom, kicsoda maga?

LILIOM *(egyszerűen)* Én egy szegény koldus vagyok, aki messziről gyöttem; éhes voltam, fáradt voltam, kaptam egy tányér levest és egy karaj kenyeret, és megütöttem a maga gyerekének a kezét. Haragszik rám?

JULI Édes, jó Krisztusom... hogy van az, hogy én... én nem is haragszom rá?

Liliom elmegy a kapufélfáig, ott megtámaszkodik, háttal a közönségnek

JULI *(lassan az asztalhoz megy, leül)* Lujza!

Lujza kijön a házból

Ülj le, édes fiam, és együnk tovább.

LUJZA Elment?

JULI El.

Leülnek, Lujza nem eszik

Mért nem eszel, fiam?
LUJZA Mi történt itt most velünk, anyám?
JULI Semmi, fiam.

A két detektív megjelenik az utcán. Liliom balra fordul előttük és elmegy. Mikor elindul, felnéz az égre, két karját széttárja, mint aki azt mutatja: „Édes Istenem, nem tehetek róla." Az egyik detektív leint a kezével, mintha ezt mondaná: „Ezen ugyan nem lehet segíteni." Kimennek, utána, a fejüket csóválva

LUJZA Drága jó anyám, mért nem mondod?
JULI Mit mondjak, fiam? Semmi se történt. Az történt, hogy mink itt szépen, csöndesen ettünk, ebédeltünk, aztán jött egy kódús, és mesélt a régi időkről és nekem… eszembe jutott a te apád.
LUJZA Az apám?
JULI Az apád. A Liliom.

Szünet

LUJZA De hát anyám… veled már megtörtént az, hogy valaki rád ütött, és te nem érezted?
JULI Igen, fiam. Már az velem megtörtént.

Szünet

LUJZA Hát lehet az, hogy ilyen nagyot, ilyen erős nagyot ütnek az emberre… és aztán az nem fáj?
JULI Igen, fiam… az lehet. Megütik az embert… és… és nem fáj.

Szünet. A verkli szólni kezd a szomszédban. Függöny

A HATTYÚ

VÍGJÁTÉK HÁROM FELVONÁSBAN
(1920)

SZEMÉLYEK

BEATRIX, *özvegy* hercegné
SYMPHOROSA, *a húga*
JÁCINT, *a bátyja*
ALEXANDRA, *a lánya*
ARZÉN } *Beatrix fiai*
GYÖRGY } *Beatrix fiai*
ÁGI MIKLÓS
ALBERT HERCEG, *trónörökös*
MÁRIA DOMINIKA HERCEGNŐ
GRÓF LÜTZEN
WUNDERLICH EZREDES
SIBENSTEYN GRÓFNÉ
CAESAR, *udvarmester*
ALFRÉD, *inas*
KOMORNA
FŐISPÁNNÉ
EGY HÖLGY
HUSZÁROK, LAKÁJOK

Történik Beatrix hercegné kastélyában

ELSŐ FELVONÁS

Kerti pavilon, amely a kis hercegek tanulószobájául szolgál. Balról nyitott ajtó, amelyen át a napsütött kertet látni. Jobboldalt ajtó más szobákhoz. Nyári délután.
Ági tanár Arzénnel és Györggyel az asztalnál ül. Előad.
A fiúk feszülten figyelnek

ÁGI A megaláztatásoknak ez után a sorozata után és hosszas szenvedés után meghalt, Szent Ilona-szigetén, 1821. május ötödikén, ötvenkét éves korában. Ott temették el, a sziget egy emelkedett pontján, ahonnan szerette a tengert nézni. Hű környezete azt akarta a sírkövére írni, hogy „Napóleon" – de kínzója, a gyalázatos Hudson Lowe még a síron túl is üldözte. Tiltakozott ez ellen a felírás ellen. Csak azt engedte a sírkőre vésni, hogy „Le Général Buonaparte" – Buonaparte tábornok. Hamvait később ünnepélyesen Franciaországba szállították, és Párizs felséges temetést rendezett a vértanúvá lett császárnak. Azóta az Invalidusok templomában nyugszik, művészien szép és egyszerű nyitott sírboltban. *(Elhallgat)*

Szünet. A fiúk meghatottan hallgatnak. Ági órájára néz

Ezzel mára vége van a leckének. *(Becsukja a könyvét)* Van Fenségteknek valami kérdésük?
ARZÉN Tegnap este nagy vitánk volt a mamával. A mama gyűlölettel beszél Napóleonról. Azt mondta róla, hogy bitorló volt.
ÁGI Ahogy vesszük.
GYÖRGY Hát hogy vesszük?

ÁGI Fenségteknek jogukban van véleményüket megformálni. Én úgy veszem, hogy világraszóló lángész volt. A forradalom kavargása dobta felszínre, ezeknek az időknek a vihara edzette meg, és nyitott előtte olyan lehetőségeket a kibontakozásra, aminők normális viszonyok közt el se képzelhetők.

GYÖRGY Ön így veszi?

ÁGI Igen.

GYÖRGY Akkor én is így veszem.

ARZÉN Ezt nevezem önálló véleménynek.

GYÖRGY Ez is önálló vélemény, csak nem az enyém, hanem a tanár úré.

ARZÉN A mama nagyon haragudott.

ÁGI Napóleonra?

GYÖRGY És önre.

ÁGI Miért?

ARZÉN Mert ön nem gyűlölettel tanítja.

ÁGI Én objektíve tanítom.

ARZÉN Ezt mi mondtuk neki, de a mama szerint ez is helytelen, mert szerinte Napóleont gyűlölettel kell tanítani.

GYÖRGY Azt mondta, hogy főleg a mi családunkban, mert mink trónfosztottak vagyunk, és ezt igen sokban Napóleonnak köszönhetjük.

ÁGI Mély tisztelettel a fenséges asszony nézete iránt, én ezt a história szempontjából kissé túlzottnak találom. Napóleon személyesen nem avatkozott Fenségtek mélyen tisztelt családja politikai sorsába. Ha valaki, úgy a württembergi király volt az, aki ebben közrejátszott.

GYÖRGY De a württembergi király Napóleon kreatúrája volt.

ÁGI Így, közvetve, van benne valami. De épp erre mondottam, hogy túlzás. És ha valahol, úgy épp egy trónját vesztett szuverén családban kell nézetem szerint a Napóleon bátorságát, iniciatíváját, sőt szerencséjét tanítani. Mert az ő élete mutatja, hogy a trónok elérhetők. Pedig ő egyszerű ügyvéd fia volt. Hát még, akiknek a származása jogot ad...

ARZÉN Hiába, a mama...

GYÖRGY A mama most azért olyan érzékeny a trón tekintetében, mert Albert herceg itt van nálunk.

ARZÉN A mama mindig érzékeny a trón tekintetében.

GYÖRGY Albert herceg igazi trónörökös, és ha a mama igazi trónörököst lát, akkor a mama nem tud enni.

ARZÉN Nem csoda. Szegény. Az ő dédanyja még uralkodott. Nem bírja megszokni, hogy ennek örökre vége.

GYÖRGY Örökre?

ÁGI Hát bizony... mostanában nagyon nehéz.

ARZÉN És ha Alexandrát elveszi a trónörökös?

GYÖRGY De nem veszi el.

ARZÉN Honnan tudhatod? Ha Alexandrát elveszi a trónörökös, akkor mi, mint családja, csatlakozunk az udvarhoz és Alexandra királyné lesz. És ahogy én a mamát ismerem, a herceg nagyon téved, ha azt hiszi, hogy ő fog uralkodni.

GYÖRGY Ha elveszi.

ARZÉN Elveszi.

GYÖRGYy Ugyan miért venné el?

ARZÉN Mert a mama nagyon akarja. És mindenki nagyon akarja, aki itt van. A nagynéném, Symphorosa, maga Alexandra, én, te, a tanár úr...

GYÖRGY Én nem is nagyon akarom. Tanár úr nagyon akarja?

ÁGI Hát Istenem... Alexandra őfensége minden nagyra és szépre hivatott.

GYÖRGY De azért a tanár úr mégse nagyon akarja.

ÁGI Én? Ugyan miért nem?

GYÖRGY Mert ezt is olyan hidegen és udvariasan mondta.

ÁGI Istenem… hát nagy dolog az kérem. Alig megy hamarjában a fejembe. Néhány hónapja van szerencsém itt élni az önök fenséges családjának körében… önökkel, ha szabad így kifejeznem magamat… és fenséges nővérük, amilyen komoly hölgy, oly jóságos hozzám… mindnyájunkhoz. Szerencsém van őt tőrvívásra tanítani, és ha így egyszerre arra gondolok, hogy a tanítványom hermelinpalástot ölt… megkoronázzák, trónra ül… hát… nagy dolog ez kérem.

GYÖRGY Én sajnálnám itthagyni ezt a kedves falusi életet. A magyarok oly kedvesek hozzánk. A megyei urak is, a parasztok is. Olyan jó kis életünk van itt. De… ön velünk jönne oda is, ugye tanár úr?

ÁGI Ha megparancsolnák.

ARZÉN Ah, szép az mégis. Maga az udvari élet unalmas lehet. De a politika, azt mondják, az valami mulatságos. Folyton vagy reszketni kell, vagy nevetni.

Belép Beatrix és Alexandra a kert felől. Mindenki feláll

BEATRIX Amint látom, vége a leckének.

ÁGI Igenis, Fenség.

Alexandra baloldalt, elöl, némán és mozdulatlanul áll

BEATRIX *(órájára néz)* Pedig még hat perc hiányzik a négy órához.

ÁGI Tíz perccel négy óra előtt érkeztem el, Fenség, Napóleon halálához. Ezt szerény nézetem szerint oly nyugvópontnak találtam, hogy utána már nem volt érdemes arra a tíz percre új fejezetet kezdeni.

BEATRIX Ön ezt oly nagy nyugvópontnak találta?

ÁGI Mint bátorkodtam mondani.

BEATRIX Az illető halottnak tényleg nagy nyugvópont. Nekünk csak vessző, amely után a mondat tovább folytatódik. De nem azért jöttem. Arzén! György! Albert herceg meg fog benneteket látogatni itt a tanulószobában. Érdeklődik a tanulmányaitok iránt és azt az óhajtását fejezte ki, hogy beszélgetni akar veletek valamely stúdiumotokról. Úgy vettem ki a szavaiból, hogy a történelem lesz az a stúdium. Gróf Lützen később megerősített ebben a feltevésemben. Menjetek, fésülködjetek meg, mossátok meg a kezeteket és vegyetek sötét ruhát.

ARZÉN Mikor jön?

BEATRIX Amikor felébred, egyenesen ide jön.

GYÖRGY Alszik?

BEATRIX Ha azt mondtam, hogy felébred, akkor kitalálhattad volna, hogy most alszik.

GYÖRGY Kitaláltam. Azért kérdeztem.

BEATRIX Ez a felelet fölösleges volt, Arzén! Azt hallom, köhögsz.

ARZÉN Nem, anyám, csak egyet-kettőt köhintettem.

BEATRIX Symphorosa azt mondta, hogy huzamosabban köhögtél. Ön miért nem jelenti ezt nekem?

ÁGI A fenséges úr ma délelőtt zöldpaprikát kóstolt, és tanácsom ellenére nem vágta ki a gyümölcsből az ereket. Ezért köhögött. Azért nem jelentettem, mert ezt nem tartottam komoly köhögésnek.

BEATRIX Ön nem tudhatja, hogy komoly-e vagy nem. Ön nem orvos.

GYÖRGY *(Arzénhez)* Ezt Napóleonért kapta.

BEATRIX Mit beszélsz?

GYÖRGY Semmit, anyám, köhögtem.

BEATRIX Rólad pedig azt hallottam, hogy ma reggel vadul lovagoltál.

GYÖRGY Ezt is Symphorosa árulkodta.

BEATRIX Illetlen fiú. Nem erről van szó. Vadul lovagoltál.

GYÖRGY A ló volt vad.

BEATRIX Ön miért nem jelenti nekem, ha a ló vad?

ÁGI A ló szelíd volt, amíg a fenség rá nem ült.

BEATRIX Azt ön nem tudhatja. Ön nem lovász.

GYÖRGY Akkor meg nem is jelentheti.

BEATRIX Ne beszélj, ha nem kérdezlek. Arzén ma este priznicet tesz a torkára, és te holnaptól kezdve kizárólag csak Gyömbéren lovagolhatsz.

GYÖRGY Gyömbér? Drága mamám, ne szeress olyan nagyon.

BEATRIX Egy szót se. *(Néma csönd)* Meglepetést hoztam számotokra. Nem érdemlitek meg.

ARZÉN Mi az?

GYÖRGY Mi az?

BEATRIX Találjátok ki.

ARZÉN Alexandra királyné lesz.

Nagy zavar. Csönd. Alexandra megrezzen

BEATRIX Illetlen. Micsoda beszéd ez? Megtiltom, hogy erről még csak gondolkozzál is. Nézd csak. Remélem, nem ön az, aki ilyen gondolatokra ösztönzi őket.

ÁGI Isten őrizz, Fenség.

BEATRIX Hát hol veszed akkor ezt?

GYÖRGY Én mondtam neki.

BEATRIX És te honnan vetted?

GYÖRGY Saját magamból.

BEATRIX Micsoda?

GYÖRGY Ne haragudj, mamám, amiért én is látok. Nekem is van szemem.

BEATRIX Ha Albert őfensége most nem jönne ide tanulmányaitok iránt érdeklődni, szigorúan megbüntetnélek. De ez nem fog azért elmaradni. Ön pedig jelenthetné nekem, hogy ilyen kérdésekkel foglalkoznak.

GYÖRGY Ezt ő nem tudhatja. Ő nem rokon.

BEATRIX Robespierre, eredj a szemem elől. *(Néma csönd)* Nos, megmondom, mi a meglepetés. Albert herceg nálunk időzésének tiszteletére megjött Károly bátyám… azaz Pater Hyacinthus.

Vad öröm

GYÖRGY Nagyszerű! Nagyszerű!

ARZÉN Jaj, de boldog vagyok! *(Ági nyakába ugrik)*

BEATRIX Indiánok!

ALEXANDRA Nagyon szeretik őt, anyám. Ezt jólesik látni. Én is boldog vagyok, hogy megjött.

ARZÉN Hát még én! Tanár úr, ez a legaranyosabb ember a világon! A nagybátyám!

GYÖRGY Herceg volt, most szerzetes. Barát. Csuhája van, kámzsája, scapuláriuma.

BEATRIX Nem ez a lényeges. Ez külsőség. Arany szíve és acél feje van.

GYÖRGY Az is van.

ARZÉN Lemondott a világról, belépett egy tanítórendbe.

ÁGI Tudom, Fenség, hallottam.

GYÖRGY De még nem látta.

ÁGI Nem voltam oly szerencsés.

GYÖRGY Hát most lesz olyan szerencsés, és mind leszünk olyan szerencsések. Anyám, ennél jobb hírt nem is hozhattál volna. Még ha azt hoztad volna is, hogy Alexandra…

ALEXANDRA György!

BEATRIX Nem fog elmaradni a büntetés.

Künn a kertben megszólal Jácint hangja

JÁCINT *(künn)* Beatrix!

BEATRIX Csönd! Mintha kiáltott volna valaki.

JÁCINT *(künn)* Beatrix!

BEATRIX Igen. Jól sejtettem. Jácint kiabál. Rettenetes manírjai vannak.

ARZÉN Drága Jácint!

GYÖRGY Jácint! Jácint!

Elébe akarnak rohanni

BEATRIX Itt maradtok. *(Hirtelen csönd)* Indiánok. Majd én elébe megyek, mert még tovább hangoskodik – most, amikor Albert őfensége alszik!... *(Kimegy a kertbe)*

ALEXANDRA *(Ágihoz)* Anyám még azt is akarta közölni önnel, hogy a fenség, miután a gyermekekkel diskurált, a vívást kívánja látni.

ÁGI Parancsára, Fenség.

ALEXANDRA Már intézkedtem, hogy a vívóteremben minden rendben legyen. A fiúk előbb önnel vívnak kardra, aztán egymással tőrre.

ÁGI Ha szabad érdeklődnöm: Fenséged nem vesz részt a vívásban?

ALEXANDRA Nem.

Szünet

GYÖRGY Miért nem?

ALEXANDRA Mert őfensége kifejezetten a ti vívásotok iránt érdeklődött. A kosztümök rendben vannak?

ÁGI Igenis, Fenség.

ALEXANDRA Mennyi időre van szükségük, hogy a vívójelmezekbe átöltözzenek?

ÁGI Úgy gondolom, tíz-tizenkét perc elegendő.

ALEXANDRA Azért kérdezem, mert a program pontosan van megállapitva. A fenséges úr itt-időzése után megnézi az én kis rózsakertészetemet, s onnan megy a víváshoz. A kertészetet tizenöt percre becsülöm.

ÁGI Mélyen sajnálom, hogy Fenséged nem mutathatja be haladását a tőrvívásban.

ALEXANDRA Előbb úgy volt, hogy én is részt veszek az akadémián. De ha a kertben kell kalauzolnom, nem marad idő az átöltözésre. Így hát csak a fiúk vívnak.

ÁGI Tisztelettel bátorkodom megkérdezni: nem kalauzolhatná a fenséges urat más a rózsakertben?

ALEXANDRA Miért kérdi ezt?

ÁGI Fenséged azalatt vívójelmezt ölthetne és inkább a vívást mutatná be.

ALEXANDRA *(élesen)* Miért inkább a vívásomat?
ÁGI Csak... gondoltam... Fenség olyan ritka, acélos gráciával vív és...
ALEXANDRA *(élesen)* És?
ÁGI És... a kertet más is elmagyarázhatja.
ALEXANDRA *(élesen)* Köszönöm, ezt én is tudom.
ÁGI Bocsánatot kérek, Fenség. A tanító büszkesége beszélt belőlem.
ALEXANDRA A program nem az ön büszkeségei szerint igazodik. Általában az egészet szíveskedjék rám bízni. Igen? *(Kissé sértődötten veti föl a fejét)*
ÁGI Parancsára, Fenség.

Kis szünet

GYÖRGY Kérlek, szabad nekem valamit mondani?
ALEXANDRA Nos?
GYÖRGY A tanár úrnak van igaza. *(Az ajtó felé megy)*

Künn hangok. Jácint egyszerű szerzetesi ruhában van, mely a karmeliták öltözékéhez hasonló. Jácint és Beatrix belép

ARZÉN és GYÖRGY *(Jácintra rohan)* Édes Jácint! Drága bácsi!
ARZÉN Hozta Isten!
GYÖRGY Meddig marad?
JÁCINT Na, na, na, na, na! Nézd csak! *(Védekezik)*
BEATRIX Indiánok!
GYÖRGY Meddig marad?
JÁCINT Még be se jöttem – már azt kérdezed, hogy meddig maradok.
GYÖRGY Mert ez a legfontosabb.
JÁCINT Rég nem láttalak benneteket. *(Jobbról-balról magához öleli őket)* Hadd látom. Szép pirosak vagytok. *(A karjukat fogja)* A húsotok jó kemény.

GYÖRGY Meddig marad?

JÁCINT Fájdalom, nem sokáig. *(Ági felé megy, aki mélyen meghajol)* És nézzétek, milyen okos vagyok, most kitalálom, hogy ez a ti kedves professzorotok, Ági úr, kiről annyi szépet hallottam. *(Kezet fog vele)* Beatrix sok jót írt önről. Mindent tudok. Nemcsak jó professzor, hanem kitűnő sportsman is. Evez, vív...

ARZÉN Lovagol.

JÁCINT Bravó. Ezt szeretem. És azt is szeretem, hogy szeretitek.

GYÖRGY De mennyire!

JÁCINT És ön hogy van megelégedve a tanítványaival?

Ági Igazán, nagyon, királyi Fenség.

JÁCINT Nem fenség, tanár úr. Csak Krisztus alázatos szegény szolgája.

ÁGI Bocsánat, atyám.

JÁCINT Azért nem kell mindjárt elvörösödni, mert akkor én haragszom magamra. Viszont bemutatkozásnak oly rokonszenves ez a pirulás egy doktor filozofiétől, hogy azt hiszem, már jó barátok is vagyunk. *(Ismét kezet fog vele)* Gratulálok a módszeréhez. A sporttal kevert tudomány a legtisztességesebb iskola.

BEATRIX Jácint szenvedélyes pedagógus. Szinte jobban érdekli a tanár, mint a tanítvány.

JÁCINT Köszönöm, édesem. Ennek éle volt. De majd egyszer, ha nagyon esik az eső és nem tudunk mit csinálni, elmagyarázom neked, hogy mi a gyerek iránt való végtelen szeretetből nézünk mindenekelőtt a nevelő homloka mögé. Na, gyerekek. Mit tanultatok ma?

ARZÉN Ma végeztünk Napóleonnal. *(Beatrixra néz)*

Zavar

JÁCINT A mama nem szereti. Mi?

BEATRIX Nem.

GYÖRGY Este arról vitatkoztunk, hogy...

ALEXANDRA Hagyd ezt, György, ne kezdjétek újra.

JÁCINT Miért ne. Halljuk. Miről vitatkoztatok?

ARZÉN A mama szerint Napóleont gyűlölettel kell tanítani.

GYÖRGY Különösen a mi családunkban.

JÁCINT És ön szerint?

ÁGI Én objektíve adtam elő Napóleon történetét.

JÁCINT Akkor maga eljön velem, fiam, és én magát bemutatom a londoni történelmi kongresszuson, mint világcsudát. Mert ilyet ott még nem láttak. Az ember vagy szereti Napóleont, vagy gyűlöli.

GYÖRGY Ő szereti, csak nem mondja.

JÁCINT Mért nem mondja?

ÁGI Mert azt akarom, hogy a fenségek maguk formáljanak véleményt. Mindenesetre felhívtam figyelmüket Napóleon tetterejére, bátorságára, sőt szerencséjére is.

JÁCINT Jól tette. Ha valahol, úgy ebben a családban tanuljanak a fiúk ebből az életrajzból. Most megint mért vörösödött el, édes fiam?

GYÖRGY Mert épp az előbb mondta szóról szóra ugyanezt.

JÁCINT Attól ugyan még nincs igaza, de legalább, ha tévedünk, fiam, ketten vagyunk hozzá.

BEATRIX Menjetek tisztálkodni, fésülködni és sötét ruhát venni. *(Jácinthoz)* Albert őfensége mindjárt ide jön hozzájuk.

JÁCINT Akkor menjetek szépen. A viszontlátásra, tanár úr.

Ági meghajol és kimegy a fiúkkal jobbra

BEATRIX És ha százszor találjátok is el egymás gondolatát, az az ember mégis bitorló volt.

JÁCINT Melyik ember?

ALEXANDRA A mama nem mondja ki a nevét soha.

JÁCINT Pardon, ezt elfelejtettem.

Symphorosa jön a kertből

SYMPHOROSA Alszik.

JÁCINT Kicsoda?

BEATRIX A trónörökös. Melyik oldalán fekszik?

SYMPHOROSA Várj csak. A jobb oldalán.

BEATRIX Szóval nem fekszik a szívén.

SYMPHOROSA Nem. A máján fekszik.

BEATRIX Jó. Menj vissza, Symphorosa, őrködjél és jelents pontosan mindent.

SYMPHOROSA Igen, édesem. *(Kimegy a kertbe)*

JÁCINT Symphorosa húgom vigyáz a herceg álmára?

BEATRIX Igen. Állandó összeköttetésben van a szárnysegéddel, aki viszont állandóan néz be a kulcslyukon.

JÁCINT És ez egész nap így megy?

BEATRIX Mindent pontosan akarok tudni. Az én vendégem. Nem kis felelősség.

JÁCINT És mióta megy ez így?

BEATRIX Negyedik napja.

JÁCINT És meddig marad itt?

BEATRIX Egyelőre úgy van, hogy holnap utazik el. Ezért kellett volna előbb jönnöd. Albert váratlanul jött, és mi férfi nélkül voltunk.

JÁCINT Amint a sürgönyt kaptam, azonnal jöttem. Albert megváltozott. Komoly, kellemes férfi lett.

BEATRIX Nagyon szimpatikus.

JÁCINT Hozzám igazán olyan kedves volt, el se mondhatom. Majdnem könnyezett, mikor meglátott.

BEATRIX Ő is nagyon szerette boldogult uramat. Pedig akkor még gyerek volt.

JÁCINT Olyan hévvel ölelt meg, talán négyszer is megcsókolt. Olyan őszintén mondta, hogy itt benneteket mennyire megszeretett.

BEATRIX Hiszen éppen ez az.

JÁCINT Mi az az „ez az”?

BEATRIX Menj ki, édes lányom. Sétálj egy kicsit a kertben.

ALEXANDRA Igenis, anyám. *(Kimegy a kertbe)*

Beatrix a szemét törli

JÁCINT Mi az, édesem, történt valami?

BEATRIX *(kinéz az ajtón, a leánya után)* Nem akarok előtte beszélni. Éppen ez az, hogy nem történt semmi.

JÁCINT Nem értem.

BEATRIX Albert neked is mondta, hogy minket mennyire megszeretett.

JÁCINT Mondta.

BEATRIX Hát beleszeretett ő itt mindenkibe, csak Alexandrába nem.

JÁCINT Mit vártál tőle három nap alatt?

BEATRIX Szerelmet nem. De legalább egy kis érdeklődést a lányom iránt, valami kis közeledést. És hiába. Pedig igazán mindent megtettünk.

JÁCINT Nem politikai oka van ennek?

BEATRIX *(mosolyogva)* Te engem lebecsülsz, Károly.

JÁCINT Pardon... tudom, hogy Európa leginformáltabb asszonya vagy...

BEATRIX Majd megmutatom neked a levelezésemet. Én nem élek illúziókban, Károly. Én tudom, hogy hozzánk csak akkor jönnek házasodni, mikor két-három uralkodócsalád is kívánja őket, és ők egyiket se akarják megsérteni. Csak akkor kezd dobogni az ő szívük.

JÁCINT És most?

BEATRIX Most dobog. Ettől vagyok úgy megvadulva, Károly. A cár akarta őt a Konstantin lányának, Olgának. Edward szerette volna őt Shortlandéknek, Patricia számára. Nagy zavarban volt az anyja, ezt tudom. Oncle Fréderic mindennap telegrafált nekem Bécsből és Amélie Pétervárról.

JÁCINT Albert kénytelen elővenni a szívét.

BEATRIX A marienbadi találkozás után ez a két jó politikai parti ki volt zárva. Róma felé nem nézhet, nősülni muszáj, így hát tényleg a szívét kell elővennie.

JÁCINT Ilyenkor Montenegróba szoktak menni.

BEATRIX Ettől félek én is. Nagyon engedelmes fiú, és az anyja, Dominika, dirigálja. Na, most aztán elindult a szívével... Előbb Drezdába ment, ott Leopoldina Saroltát nézte meg, de az nem tetszett neki, mert hajlamos a hízásra. Onnan Lisszabonba vitte a szívét Gonzaga Silvina infánsnőhöz, ez kitűnő leány, de olyan rettenetesen csúnya, hogy azt már nem is szabad. Onnan felszaladt Belgiumba a szívével, Mária Herminához, de az meg két fejjel magasabb, mint ő – igaza van, így nem lehet a nép előtt reprezentálni. Most itt van. És ha innen így eresztjük el, akkor igazán elmegy Montenegróba. *(A szemét törli)*

Symphorosa belép a kert felől

BEATRIX Nos?

SYMPHOROSA Kinyúlt az ágyból.

BEATRIX Miért nyúlt ki?

SYMPHOROSA Cukrosvizet ivott.

BEATRIX Volt ott cukrosvíz?

SYMPHOROSA Hát ha ivott.

BEATRIX Csak megijedtem, hogy nem volt. És aztán?

SYMPHOROSA Megfordult és most megint alszik.

BEATRIX Köszönöm, édesem.

SYMPHOROSA Szívesen, édesem. *(Kimegy)*

BEATRIX És tudod, hogy szegény uramnak is kedvenc gondolata volt ez a házasság. A nagy barátsága Albert apja iránt is ebből fakadt.

JÁCINT Az a szívéből fakadt.

BEATRIX De ezzel a gondolattal öntözgette. És mióta szegények ugyanegy évben meghaltak, ez a gondolat bennem él tovább, és fog bennem élni addig, amíg én. Ha azt hagyhatnám a lányomra, hogy trónra kerül, szívesen meghalnék ma.

JÁCINT Ebben kevés alázatosság volt, Beatrix.

BEATRIX Bocsáss meg, Károly, de három nap óta azt kell mondanom, nem vagyok normális. Biztosan tudom, hogy a lány miatt állt meg itt nálunk. És most mégis... mintha Alexandra nem is volna a világon. És az anyjáról, Dominikáról, semmi életjel. Ha komoly volna a szándéka, Dominika már itt volna. *(Sír)*

JÁCINT De Beatrix!

BEATRIX Mondom, nem vagyok normális. Vedd azt, még csak egy napunk van. Ma délután, ma este az estély, és ha most nem történik valami... bármi... akkor vége, talán örökre.

JÁCINT És semmi jel?

BEATRIX Semmi. Képzelheted, hogy figyelek.

JÁCINT Talán Alexandra...

BEATRIX Ő tökéletes. Szép, okos, mérsékelt, szegény apja olyan jól jellemezte őt, mikor hattyúnak nevezte. „Az én büszke fehér hattyúm." És most is olyan: méltóságteljes, néma, komoly, tiszta... magasan hordja a fejét... igazán tökéletesen viselkedik. Képzelheted, hogy erre is figyelek. Ez az Albert meg közömbös, hogy öngyilkos lehet bele az ember.

JÁCINT Beatrix, te nagyon kijöttél a sodrodból.

BEATRIX Tudom, de nem bánom. Ez nemcsak az én életem, ez a mi egész családunk utolsó nagy ütközete. Most vagy soha. És csodát fogsz látni, mert én keresztülviszem, ha beleszakadok is!

SYMPHOROSA *(beszól az ajtón)* Alszik tovább, normálisan.

BEATRIX Köszönöm, édesem.

Symphorosa kimegy

JÁCINT Nem kell így kínoznod magadat. Lesz, ahogy lesz. Ha most nem sikerül, majd sikerül máskor.

BEATRIX Mikor? Albert már harmincöt éves és képzelheted, mit áll ki a családjától, hogy már házasodjék, és mit gondolsz, Alexandra fölött nem múlnak el az évek?

JÁCINT Hány éves most Alexandra?

BEATRIX Huszon.

JÁCINT Huszon... mennyi?

BEATRIX Semmi. Csak huszon.

JÁCINT Ez új szám.

BEATRIX Igen, édesem. Ezt én találtam ki. Mint anya.

JÁCINT Kérlek. Rendben van. Szóval huszon.

BEATRIX És ezt se lehet sokáig. Elvirágzik. Politikai családban ez mindegy. De a mi lányainknak szépeknek kell lenniök! Tudom én, hogy bűnös vagyok.

JÁCINT Nem vagy bűnös. Szenvedélyes anya vagy, édesem. Te átérzed, hogy a mi életünk nem az egyének boldogsága, hanem a családé. Sokszor a legboldogabb királyi család csupa boldogtalan egyénekből áll. Ezt viselni kell, vagy... nem kellett volna kikezdeni a történelemmel.

BEATRIX Szegény Xaxa!

JÁCINT Ki az?

BEATRIX Alexandra.

JÁCINT Most így hívjátok? Azelőtt, ha jól tudom, Xixi volt.

BEATRIX Igen. De most, hogy idestova huszon... éves, most már Xaxa. És ha ez így megy tovább, Xoxo is lesz.

JÁCINT Vagy becsületesen Alexandra.

BEATRIX Soha. Kicsinyítünk, öregem, mindhalálig.

SYMPHOROSA *(belép)* A helyzet változatlan. *(Kimegy)*

BEATRIX Szóval nagyon, nagyon kérlek, állj most erre a rövid időre te is az ügy szolgálatába.

JÁCINT Én? Angyalom, mit tehetek én?

BEATRIX A te charmeur modoroddal...

JÁCINT De, édes fiam, nem engem kell elvennie.

BEATRIX Te férfi! Nem érted te ezt. A környezetnek minden szeretetreméltósága a lányra világít. És hátha még csak ez az egy kis sugár hiányzik, hogy egyszerre csak észrevegye őt.

JÁCINT A lány hogy gondolkozik a dologról?

BEATRIX Úgy, mint én.

JÁCINT Beszél erről?

BEATRIX Hallgat. De folyton erről hallgat. Ő mindent belül intéz el.

Symphorosa sietve jön. Lihegve teszi a mellére a kezét

Nos?

SYMPHOROSA Felébredt.

Beatrix izgatottan mozdul

Gróf Lützen köhögött az ajtaja előtt.

BEATRIX Véletlenül?

SYMPHOROSA Nem. Szándékosan.

BEATRIX Hát nem az ezredes őrködött?

SYMPHOROSA De igen. Gróf Lützen csak köhögni jött.

JÁCINT Mért nem az ezredes?

SYMPHOROSA Mert ő csak erősen tud köhögni. Gróf Lützen simán és finoman köhög. A fenség az övét szokta meg ébresztőnek.

BEATRIX És?

SYMPHOROSA Otkolont kért.

BEATRIX És?

SYMPHOROSA Egy csésze üres teát kért.

BEATRIX És?

SYMPHOROSA Ne rémüldözz! Mindent kapott, amit kért.

BEATRIX És mikor jön ide a fiúkhoz?

SYMPHOROSA Ezt elfelejtettem megkérdezni.

BEATRIX Nahát, ez borzasztó! Rohanj!

Symphorosa elrohan

Épp azt felejti el, ami a legfontosabb! Istenem, és a fiúk még talán fel sincsenek öltözve! *(Jobb felé indul)*

JÁCINT *(elfogja)* Drágám, ez nem megy, hogy te ilyen ideges légy. Nyugodj meg, ne félj, minden rendben lesz, a fiúk azóta már rég átöltöztek... ejnye, ejnye... nem ismerek rád. A te fegyelmezett nyugalmad!

BEATRIX Békében igen. De háborúban! Ütközetben! Megyek elébe. Te addig hívd be a fiúkat. Istenem...

JÁCINT Nyugalom.

BEATRIX De Károly, ne idegesíts ezzel a csillapítással! Az utolsó remény izgalma ez... olyan ez, mint a finish... most minden erőt ki kell magamból hoznom, a végső erőfeszítés... láz, láz, láz!...

SYMPHOROSA *(sietve jön)* Jön.

BEATRIX Mikor?

SYMPHOROSA Most.

BEATRIX Rögtön?

SYMPHOROSA Rögtön, rögtön. Már kezdett jönni, mikor ideszaladtam.

BEATRIX Gyere, gyere, elébe. *(Elsiet a kertbe, Symphorosa utána szalad)*

JÁCINT *(a jobb oldali ajtóhoz megy, kinyitja, beszól)* Na, mi van veletek?

A két fiú bejön Ágival

GYÖRGY Készen vagyunk. Vártunk.

ARZÉN Jön?

JÁCINT Mindjárt itt lesz. *(Ágihoz)* Mondja, édes fiam, azok után, amikről itt beszéltünk, most hogy fogja tanítani Napóleont?

ÁGI Ahogy én érzem.

JÁCINT És ha a húgom megkéri, hogy az ő elvei szerint tanítsa?

ÁGI Akkor megpróbálom meggyőzni a fenséges asszonyt.

JÁCINT És ha a fenséges asszony, hogy úgy mondjam, erélyes lesz...

ÁGI Akkor mély sajnálattal eltávozom.

JÁCINT Szervusz, fiam. *(Kezet fog vele)* Most már többet tudok rólad, mint egy félórával ezelőtt.

GYÖRGY *(az ajtóban áll, eddig kinézett a kertbe)* Jönnek!

JÁCINT Maradjatok, én elibük megyek. *(Kimegy a kertbe)*

ÁGI Így álljunk... az asztal mellett, ahol ülni szoktunk. Arzén fenség ott, György fenség itt, én a helyemen. *(Felállnak)*

ÁGI És György fenség... ha igaz az, amit az imént mondott, hogy úgy szeret...

GYÖRGY Ne féljen. Jól fogom viselni magamat.

ÁGI Most az egyszer. Ha jó lesz, este felmegyünk a csillagdába.

ARZÉN *(örömmel)* A csillagdába!

ÁGI Megnézzük a Capellát, a Vegát... és én megmagyarázom az egész nyári égboltot.

GYÖRGY Olyan leszek, mint a tej!

Kis szünet. A kertből közeledő csevegés hallatszik. Albert herceg bevonul. Mosolygós elegáns fiatal generális. Elöl jön, Jácinttal beszélgetve. Utána lép Beatrix, Symphorosa, Alexandra, Lützen, Wunderlich. Mindenki oda áll, ahova majd le fog ülni

ALBERT *(jókedvűen, folytatva a beszélgetést)*... Azonkívül ő katona, és mint olyan, neki egyenes, bátor köhögése van, nyílt, férfias... és én attól úgy hirtelen riadtam fel mindig, tudod? De ő viszont diplomata, a Lützen, ő egy finom és melodikus köhögő, opportunus köhögő, tudod, ügyesen, crescendóval, behízelgően köhög... az ember lassan és kellemesen ébred. Komisch, dass man das überall merkt. Gute Beobachtung, nicht? Menschlich. *(Körülnéz)* Also! Szervusztok, ti kedves kis fiúk. *(Ágihoz, aki mélyen meghajol)* Jó napot. Ez a briliáns professzor. Mi? *(Szünet)* Mért nem ültök le? *(Leül)*

Utána mindenki leül

BEATRIX Kellemesen aludtál?

ALBERT Hát az valami csodálatos, hogy nálatok milyen jól alszom. Én nem tudom, ez a lágy levegő teszi-e, vagy az a pompás ágy, vagy ez a kellemes környezet, ennek a megnyugtató, boldogító hatása! Olyan ez az idegeimnek, mint egy tejfürdő... de igazán, boldog vagyok itt köztetek. Már ki fogtok nevetni, hogy annyiszor mondom, de higgyétek el, ezt soha nem felejtem el, ezt a pár napot nálatok. Ez az aranyos Beatrix... azzal az ő mindenre kiterjedő figyelmével... ez a kedves régi ház, ez a nyugodt dombos vidék, amit az édesanyám úgy szeret, és ami nekem is geográfiai ideálom! És az a békesség, ami az egészen nyugszik és amiben van valami morálisan felemelő: a tiszta és zavartalan családi élet, csupa kedves, jó ember... én... nem mondhatok mást, mint hogy szerelmes vagyok belétek.

BEATRIX Boldogok vagyunk, Albert, hogy nálunk jól érzed magad.

SYMPHOROSA Nincs más célunk, Albert.

ALBERT És úgy este, mikor magamra maradok, el szoktam gondolkozni szegény apámon és a boldogult férjeden, Henriken... mennyit sétáltak itt a parkban...

BEATRIX Mindig a gyermekeikről beszélgettek.

ALBERT Mind a kettő olyan jó apa volt. Szinte betöltötte az életüket a gyerekekért való aggódás.

BEATRIX Ez volt a kedvenc témájuk. Milyen jól tudod! Mindig a gyerekek. A gyermekek jövője. Mi lesz velük. Hova kerülnek. *(Albert felé mozdul, székestül)* Hogy alapítják meg ők a maguk családját.

ALEXANDRA *(Jácinthoz)* Tudod, kihajolok este az ablakon és elképzelem a két öreget, amint ott sétál a fehér úton. És milyen rózsaillat jön be így este az ablakon…

BEATRIX *(Albert felé mozdul, székestül)* Alexandra rózsái.

ALBERT Hogyhogy… a te rózsáid?

ALEXANDRA Az enyéim.

ALBERT Te ültetted őket?

ALEXANDRA Részben. De én ápolom őket.

ALBERT És ez… téged… mulattat?

ALEXANDRA Ó, igen.

Albert És… nem szúrod meg magad?

ALEXANDRA De gyakran.

ALBERT Hát mért nem használsz kesztyűt?

ALEXANDRA Használok.

ALBERT És… mégis megszúrod magad?

ALEXANDRA Mert átszúrnak a kesztyűn.

ALBERT Hát vegyél vastagabb kesztyűt.

ALEXANDRA Igen. Meg fogom próbálni.

ALBERT Na ja. Ilyen az élet. Védekezni kell.

BEATRIX Bizony. Milyen kedvesen érdeklődik… Látod? És milyen igaza van.

ALBERT Na nem… csak… ugye? Az embernek van egy kis praxisa. Ezt én az én jó édesanyámtól láttam, otthon. Nna. *(Feláll. Utána mindenki feláll)* Hát… lássuk azokat a gyerekeket. Itt szoktatok tanulni?

ARZÉN Igen.

ALBERT Te most tizenhat éves vagy.

ARZÉN Igen.

ALBERT És te tizenhét.

GYÖRGY Igen.

ALBERT Hogy múlik az idő. A fejünkre nőnek.

BEATRIX Nagyon, Albert. Nagyon.

ALBERT Hát ti persze most azt hiszitek, hogy én kérdezni foglak benneteket, mint egy tanfelügyelő. Mi?

GYÖRGY Nem hisszük.

ALBERT Ne is féljetek. Én egy jó bácsi vagyok. Én csak a tanár urat kérdezem. A kedves fiatal professzor urat.

BEATRIX Abba is beleszeret.

JÁCINT Nagyon ajánlom figyelmedbe. Tudós és sportsman. Csillagász és vívó.

ALBERT Bravó, ezt szeretem. Ez modern. *(Észreveszi, hogy mind állnak. Int, hogy üljenek le. Jácint, Alexandra, Beatrix és Symphorosa leül. A többi nem)* Most mivel foglalkoznak?

ÁGI Történelemmel, fenség.

ALBERT Igen. Hát azzal lehet is. Milyen kor?

ÁGI Tizenkilencedik század első évei.

ALBERT Napóleon.

ÁGI Igenis, fenség.

ALBERT Te foglalkozol pedagógiával, Károly.

JÁCINT Igen.

ALBERT Tudod te, hogy Napóleon Meudonban egy király-iskolát akart alapítani?

JÁCINT Bizony, az okos lett volna.

ALBERT Ott csak olyan fiúk tanultak volna, akikre trón vár. Nagyon érdekes volt a tanterve. Semmi részletezés. Nagy általánosságok. Nem tudomány, hanem tájékozottság. Semmi teória, csupa praxis. Benne van a Las Cases-féle emlékiratokban. Én ezt az ideát zseniálisnak találom.

JÁCINT Ezt más nem is csinálhatta volna meg, csak ő.

ALBERT Bizony, ő sok mindent megcsinálhatott volna. De jó gondolat: iskola, amelyből uralkodói diplomával távozik az ember. Mi?

Tiszteletteljes nevetés

ALBERT *(Györgyöt magához ölelve)* Örülök, hogy ilyen szép egészséges fiúk vagytok. Milyen szép szeme van ennek a fiúnak. Milyen mély tekintete.

BEATRIX Ugyanaz a tekintet, mint Alexandráé. Csudálatosan egyforma a szemük. Általában, ő nagyon hasonlít Alexandrához.

ALBERT Csak ne olvass sokat, fiam. Az nyugtalanná teszi a szemet. A legszebb szemük a tengerészeknek van, mert azok mindig nagyon messzire néznek. Az égre, a tengerre.

JÁCINT Ennek örül, mert ő tengerész akar lenni.

ALBERT Hát te?

ARZÉN Én... utazó.

ALBERT Hova?

ARZÉN A sarkra.

ALBERT Melyikre, fiam?

ARZÉN A délire.

ALBERT Nagyon csalódol, ha azt hiszed, hogy ott melegebb van, mint az északin. És mikor indulsz?

BEATRIX Ő most indul mindjárt, Györggyel együtt, átöltözni a víváshoz. Albert bácsi látni akarja, hogy hogy vívtok.

ALBERT Hogyne, hogyne. Erre nagyon kíváncsi vagyok.

A fiúk meghajolnak

A viszontlátásra. *(Ágihoz)* Önt látom még, ugye?

ÁGI Parancsára, fenség, a vívóteremben.

ALBERT Vívni is ön tanítja őket?

ÁGI Igenis, fenség.

ALBERT Bravó. Milyen sokoldalúság! A viszontlátásra.

Ági kimegy a fiúkkal jobbra

Milyen diszkrét, szimpatikus jelenség ez a tanár. El vagyok ragadtatva tőle.

JÁCINT Nekem is megtetszett már az első percben.

ALBERT És milyen csinos fiú.

BEATRIX *(Symphorosához)* Mondom, ebbe is beleszeretett.

SYMPHOROSA Kérlek, ne légy ideges.

ALBERT Hát most addig is, amíg a nagy vívóakadémia megkezdődik…

BEATRIX Nagyon sok látnivalóval nem tudunk neked szolgálni. De ha érdekelnek a szép rózsák. Alexandrának a külön kis rózsakertészete…

ALBERT Ah, igen.

BEATRIX Ez az ő büszkesége, az ő boldogsága, az ő rózsái. Meg kell adni, van köztük egypár kertészeti csoda.

ALBERT Nagyszerű!

WUNDERLICH *(előlép)* Vagy ha érdekli fenségedet, én tegnap láttam itt az új tehenészetet. Egy különös újítás van. Abszolút modern dolog: a tehenekből vákuummal szívják ki a tejet.

ALBERT Vákuummal?

WUNDERLICH Igen, fenség.

ALBERT Mint a port a szőnyegekből?

WUNDERLICH Éppen úgy. Rendkívül érdekes.

ALBERT Nahát, ez fantasztikus. Ezt igazán meg kell nézni, ilyet még sose láttam. Ezt mind te szervezed, Beatrix néni?

BEATRIX Én vezettem be kísérletképpen.

ALBERT Nahát, te igazán hatalmas asszony vagy.

BEATRIX Ha megengedsz egy megjegyzést Albert: a tehenészet egy kicsit messze van.

ALBERT Annál jobb, legalább járunk egyet.

BEATRIX Ahogy neked kellemesebb. Menjünk a tehenészetbe.

ALBERT Azt nem. Hogyne, hogy ti most fáradjatok miattam. Majd én Lützennel és a jó ezredessel elmegyek. Jól kilépünk.

JÁCINT Ha megengeded, veletek tartok.

ALBERT Neked se engedem meg. Ha én turista vagyok, abból senkinek másnak ne legyen fáradsága.

JÁCINT De…

ALBERT Nem, nem. *(Indul)* Hogyne, hogy itt szaladgáljatok velem, mintha valami idegen volnék. Előre, Lützen. Gyerünk, ezredes úr. A vívóteremben pontosan ott leszünk. Küldjetek majd értünk valakit.

BEATRIX Majd telefonálok.

ALBERT De mi a tehenekhez megyünk.

BEATRIX Oda, oda.

ALBERT Hát ott is van telefon?

BEATRIX Minden istállóban.

ALBERT Nahát, te egy kolosszális asszony vagy. Hallatlan. Pá! *(Kisiet a kertbe Lützennel és Wunderlich ezredessel. Kínos szünet)*

Alexandra mélyen megsértve elmegy jobbra. Szünet

JÁCINT Na, ez ugyan letette a rózsakertet.

BEATRIX Na? Hát mit mondtam neked? És te még azt mondod, hogy ne legyek ideges. Hisz ez már egyenesen feltűnő. Hallottad az ezredest? Alig jöttem én a rózsakerttel, rögtön jött az ezredes a tehenekkel.

JÁCINT Ez véletlen.

BEATRIX Igen? Hát én nekimegyek ennek a véletlennek.

JÁCINT Láttam, ahogy egypárszor nekiugrottál. Nem nagy sikerrel.

BEATRIX Nem hagyom magamat, amíg csak egy atomnyi remény van. És amíg egy óra idő van. Majd meglátjátok most.

SYMPHOROSA Mit fogsz csinálni?

BEATRIX Borzasztó, hogy csak ez az egy mód van.

SYMPHOROSA Melyik mód?

BEATRIX Csak egy. Egy borzasztó.

SYMPHOROSA Félek tőled, Beatrix.

BEATRIX Bizony, most félhetsz is. Mert ami most jön, az olyan rettenetes, hogy ha más csinálná, egész életemben megvetném érte.

JÁCINT El se tudom képzelni, mire gondolsz.

BEATRIX Isten meg fogja bocsátani egy anyának, amit a gyermeke boldogságáért tesz. És egy özvegynek, amit a családja hivatásáért cselekszik. *(Könnyezve, Jácinthoz)* Te ezt meg fogod bocsátani nekem.

JÁCINT Én már meg is bocsátottam, kedves Beatrix, teljesen és tökéletesen. De ezért legalább annyit kérek, hogy tudjam, mit követsz el.

BEATRIX A legborzasztóbbat, amit anya elkövethet. De most nem tudom különválasztani magamban a jó anyát az okos asszonytól.

JÁCINT Azt nem is szabad.

SYMPHOROSA Én ismerlek, Beatrix. Ha te így beszélsz, én előre azt a tanácsot adom neked, hogy ne kövesd el.

BEATRIX Te leszel szíves hallgatni. – Itt egy baj van. Az, hogy Albert figyelme nincs felhíva a lányra. A figyelme – mint férfié.

SYMPHOROSA Szent Isten.

BEATRIX Miért? Olyan borzasztóan kezdődik?

JÁCINT Elég ijesztően.

BEATRIX Hát készüljetek el még erősebbre is. Alexandra nem mehet túl bizonyos határon. Alexandra nem kacsinthat rá.

SYMPHOROSA Kezdek megnyugodni.

BEATRIX Alexandra nem kínálhatja magát neki.

SYMPHOROSA Hála Istennek.

BEATRIX Képtelen is volna megtenni, de az én büszkeségem ezt nem is tudná túlélni.

JÁCINT Tehát?

BEATRIX A férfi figyelmét egy nőre igazán csak… egy más férfi figyelme tudja felhívni.

SYMPHOROSA Rettenetes.

JÁCINT Eddig még nem. Csak éppen furcsán kezdődik. Folytasd.

BEATRIX Más cél nincs, mint hogy Albert észrevegye Alexandrában a nőt. A többi aztán a mi dolgunk.

Idő nincs. Holnap utazik. Alexandra okos és fegyelmezett. És Albertnek nagyon megtetszett... a tanár.

JÁCINT Tyhű, angyalom, ez kezd melegedni.

SYMPHOROSA Beatrix!

BEATRIX Hagyjátok a szenvedés tetőpontjára érkezett anyát! Senki ne zavarja az anyát az ő végtelen szeretetének paroxizmusában. És ebben az őrületemben szent és sérthetetlen vagyok.

JÁCINT És mi történjék avval a tanárral?

BEATRIX Meg fogjuk hívni ma este a búcsúestélyre.

SYMPHOROSA Vége van a világnak.

BEATRIX És Alexandra foglalkozni fog vele.

SYMPHOROSA Ez... ez... Dante tollára méltó.

BEATRIX Nem nyúltam volna ehhez a végső eszközhöz, de maga Albert hívta fel rá a figyelmemet... mikor megdicsérte... szinte kijelölte. És ezt kell felhasználnom, ezt az elcsépelt udvari romantikát... a nevelő úr és a királykisasszony... mert higgyétek el, még mindig az ilyesmi hat rájuk a legerősebben. Egy rangjabeli riválist lenézne. De egy... alkalmazott... az félelmes.

SYMPHOROSA Nem élem túl.

BEATRIX Parancsolom, hogy túléld. Alexandra rá fog nézni a tanárra. És... és... Alexandra egy négyest fog táncolni a tanárral. És Isten pedig meg fog bocsátani nekem is és Alexandrának is. Én viszont a tanárnak soha nem fogok megbocsátani.

JÁCINT Mért?

BEATRIX Amért rászorultam.

SYMPHOROSA A trónörökösre nem mosolyoghat. És a tanárra igen?

BEATRIX Az más. Az olyan, mintha a pónira mosolyogna.

SYMPHOROSA Károly, édes Károly, mért hallgatsz? Te hallgatsz ezekre a borzalmakra?

JÁCINT Ezek nem borzalmak. Ezek asszonyi praktikák, amiket ti fújtok fel ilyen nagyra. Én nem is ezért hallgatok. Másért hallgatok.

BEATRIX Ugyan miért?

JÁCINT A tanárért, szegényért.

BEATRIX Mi baj történik a tanárral?

JÁCINT Mondd, édesem. Mosolygott már valaha Alexandra a tanárra?

BEATRIX Hogy kérdezhetsz ilyet?

JÁCINT Szóval nem. Hát mit gondolsz, édesem, ha most egyszerre rámosolyog...

BEATRIX Attól ne félj, hogy az az úr ebből valami reményt formáljon. Arra itt vagyok én.

JÁCINT Meg ő. A tanár fiatal és temperamentumos. Az én szemem ugyan már elszokott az ilyesmitől, de csak egyszer kell látni, hogy hogyan néz ez a fiú a lányodra. Áhítattal, de férfiasan. Mint a macska a kanárira, amikor énekel. Tiszteli, de... meg is enné.

BEATRIX Csak nem akarod azt mondani, hogy szerelmes bele?

JÁCINT Nem. De hogy az ő figyelme fel van híva, az bizonyos.

BEATRIX Tehát?

JÁCINT Tehát egy ilyen szegény tisztességes fiú nem arra való, hogy vért csapoljanak belőle, és aztán kidobják.

BEATRIX Szóval te tanárpárti vagy.

JÁCINT Emberpárti vagyok.

BEATRIX Szóval neked az ő esetleges két-háromnapos kis melankolikus felhőzete drágább, mint a testvéred és a nièce-ed boldogsága és a családod történelmi szerepe.

JÁCINT Te már annyiszor láttad rajtam ezt a ruhát, hogy észre se veszed. Énnekem az emberi szív méltósága drága; nekem semmi se drága, csak a szeretet és az egészséges fiatal érzés; nekem nem drága a te terved és az Albert trónja, nekem nem drága az Alexandra koronája – nekem nem drága az ember, aki nem eszköz, hanem Isten gyermeke. Mikor még versenyistállóm volt, futtattam lovat én is úgy, hogy vezesse a másikat, hogy iramot diktáljon neki és a célnál szépen maradjon le, hogy a másik nyerje meg a versenyt. De ez ló volt, édes fiam. És aki egy ember szívével ilyen... ilyen érvényesülési manővert akar csinálni, aki egy ember lelkének a nyugalmát csak ennyire becsüli, az, édes húgom, az igazán nagyon rászorul arra a mentségre, hogy anya. Ez az én véleményem, édesem, és most megyek én is egy percre megnézni azt a vákuumot. *(Elsiet, ki a kertbe)*

Szünet

BEATRIX Engem az utamon nem állít meg senki és semmi. Ne sírj. Parancsolom, hogy tedd el a zsebkendődet. Most én életveszélyes vagyok. Ővele pedig ne törődj. Mindig volt véleménye és sose volt modora. Ha a férfiakon múlt volna, már a tizennyolcadik században trónfosztottak lettünk volna. Menj és küldd be Alexandrát.

Symphorosa kimegy jobbra. Pillanatnyi szünet

ALEXANDRA *(bejön jobbról)* Hívattál, anyám.

BEATRIX Igen, gyermekem. Ezen a világon te állsz legközelebb az én szívemhez. Benned az én vérem folyik. Te meg fogsz érteni engem.

ALEXANDRA Igen, anyám.

BEATRIX Te éppúgy tudsz akarni, mint én.

ALEXANDRA Ó, igen, anyám.

BEATRIX És ha nem tudnál, akkor akarj úgy akarni. Olyan nagyon, olyan szívósan, mint én. És azt, amit én.

ALEXANDRA Igen, anyám.

BEATRIX Tudod, miről beszélek és tudod, mit akarok. Akarod-e te is, olyan nagyon, mint én.

ALEXANDRA Akarom, anyám. Tudom az értelmét, a súlyát, a jelentőségét. Mindent tudok és értek.

BEATRIX A hiúság kis sebei hamar begyógyulnak. Végül a rózsák mégiscsak szebb teremtményei Istennek, mint a tehenek…

ALEXANDRA Ó, anyám…

BEATRIX És az akarat az egyetlen erő ebben a földi küzdelemben. Értesz, lányom.

ALEXANDRA Értelek, de nem tudom, hogy mit parancsolsz.

BEATRIX A mai búcsúestélyre meg fogjuk hívni a tanárt. Te fogod a mai búcsúestélyre meghívni a tanárt.

ALEXANDRA Én, anyám?

BEATRIX Te.

ALEXANDRA A tanárt?

BEATRIX Azt. *(Könnyezve)* Belátom, édes gyermekem, hogy borzalmas, amit itt most mondtam… De a végső kétségbeesés kényszeríti a te szegény anyádat… Szeress engem, szegény, szegény, kislányom… szeress engem, amért ennyire szeretlek téged…

ALEXANDRA *(nyugodtan és fegyelmezetten)* Anyám…

BEATRIX *(könnyeit letörölve)* Mit magyarázzam neked? Hiszen tudsz mindent, minden gondolatomat tudod, érted.

ALEXANDRA Értem, anyám.

BEATRIX Bécsből akartam hozatni egy herceget, de arra már nincs idő. És nem is olyan jó.

ALEXANDRA Amint parancsolod. Meg fogom hívni a tanárt a mai estélyre.

BEATRIX De nem ezzel az arccal.

ALEXANDRA Tudom, anyám. Más arccal.

BEATRIX És meg fogod neki engedni, hogy… *(Sírva fakad)* Hogy egy négyest táncoljon veled.

Alexandra hallgat

Nos? Mért hallgatsz?

ALEXANDRA Nagyon hirtelen jön ez, anyám.

BEATRIX Nincs időnk, nincs időnk! Hiszen ha időnk volna! Nos? Beszélj!

ALEXANDRA Anyám, ne értsd félre ezt a komolyságomat. De kell egy perc, néhány pillanat, amíg ezt a gondolatot megszokom. A tanár egyszerű kisbirtokosok gyermeke.

BEATRIX Fájdalom, az.

ALEXANDRA És ha elgondolom, hogy a karján fogom nyugtatni a karomat...

BEATRIX Hosszú kesztyű lesz rajtad, lányom.

ALEXANDRA Nem az érintés teszi, anyám. A gondolat.

BEATRIX Ő éppúgy Isten teremtménye, mint mi, édes gyermekem.

ALEXANDRA Tudomásul veszem, anyám.

BEATRIX Hát kérdezed a növényektől vagy a kedves állatoktól a származásukat?

ALEXANDRA Nem, anyám.

BEATRIX Na látod. Hiszen egy kedves lovacskára is rámosolyogsz. Egy kis mókuskára is. Azokkal is foglalkozol.

ALEXANDRA Igen, anyám, így már megnyugtatóbb a dolog.

BEATRIX Na látod, édesem.

ALEXANDRA Csak... Valami mégis van.

BEATRIX Csak mondd bátran, fiam. Megfelelek rá.

ALEXANDRA Ő is... hát mégis ember. Ugye?

BEATRIX Ó, hogyne. Hogyne.

ALEXANDRA Ő mindenesetre gondol erről valamit. Itt az ő nagy különbsége a mókuskával.

BEATRIX Az az ő dolga.

ALEXANDRA De megtörténhetik, hogy félreért.

BEATRIX Te nem fogsz olyat tenni, amit ő félreérthetne. Efelől nyugodt vagyok.

ALEXANDRA Nyugodt is lehetsz, anyám. De ez a hirtelen változás mégiscsak hatni fog rá.

BEATRIX Azzal mi ne törődjünk.

ALEXANDRA De tudnom kell, hogy mit csináljak, ha... Isten ments... csak azért mondom, mert mindenre kell gondolni... ha vonzódni talál.

BEATRIX Csak nem vettél rajta észre ilyesmit?

ALEXANDRA Arra is kell gondolni.

BEATRIX Észrevettél rajta ilyesmit?

ALEXANDRA Én nem veszek észre semmi olyat, amit nem akarok észrevenni.

BEATRIX Szóval... igen?

ALEXANDRA Nem mondhatnám. De... ő nem nyugodt, mikor velem beszél. Ő nem nyugodt.

BEATRIX Ez nem baj, gyermekem. Ne restelld, ez nem megszégyenítő. Nem hagy foltot. Istenem, elvégre... volt már arra sok eset. Néha vonzódnak így magasabb katonatisztek... sőt orvosok is.

ALEXANDRA De észrevenni... nem szabad.

BEATRIX Isten őrizz. Azt ők végezzék el magukkal. De ők nem is szólnak. Ők ezt önmagukkal szokták elintézni, néha igen nobilisan.

ALEXANDRA És azután?

BEATRIX A többivel ne törődj. Itt vagyunk mi. Neked csak egy célod van. A jövőd felé menni, semerre se nézni, csak előre.

ALEXANDRA Igen, anyám.

Alfréd inas jobbról belép

ALFRÉD Fenség, a tanár úr jelenti fenségednek, hogy a kis fenségek víváshoz öltözve várják fenséged parancsát.

BEATRIX A fiúk menjenek a vívóterembe és ott várjanak. A tanár úr pedig jöjjön be.

Alfréd kimegy jobbra

BEATRIX *(könnyezve)* Légy erős... szegény, szegény kis lányom... *(Megcsókolja, két kezét forrón megrázza)* Légy erős... *(Balra kisiet a kertbe)*

Alexandra egy pillanatra egyedül marad. E rövid szünet után jobbról belép Ági, vívójelmezben. Bal kezében a maszk, jobbjában a kard. Parancsra várva feszesen áll az ajtó mellett

ALEXANDRA *(balról, elöl áll)* Ma éjszaka valami csillagászati esemény van?

ÁGI Igen, fenség.

ALEXANDRA És mi az?

ÁGI Ma éjjel látható legszebben a Vega és a Capella.

ALEXANDRA Mi az a Vega?

ÁGI A Lant főcsillaga, fenség. Zöld csillag, amely ezerszer fényesebb, mint a Nap.

ALEXANDRA És a másik?

ÁGI Capella, a szép arany csillag.

ALEXANDRA Ön ezt ma éjjel meg akarja mutatni a fiúknak?

ÁGI Igen, fenség. A toronyban.

ALEXANDRA Ön szereti a csillagokat?

ÁGI Nagyon, fenség.

ALEXANDRA És tud róluk mindent?

ÁGI Nagyon keveset tudok róluk, fenség. De ez a kevés is csudálatosan szép.

ALEXANDRA Ez a ma esti csillagnézés elmarad.

ÁGI Parancsára, fenség.

ALEXANDRA Ma este búcsúestély van a kastélyban a trónörökös tiszteletére. Ő holnap elutazik.

ÁGI Milyen kár.

ALEXANDRA A búcsúestélyen a környék előkelő hivatalos személyiségei is részt vesznek. Nem leszünk sokan. Én azt az óhajomat fejeztem ki, hogy mi önt erre a mai estélyre meghívjuk.

Ági nagyot néz, aztán közelebb jön néhány lépéssel

Ezért marad el a csillagvizsgálás.

ÁGI Boldog vagyok, fenség, és ha valami fokozhatja ezt a boldogságot, úgy ez az, hogy fenséged ajkairól hallhatom ezt a megtiszteltetést.

ALEXANDRA Remélem, nem fog unatkozni, bár valószínű, hogy kissé feszes lesz a dolog.

ÁGI Fenségtek környezetében legszebb perceimet fogom tölteni.

ALEXANDRA Ha nagyon unná magát a főispánok és kegyelmes urak közt, keressen föl.

ÁGI Ha megengedi, fenség.

ALEXANDRA Legalább egyszer másról is hallhatom beszélni, mint a tőrvívás fogásairól. Mert eddig másról nem is beszélt velem.

ÁGI Nem rajtam múlt, fenség.

ALEXANDRA A csillagokról fog velem beszélni. A zöld csillagról és az arany csillagról.

ÁGI Boldogan, fenség.

Szünet

ALEXANDRA Érdekes... most félek öntől.

ÁGI Miért, fenség?

ALEXANDRA Olyan agresszív jelenség így, nekiöltözve, karddal a kezében.

ÁGI A legtöbbször ilyennek méltóztatott látni... a vívóteremben.

ALEXANDRA Az más volt. Akkor az én kezemben is kard volt. Egészen különös. Védtelennek érzem így magamat.

ÁGI Olyan rossz az impresszió?

ALEXANDRA Nem rossz.

ÁGI Hanem?

ALEXANDRA Támadó.

ÁGI Csudálatos, fenség. Én úgy érzem, csupa védekezés vagyok most, ebben a percben.

ALEXANDRA Szóval... eljön, ugye?

ÁGI Igen, fenség.

ALEXANDRA Nem sajnálja a zöld csillagot?
ÁGI Nem, fenség.
ALEXANDRA Tehát... kilenc órakor.
ÁGI Köszönöm, fenség.
ALEXANDRA Szívesen, tanár úr. *(Fejbiccentéssel kimegy balra a kertbe)*

Ági felgyulladt szemmel, emelt fejjel, csudálkozva, elgondolkozva néz utána. Pillanatnyi szünet. Függöny

MÁSODIK FELVONÁS

Az estély. Díszes terem, fényesen kivilágítva. Jobbról és balról egy-egy nagy kétszárnyú ajtó. Ugyanilyen két ajtó a háttérfalon, jobbról és balról. E hátsó ajtók nyitva vannak. Mögöttük folyosó van, és mindkét ajtóval szemben a folyosó hátsó falán egy-egy földig üvegezett, áttetsző-függönyös ajtó, amely mögött fény látható. Ott mulatnak a vendégek. Halkan szűrődik be a zene. A színpad jobb felén hét személyre terített büféasztal. Az asztal előtt két puff. Hét szék. Éjfél. Mikor a függöny felgördül, rövid ideig némaság a színpadon. Caesar bort tölt, és rakosgat az asztalon, majd aztán mint szobor, áll a jobb hátsó ajtó előtt. Aztán nyílik ki a bal oldali leghátsó függönyös üvegajtó. Symphorosa jön be. Egy pillanatra erősebben hallatszik a zene. Táncolnak. Az ajtó becsukódik. Symphorosa áll és visszatekintve vár maga után valakit. Rövidke szünet után megint nyílik az az ajtó, és Beatrix jön be

BEATRIX Jól értettelek? Intettél, hogy jöjjek ki?

SYMPHOROSA Igen.

BEATRIX Mit akarsz? Mért vagy olyan titokzatos?

SYMPHOROSA Nem akartam bent sugdosódni veled.

BEATRIX Mért vagy olyan izgatott? Mi az? Nyugodtan mondd meg, mit akarsz.

SYMPHOROSA Úgy gondolom, Beatrix, hogy Alexandra már túlságosan sokáig ül a tükör alatt a tanárral.

BEATRIX Oly boldog vagyok Symphorosa, hogy életemben először hajlandó vagyok igazat adni neked.

SYMPHOROSA Hidd el, ez már épp hogy egy hajszállal több, mint kellene.

BEATRIX Valószínű, hogy a siker boldogságában kissé elvesztettem a mértékemet. Nyugalom, édesem. Szóval?

SYMPHOROSA Jelezni kellene neki, hogy most egyelőre elég volt. Hagyja ott a tanárt.

BEATRIX Jól van, Symphorosa. Menj, édesem, és jelezd neki, hogy hagyja ott a tanárt. Hogy fogod jelezni neki?

SYMPHOROSA Így, a szememmel. *(Mutatja)*

BEATRIX Jól van, Symphorosa. *(Mosolyogva öleli meg)* Menj, drágám, édes drágám.

SYMPHOROSA Te vagy a legokosabb nő a világon.

BEATRIX Nem, Symphorosa. Csak ebben a szobában. *(Symphorosa mozdulatára)* Mert a másik szobában van egy nálam is okosabb nő: a lányom.

Symphorosa sóhajt

Ne sóhajts. Inkább bámuld azt a finomságot, azt a mértéktudást, ahogy viselkedik. És azt a hatást! Albert már kétszer mondta nekem ma este, hogy most látja csak, milyen szép ez a lány. Meg fogod látni, holnap nem utazik el, és nem adok neki két napot, itt lesz az anyja, Mária Dominika. *(Meglátja Symphorosán, hogy türelmetlenkedik)* Jó, jó, édesem. Türelmetlen vagy. Menj és ints neki a szemeddel.

Symphorosa visszasiet a bálterembe, Beatrix boldog mosollyal néz utána, aztán szétnéz és a mereven álló Caesaron akad meg a szeme

Caesar!

CAESAR Fenség.

BEATRIX Rendben van minden?

CAESAR Parancsára, fenség.

BEATRIX Ez az?

CAESAR *(az asztalra mutat)* A büfé. Öt teríték a trónörökös és a fenséges család számára és egy-egy teríték az adjutáns úr és a tanár úr számára.

BEATRIX A felszolgálás mintaszerű lesz.

CAESAR Fenség!

BEATRIX A menü?

CAESAR Ahogy a magas vendég szereti. Gróf Lützen őexcellenciája volt szíves elárulni a magas vendég legintimebb nyári ízlését.

BEATRIX Vagyis?

CAESAR Hideg bouillon.

BEATRIX Igen.

CAESAR Hideg lazac.

BEATRIX Igen.

CAESAR Hideg beef.

BEATRIX Igen.

CAESAR Saját mustárjukkal.

BEATRIX Kiknek a saját mustárjukkal?

CAESAR A trónörökös őfensége saját mustárjával.

BEATRIX Hát ez megint micsoda?

CAESAR A saját titkos mustárjukat mindenüvé magukkal viszik.

BEATRIX Ez valami új dolog.

CAESAR A chef azt mondja, hogy ez már a régi görögöknél is szokás volt. Egyéniségek a speciális fűszereiket vendégségbe is magukkal vitték.

BEATRIX A chef ilyen tudós?

CAESAR Igen, fenség. Azt is mondta, hogy a görög ínyencek védőtokot viseltek a nyelvükön és csak evéskor húzták le.

BEATRIX *(szigorúan néz rá)* Ki kérdezte ezt öntől?

CAESAR Csak mint kuriózumot bátorkodtam.

BEATRIX Bátorkodjék a felelésre szorítkozni.

CAESAR Igenis, fenség. És hideg csirke.

BEATRIX Micsoda?

CAESAR Hideg csirke is lesz. A hideg beef után.

BEATRIX Mikor tálalják a szupét?

CAESAR Huszonegy perc múlva, fenség. És fagylalt.

BEATRIX Nekem ez a menü nagyon hideg. Én kérek az én leveses csészémbe forró teát keserűen.

CAESAR Attól félek, fenség, hogy a tea elárulja magát, ha egyedül gőzölög itt a hideg levesek közt.

BEATRIX Hát ne gőzölögjön. Legyen forró, gőz nélkül.

CAESAR Még nem tudom, hogy fogom csinálni, de meglesz. És minden rendben lesz.

BEATRIX El is várom.

Caesar visszalép. Symphorosa jön

Nos?

SYMPHOROSA Intettem.

BEATRIX És?

SYMPHOROSA Azonnal felkelt a tanár mellől.

BEATRIX Jó. Szeretem, ha a dolgok simán mennek. Most menj, és nézd meg, tett-e Arzén priznicet a nyakára.

SYMPHOROSA Milyen anya vagy!

BEATRIX Hidd el, nincs más öröm a világon. *(Symphorosa el balra. Caesarhoz)* Honnan fognak szervírozni?

CAESAR Innen, fenség. *(Kettőt tapsol)*

A tapsjelre jobbról, hátul bevonul a személyzet libasorban. Elöl Alfréd egy tállal, utána egy-egy lakáj egy-egy tállal. Magasan tartják, ceremóniásan lépnek. Utánuk a két huszár egy-egy italos vödörrel. Alfréd és a két lakáj az asztal elé vonul, háttal a közönségnek, leteszi az asztalra a három tálat. Ugyanarra a mozdulatra a két huszár a jobb fal hátsó részén leteszi a két vödröt. Aztán a huszárok a jobb hátsó ajtótól balra sorakoznak. Két lakáj a jobb és a jobb hátsó ajtó közt, profilban. Alfréd közibük lép, meghajol

CAESAR Voilà!

BEATRIX Bravó, Caesar! *(Visszasiet a bálterembe)*

Caesar mélyen meghajol. Miután Beatrix mögött becsukódott az ajtó

CAESAR Huszárok!

A két huszár előlép

CAESAR *(végignéz rajtuk)* Hátra arc!

A huszárok megfordulnak

CAESAR *(igazgatja a spencerüket)* Előre arc!

A huszárok előrefordulnak

Jól van.

A huszárok visszalépnek

Alfréd!

Alfréd előkelően, lassan, némán előrelép

Seine königliche Hoheit, die Herzogin Mutter, bekommt anstatt „bouillon froid" „thé chaud". Aber ohne Dampf. „Thé chaud" muss in Farbe und äusseres Aussehen die Impression eines „bouillon froid" geben.

ALFRÉD Yes, Sir. You may rely upon me. I shall do my best. Nobody has ever been disappointed who honoured me with an order. I am the right man in the right place.

CAESAR Oui, oui, très bien, mon cher, très bien, très bien.

Alfréd el. Két inas utána el. Huszárok foglalatoskodni kezdenek a vödrökkel és palackokkal. Caesar ellenőrzi őket, és halkan beszél hozzájuk. Ezalatt bal hátul belép Alexandra. Félig mögötte, félig mellette, tiszteletteljesen, de kipirulva Ági

ALEXANDRA Caesar!

CAESAR Parancs, fenség.

ALEXANDRA Itt lesz a szupé?

CAESAR Itt, fenség. A vendégek kis asztaloknál szupíroznak a sárga teremben. A magas vendég a szűkebb családdal itt. Most méltóztatott távozni innen a fenséges asszonynak.

ALEXANDRA Az más, ha már a mama itt volt. Akkor már nincs ellenőrizni való. És mikor eszünk?

CAESAR Tizenhét perc múlva. Parancsol valamit, fenség?

ALEXANDRA Köszönöm, nem.

Caesar visszamegy az italokhoz. Intésére a két huszár kimegy. A következők alatt a tálalóasztalon és az étkezőasztalon rendezget, aszúbort tölt mindenki poharába stb.

ÁGI Szabad visszakísérnem a tánchoz?

ALEXANDRA Nem, kérem… itt úgy látszik, egy kis félreértés van köztünk. Ugyanis, mikor én azt mondtam, hogy megyek megnézni az asztalt… ez… nem jelentette azt, hogy ön is jöjjön velem.

ÁGI Bocsánat, fenség… *(Mozdul)*

ALEXANDRA Hiszen nem baj… maradjon. *(Zavartan)* Most nem tudom… talán kissé túl világosan fejeztem ki magam. Nem így akartam mondani.

ÁGI De kérem, fenség!

Caesar diszkréten el jobb hátul

ALEXANDRA Bocsásson meg, de gyakorlatlan vagyok az ilyesmiben. Nem akartam rossz lenni.

ÁGI Tudom, fenség. A félreértés ott van, hogy mikor én épp a Sas csillagképet magyaráztam, fenséged a mondat közepén állott fel, és akkor én azt hittem, hogy kötelességem nekem is felállani és a mondatot útközben befejezni. Azt akartam mondani, hogy az a hét csillag egy repülő sast ábrázol, a sasnak a feje pedig…

ALEXANDRA Ekkor keltem én fel.

ÁGI Igen. És én nem vettem észre, hogy menekül előlem.

ALEXANDRA Lehet. Mert nem beszélt szépen a csillagokról.

ÁGI Nagyon szégyellem, fenség.

ALEXANDRA Azt hittem, csupa csodát és titkot fogok hallani, de maga folyton millió kilométereket mond és rendszereket magyaráz. Nem tudtam, hogy ez ilyen száraz.

ÁGI Nem voltam olyan merész, hogy a saját érzéseimet mondjam el a csillagokról.

ALEXANDRA Pedig azok talán... jobban szórakoztattak volna.

ÁGI A nagy távolságok számai mögött ott vannak az én reszkető gondolataim Istenről, a végtelenségről, életről, halálról... szeretetről... *(halkan)* szerelemről...

ALEXANDRA *(hidegen)* Ön el tud képzelni ilyen nagy távolságokat?

ÁGI Ha fenségedre fölnézek, igen. *(Szünet)*

ALEXANDRA *(még hidegebben)* És a végtelenséget?

ÁGI Ha magamba nézek, fenség. *(Szünet)*

ALEXANDRA És hisz ezekben a csodákban?

ÁGI Minden csodában hiszek, fenség. Ez az én bátorságom. Ha nem hinnék a csodákban, hogy bírnám el az életemet?

ALEXANDRA Az ön élete... olyan elbírhatatlan...

ÁGI Az volna, ha...

ALEXANDRA Ha?

ÁGI Ha nem volna belőle kettő. Egy kifelé. És egy másik, belül, egy lázbeteg és fájdalmas élet.

ALEXANDRA Csudálatos. Mért nem láttam én ezt meg?

ÁGI Mert fenséged is hisz a csodákban.

ALEXANDRA Hogyan?

ÁGI Elhiszi az én hideg és mozdulatlan arcomat... akkor is, amikor beleütnek.

ALEXANDRA *(borzadva)* Önnek az arcába ütnek?
ÁGI Mindennap. *(Szünet)*
ALEXANDRA Kicsoda üt önnek az arcába?

Ági nem felel

Kicsoda? Mi tesszük ezt? Talán... én is?

Ági lehajtja a fejét

ALEXANDRA Anélkül, hogy tudnám?
ÁGI Azok a legfájdalmasabbak, fenség.
ALEXANDRA Szent Isten... hisz ez titokzatosabb, mint a csillagok. Én bántom önt?
ÁGI Fenséged itt mindennap látja azt a csodát, hogy egy férfi arca, hangja, egész külső élete nyugodt és egyensúlyozott marad... mikor belül lánggal ég a fiatal büszkesége. És nem keresi az okát ennek a csodának.
ALEXANDRA Az okát?
ÁGI *(egyre növekvő hévvel)* Mit gondol fenséged, miért tűrök el itt mindent? Miért tanítok alázatosan és hallgatok alázatosan? Mit gondol fenséged, miért tiprom le az önérzetemet? Miért vagyok itt, ahol vagyok, miért élek, kiért élek itt, ahol élek és így, ahogy élek?

Balról hátul belép Albert két hölggyel

ALEXANDRA Ön olyan dolgok felé irányítja a figyelmemet...
ALBERT *(jókedvűen vág közbe)* Ez aztán az ideális házikisasszony! Koncert előtt a zenészeknél, szupé előtt a terítésnél. Mindenütt ott van az a szép, figyelmes szeme!
ELSŐ HÖLGY A szegényeknél látná, fenséges uram, a szegény betegeknél a kórházban!

ALEXANDRA Ne dicsérjenek, kegyelmes asszony. Az érdem az önöké. Én csak reprezentálok.

MÁSODIK HÖLGY Ó, ó, fenség!

ELSŐ HÖLGY Ó, ó!

ALBERT Ugye, hogy csak szerénykedik! Ismerlek én téged. Te ugyanaz a nagyszerű karakter vagy, mint a kedves édesanyád. Jó estét, tanár úr.

Ági mélyen meghajol

ALBERT *(a hölgyekhez)* Ez egy briliáns ember, ez a fiatal ember. *(Kifelé sétál a hölgyekkel)* Ez nemcsak tudományosan képzett csillagász és pedagógus, hanem elsőrangú vívó is. Én láttam ma délután a fiúkkal. Mondhatom: Alle Achtung! *(Beszélgetve kimegy a két hölggyel jobbra)*

ALEXANDRA És most... hirtelen még szomorúbb lett... Miért?

ÁGI Megmondjam, fenség?

ALEXANDRA Valami borzasztó? Amit nem volna szabad hallanom?

ÁGI Két szó.

ALEXANDRA Csak? És a külön engedelmem kell hozzá.

ÁGI Igen. Mert ez a két szó... a végtelenséget nyitja ki, fenség.

ALEXANDRA A végtelenséget?

ÁGI *(Albert után néz)* Féltékeny vagyok, fenség.

Szünet

ALEXANDRA Én... tökéletesen meg vagyok zavarva, tanár úr. A két szót... most hallottam... de az értelmét nem tudom...

ÁGI Most már sajnálom is, hogy kimondtam.

ALEXANDRA Én végtelenül szomorú vagyok most, tanár úr.

Ági lehajtja a fejét

Ez nem frázis, tanár úr. Én most nagyon, nagyon elszomorodtam.

Ági hallgat

Én most egyszerre szembekerültem valamivel... azt hiszem, tanár úr, azzal a végtelenséggel, amit ön mondott.

ÁGI Ez a mai este... ez hozott ki a sodromból.

ALEXANDRA Igen... ez... ez a mai este...

ÁGI Hónapokon át... minden, amit hozzám szólt... rövid volt és éles volt... az udvariassága hamis... csak a közömbössége volt őszinte... És most végre... egyszerre úgy nézett rám, mintha én is ember volnék... férfi volnék... és mondott egypár meleg szót...

ALEXANDRA Én semmi olyat nem mondtam, ami...

ÁGI *(növekvő bátorsággal)* De minden, amit mondott... és tett... és nézett... az mind megzavart és felforgatott... és megbontotta bennem azt a szép fegyelmet, ami eddig fenntartott. És... tönkretette bennem a reménytelenségnek a költészetét. Ezt én ma este örökre elvesztettem. Pedig ez szép volt. Ez történt ma este. Soha nem szóltam volna.

ALEXANDRA Kérem... nem tudom, mit mondjak most önnek. Nem akarom, hogy ez így legyen!

ÁGI Csakhogy itt aztán megszűnt a hatalom, kis hercegnő.

ALEXANDRA Milyen furcsa megszólítás. Nem bírom ezt az egészet, kérem.

ÁGI Nem fog többé látni. Elmegyek, ha parancsolja. És ha azt parancsolja, hogy maradjak – elmegyek akkor is. Lássa, most én se tudok rendesen beszélni. Egy kicsit elvette az eszemet, fenség. Majd holnap... holnap...

ALEXANDRA Nem, nem. Most mindjárt kell erről beszélni. Mert én nem akarok félreértést. Én önnek mindent el fogok mondani. Én olyan rettenetesen szégyellem magamat...

ÁGI Miért, fenség?

ALEXANDRA Nem, ezt nem lehet...

ÁGI De könyörgöm... nem kérném, de látom, hogy akar valamit, hogy küzd magával... *(reménykedve)* és látom a félénkségét... talán csak az én kérésem, az én forró kérésem kell... hogy szóljon... hogy felbátorodjék és kinyíljék a szíve... hogy megszólaljon, beszéljen... és boldoggá tegyen egy szavával!

ALEXANDRA Nem, nem. Megint félreért! De én vagyok az oka ennek is! Nem, nem, itt egészen másról van szó. De lássa, ha hallgatok, az még rosszabb... félreért. Kérem... itt valami borzasztóról van szó.

ÁGI De miről, fenség?

ALEXANDRA Árulásról.

ÁGI Árulás?

Szünet

ALEXANDRA Ön férfi... És becsül engem, ugye?

ÁGI Fenség...

ALEXANDRA És hallgat.

ÁGI Hallgatok.

ALEXANDRA Örökre.

ÁGI Örökre.

ALEXANDRA Azt akarom, hogy becsüljön továbbra is... és azt akarom, hogy én nyugodt legyek... olyan nyugodt, mint még ma délután is voltam. Maga becsületes ember és azt hiszem, jó barátunk. Hallgasson ide. A családomnak, az anyámnak, egy életcélja van: hogy én a trónörökös felesége legyek... hogy én vigyem vissza a családomat a trónra. Becsülje meg ezt a pillanatot, tanár úr, tiszteljen ezért engem most, minden szavamért... mert úgy érzem, ahogy beszélek, hogy a vérem folyik... egy seben át. Tanár úr... a trónörökös nem törődik velem... és az én drága anyám úgy gondolta, hogy legyen valaki... egy férfi... akin keresztül engem... Albert észrevegyen. Érezze meg, tanár úr, érezze meg, milyen nagyra becsülöm én a maga szenvedését... és milyen tisztára akarom én mosni az én szívemet. Én nem bántottam soha senkit. Maga az első ember a világon, akinek fájdalmat okoztam. Én magát se bántottam volna soha. Én azért voltam sokszor olyan nyers magához, mert én úgy éreztem, én sejtettem... hogy maga miattam... nyugtalan. De most gyönge voltam... és az anyám úgy tud parancsolni nekem... és én kis gyermekkorom óta soha-soha nem mondtam neki, hogy „nem"! Ő úgy gondolta, hogy én hívjam meg önt ide ma estére... és nézzek önre. És ha én tudtam volna, tanár úr... ha én ki tudtam volna előre mérni azt, amit nem lehet, ha énnekem sejtelmem lett volna, hogy hogyan világít egy férfi szeme, mikor egyszerre fellobban benne a parázs... és hogy van a világon ilyen bátorság... és hogy az merészel a szemembe lángolni és hogy az így éget! *(Kis szünet. Az asztalhoz megy, leül)* Tanár úr, én most megmondtam mindent... és most fellélegzem. Könnyű vagyok és tiszta vagyok... Ön most tud mindent. És becsüljön meg engem ezért az árulásért... De emberebb vagyok, mint gondoltam... és hála az én jó anyám... nagy szeretetének... hogy ezt most megtaláltam magamban.

Ági lehajtja a fejét. Szünet

Nem felel semmit?

ÁGI Ön... csak a parancsnak engedelmeskedett?

ALEXANDRA Nem akarok ártatlanabbnak látszani, mint vagyok. Bűnös vagyok én is. Csúnya tőlem, hogy az anyámra fogok mindent. *(Szünet)* Királyné akarok lenni. *(A karjára hajtja a fejét. Szünet)*

ÁGI Vagyis akkor én most már mehetek.

ALEXANDRA Mért mondja ezt?

ÁGI Csak épp erre voltam jó.

ALEXANDRA *(fölkel)* Ne rémítsen meg. Én meg akartam becsülni azzal, hogy felvilágosítottam. De úgy látom, rosszat cselekedtem. Milyen furcsán néz rám.

A zene elhallgat

ÁGI Fejbe vagyok vágva, fenség. Összetört bennem valami. Mért is mondta ezt meg nekem.

ALEXANDRA Rosszul tettem?

ÁGI Mért mondta?

ALEXANDRA Mert becsülöm. Azt akartam, hogy barátom legyen.

ÁGI És ezt el tudja képzelni?

ALEXANDRA Milyen éles lett a hangja.

ÁGI Mint a beretva. Én is érzem. Pedig nem akarom.

ALEXANDRA Meg fog büntetni?

ÁGI Imádom, fenség. Most már megalázva, de legalább megint reménytelenül. *(Keserűen, komolyan, gúnnyal)* És nem kell félni tőlem. Alázatos leszek és szolga leszek. Továbbra is állok rendelkezésére a fenséges családnak. Kicsit vérzem, kicsit haldoklom, de meg vagyok tisztelve az érdekes szereptől, amit nekem szántak. Mulattat és izgat. Most lesz csak szép. Így kell szolgálni egy királykisasszonyt. Halálosan megsebesítve, de mosolyogva.

ALEXANDRA Hamisan hangzik, amit mond.

ÁGI Talán csak keserűen.

ALEXANDRA *(nyugtalanul)* És én, aki azt hittem, hogy jót teszek, mikor nyíltan bevallok mindent.

ÁGI Mert már rám nincs szüksége. A vőlegény tüzet fogott, a tanárt el lehet oltani.

ALEXANDRA Nem tűröm, hogy ezt higgye rólam, és hogy így beszéljen velem.

ÁGI Ne féljen tőlem. Hallgatok és szolgálok. Ne nézzen rám olyan gyanakodva. Mosolyogjunk és tegyünk úgy, mintha nem történt volna semmi.

Belép Albert

Nem tud mosolyogni? Lássa én tudok. Ott hagytuk el a sasnál. *(Hangosabban)* A sasnak a feje pedig...

Albert herceg belép Beatrixszal és a két hölggyel

ALBERT Még mindig itt?

ALEXANDRA A tanár úr oly érdekes dolgokat beszél. Ma éjjel nagy csillagászati esemény van.

ALBERT Hol?

ÁGI *(idegesen)* Az égen, fenség.

ALBERT Azt tudom. De milyen csillagoknál?

ÁGI Tulajdonképp nem is esemény. Csak ma éjszaka különösen jól észlelhető néhány úgynevezett nyári csillag. A Capella, az Arcturus, a Vega és a Sas csillagképe... *(Célzatosan)* Amely hét csillagból áll, ez a hét csillag egy repülő sast ábrázol, a sasnak a feje pedig...

ALBERT *(éllel)* Nem is tudtam, hogy ez a mai este ilyen érdekes este.

ALEXANDRA A sasnak a feje pedig?

ALBERT Téged ennyire érdekelnek a csillagok, Alexandra?

ALEXANDRA Eddig nem nagyon foglalkoztam velük.

ALBERT Inkább a rózsákkal, mi? De ma este felragyogott az ég, mi? Szép nyári éjszaka. *(Célzással)* Ragyognak a csillagok. Mint a szemek.

BEATRIX Ha érdekel, a toronyban egész kis obszervatóriumunk van.

ALBERT Igazán? Ezt nem is tudtam.

ALEXANDRA Csak olyan amatőr csillagda.

ALBERT Biztosan ezt is a briliáns tanár úr rendezte be. Az ezermester úr. Mi?

ÁGI Nem, fenség. Ez már itt volt, mikor én jöttem.

ALBERT Látja, ilyesmit nekem meg se mutatnak.

Alexandra Mert korán szoktál lefeküdni. A csillagok pedig nem alkalmazkodnak az etiketthez.

ALBERT Ez jó. Ez a bölcs mondás a tanár úrtól van... mi?

ALEXANDRA Nem, Albert. Ez tőlem van.

Jácint jön Symphorosával

ALBERT Hallottad, mit mondott?

JÁCINT Kicsoda?

ALBERT A Xaxa. Azt mondta, hogy a csillagok nem alkalmazkodnak az etiketthez.

Gongütés. Caesar jön a két huszárral és Alfréddal jobb hátul. Az ezredes is megjelenik bal hátul

BEATRIX A tanár urat ma megfosztottuk az ő kedves csillagjaitól.

JÁCINT És a szegény fiúkat is.

SYMPHOROSA Szegény fiúk pedig úgy örültek neki egész nap. Boldogok, ha nem kell korán lefeküdni.

JÁCINT Majd megnézik holnap. Látod, milyen jó az, hogy a csillagok örökké élnek. El lehet őket tenni holnapra.

A két hölgy bal hátul el

ALBERT *(az asztal felé indul. Jácinthoz)* Nem is tudtam, hogy csillagdátok is van.

JÁCINT Még boldogult Henrik sógorom vett egy nagy távcsövet. Ezredes úr látta, gyakran.

WUNDERLICH Ó, igen. Egyszer meg is égettem a nyelvemet.

ALBERT A távcsővel?

WUNDERLICH Nem, fenség. Egy csészében sósav volt ottan és én azt megkóstoltam.

SYMPHOROSA Képzelem, milyen benyomást tett ez önre.

WUNDERLICH Nagy benyomást, fenség.

BEATRIX Azt hiszem, Albert, ideje lesz enni valami keveset.

ALBERT Talán inkább valami sokat. Éjjel mindig rendkívüli étvágyam van, ugye Wunderlich?

WUNDERLICH Hála Istennek, fenség.

ALEXANDRA *(Ágihoz, halkan)* Nagyon szeretném, ha most az arcán nem lehetne meglátni, amit beszéltünk.

Alexandra és Ági a színpad bal szélén áll elöl. – Jácint és Albert a színpad közepén, kissé hátrább. Beatrix és Symphorosa a színpad jobb szélén, elöl az asztal előtt

ALBERT A Xaxa el van merülve a csillagászatba.

ÁGI *(Alexandrához)* Igyekezni fogok, fenség. De azt hiszem, már késő.

BEATRIX *(Alberthez)* Őt nagyon érdekli a fiúk nevelése. Állandóan ellenőrzi.

ALEXANDRA *(Ágihoz)* Ne akarja, hogy megijedjek magától.

ALBERT Xaxából még csillagász lesz.

JÁCINT A nők nem szeretik ezt a pályát.

ALEXANDRA *(Ágihoz)* Én magát vérig sértettem.

ÁGI Igen, fenség.

ALEXANDRA Megbocsát nekem?

ÁGI Nem, Fenség.

Albert lassan indul Alexandra felé

SYMPHOROSA *(Beatrixhoz rémülten, súgva)* Beatrix, ezek közt történt valami.

BEATRIX Te ne ijessz meg, mert itt ájulok el a szoba közepén. *(Indul Ági felé)*

ALBERT *(Alexandra felé közeledve)* Xaxa, hagyd ott a csillagos égboltot, és szállj le hozzánk a földre. Szabad kérnem a karodat?

ALEXANDRA *(belekarol, idegesen)* Milyen váratlan kegy, fenség.

SYMPHOROSA *(Beatrixhoz)* Nézd, milyen izgatott. Vörös a füle. Azonnal küldjük el.

BEATRIX Ne rémíts. Majd én elküldöm. Bízd rám.

ALBERT *(lassan az asztal felé vezeti Alexandrát)* Gúnyolsz? Elhanyagolsz, és még gúnyolsz is?

ALEXANDRA Én? Hogy mondhatod, hogy elhanyagollak?

Ági ezalatt lassan elindul Alexandra után

BEATRIX *(a színpad közepén útját állja)* Tanár úrnak mintha rossz kedve volna.

ÁGI Nem, Fenség. Engedelmével ez a legszebb éjszakája az életemnek.

BEATRIX De mintha ideges volna. Ki van pirulva.

ÁGI A szokatlan környezet teszi, fenség.

JÁCINT *(az asztalnál, Alexandrához)* Ki vagy pirulva kislányom. De nem baj. Szép vagy, mikor kipirulsz.

ALEXANDRA *(az asztalnál)* Ha szép zenét hallok, mindig kipirulok.

BEATRIX *(Ágihoz)* Ha fáradt, nem tartóztatjuk. Reggel korán kell kelnie.

ÁGI Nem vagyok fáradt, fenség. Sőt, most kezdek felfrissülni.

ALBERT *(Alexandrához)* Szereted a zenét?

BEATRIX *(átszól az asztalhoz)* Szereti a zenét. Ő énekel is.

ALBERT *(Alexandrához)* És látod, nekem nem énekeltél semmit az egész idő alatt.

SYMPHOROSA *(Ágival és Beatrixszal áll együtt)* Igazán ne zsenírozza magát, tanár úr, ha aludni akar menni.

ÁGI Aludni, fenség? Most ébredtem fel. Nincs még öt perce.

ALEXANDRA *(az asztalnál, Alberthez)* Előtted restellek énekelni. Te nagy zeneértő vagy.

ALBERT Én zeneértő? Ez jó. Hallja, Wunderlich?

WUNDERLICH Hallom, Fenség.

SYMPHOROSA *(Beatrixhoz)* Legalább a mi asztalunkhoz ne üljön.

BEATRIX *(Ágihoz, akinek ismét útját állta)* Tanár úrnak rossz kedve van. A szobájába fogjuk küldeni a vacsorát.

ÁGI Nem fogják oda küldeni a vacsorát, fenség. Itt fogom megenni a vacsorát.

ALBERT Mi az, tante Beatrix, te is csillagász lettél? Ki akarsz éheztetni bennünket?

BEATRIX *(az asztalhoz siet)* Isten ments, kedves Albert!

SYMPHOROSA *(szintén az asztalhoz megy. Miközben mondja kétségbeesetten)* Végünk van!

ALBERT Én megfigyeltem magamon, hogy éjjel van a legjobb étvágyam.

JÁCINT XIV. Lajos volt erről híres.

BEATRIX Üljünk le.

Albert és Alexandra leül

BEATRIX *(Ágihoz)* Tanár úr, ide. *(Helyet mutat neki maga és Symphorosa közt)*

ÁGI Köszönöm. *(Nem oda ül, hanem Alexandra mellé)*

BEATRIX Nem oda, tanár úr. Ide, ide.

ÁGI *(ülve)* Köszönöm, már most itt is jó lesz.

Kínos csönd. Jácint fejcsóválva ül le

SYMPHOROSA Ezredes úr! *(Helyet mutat neki maga mellett. Súgva Beatrixhoz)* Végünk van. Itt botrány lesz.

ALBERT A Bourbonok általában nappal is sokat ettek. XVIII. Lajos tizenöt ürükotlettet evett meg egy nyilvános ebéden. Képzeld, mennyit evett, mikor nem látták. Téged ez diszgusztál, Beatrix. Nem is figyelsz.

BEATRIX *(idegesen)* Dehogynem. Hallom, igen, XV. Lajos tizennyolc kotlettet.

ALBERT Nem! XVIII. Lajos. És csak tizenöt kotlettet.

Inasok rendezgetik a tálalóasztalon a levest

BEATRIX *(édeskésen)* Nem tudom, Albert, szereted-e a jégbe hűtött bouillont?

ALBERT Nemcsak hogy szeretem, de eltaláltad a kedvenc nyári italomat.

BEATRIX Na, ennek nagyon örülök.

SYMPHOROSA Milyen véletlen!

JÁCINT És milyen sokáig tart, amíg hozzák.

BEATRIX Már jön, édesem. *(Int Caesarnak. Caesar elindítja az inasokat)* Azért nincs az asztalon, hogy meg ne melegedjék.

Mindenki kap csészét. Kóstolás. Áhítatos csönd

ÁGI *(váratlanul megszólal a csöndben, Alexandrához)* A sasnak a feje pedig, hogy most végre talán befejezzem ezt a mondatot, az Altair nevű csillag, az Alpha Aquilae, amely gyönyörű szép erős zöld fényben ragyog ma éjszaka. Ezt akartam mondani.

ALEXANDRA Nehezen jutott hozzá, hogy befejezze.

ALBERT A tanár úr bizonyosan nagyon szépen tud beszélni, hogy a Xaxa úgy szereti hallgatni.

BEATRIX Nagyon szép volt, de én egy szót se értettem belőle.

ÁGI Nem tudok szépen beszélni. Épp az imént vetette a szememre őfensége.

ALBERT *(Alexandrához)* A szemére vetetted?

ALEXANDRA Igen.

BEATRIX *(hogy eltérítse őket a tárgytól)* Nem nagyon hideg a leves, Albert?

A zene megszólal

ALBERT Nem. Éppen jó a hőmérséklete.

WUNDERLICH Őfensége levese nyolc fok Celsius szokott lenni.

JÁCINT Nem a cifra beszéd a fontos. Az a fő, hogy tanult és tud.

ÁGI Épp azért nem tudok szépen beszélni, mert agyontanultam magamat.

JÁCINT Az sose baj, fiam.

ALBERT Naponta, kérem szépen, hány órát tanult?

ÁGI Többnyire tízet. És éjjel is annyit.

ALBERT Tíz meg tíz az húsz. *(Feláll)*

BEATRIX Mit keresel, édes fiam?

ALBERT A sót.

WUNDERLICH Méltóztassék.

ALBERT Köszönöm. *(Leül és sóz)* Maradt az alvásra négy óra.

ÁGI Néha annyi sem.

ALBERT Ez borzasztó. Nekem tizenöt órai alvás kell.

SYMPHOROSA Nekem nyolc.

JÁCINT Nekem hat.

SYMPHOROSA *(Wunderlichhoz)* És önnek?

WUNDERLICH Kettő.

ÁGI Ez különbözik egyéniség szerint. Például Napóleon… *(Hirtelen elhallgat, Beatrixra néz)*

Kínos csönd. Mindenki egyszerre emeli ajkához a leveses csészét. Isznak. Aztán a csészéket egyszerre teszik le, a nagy csöndben egyszerre csörren a tányéron valamennyi

BEATRIX *(hogy megtörje a csöndet)* És azért nem tud szépen beszélni, mert annyit tanult?

ÁGI A sok anyagnak, fenség, előbb vérré kell válni, ki kell forrani, mint a bornak. Akkor adja csak ki azt a muskotály-illatot, amit poézisnek nevezünk. Ami kis költő van az emberben, az addig vár és hallgat. És még akkor is sok minden kell, hogy az megszólaljon.

ALBERT Egy szép hölgy. Mi?

ÁGI Talán az.

BEATRIX Ugyan... Albert!

JÁCINT Attól függ, milyen a hölgy... Mert én már láttam olyan hölgyet is, aki elnémította a költőt.

BEATRIX Jól tette. Nem szeretem a költőket.

ÁGI A férfin múlik. Van férfi, akinek nő nem tud szenvedést okozni. Irigylem az ilyet.

A csészéket elviszik

ALEXANDRA Miért?

ÁGI Mert én az ellenkezője vagyok. Én mindig csak ettől féltem.

ALBERT Félt? Szép hölgytől? Erős hatástól?

ÁGI Csak ettől. Túlérzékeny vagyok. Ami mellől más nevetve megy tovább, én abba talán belepusztulnék.

ALBERT Pedig az egyáltalában nem szükséges.

ÁGI Tudom.

BEATRIX És nem is nagyon valószínű.

Alfréd tálat visz körül, amelyből csak Jácint, Albert és Wunderlich vesz. A többi visszautasítja

ALBERT De csak érdeklődött szép hölgyek iránt?

ÁGI Soha, fenség. Tanultam.

ALBERT No-no-no-no.

ÁGI De így van, fenség. Most jöttem ki a világba, a könyveim közül. És most még kár volna, ha valami baj érne.

JÁCINT De még milyen kár volna.

ÁGI Ne méltóztassanak félreérteni. Nem én sajnálom magamat. De... van anyám, akinél érthető... az egyetlen fia vagyok... hogy mindene vagyok. És van egy húgom, nem szép lány szegényke... de én neveltem. Okos, jó kis teremtés... és annyit dolgoztam érte. Szeretném tisztességesen férjhez adni. *(Körülnéz)* Bocsánat, most veszem csak észre, hogy folyton én beszélek.

ALEXANDRA Beszéljen, beszéljen, úgy érdekel, amit mond.

ÁGI És van egy öreg tanárom, Waldbrott...

JÁCINT A heidelbergi egyetemen.

ÁGI Igen, atyám, ott tanít.

ALBERT Mit tanít?

ÁGI Asztrokémiát.

ALBERT *(Jácinthoz)* Kérlek alássan, mi az?

JÁCINT Csillagászati vegytan.

ALBERT Bravó.

JÁCINT Ismerem az öreg urat. Nagyszerű legény, kiváló tudós.

ÁGI Ugye? Ő... megtisztel a szeretetével.

ALBERT Csillagászati vegytan...

ÁGI Tessék?

ALBERT Semmi. Csillagászati vegytan...

ÁGI Igen.

ALBERT Igen.

ÁGI Az öreg Waldbrott azt szokta nekem mondani, hogy nyugodtan hal meg, mert élete munkáját én fogom folytatni. Ő úgyszólván rám bízta a két nagy elméletét.

ALBERT Kérem, hány nagy elmélete van összesen?

ÁGI Ez a kettő.

ALBERT Bravó. És mind a kettőt önre bízta?

ÁGI Igen.

ALBERT Bravó.

ÁGI Igen és ez... ez nagyon felemelő. Ő és a húgom és az anyám... Igazán csak őmiattuk féltem ezt a kis életemet, mikor... *(Alexandrára néz)* Mikor bajba kerülök. *(Csönd. Megfogja a poharát)* Én ezt a szép házikisasszony egészségére ürítem. *(Fenékig üríti a poharat)*

Symphorosa lökdösi Beatrixet

ALBERT Prosit, ez jó korty volt. *(Mosolyogva koccint két szomszédjával)*

JÁCINT Dilettáns korty volt, fiam. Ebből a nehéz borból nem húz ekkorát az ember.

ÁGI Nem ismerem, atyám, még nem volt hozzá szerencsém.

JÁCINT Hát akkor mutatkozzál be neki illő tisztelettel, mert ez tokaji, édes fiam. Mégpedig hatputtonyos.

BEATRIX A desszerthez való, nem a leveshez.

JÁCINT Két hiba történt: korán ittál, nagyot ittál.

ÁGI Nem tudtam, atyám. Bevallom, ez az első pohár bor, amit életemben ittam.

JÁCINT Ne mondd!

ÁGI Igazán, atyám. De hát... ma éjszaka ez is megtörtént velem.

Alexandra szintén fenékig üríti a poharát

BEATRIX Alexandra!

JÁCINT *(Alexandra pohara felé nyúl)* Ho-ho-hó! Most mondtam, hogy ebből nem kell ekkorát húzni!

ALBERT Én tudom, mért húzott a Xaxa ekkorát.

JÁCINT Miért?

ALBERT Rehabilitálni akarta a tanár úr kortyát.

BEATRIX *(szigorúan)* Arra semmi szükség nem volt. Nem szoktál bort inni.

ALEXANDRA Ma éjszaka velem is megtörtént, anyám. *(Alberthez)* Albert... neveztesd ki valamivé azt az öreg tanárt. Waldbrott a neve, ugye?

JÁCINT Waldbrott, igen.

ALBERT Ha te óhajtod... írhatok a császárnak. Kérem, Wunderlich, írja fel.

WUNDERLICH *(írja)* Már írom, fenség.

ALEXANDRA Mivé lehet az ilyen embert kinevezni?

Az inasok kezdenek lazacot felszolgálni

ÁGI Az az éppen, hogy semmivé se.

ALBERT A császár csak adhat neki valamit...

ÁGI Nehezen, fenség. Nagyobb urat szolgál az.

ALBERT Nagyobb urat, mint a császár?

ÁGI Sokkal nagyobbat. *(Felfelé mutat)* Csillagász.

ALEXANDRA Szeretném ismerni a húgát.

ÁGI Drezdában van, fenség.

ALEXANDRA Nagyon szereti?

ÁGI Nagyon, fenség.

ALEXANDRA Ugye, ez ostoba kérdés volt?

BEATRIX Igen, lányom, az volt.

ÁGI Nem, fenség, okos kérdés volt, mert jólesik rá felelni. Szeretem, nagyon szeretem... a húgomat. Minden rossz napomon rágondolok. Őbenne a legerősebb a hit, hogy én nem arra való vagyok, hogy elgázoljanak, hogy kár értem, mert én is egy egész világ vagyok.

ALBERT *(kissé gúnyosan)* Egy egész világ?

ÁGI Igen, Fenség.

ALEXANDRA Milyen szép ez.

ALBERT Nem lesz ez egy kicsit sok?

ÁGI *(bátran)* Nem, Fenség. Én csillagász vagyok: ott tanulja meg az ember, hogy nem szabad lenézni a legkisebb pontot sem. *(Célzatosan)* Azok a kis pontok az égen, az mind egy-egy nagy világ.

ALBERT Mind?

ÁGI *(bátrabban)* Mind!

ALBERT *(kissé élesen)* Talán csak hiszik ezt azok a kis pontok.

ÁGI *(még bátrabban)* Ó, én tudom, hogy a nagyurak ezt nehezen tudják elképzelni. Ők úgy beszélnek: tízmillió lakos, kétmilliós hadsereg... pedig az mind külön-külön egy szuverén világ, amit nem szabad összetörni.

BEATRIX *(idegesen)* Kérem, tanár úr... ki akar világokat összetörni?

ÁGI Hölgyek például mosolyogva teszik ezt. *(Alexandrához)* Szép fenség, olyan erősen néz rám.

ALEXANDRA Mert tetszik, amit mond.

ÁGI *(Beatrixhoz)* És fenség olyan nyugtalanul néz reám. Biztosan, mert nem tetszik, amit mondok.

BEATRIX *(hidegen)* A tónus szokatlan.

ÁGI Erős kedvem van ma, fenség.

BEATRIX Talán erősebb is, mint kellene.

ALEXANDRA *(csitítólag)* Anyám, bálban vagyunk és pezsgőt iszunk...

Felemeli a poharát

BEATRIX Nagyon csudálkozom, tanár úr.

SYMPHOROSA *(ijedten, hirtelen)* Erre a lazacra külön felhívom a figyelmedet, Albert, az a mi szakácsunk büszkesége.

ALBERT Mondom, hogy szépen beszél. Ez tetszik olyan nagyon Xaxának. Mi van a lazaccal? *(Symphorosához)* Valamit mondtál a lazacról.

SYMPHOROSA Hogy a mi szakácsunk büszkesége.

ALBERT Igen. Na jó... de mi köze ennek ehhez?

SYMPHOROSA Semmi. Csak mondtam.

ALBERT Ja vagy úgy. Igen. Na igen. Kis pontok az égen. Csillagászat. Romantika. Csupa frázis.

ÁGI *(hévvel)* Nem frázis, fenség.

ALBERT De igen. Mégpedig hölgyek számára való frázis. Imponálni vele. „Minden csillag egy szuverén világ."

ÁGI *(agresszíven)* Nem minden csillag, fenség.

ALBERT Nem?

ÁGI Nem. Az a nagy fehér Hold például, az nagyképű és fényes, pedig neki magának nincs is fénye. Csak attól ragyog, amit a Naptól kap. Viszont az a ma esti kis Vega, amit le méltóztatik nézni, az a nagyon messzi, nagyon pislogó szerény kis csillag, az a maga alázatosságában pont ezerszer fényesebb, mint a Nap!

Symphorosa lökdösi Beatrixot

ALBERT *(élesen)* És milyen szép dolog, hogy mégis olyan szerény.

ÁGI *(élesen)* Nem szerény, fenség. Csak nagyon messze van.

ALBERT Épp azért illik, hogy csak pislogjon.

ÁGI *(nyíltan, támadóan)* Önöknek, fenség, pislog. De nekem, aki tudom, hogy ő kicsoda, felragyog az ő igazi értéke, és én büszkén vallom, hogy fényesebb, mint a Nap és ez a nagy fény, ez az örök nagy fény, az övé, fenség, mert ezt közvetlenül ő kapta Istentől. *(A mellére teszi a kezét)* Ő maga.

ALBERT Lehet, tanár úr. Úgy látszik, én nem értek ehhez.

ÁGI *(bátran)* Nem, fenség.

BEATRIX *(súgva Symphorosához)* Nem bírom tovább!

ALBERT Elragadó! Végre egy ember, aki megmondja nekem, hogy van valami, amihez nem értek.

Ági *(csökönyösen)* Ehhez nem, fenség.

BEATRIX Tanár úr!

ALBERT *(erőltetett vígsággal)* Húsz éve keresem ezt a hangot! Végre egy úr, aki úgy beszél velem, mint embertársával. Tanár úr, úgy is, mint csillagásztól, úgy is, mint embertől, el vagyok öntől ragadtatva! Ez nekem tetszik.

ÁGI *(sértőn)* Azt én nem ambicionálom. Viszont, ha nem tetszik, azt meg nem bánom.

ALBERT *(vígan)* Nahát ez a közvetlenség elragadó! Hogy én nálatok milyen jól érzem magamat. *(Fölemeli poharát)*

BEATRIX *(elbágyad)* Ah! *(Feltápászkodik a székről)*

Általános ijedtség

ALBERT *(leteszi a poharát)* Was hast Du? *(Fölkel)* Tante Beatrix! Ist Dir nicht wohl?

Mindenki fölkel

BEATRIX *(gyönge hangon)* A fejem... egyszerre... lass mich, kérlek... bocsássatok meg... *(Wunderlich odalépett hozzá és támogatja)* Merci, mon colonel... hagyja...

Huszárok kisietnek, és leeresztik a hátsó két nagy falnyílás függönyeit. Wunderlich ellép tőle és Caesarhoz megy

ALBERT *(megfogja Beatrixot)* Nem jól érzed magad, Tante Beatrix?

BEATRIX Bocsássatok meg... egy kis rosszullét... csak semmi feltűnés... én visszavonulok...

WUNDERLICH *(Caesarhoz)* A zene hallgasson el.

Caesar Alfrédnek súg, aki kisiet. A zene elhallgat

ALBERT *(karon fogja)* Biztosan, mert annyit fáradtál ma egész nap. Majd én felvezetlek a szobádba. Jó?

JÁCINT Ne fáradj, Albert, majd én felkísérem.

ALBERT Nem, nem. Ti csak maradjatok. *(Az induló Symphorosához)* Symphorosa, maradj itt a lazacnál, Xaxa ülj le. Semmi izgalom. Majd én.

BEATRIX *(elhalóan)* Nem kell... feltűnést... a ház tele van idegenekkel...

ALBERT Jól van, édesem, úgy lesz. *(A többiekhez)* Kérlek, kívánságom, hogy maradjatok mind. *(Bal felé indul, Beatrixszal a karján)* Semmi feltűnés. *(Mikor Caesar előtt halad el)* A zene mért hallgatott el?

WUNDERLICH *(felel helyette)* Azt gondoltam, fenség, a katasztrófát talán zene nélkül méltóztatik kívánni...

ALBERT *(lassan vezeti bal felé Beatrixot)* A zene folytassa. A zene mindig folytassa. Minél... inkább, annál jobban.

Caesar int Alfrédnak, aki elsiet. Wunderlich a bal oldali ajtót kinyitja előttük

BEATRIX Pardonnez-moi... merci, mon cher...

Albert Beatrixszal együtt kimegy

WUNDERLICH *(mielőtt kimegy)* Zene! *(Caesarra néz)*

Kis szünet után a zene újra megszólal. Wunderlich csak erre megy ki. Ugyanakkor mindenki lassan visszaül a helyére, csak Symphorosa nem

ÁGI Fenséged is rosszul van?
SYMPHOROSA Nem.
ÁGI Hát akkor?
SYMPHOROSA Nem tudom, most mit csináljak.
ÁGI Én tudom. Méltóztassék utánuk menni. És a zene folytassa. Minél inkább, annál jobban.
SYMPHOROSA *(bal felé indul. Alexandrához)* És te?

Alexandra tanácstalanul kel fel

JÁCINT Maradj itt. Édesanyád megtiltotta, hogy felmenj.
SYMPHOROSA *(Jácinthoz)* És te?
JÁCINT Nézd, édesem. Én nagyon szeretem Beatrixot, de ezt mi ketten már harminc éve ismerjük. Ne ijesztgessük egymást. Eleget láttuk ezt az előkelő rosszullétet. Ha állva lesz rosszul, leül. Ha ülve lesz rosszul, feláll.
SYMPHOROSA Károly!
JÁCINT *(komolyan)* Nagyobb baj van itt, édesem. Én ezt megmondtam délután fél ötkor.
SYMPHOROSA Milyen szerencsétlenség! *(El, balra)*

Caesar hátravonul, huszárjainak utasításokat ad, elküldi őket. Huszárok jobb hátul, ő maga a bal hátsó üvegajtón át eltűnik. Jácint, Ági és Alexandra hárman magukra maradtak. Szünet. Alexandra elöl ül a jobb oldali puffon

JÁCINT *(komolyan, szigorúan)* Na, édes fiam, te itt valami nagy bolondságot csináltál.

ALEXANDRA *(izgatottan)* Én vagyok a hibás, Jácint, mindenért én vagyok felelős. Én azért maradtam itt, hogy...

JÁCINT Ne légy izgatott, gyermekem. Szép csöndesen beszéljünk. Mert én meg ezért maradtam itt. Ne félj, amíg engem látsz. *(Ágihoz)* Te meg reszkess.

ÁGI Nem én, atyám. Azt már nem.

Alexandra Nem ő a hibás. Milyen mélyen lehet megbántva, ha ilyet tudott tenni. Én odavagyok, Jácint. *(Ráhajol a mellette álló Jácintra, aki magához öleli)*

JÁCINT Nyugodj meg, kislányom. Tudom, miről van szó. És sejtem, mitől jutott ez idáig.

ÁGI *(hevesen)* Nem bírtam tovább, atyám. Nem bírtam, pedig, Isten látja a lelkemet, ki akartam húzni némán holnap reggelig. De ember vagyok és... szerelmes vagyok, atyám, és már nem is tudtam, mit mondok, még most se tudom, mit csináltam, csak érzem, hogy valami borzasztót tettem. De amióta megtudtam, atyám, hogy az én alázatos és hallgatag életemmel, mint egy ronggyal, a padlót súrolják fel, csak hogy másvalaki simábban léphessen... mintha felfakadt volna itt benn a szívem, szétömlött bennem a forró vér... és mikor célozgatni kezdett rám és gúnyolni kezdte a fájdalmamat, hát... akkor égni kezdtem valami keserű szilajságtól, és attól égek úgy most is, mint, mint...

JÁCINT Mondd, fiam, énrám is haragszol?

ÁGI Dehogy, atyám.

JÁCINT Hát akkor beszélj csöndesebben. Nemcsak hallom, amit mondasz, de értelek is, fiam.

ÁGI Elpusztulok, de most már nem adom olcsón az életemet. Még ennek a szép királykisasszonynak sem. Tegnap, még ma délután is, odaadtam volna a zsebkendőjéért. Most már drágább. Mert vérzett.

JÁCINT Te olyat tettél...

ÁGI Nem szököm meg az elől, amit tettem.

JÁCINT Azt fel is teszem rólad, fiam.

ÁGI Tudom, hogy fellázadtam és szétromboltam valamit. De állok rendelkezésére mindenkinek, a családnak, a hercegnek, az adjutánsának, kardra, ágyúra, torpedóra, mindenre. De ez kellett nekem. Sőt még több is kell.

JÁCINT Még több is?

ÁGI Több.

JÁCINT Nézd a komoly ifjú tudóst. *(Alexandrához)* Na, kislányom. Ide jutottunk. Most itt állunk. *(Szemrehányóan)* Hogy tetszik ez neked?

ALEXANDRA Gyere ide.

JÁCINT *(odalép hozzá)* Nos?

ALEXANDRA Ülj le ide. *(Maga mellé ülteti)*

JÁCINT Nos? *(Leül a másik puffra)*

ALEXANDRA *(hozzásimul, a vállára hajtja a fejét)* Most kérdezd még egyszer, hogy hogy tetszik ez nekem.

JÁCINT Hogy tetszik?

ALEXANDRA *(a vállára borulva, halkan, de elragadtatással)* Jácint... énnekem ez... nagyon tetszik.

JÁCINT *(meglepődött arccal)* Tyhű, édes lányom! Itt nagyobb baj van, mint gondoltam. Gyerünk csak egy kicsit közelebb egymáshoz. *(Még közelebb húzódik Alexandrához)*

ALEXANDRA *(Jácint vállára hajolva)* Jácint... édes Jácint... én... én...

JÁCINT No, fiam. Mi az? Ki vele.

ALEXANDRA Jácint... az a pohár bor... az nekem is az első pohár borom volt az életemben.

JÁCINT Ahhoz képest szép nagyot húztál, fiam.

ALEXANDRA *(Ágira néz)* Őmiatta, Jácint. Hogy ne nevessék ki.

JÁCINT Tyhű, micsoda ritkaságokat látok én itt ma este. Jó volt legalább?

ALEXANDRA Kábít... melegít. Legjobban szeretnék így meghalni... de előbb a tanár úr bocsásson meg nekem.

ÁGI Hogy tudjak én önnek megbocsátani.

JÁCINT Csönd! Nézd csak! Én bocsátok meg helyette, kislányom.

Alexandra a könnyeit törli

Sírd ki magad, és ne félj semmitől.

ALEXANDRA Nem azért sírok, atyám.

JÁCINT Hát miért?

ALEXANDRA Mert nagyon sajnálom... ezt a fiatal embert.

ÁGI Engem? Nagyon kérem, engem ne sajnáljon.

JÁCINT *(szelíden)* Megvonom tőled a szót, fiam.

ALEXANDRA Így még nem is sajnáltam senkit, pedig a kórházban súlyos betegeket ápoltam.

JÁCINT Ha rád néz, jobban sajnálod.

ALEXANDRA *(Ágira néz)* Ha rám néz, a tekintete süti az arcomat, édes Jácint. Mint amikor kinyitjuk a kályhaajtót.

JÁCINT Igen, igen. Kályhaajtó. Igen. És?

ALEXANDRA Aztán a tekintete... mintha leszaladna a mellembe és ott megérintené... a szívemet. Mint mikor úgy egy ujjal finoman... érintünk a zongorán egy billentyűt.

JÁCINT Billentyű. Igen. Igen. És?

ALEXANDRA Ha beszél... mióta megbántottam... ha szól hozzám... akkor úgy tovább búg a lelkiismeretemben a hangja... mint a harang. És ez fáj. Úgy sajnálom!

JÁCINT *(aggódva)* Helyben vagyunk már, lányom. Attól félek, nem sajnálat ez, se nem lelkiismeret.

ALEXANDRA Hát mi?

JÁCINT Egy kis mellbaj. Tüdőcsúcs. Szívcsúcs. *(A melléhez hajol)* Végy mély lélegzetet. Sóhajts.

Most mondd: tanár úr.

ALEXANDRA *(Ágira néz)* Tanár úr...

JÁCINT Szívcsúcs.

ALEXANDRA *(szomorúan, szemrehányással)* Tréfálsz velem, Jácint.

JÁCINT Nem én, fiam. Elég komoly a dolog, gyermekem. Mikor... izé... sajnáltad meg olyan nagyon?

ALEXANDRA Az előbb. Itt, ebben a teremben. Egy pillanat alatt. Ő mondott valamit.

JÁCINT Mit mondott?

ALEXANDRA *(Ágira néz)* Ő biztosan emlékszik arra a szóra.

JÁCINT *(Ágihoz)* Mi volt az, fiam?

Ági Tudom, atyám, mi volt. Mikor azt mondtam, hogy én is egy egész világ vagyok.

ALEXANDRA Nem.

ÁGI Nem? Akkor még előbb... mikor a reménytelenség költészetét mondtam.

ALEXANDRA Akkor sem.

JÁCINT Hát mikor hatott meg úgy?

ALEXANDRA *(Jácinthoz)* Mikor azt mondta: beretva. *(Ágira néz)*

JÁCINT Beretva? Miért mondta, hogy beretva?

ALEXANDRA Azt mondta valamire: éles, mint a beretva.

JÁCINT És ez volt az?

ALEXANDRA Tudod, én mindig úgy hallottam, hogy borotva. Nálunk mindenki így mondja a családban. És ő szegény azt mondta: beretva, ilyen magas e-vel... olyan végtelenül kedvesen... és én egyszerre úgy éreztem, hogy ezt bizonyosan őnáluk odahaza mondják így... az ő szülei... és valami olyan otthonos érzésem támadt... mintha én is ott lettem volna vele... az ő falujában... ahol úgy mondják: beretva. Olyan kis gömbölyű akácok vannak ott... kis alacsony, tiszta házak… és láttam az édesanyját… a húgát… azok is úgy mondják: beretva… szeretik őt, aggódnak érte. És evvel úgy tele lett a lelkem… és mikor ránéztem, forró lett a szemem.

Kis szünet

JÁCINT Na, öcsém, hát ehhez mit szólsz?

ALEXANDRA Édes Jácint, mondd: te hogy szoktad mondani? Borotva?

JÁCINT Soha. Beretva az, fiam.

ALEXANDRA Drága! *(Megöleli)*

JÁCINT *(a leány karjai közt Ágihoz)* Látod, fiam? Én tudom, mi kell a nőknek.

Ági Szépséges… jóságos… már rég, rég megbocsátottam… mindent.

ALEXANDRA Most már én nem tudok magamnak megbocsátani. Soha többé. *(Felriad)* Istenem, mi történt itt velünk? *(Hirtelen)* És szegény mama… *(Fel akar kelni)*

JÁCINT Maradj, lányom. Most nem lesz jó odamenned. Csillapodjál le, majd aztán felmegyünk hozzá, ketten együtt.

ÁGI *(átmegy az asztal mögött)* A mama nagyon kegyetlen volt. *(Leül Jácint asztali helyére)*

ALEXANDRA Az is nekem fáj, látja. Minden nekem fáj. És mégis most olyan jó itt. Olyan édes nekem, hogy itt vagy. *(Megöleli Jácintot)* Olyan vagy, mint a méz. És milyen bátor vagy. Hogy lehet az, hogy te így meg tudod érteni az embert?

JÁCINT Én most furcsán vagyok veletek, angyalom. Szigorúnak kell lennem és leszek is. Mikor a lovacskák megbokrosodtak, a te mamád szépen kiugrott a kocsiból. És most nekem kell megfognom a gyeplőt. *(Igen komolyan)* Ezt el kell intézni, gyermekeim. Ebből… kérlek szépen… soha nem lehet semmi. Ezt remélem, ti is tudjátok. Ugye? Nna. Annál mind a ketten okosabbak vagytok. Ugye. És most… szigorúan meg foglak róni, lányom. Nagyon sajnálom. És téged is, fiam. *(Ágihoz)* Amit te ma itt tettél, az… ejnye, ne búsulj úgy neki, fiam, mert akkor én nem tudok erélyes lenni. Nézd csak. *(Újra kezdi)* Amit te ma itt tettél, az, kérlek szépen… *(más hangon)* kérlek szépen, ne hallgass ilyen okosan, ez engem zavar. Tulajdonképpen te is, meg ő is… *(Alexandrához)* te meg ne nézz rám olyan boldogan, semmi okod nincs rá. Mégiscsak hallatlan! *(Egy-két lépést jár)* Hallatlan, hogy terrorizálják az embert. Nézd csak. *(Megáll. Pattogva)* Itt ülnek, néznek, hallgatnak, az ember nem jut szóhoz. *(Ágihoz, újra nekikezdve)* Amit te ma tettél, az tulajdonképpen, kérlek szépen… *(elfordul a tekintetétől, mérgesen)* az tulajdonképpen… kérlek szépen… az tulajdonképpen nagyon érthető. Nna. Most megmondtam. *(Alexandrához, dühösen)* Mért nézel rám olyan kedvesen?

ALEXANDRA Te nézel kedvesen énrám, Jácint.

JÁCINT *(mérgesen)* Az éppen a baj. Igenis, az éppen a baj, hogy én rád nézek, és rátok nézek, és ahogy így rátok nézek… hát rátok nézek. Hallatlan! Igenis, rátok nézek… és nagyon sajnálom… de ti… ti kedves, szép gyerekek… fiatalok vagytok, tiszták, szomorúak, romlatlanok… hát… igenis, én nem születtem bírónak. Próbálom, de hiába próbálom. Nem tudok én ítélni. Mert… itt ülök… ebben a szűz órában… amikor a férfi bátor és csacsi… és a lány ártatlan és csacsi… és… öreg fejemnek megadatott látni egy ilyen tiszta pillanatot. Két ilyen szívecskét. Két jó kis embert, így nekikeseredve. Ilyen zavarban. Ilyen boldogan. Soha többé nem lesztek ilyen boldogok. Már nem is vagytok talán. Úgy röpül ez. Mire megérezzük, már nincs is itt. És aztán a valóság… ami majd reggel rátok virrad… ami majd szétválaszt benneteket, az helyes lesz, de egy kicsit szomorú lesz, édes gyermekeim. Volt ez már ilyenformán az életben egyszer, valamikor régen, amikor még én is frakkban, meg uniformisban jártam. Nagyon régen. Ezt csak azért mondom, kislányom, mert... azt kérdezted: hogy lehet az, hogy én ezt értem. Hát csak úgy, hogy... hát visszaemlékszik az ember... pedig nem kéne... tudod. Viszont a lényeg az, hogy okosabbnak kell lenni... és talán most hagyjuk is abba ezt az egészet. *(A pohara után nyúl. Halkan)* Isten éltessen benneteket. *(Felemeli a poharát és egy kis kortyot iszik. Leül oda, ahol a vacsoránál Ági ült)*

Szünet. Alexandra és Ági mozdulatlanul nézik

JÁCINT Mért hallgatsz, kislányom?

ALEXANDRA Valami énekel bennem, Jácint.

JÁCINT Nem az, amit az igazgatónő születésnapjára tanultatok?

ALEXANDRA Nem, Jácint. Annál sokkal édesebb és szomorúbb.

Caesar halkan jön

JÁCINT Mi az, fiam?

CAESAR A fenséges asszony kéreti atyámat, hogy kegyeskedjék felfáradni hozzá.

JÁCINT Most rögtön?

CAESAR Őfensége úgy fejezte ki magát, hogy: azonnal.

JÁCINT *(felkel)* Épp most, amikor ízleni kezdett a vacsora?

CAESAR *(ijedten)* Atyám, nem volt megelégedve a levessel?

JÁCINT Levessel? Keserű forró teát adtatok nekem, csak nem szóltam.

CAESAR Szent Isten. Tévedés volt. Öngyilkos leszek, atyám.

JÁCINT Azt megtiltom, fiam, hogy könnyebb legyen lemondanod róla. De te nem is leszel öngyilkos, hanem ha jól látom, inzultálni fogsz valakit. Ez se szép, de ezt hiába tiltanám meg. Rögtön jövök vissza, gyerekek.

ALEXANDRA *(feláll)* De Jácint... hogy maradhatunk itt? És a mama! Nekem mégis ott kéne lennem.

CAESAR Symphorosa fenség megkérdezte, hogy a fenséges asszony kívánja-e látni fenségedet.

ALEXANDRA És?

CAESAR Őfensége, hogy úgy mondjam, kifejezte magát.

ALEXANDRA Hogy?

CAESAR Azt mondta: a szemem elé ne kerüljön.

Szünet. Caesar hátralép és Alfréddal sugdos

JÁCINT Na, látod, édes lányom. Ülj csak le szépen. Most előbb nekem kell anyáddal beszélnem. Ne irigyelj. Ti pedig azalatt... szép csöndesen... és okosan búcsúzzatok el egymástól és bocsássatok meg egymásnak. Aztán visszajövök érted, kislányom. Hát csak... okosan. *(Elmegy balra)*

Szünet. Alfréd kimegy

ALEXANDRA *(szünet után, mialatt többször Ágira nézett)* Kérem... a keresztnevét nem is tudom. Hogy hívják?

ÁGI Miklós.

ALEXANDRA Hány éves?

ÁGI Huszonhat.

ALEXANDRA Hol született?

ÁGI Cegléden.

ALEXANDRA Milyen megye?

ÁGI Fenség... mi itt végre... magunkra maradtunk... és ön a nacionálémat veszi fel?

ALEXANDRA *(ügyetlenül, zavarban)* Nem tudom, hogy szokták. Én ismerni akarom. Most hamar mindent tudni akarok magáról. *(Majdnem sír)* Nem tudom, hogy szokták ezt elkezdeni.

ÁGI És holnap reggel?

ALEXANDRA Arra most nem akarok gondolni. Csak most, ez a pár perc legyen szép és gyönyörű. Magának is, nekem is. Kérem... szíveskedjék... kedves lenni.

ÁGI Holnap kisöpörnek innen, mint a szemetet.

ALEXANDRA És ha én nem engedem, Miklós?

ÁGI Akkor is megyek, megyek!

ALEXANDRA *(észreveszi Caesart)* Mire vár?

CAESAR Parancsra, fenség.

ALEXANDRA *(feléje megy)* Parancsolom a zenének, hogy húzzanak valami olyat, amit nem szabad.

CAESAR Bocsásson meg, fenség, de nincs jogom beleszólni a zenekar művészi irányításába.

ALEXANDRA Megbocsátok. Annak a szegény embernek is, aki tévedett a forró teával.

CAESAR Fenség, kiderült, hogy a leves helyett a forró teát én adtam Jácint atyának. Nem csoda ebben a zavarban ma este.

ALEXANDRA Köszönöm. Elmehet.

CAESAR Igen. *(Nem mozdul)*

ALEXANDRA Elmehet.

CAESAR Innen?

ALEXANDRA Persze, hogy innen.

CAESAR Innen... menjek ki?

ALEXANDRA Úgy gondolom, azt mondtam.

CAESAR Fenség... szabad szólanom?

ALEXANDRA Nos?

CAESAR Vége van a világnak, fenség! *(Felzokog és sírva megy ki)*

Ági az ajtóig megy, amelyen át Caesar távozott. Megáll, Alexandrára néz. Szünet

ÁGI *(miután kinézett)* Nincs itt senki. A vendégek most mennek. *(Érzékien, halkan beszél)* Most végre ketten vagyunk, szép királylány. Talán még csak egy pár perc... és aztán, ami szép az én életemben volt, vége.

ALEXANDRA *(remegve)* Istenem... így... egyedül lenni egy férfival...

ÁGI *(indul feléje)* Fél tőlem?

ALEXANDRA Nem tudom. Ha ez félelem, akkor... mindig szeretnék félni.

ÁGI Az utolsó óra... Talán az utolsó perc, hogy láthatom. Szeret?

ALEXANDRA *(szinte dadogva, mint egy kis gyerek)* Ha ez a szerelem, akkor... úgy vagyok vele most... mint egyszer... kis koromban... az orosz cárral...

Ági csodálkozva bámul rá

Igen. Sok képét láttam a cárnak... aranykoronával a fején... dicsőségben... és aztán, mikor egyszer civilben belépett hozzánk... nem ismertem meg.

ÁGI Szép, okos királylány... *(Még közelebb megy hozzá)*

ALEXANDRA *(remegve)* Ne jöjjön olyan közel, Miklós. Először látok szerelmes embert... és az is épp énbelém szerelmes.

ÁGI Nagyon fél tőlem? *(Megfogja a kezét)*

ALEXANDRA *(húzódozva)* Irtózatosan. Arra a gondolatra, hogy... hozzám nyúl... Milyen hideg a keze.

ÁGI Nem. A magáé forró. Mit érez, hogy így reszket a keze a kezemben?

ALEXANDRA Valami forróságot és...

ÁGI És?

ALEXANDRA És a rangomat, Miklós. Folyton a rangomat érzem. Milyen furcsa, hogy ezt kimondom. Miklós... Most... most... enni szeretnék adni magának. Kedves szeretnék lenni magához. Tudja, hogy én is imádom Napóleont.

ÁGI Imádni, az sok.

ALEXANDRA Hát mit kell vele csinálni? Mondja meg. Én azt fogom tenni, amíg élek. Most kinevet ezért.

ÁGI Nagyon szomorúan nevetek, Fenség.

ALEXANDRA Nem tudom, most bizonyos, hogy rosszat kell... valami tiltottat... Például... Mindenkit elárulok magának. Tudja, hogy nekünk egy színésznő is van a családunkban? Nem elég neki! Még roszszabbnak kell lennem. Tudja, hogy én... mért nem szeretem a trónörököst?

ÁGI Mert a felesége akar lenni.

ALEXANDRA Nem. Hanem egyszer Münchenben a régensnél... élőképeket játsztunk és ő női szerepet adott. Azóta az én szememben...

ÁGI Mindjárt virrad. Fenség. Az idő múlik.

ALEXANDRA *(egyre idegesebben)* Most sürget. Mit kíván tőlem? Édes jó Istenem, add, hogy kedves tudjak hozzá lenni. Mondja, akar engem tegezni?

ÁGI Fenség...

ALEXANDRA Ezt visszautasítja? Tudja, hogy bennem Bourbon-vér is van?

ÁGI Tudom, fenség.

ALEXANDRA És mégis? *(Az asztalra néz)* Egyél *te* valamit.

ÁGI Nem.

ALEXANDRA Mért nem akarsz *te* enni?

ÁGI Mert nem vagyok *én* éhes. *(Szerelmesen mozdul feléje)* Szomjas vagyok.

ALEXANDRA *(remegve)* Te... inni akarsz?

ÁGI Nem. Rád vagyok szomjas... a te szádra, a szemedre... a te sikoltásodra...

ALEXANDRA *(rémülten)* Hogy néz rám? Mikor én az egész lelkemmel... az anyja szeretnék lenni!

ÁGI *(hévvel)* Nem. Együtt elégni, megsemmisülni, együtt... és a nagy tűzben folyton a szemedbe nézni... mélyen a szemedbe... és aztán látni, ahogy a szemed lecsukódik.

ALEXANDRA Mire gondol?

ÁGI Nem megállni az úton. Menni tovább, tovább...

ALEXANDRA *(nagy rémülettel)* Hova, kérem?

ÁGI *(egyre hevesebben)* Amerre indított, fenség. Én az én gyáva szerénységemben ma este... alig mertem érezni, hogy egy király riválisa vagyok. De most tudom. És azt is tudom, fenség, hogy győztem. Az előbb dadogtam, de most énekelni szeretnék, mert fiatal vagyok, fenség, férfi vagyok és győztem, program ellenére győztem, fenség! Most pedig...

ALEXANDRA *(rémülten)* Mi lesz most pedig?

ÁGI Holnap vége mindennek... Hát hadd lássuk, fenség, ki ma itt a király: ő-e vagy én! *(Szorosan melléje lép, megfogja a kezét)*

ALEXANDRA Meghalok ebbe... kegyelmezzen...

ÁGI Akkor kellett volna megijedni, mikor hallgattam.

ALEXANDRA *(nagy félelemben)* Most... bosszút akar állni rajtam...

ÁGI Szerelmes vagyok! És *egy* életem van!

ALEXANDRA *(rémülettel néz a szemébe)* Hogy gyűlöl... most...

ÁGI Nem bírom ki, hogy sajnál! Mindjárt jönnek. Egy perc még, és én egy kilökött cseléd vagyok. És most ez így végződjék? Ne tudjam elérni, hogy megint gőgös legyen és sértsen meg, hogy bennem felforrjon a lázadó parasztvér... hogy haragomban derékon kapjam... és elvigyem... ki a rózsái közé... a nyári éjszakába... azt a dacos száját szerelembe fullasztani... *(Meg akarja ölelni)*

ALEXANDRA *(rémülten, szerelmesen védekezik)* Miklós... Miklós...

Zajt hallanak balról, szétválnak. Kis szünet. Caesar belép balról, mögötte az ajtó mindkét szárnya nyitva marad

ALEXANDRA Mi az?

CAESAR A trónörökös őfensége aludni megy. Táviratot kapott. Holnap reggel érkezik az édesanyja, Mária Dominika hercegnő őfensége.

ALEXANDRA Az anyja? Ide, mihozzánk?

CAESAR Igen, fenség.

Nagy szünet

Bátorkodom jelezni, hogy a trónörökös őfensége ezen a termen fog most keresztülhaladni.

ALEXANDRA *(idegesen)* És Jácint... még mindig nem jött vissza... és most itt vagyunk... így... ketten...

CAESAR Ha méltóztatik... átkerülni erre, a sárga szobán keresztül, még éppen van annyi idő.

ALEXANDRA *(gőgösen)* Micsoda ajánlat ez? Ön talán ivott a maradék borokból.

CAESAR Nem, fenség. Csak elvesztettem a lelki egyensúlyomat.

ALEXANDRA *(dacos gőggel)* Nem szököm senki elől.

Caesar meghajol és visszamegy balra. Szünet. A bal oldali ajtón belép két lakáj kandeláberekkel, égő gyertyákkal. Mögöttük jön Albert az ezredessel és Lützen gróffal. Ezek mögött Caesar és két másik lakáj gyertyák nélkül. Lassan megy át a menet a színen. Mikor az asztal közelébe érnek, Albert mosolyogva megáll. A két gyertyavivő lakáj a jobb oldali ajtóhoz lép, kinyitja és megáll jobbról-balról az ajtófélfa mellett. A két másik lakáj elmegy jobbra. Az ezredes és Lützen a küszöbön áll

ALBERT *(közvetlenül, kedves halk hangon)* Kedves Xaxa, milyen szerencsés véletlen, hogy még itt talállak, és jó éjszakát mondhatok neked. *(Kezet nyújt)* Úgy volt, hogy holnap el kell utaznom. De boldogan jelentem neked, hogy reggel megérkezik ide az én drága édesanyám. Vagy már tudod?

ALEXANDRA Tudom, Albert és boldog vagyok.

ALBERT Ő nagyon-nagyon szeret téged.

ALEXANDRA Én is őt, Albert. Nagyon.

ALBERT A mamád lefeküdt. De sokkal jobban van. Kicsit sokat járt ma. Mondtam, hogy nem szabad neki. De ő olyan aranyos háziasszony, nem hallgatott rám.

Jácint belép balról. Később utána Symphorosa. Jácint lassan beljebb jön, Symphorosa a bal ajtó küszöbén marad

ALEXANDRA A mamának legnagyobb öröme, ha kedves lehet a vendégeihez.

ALBERT De nem kell ezt túlzásba vinni. Én igazán szemrehányásokat tettem magamnak. Ki is fogok kapni a mamámtól. De szerencsére nincs komolyabb baj. Jó éjszakát, Xaxa. *(Kezet nyújt)*

Alexandra mélyen meghajol. Ági meghajol

ALBERT *(mintha csak most venné észre)* Ah, a tanár úr! Jó éjszakát, tanár úr. Nagyon érdekes volt, amit mondott. És főleg a modor volt nagyon eredeti. Kicsit rebellis, de eredeti. Mikor őfensége rosszul lett, nem volt módomban megtenni igen szerény kritikai megjegyzéseimet. Csak most tudtam meg, hogy maga egy kis rebellis.

ALEXANDRA *(idegesen, erőltetett mosollyal)* Albert, te tévedésben vagy...

ALBERT Nem, nem. Ez nagyon érdekes volt, ez a csillagászati gorombáskodás. Valami új. És általában az egész. Ezt nevezem temperamentumnak. *(Jácint felé)* Egészen szerényen ült oda, és aztán egy crescendóval... felvitt minket az égbe... aztán ő ott maradt... és engem lepottyantott. *(Ági felé)* De lendülettel beszélt... Egyre feljebb, feljebb...

ALEXANDRA *(izgatottan)* Bocsáss meg, de igaztalan ez a gúnyos kritikád, Albert. Ő nem olyan ember, mint mi.

ALBERT Azt vettem észre.

ALEXANDRA *(egyre izgatottabban)* Ő tudós, ő szabad szellem... neki joga van szabadabb modorban beszélni, mint nekünk...

ALBERT Te oly nobel vagy most is, mikor véded, mint voltál, mikor tűrted. Te egy derék, okos lány vagy, egy kis mártír. Én csak most tudtam meg a mamádtól, hogy te... izé... *(gúnyosan)* bizonyos érzelmek ártatlan céltáblája voltál... és ezt ilyen türelemmel, ilyen jósággal viselted.

ALEXANDRA *(nagyon izgatott, a szeme Albert és Ági között jár. Fél, hogy összetűzés lesz ebből)* A mama téved, Albert. És te is rosszul ítéled meg őt. Te őt nem érted.

ALBERT Olyan könnyű őt érteni.

ALEXANDRA De te most nem értheted.

Albert gúnyosan nevet

Ne nevesd ki, Albert. Ő tudós és költő... ő csillagász!

ALBERT Egy kis neveletlen csillagász.

Ági *(megmozdul)* Fenség!

ALEXANDRA *(remegve az izgalomtól, hévvel)* Albert, te túlzásba mégy! Ilyet nem mondhatsz neki.

ALBERT *(erősen)* Dehogynem.

ALEXANDRA Nem bírom, hogy énmiattam... itt most...

ÁGI *(Alberthez)* Fenség, én...

ALBERT Ön egy kis tolakodó.

ALEXANDRA *(halkan felsikolt, Ági elé áll, az izgalom tetőpontján van)* Egy szót se feleljen, Miklós. *(Ránéz)* Megtiltom! *(Elhalóan)* Istenem... Miklós... *(Pillanatnyi habozás után előbb ránéz Albertre, aztán ráborul Ágira, forrón megöleli, megcsókolja, kissé a keblén marad)*

A négy ajtó küszöbén: balról állt Symphorosa, jobbról a két gyertyavivő és Lützen. Bal-hátul Caesar és mögötte

Alfréd inas. Jobb-hátul Wunderlich. A csók pillanatában mindezek egyszerre, halkan kisuhannak. Jácint bennmarad és a tarkóját vakarja. Alexandra elbocsátotta Ágit. Mereven áll, szinte félájultan dől az asztalhoz. Szünet

ALBERT *(finoman, gúnyosan, halkan)* Pardon. Az más. Az egészen más. Akkor... bocsánatot kérek, tanár úr. *(Katonásan hajol meg, Alexandra és Ági felé)* Jójcakát. *(Elmegy jobbra)*

Szünet. Symphorosa balról bejön és gyöngéden kivezeti balra a félájult Alexandrát. Mikor ezek kimentek, Jácint komolyan, sőt fenyegető tekintettel indul Ági felé, szigorúan megáll előtte, aztán hirtelen megcsókolja, és elsiet balra, Alexandra után, kedves mosollyal. Ági utánabámul. Függöny

HARMADIK FELVONÁS

Másnap korán reggel. Nappali szoba, a Mária Dominika részére fenntartott vendéglakosztályban. Jobbról és balról ajtó. A háttérfal bal oldalán bejáratajtó. Mikor a függöny felgördül, Symphorosa beszélget a komornával

SYMPHOROSA Nem tudhatjuk, hogy Mária Dominika őfensége mikor ér ide. A sürgönyben csak annyi volt, hogy ma reggel. Vonat pedig reggel nem jön, tehát bizonyára automobilon érkezik. Szóval úgy kell készülnünk, hogy bármely pillanatban jöhet.

KOMORNA Igenis, fenség.

Beatrix belép balról

SYMPHOROSA *(hozzásiet, megöleli)* Édesem... Drágám. Miért keltél fel ilyen korán? Még hét óra sincs. Elintéztünk volna mindent nélküled is. Ejnye, ejnye. Jobban vagy valamivel?

BEATRIX Nem tudtam aludni. Be se hunytam a szememet. Nyugtalan vagyok. Rendben van a vendég lakása?

KOMORNA Minden a legnagyobb rendben, fenség.

BEATRIX A fürdő?

KOMORNA Most fűtöttünk be. Félóra múlva meleg lesz. *(Beatrix bólintására jobbra elmegy)*

BEATRIX Ezt a három szobát kapja?

SYMPHOROSA Igen. Ezt a nappalit, *(jobbra mutat)* azt a szalont, a hálószobát és a toalettszobát, fürdőt.

Ne sírj, édesem. A jó Isten meg fog segíteni bennünket.

BEATRIX Itt igazán már csak ő tud segíteni. Mikor érkezik Dominika?

SYMPHOROSA Nem lehet kiszámítani. Autón jön.

BEATRIX Ha tegnap jött volna! Még tegnap este...

SYMPHOROSA *(sóhajtva)* Hja ja!

BEATRIX Ez a szép nyári nap... ez az életem legnehezebb napja. Talán a legszerencsétlenebb is. Gondoltam volna valaha... hogy Mária Dominika ide jön a fia számára megkérni a lányom kezét... és én sírva fogom várni... *(Sír)*

SYMPHOROSA Édesem. *(Megöleli)*

BEATRIX Albert mit csinál?

SYMPHOROSA Alszik.

BEATRIX Boldog ember! És Alexandra?

SYMPHOROSA Már hat órakor kilovagolt. Egyedül. Úgy tudom, hajnalban fent volt nálad.

BEATRIX Igen. Három óra volt. Bár sose értem volna meg azt a tíz percet, amit ott töltött az ágyam mellett.

SYMPHOROSA Tiszteletlen volt?

BEATRIX Nem. Sápadt volt. Mindent elmondott. Mindent, ami történt.

SYMPHOROSA A legvégét is?

BEATRIX Bár ne mondta volna.

SYMPHOROSA És te?

BEATRIX Meghaltam.

SYMPHOROSA Csak nem?

BEATRIX Kihűltem. Az egész testem hideg lett, mint a jég. Egy szót se szóltam neki. Rá se néztem. Képtelen voltam.

SYMPHOROSA És ő?

BEATRIX Kezet csókolt és kiment. Azóta nem láttam. *(Kis szünet)* Az az ember... az még itt van?

SYMPHOROSA Itt van, de...

BEATRIX *(idegesen)* Itt van?

SYMPHOROSA Igen, de...

BEATRIX Mi az a „de”, ami mentheti azt, hogy még itt van?

SYMPHOROSA Az, hogy már csomagol.

Komorna jobbról belép

KOMORNA Fenség, egy autó jön. Látni az ablakból. Most futott be a parkba. Két hölgy ül benne.

BEATRIX *(izgatottá lesz)* Most kezdődik az én kálváriám. Symphorosa... légy velem. Jácint hol van?

SYMPHOROSA Sétálni ment.

BEATRIX Nem akarom látni. Az éjjel felhívattam, hogy megmossam a fejét.

SYMPHOROSA És?

BEATRIX Ő mosta meg az én fejemet. A szemem elé ne kerüljön.

SYMPHOROSA De mért haragszol úgy rá?

BEATRIX Mert igaza volt.

Caesar belép bal hátul

CAESAR Fenség, az autó megjött.

BEATRIX Megyünk, megyünk. *(Kisiet hátul Symphorosával)*

Az ajtó nyitva marad. Künn üdvözlő hangok. Dominika belép Beatrixszal és Symphorosával. Autóköpenyeg van rajta. Mögötte jön a grófné, aki lesegíti a ruháit, fátyolát, kalapját stb. és átadja a komornának. Komorna jobbra elvisz mindent

DOMINIKA *(élénken folytatva a künn megkezdett beszélgetést)* ...Hát csak úgy édesem, hogy már hajnalban négy órakor elindultam. Nem szeretek nyáron nappal utazni. Nem bírom a nagy meleget. A kocsi nagyszerűen jött. Nem egészen három órát. Pedig ez több, mint kétszáz kilométer.

BEATRIX Hát akkor mikor keltél fel?

DOMINIKA Fél háromkor. Ti még itt akkor a legjobban mulattatok.

Beatrix sóhajt

SYMPHOROSA Micsoda fess asszony vagy te, Dominika! Micsoda fiatalság!

DOMINIKA *(lelkesen)* A fiamért mindent!

Beatrix sóhajt

Te már másodszor sóhajtasz.

BEATRIX Szegény jó uram, Henrik, jut eszembe. Hogy szeretett téged.

DOMINIKA Én is Henriket, nagyon.

BEATRIX Symphorosa, menjetek megnézni, mi van az előkészületekkel. Nem hittük, hogy ilyen korán érkezel.

DOMINIKA Nem telegrafáltam érkezési időt, mert autón sose tudhatja az ember. De szívesen várok. *(Leül)* Szinte jólesik egy kicsit ülni így, hogy nem szalad az emberrel a fotel... milyen megnyugtató.

SYMPHOROSA Utánanézek, édesem, hogy minden kényelmed meglegyen. *(Jobbra el)*

BEATRIX Akarsz most reggelizni?

DOMINIKA Köszönöm, majd aztán. Indulás előtt teáztam. Grófné, kérem... szóljon Lützennek, hogy a fiamat valahogy fel ne költsék miattam. Nehogy felköhögje idő előtt.

Grófné jobbra el

Hallom, későn feküdtetek le. Lumpoltatok Alberttel. Ezt ő szereti. Képzelem, milyen jól érezte magát.

BEATRIX Ó… ő olyan igénytelen…

DOMINIKA Csak ne szerénykedjél. Képzelem, mi mindent találtatok ki, csak hogy szórakoztassátok. Milyen meglepetéseket!

BEATRIX *(keservesen)* Hát Istenem… ami éppen tellett tőlünk.

DOMINIKA Most pedig, édes angyalom, térjünk rögtön a tárgyra. Te tudod, hogy én egyszerű praktikus asszony vagyok, nemhiába hívnak Bécsben szakácsnénak.

BEATRIX Ó!

DOMINIKA Hagyd csak, én tudom, hogy így hívnak, és büszke vagyok rá. Mindenekelőtt adj egy külön puszit. *(Összecsókolódznak)* Így. És most a tárgyra. Remélem, sejted, mért vagyok itt.

BEATRIX Ó, Dominika…!

DOMINIKA Olyan boldogan repültem ide, mint egy szerelmes. A magam eljegyzésére nem mentem ilyen boldogan. Szegény uram, Viktor. Mindegy na. Szóval a tárgyra. A fiam feleségül akarja venni a lányodat.

Összecsókolódznak. Beatrix sír

Ne sírj, Beatrix, az nem szomorú.

BEATRIX Nem is… de oly izgatott vagyok.

DOMINIKA Csillapodjál, édesem. Ezen át kell esned egyszer. Őfelsége boldogan egyezik bele ebbe a házasságba. A fiamtól pedig hosszú táviratot kaptam tegnap. Azt írja, hogy nélkülem nem meri még csak jelét sem adni annak, mennyire tetszik neki Alexandra. Tudod, nélkülem egy lépést se tesz.

BEATRIX Drága jó fiú.

DOMINIKA Bizony az. Boldog lehet az a nép, amelyiknek ilyen királya lesz. Csupa szív.

BEATRIX Csupa jóság, szeretet, megbocsátás.

DOMINIKA Ez az egy baja van, ez az egy, amit nem szeretek nála. Könnyen bocsát meg. Mindenkinek rögtön megbocsát. Ez borzasztó.

BEATRIX Sokszor kell ez az életben.

DOMINIKA Az életet igazgatni kell, édesem. A könnyű megbocsátás korrumpálja az ember környezetét. De hát... ne térjünk el. Azt írja... milyen kedves!... hogy már kellemetlen kezd lenni ez a tartózkodó magatartás, fél, hogy Alexandrát elidegeníti magától, jöjjek azonnal, hogy megvallhassa neki, mennyire el van ragadtatva tőle és milyen boldog tudna vele lenni.

BEATRIX Ó, Dominikám!...

Összecsókolódznak

DOMINIKA Nem csuda. A lányod tökéletes teremtés. Szép, jó, okos és rezervált. Nekem ez tetszik benne legjobban, ez a tartózkodó modora.

BEATRIX Milyen kedves vagy.

DOMINIKA Igaz is. Ez a szabad hang, amit az utóbbi tíz évben külföldről importáltak, már a mi lányainkat is kikezdte. De ő komoly és szűzies, talán kissé túlságosan is rezervált... az alantasokhoz talán túl hideg is kissé...

BEATRIX Ó... hideg? Azt éppen nem lehet mondani.

DOMINIKA Hagyd, én éppen ezt szeretem benne.

BEATRIX Az utóbbi időben megváltozott... Most meleg az alkalmazottakhoz.

DOMINIKA Boldogult uram vágya is teljesül. Tudod, hogy ez a házasság...

BEATRIX Kedvenc gondolata volt. *(Sóhajt)*

DOMINIKA *(részvéttel)* Ez benned is szomorú emlékeket ébreszt...

BEATRIX Szegény uram. Ha ő ezt megérhette volna.

DOMINIKA Szegény urad, Henrik. És szegény uram, Viktor. De hát... a jó Isten így akarta. Én nagyon örülök, Beatrix. Ami akadálya ennek a házasságnak eddig volt, az eltűnt. Mostan nősülhet a szíve szerint. *(Nagyot sóhajt)*

BEATRIX Most meg te sóhajtasz.

DOMINIKA Mit tagadjam, Beatrix, nem nagy dicsőség a mi diplomatáinkra, hogy a fiam szerelemből nősül. Bánt, hogy a diplomatáink olyan tehetségtelenek, hogy a fiam kénytelen a szíve szerint nősülni.

BEATRIX Neki talán így jobb.

DOMINIKA Ha egy Metternichünk volna, Albert sírna a fájdalomtól, de az aztán házasság volna! Ne haragudj, hogy őszinte vagyok. De hát... a család! Mi nem azért vagyunk itt, hogy a magunk boldogságát keressük.

BEATRIX Bizony, bizony.

DOMINIKA Ha tudnád, Albert mi mindenen ment keresztül. Először az orosz nő, Olga Konstantinovna.

BEATRIX Ó, tudom én jól. És az angol nő, Patricia!

DOMINIKA Ezt is tudod?

BEATRIX Mindig figyelemmel kísértem őt. Aztán Drezdában, Leopoldina Sarolta, a kövér nő.

DOMINIKA Nagyszerű, milyen jól tudod. Onnan Lisszabonba ment.

BEATRIX Július közepén. Gonzaga Silvina. A csúnya infánsnő.

DOMINIKA Csúnya? Ez nem elég. Talán portugálul van erre szó. Mert csúnya, az erre nem szó. És aztán az a meglepetés Mária Herminával Brüsszelben.

BEATRIX Két fejjel volt nagyobb, mint ő.

DOMINIKA Igen. De ezt eleinte nem tudtuk róla.

BEATRIX Tudom. Mert mindig mellképeket küldtek.

DOMINIKA Elragadó, hogy mindent tudsz.

BEATRIX Ó, én Albertet már gyerekkora óta a magunkénak tekintettem.

Jácint belép balról

JÁCINT Óh, csókolom a kezedet. *(Megöleli Dominikát)*

DOMINIKA Károly!

JÁCINT *(Beatrixhoz megy, homlokon csókolja)* Jó reggelt, Beatrix. Nagyszerű színben vagy, Dominika.

DOMINIKA Hát még te! Itt nyaralsz?

JÁCINT Pár napra jöttem. De folytassátok, édesem... ha nem zavarlak...

DOMINIKA Sőt ellenkezőleg. Remélem, neked nem kell mondanom semmit. Itt látsz... tudsz mindent.

JÁCINT Én boldog vagyok. *(Megfogja a kezét)*

DOMINIKA Épp mondom, mielőtt ebbe a boldog révbe, a ti családotokba ért volna az én drága fiam, mi mindenen hajszolta keresztül a politika. Olga Konstantinovna...

JÁCINT A kékszemű. Gyönyörű lány.

DOMINIKA Ismered?

JÁCINT Táncoltam a mamájával Münchenben.

DOMINIKA Furcsa ezt tőled hallani.

Jácint Ó, még akkor!

DOMINIKA Igazán szép lány volt. Albertnek is tetszett, és neki Albert nagyon. Az oroszok akkor a tízmilliárdos francia kölcsön előtt álltak. A francia sajtóban ellenünk kezdtek írni.

BEATRIX Kik?

DOMINIKA Én azt hiszem, az angolok. Edward nagyon akarta Albertet Schortlandéknak. A francia milliárdok truccolni kezdtek. Egyszerre csak Izvolszki Pétervárra utazott, és másnap a szép Olga belesírt az ebédnél a levesbe.

BEATRIX Tudom. Konstantin megírta nekem. Céklaleves volt.

DOMINIKA Szegény fiam. Akkor tette át a hadgyakorlatot délről északra. Mutatni kellett, hogy nem nősül észak felé. Szegény Olgát meg Németországba küldték zenét hallgatni. Mottl dirigált Münchenben. Akkor táncoltál te ott vele.

JÁCINT A régensnél. Reggelig.

DOMINIKA Talán épp aznap éjjel ment át a vonat Münchenen az első milliárddal. Hja, már ez így van. És mikor Edward hazautazott Marienbadból, akkor az angol kombinációnak is vége lett. A Shortland-leány bolgárul kezdett tanulni. A bolgár trónörökös miatt.

JÁCINT És Albert?

DOMINIKA Elküldtük a szív-szellőztetőbe, Afrikába.

BEATRIX És a Shortland-leány megtanult bolgárul.

DOMINIKA Folyékonyan. De ebből se lett semmi. Svédországba ment férjhez Olaf herceghez. Most ott áll a svédek közt a bolgár tudományával. Hallom, a stockholmi bolgár követ oda van a boldogságtól, mert vele mindig bolgárul beszél. Ebből egy nagy nyersvasüzlet lett Svédország és Bulgária közt. A jó bolgárok ma sem tudják, minek köszönhetik azt a sok vasat. Ilyen az élet. Mármint minálunk.

BEATRIX Azt tudod, hogy a bolgár házasságból mért nem lett semmi?

DOMINIKA Azt hiszem, a szerbek léptek közbe Delcassé útján.

BEATRIX Ez a hivatalos ok. Az igazi ok jobb. Egy utolsó megbeszélésre küldték Shortlandék Arturt és a bolgár udvar Fülöpöt. És tudod, Artur a bal fülére nem hall. Fülöp pedig a jobb fülére süket. Az udvari ebéden, ahol találkozniok kellett, egymás mellé ültették őket, de etikett és rang szerint ültek, úgy, hogy a süket fülüket fordították egymás felé. Ezt ők nem tudták. Eleinte szóltak egypár szót, de aztán kölcsönösen nem feleltek, megsértődtek és hazamentek. Ezért lett Patriciából svéd hercegnő, és ezért van most olyan sok nyersvas Bulgáriában.

JÁCINT Ezt nem is tudtam. Az én demokratikus magányomba ez nem hatolt el.

BEATRIX Ugyan hagyd már azt a demokráciát.

DOMINIKA Nem szereted?

BEATRIX Nem. Mindenkit korrumpál. Már a királyok közt is alig van egy-két royalista.

JÁCINT Szóval, elviszitek a lányunkat, Dominika.

DOMINIKA El, Károly. Kegyetlenül elraboljuk. Még alszik?

BEATRIX Nem. Kilovagolt már korán.

DOMINIKA Mikor láthatom?

BEATRIX *(ijedten)* Hogy mikor láthatod?... Istenem... *(Nagy zavarban van, a homlokára teszi a kezét)* A fejem... jaj... *(Elgyöngül, támolyog)*

JÁCINT Kérlek, angyalom, a legkomolyabban felszólítalak, hogy ne légy rosszul. Most igazán ne légy rosszul.

DOMINIKA Mi bajod, édesem?

BEATRIX Már az éjjel is... a szupénál hirtelen oly rosszul lettem.

JÁCINT Elég rosszul tetted.

BEATRIX De Károly!

DOMINIKA De ha tényleg nem érzed jól magad...

JÁCINT Hát jól nem érzi magát. Én se érzem e pillanatban jól magamat. De kérlek, most ne ájulj el, ülj le.

Beatrix leül, rémülten

DOMINIKA *(ijedten megy feléje)* De hát mi az?

JÁCINT *(visszatartja)* Én elmondom neked, Dominika.

BEATRIX *(rémülten, könyörgő hangon)* Károly! Károly!

JÁCINT Most nyugalom, édesem. Én beszélek. Dominika! Nem ok nélkül mondják, hogy te vagy a legokosabb nő Közép-Európában.

DOMINIKA De Károly...

JÁCINT Semmi szerénység. Ne félj, erre a nagy okosságodra mindjárt szükséged lesz. Itt egy kis nehézség van. Nem én mondom, de Beatrix az ő aggódó természetével... itt történt valami, Dominika.

DOMINIKA Jesszus... csak nem Alexandrával!

JÁCINT Mit mondtam... milyen okos nő.

DOMINIKA Alexandrával... történt valami?

JÁCINT Nem. De majdnem.

BEATRIX *(könyörögve)* Károly!

DOMINIKA Szent Isten!

JÁCINT Kérlek, te se légy rosszul. Hallgasd meg, elmondom az esetet.

DOMINIKA Károly, ne ijessz meg.

JÁCINT Ellenkezőleg. Meg foglak nyugtatni.

DOMINIKA Mi történt, az istenért?

JÁCINT Az történt, angyalom, hogy Albert itt van napok óta és úgy viselkedett itt, mint egy pisztráng.

DOMINIKA Mint egy pisztráng?

BEATRIX Hogy mondhatsz ilyet?

JÁCINT Igen. Hideg volt és néma volt.

DOMINIKA Szegény Albert. Ezt miattam tette. Nélkülem nem akart…

JÁCINT Azt a világon senki nem tudhatta. Legkevésbé Alexandra, aki el volt és el van telve tőle, és akit mélyen bántott ez a nemtörődömség.

DOMINIKA Olyan feltűnően csinálta?

JÁCINT Nem is lehet feltűnőbben. Ő nagyon jó gyermek, de nagyon rossz vőlegényjelölt. De mindegy. A te fiadat itt imádják. A lány is, ez a jó anya is.

DOMINIKA Te drága, kedves…

BEATRIX Óh, Dominika, ha tudnád… ha tudnád…

JÁCINT És ő itt sétált ebben az imádatban mint egy… egy…

DOMINIKA Pisztráng.

JÁCINT Még annál is pisztrángabban. A lány nem aludt, éjszakánként sírt…

DOMINIKA Borzasztó.

JÁCINT Itt szenvedett mindenki, aki ezt látta… az anyja, én, a fiúk, a tanár…

DOMINIKA Milyen tanár?

JÁCINT Éppen ez az. Van egy tanár a fiúk mellett. Fiatal, művelt, csinos, kedves ember. És itt egy furcsa dolog történt a végső elkeseredésben, mind csak a fiad iránt való imádatból…

BEATRIX *(rémülten, könyörögve)* Károly!

DOMINIKA No?

JÁCINT Már ahogy asszonyok szokták, alkalmasnak találták ezt a tanárt arra, hogy a tegnapi estélyen... tegye egy kicsit érdeklődővé Albertet. Ostobaság ugye, de ebből láthatod ezt a rajongást a fiad iránt.

DOMINIKAa Milyen naiv, kedves dolog.

JÁCINT Ugye? Na és most jött, amire nem számítottak. Ez a tanár, egy jómodorú, komoly, rendes ember, erről kiderült, hogy képzeld!... titokban szerelmes volt Alexandrába.

Beatrix rémülten feláll

DOMINIKA Das kommt vor.

Beatrix megnyugodva leül

JÁCINT Es ist ja kein Wunder. Er sieht sie jeden Tag. Sie ist schön und gütig, etwas stolz... sofort ist die alte Romantik fertig... Denk an all' diese Romane: nevelő és hercegkisasszony...

DOMINIKA Nos és?

JÁCINT Képzeld, ez a szegény, halálosan szerelmes fiú nemcsak odaadta magát ehhez az ártatlan játékhoz, de emberfölöttit szenvedett... látva, hogy ő csak eszköz... hogy ő csak másvalakinek az érdeklődését hívja fel... és csak arra való, hogy...

DOMINIKA Albert az oka. Mért nem mert szólani?... Én ezt túlzottnak találom tőle.

JÁCINT Miattad tette. Hisz az fantasztikus, hogy ez milyen jó fiad neked.

DOMINIKA Azért jólesik ez... *(Könnyezik)* No és aztán?

JÁCINT Kérlek, ez velünk vacsorázott, ez a fiú, ez a mártír... igazán ezt kell mondanom... ez a szegény, derék, önfeláldozó ember... és úgy szenvedett ott, ebben a szerepében, hogy nekem a könnyeim csordultak ki.

DOMINIKA Nem csuda. Ez megható.

JÁCINT És ez a szegény lány, aki csupa szív és jóság... nézni se bírta ezt... már küldte volna el... de a tanár... csak a családért... csak Alexandráért... folytatta, vérezve, kínlódva...

DOMINIKA Szegény...

JÁCINT Egészen addig, amíg Albert, aki erről semmit se tudhatott, megsértette.

DOMINIKA *(rémülten)* A tanárt?

JÁCINT Azt.

DOMINIKA Azt a szegény fiút?

JÁCINT Azt. Képzeld.

DOMINIKA Mit csinált vele?

JÁCINT Azt mondta neki: tolakodó.

DOMINIKA Borzasztó. És te nem léptél közbe?

JÁCINT Hogy tehettem volna?

DOMINIKA És az a szegény fiú mit csinált?

JÁCINT Mit csinálhatott? Lehajtotta a fejét. Én azt hittem, a szívem szakad meg erre a jelenetre.

DOMINIKA Borzasztó. Szegény jó emberke. És Alexandra?

JÁCINT Jólesik nekem, hogy te így megsajnálod ezt a fiút. Látod, nemcsak csupa ész vagy, de csupa szív is. Ha láttad volna ott állni ezt a szegény, szorgalmas tudóst... egy csillagász, kérlek... az ő reménytelen halálos szerelmével, amit leküzdött magában, az ő összeomlott romantikájával, az ő vérző szívével... amint Albert elegánsan és élesen megsértette... és ő ott állt lehajtott fejjel... egy életre megszégyenítve... összetörve... miután *ilyen* áldozatot hozott a családért... tudod, ez a hűség... ez a mártírium... hát mondd, te mint asszony, nem derék ember az ilyen?

DOMINIKA De még milyen derék!

JÁCINT Hát kilökni való ember ez? Lenézni való ember ez?

DOMINIKA Dehogy!

JÁCINT *(növekvő hévvel)* Hát sérteni való ember ez?! Ütni való ember ez? Büntetni való ember ez?

DOMINIKA Isten ments!

JÁCINT *(még lelkesebben)* Hát... kidobni való ember ez? Bántani való ember ez? Hisz ez egy... mitcsinálnivaló... egy... nem is tudom... ez egy... egy...

DOMINIKA *(lelkesen)* Csókolni való ember!

JÁCINT Nahát ez történt vele!!! *(Fáradtan zökken le egy fotelbe. A homlokát törli. Félre)* De nehezen jött rá.

DOMINIKA Hogyan?... hogy ez történt vele.

JÁCINT Amit te mondtál. Alexandra megcsókolta.

DOMINIKA Alexandra?

JÁCINT Ahogy te mondtad.

DOMINIKA Igen. Na igen.

JÁCINT Mert nem bírta már tovább nézni a szenvedését, mikor Albert megsértette. Ott csókolta meg az én jelenlétemben és Albert jelenlétében.

DOMINIKA És Albert?

JÁCINT Honnan tudhatta szegény, hogy itt miről van szó? Ő nem érezte ezt akkor olyan tisztán, mint te most.

DOMINIKA Igen... igen... Hogyne.

JÁCINT És ez a Beatrix... aki annyira rabja a formáknak... nézd... ez itt most haldoklik emiatt. *(Beatrixhoz)* Amiatt, amit, látod, Dominika természetesnek talál, sőt majdnem megkövetel. Mi?

DOMINIKA Hogyne, hogyne.

JÁCINT Elragadó ötlet volt ettől a csupaszív lánytól. Boldog vagyok, hogy tudtán kívül úgy gondolkozott erről, mint te. Ebben a csókban annyi minden volt: jellem, jóság, tisztesség, lelkiismeret, felelősségérzet, hála, részvét, emberség, szánalom... és önfeláldozás, édesem! Le kell borulni ez előtt a lány előtt.

Közben Beatrix titokban, boldogan simogatja

DOMINIKA Derék lány. Bátor lány. Boldog az a nép, amelynek ilyen királynéja lesz.

JÁCINT Ha láttad volna abban a pillanatban… hogy reszketett… hogy haldoklott… de megtette. Érezte, hogy tartozik mint embernek, mint testvérének… ezzel. Felemelni őt a megaláztatásból! És ha épp tudni akarod, én is megcsókoltam szegényt.

DOMINIKA Jól tetted. XVI. Lajos a felesége életveszélyes szülése után örömében megcsókolt egy cselédet. Das kommt vor. Hát ez az a nagy borzasztóság?

JÁCINT Ez. *(Beatrixra mutat)* Ő odavan. De hát ő… haragszik a tanárra, ettől függetlenül.

BEATRIX Én? Én éppúgy gondolkodom, mint Dominika. Csak nem tudtam, hogy ő úgy gondolkodik, mint én.

JÁCINT Te haragszol a tanárra Napóleon miatt. A fiúkat tudniillik…

DOMINIKA Te se? Napóleont?

JÁCINT Tyhű, de még mennyire nem!

DOMINIKA Te. Az én boldogult uram könyvtárában van egy kuriózum, egy kis francia könyv, amely világosan bebizonyítja, hogy Napóleon nem is élt soha. Majd elküldöm. Olvasd ezt, ez nagyon megnyugtató. – Na, édesem. Hát ez volt az a nagy eset?

BEATRIX Ez. Te okos, derék asszony. Ha én tudtam volna, hogy neked ennyi érzéked van a pszichológia iránt…

JÁCINT Beatrix tegnap rögtön megértette, mi?

BEATRIX Óh, rögtön.

JÁCINT Neki nagyon nagy érzéke van a pszichológia iránt.

DOMINIKA Szegény kis tanár. Most ő kezd érdekelni. Mi lesz vele?

BEATRIX Csomagol. Óh, ő érzi, hogy ezek után egy percig sem maradhat itt.

DOMINIKA Azt helyesen érzi. De ti csak így bocsátjátok el?

BEATRIX Hát tudod, édesem... ő most már... ő szegény most már olyan, mint egy kilőtt patron.

DOMINIKA Patronnal mindig vigyázni kell. Ezt el kell intézni vele, mielőtt innen kimegy egy más világba. Ezekből lesznek a memoár-írók, amerikai felolvasók vagy ellenzéki publicisták. Nagyon kell vigyázni. Nekem, fájdalom, praxisom van az ilyenekben. Nevelők, adjutánsok. Sok baj van velük. Majd én beszélek vele.

BEATRIX Köszönöm, te okos asszony.

DOMINIKA Ha előbb jöttem volna, megmondtam volna neked, hogy nevelővel nem szabad kezdeni. Nevelőhöz úgy nem szabad hercegnővel közelíteni, mint benzinhez gyufával. Felrobban. És még egy bölcsesség: nem kell úgy sietni. Vártatok volna egy napig, látod, megjöttem. Van egy régi angol közmondás: aki négy hét alatt akar meggazdagodni, azt rendszerint már az első héten felakasztják.

JÁCINT Angliában.

BEATRIX Csodállak, Dominika, és irigyellek ezért az önálló gondolkozásodért. Oly erélyes vagy.

DOMINIKA Én vad anya vagyok!

BEATRIX Én is. De én izgatott vad anya vagyok, és te higgadt vad anya vagy.

DOMINIKA Kinek milyen a vérmérséklete. Azért te is elég férfias vagy.

BEATRIX Mert nagy fiúkkal jutottam özvegységre. Az ilyen anya elapásodik. A fiúknak kell az apai szigor, és milyen szép, ha ezt is az anya liferálja.

DOMINIKA Boldogult urad, Henrik, szelíd apa volt.

BEATRIX Az apa, az mindig dilettáns szülő. *(A mellére üt)* Az anya a professzionátus.

DOMINIKA Mikor láthatom a tanárt?

BEATRIX Mindjárt intézkedem. De félek, hogy nehéz dolgod lesz vele.

JÁCINT Fogadjunk, hogy öt perc alatt elintézed.

DOMINIKA Nem fogadok, Károly, 1896 óta, mióta boldogult urammal fogadtam, hogy fiam születik.

JÁCINT És lányod született?

DOMINIKA Kettő, Károly. Kettő egyszerre.

Komorna belép jobbról

BEATRIX Mi az? Készen vannak?

KOMORNA Igenis, fenség.

Grófné és Symphorosa belép jobbról

SYMPHOROSA Drága Dominikám, minden rendben van és meglepetés is vár rád a szalonodban.

DOMINIKA Meglepetés? Engem ma már nehéz meglepni, édes Symphorosám.

SYMPHOROSA Ez azonban mégis, azt hiszem, jól fog esni neked. Albert vár rád a szalonban.

DOMINIKA Albert? Felkelt ilyen korán? Miattam? Igazad van: ez meglepetés és öröm. Megyek. *(Indul)* Hát addig... hívassátok nekem ide azt a tanár urat.

BEATRIX Idehívatom, édesem. Itt fog rád várni ebben a szobában. *(A komornához)* Menjen, küldje Caesart azonnal.

Komorna hátul el

Édes Dominikám... ez a tanár tisztességes fiú, de nagyon fiatal és lobbanékony.

DOMINIKA Ne félj, édesem, bízd csak rám. Ha lobbanékony, nem kell ingerelni. Az első dolog: megbocsátani neki. Rögtön megbocsátani.

BEATRIX Hogyan? Te ilyen könnyen bocsátasz meg?

DOMINIKA Nagyon könnyen.

BEATRIX Az előbb a fiadban úgy kárhoztattad ezt a tulajdonságot.

DOMINIKA Igen, édesem, de elfelejtettem hozzátenni, hogy tőlem örökölte. Gyerünk, grófné. *(Elmegy jobbra, a grófné és Symphorosa követi)*

Szünet. Jácint és Beatrix hosszasan néz egymásra. Jácint diadalmasan mosolyog

BEATRIX Aranyszíved van, kedves Károly. És nagyon jó fejed van, kedves Károly. *(Homlokon csókolja)* Most már csak attól félek...

JÁCINT Most meg már csak mitől félsz?

BEATRIX Ha most találkozik a fiával... és beszélnek... nem lesz-e Albert más véleményen?

JÁCINT Két okból nem lesz más véleményen. Először nem lesz bolond másképp gondolkozni, mint a mamája, másodszor pedig magam is ott leszek ennél a találkozásnál. *(Indul)* Mégpedig sürgősen.

BEATRIX *(utánasiet)* Mondd te kedves... én igaztalan voltam hozzád... mit tegyek, hogy megbocsáss?

JÁCINT *(a jobb oldali ajtónál)* Most egyelőre csak annyit kérek, hogy ne borulj a nyakamba. Holnap aztán le fogod írni egy irkába százszor, hogy: „jó az öreg a háznál". *(El)*

BEATRIX *(bal felé menet)* Modora, az nincs.

Hátul belép Caesar

Caesar! Lemegy és megmondja Ági tanár úrnak, hogy jöjjön fel ide, és itt ebben a szobában várjon. A főhercegnő őfensége akar vele beszélni.

CAESAR Parancsára, fenség.

BEATRIX Mi lesz a reggelije Mária Dominika őfenségének?

CAESAR A teához hideg lazac, hideg beef, hideg csirke...

BEATRIX Caesar! Hisz ez a tegnapi vacsora.

CAESAR Bocsánat, fenség, ez a mai reggeli. Ma éjfél után egykor tettem az asztalra, és eddig még mindig nem evett belőle senki.

BEATRIX Ön megőrült.

CAESAR Parancsára, fenség. Más reggeli lesz.

BEATRIX És mért olyan sápadt?

CAESAR Nem aludtam, fenség. Szenvedtem. Főként a tea miatt.

BEATRIX Milyen tea miatt?

CAESAR A borzasztó tévedés miatt. Jácint atya kapta a forró teát és fenséged a hideg levest.

BEATRIX Azért csak hálás vagyok. Ha abban a rémes pillanatban nincs ott az a korty jéghideg leves, talán összeestem volna. Az térített magamhoz.

CAESAR Az éjjel egy tégla esett a fejemre, fenség. Most egy kő esik le a szívemről.

BEATRIX Ne büntesse meg a bűnöst, aki tévedett.

CAESAR Parancsára, fenség. Talán adjak neki valami kis jutalmat?

BEATRIX Túlzásba ne menjünk. – A tanár itt várjon. *(Jobbra el)*

Caesar indul a bal hátsó ajtó felé, de ez nyílik és belép rajta Alexandra

ALEXANDRA A főhercegnő megjött?

CAESAR Meg, fenség.

ALEXANDRA Hol van?

CAESAR Itt, fenség. *(Jobbra mutat)* Azt hiszem, átöltözik a hosszú autóút után.

ALEXANDRA És maga mit csinál itt?

CAESAR Megyek, ahova küldtek.

ALEXANDRA Hova küldték?

CAESAR Ági tanár úrhoz.

ALEXANDRA *(idegesen)* Mit akarnak Ági tanár úrtól?

CAESAR Hogy jöjjön ide és várjon itt.

ALEXANDRA Akkor jó. Menjen és küldje. *(Leül)*

CAESAR De... ha megengedi, fenség... azért kell ideküldenem a tanárt...

ALEXANDRA A tanár *urat*.

CAESAR A tanár urat, mert a fenséges asszonyok óhajtanak vele beszélni.

ALEXANDRA Ön ne keresse az okokat. Ön tegye azt, amit parancsoltak. Küldje ide a tanár urat.

CAESAR Parancsára, fenség. *(El bal hátul)*

Rövid szünet. Ági belép bal hátul, útiruhában

ÁGI Fenség, hívatott?

ALEXANDRA Nem. De azért vagyok itt, mert megtudtam, hogy idehívják.

ÁGI Parancsoljon velem.

ALEXANDRA Milyen ruha van magán?

ÁGI Utazóruha.

ALEXANDRA Elutazó ruha?

ÁGI Az is. Meg is érkeztem valahonnan. El is utazom valahova. *(Szünet)* Parancsoljon velem.

ALEXANDRA Akkor a fiúkkal mi lesz?

ÁGI Nem tudom.

ALEXANDRA Nem sajnálja őket itthagyni?

ÁGI De, nagyon. *(Szünet)* Parancsoljon velem.

ALEXANDRA Mária Dominika főhercegnő, a trónörökös anyja megérkezett.

ÁGI Tudom.

ALEXANDRA És azt is tudja, miért jött?

ÁGI Azt is tudom.

ALEXANDRA És? *(Szünet)* Foglaljon helyet, kérem.

ÁGI Köszönöm. *(Nem ül le)*

ALEXANDRA *(feláll)* Én eddig még nem beszéltem a főhercegnővel. Nem is láttam. Most fogok vele találkozni. Talán már egy perc múlva. És akkor ő... nekem is meg fogja mondani, hogy mért jött.

ÁGI Igen. *(Szünet)*

ALEXANDRA Ez az egész véleménye erről a dologról?

ÁGI Körülbelül.

ALEXANDRA Nem értem, hogy most miért gúnyos. Megint éles.

ÁGI Mint a borotva.

ALEXANDRA Mint a borotva? *(Nagyon nézi Ágit)* Igen... igen.

ÁGI Igen, fenség. Borotva.

ALEXANDRA *(szigorúan néz rá)* Hogy viselkedik ön itt most velem?

ÁGI A legnagyobb tisztelettel, fenség.

ALEXANDRA Miféle játék ez? Elfelejtette, ami az éjszaka történt?

ÁGI El, fenség.

ALEXANDRA Úgy! Azt a pillanatot is, amikor én...

ÁGI Azt a pillanatot is, fenség.

ALEXANDRA Ilyen könnyű ezt elfelejteni?

ÁGI Azt nem mondtam.

ALEXANDRA Ha ezt én tudtam volna...

ÁGI Tudnia kellett volna.

ALEXANDRA Hogy el fogja felejteni?

ÁGI Ezt... nekem el kell felejteni, fenségednek le kell tagadni... és a harmadiknak meg se szabad látni.

ALEXANDRA Én nem tagadom le, és ő látta. Úgy veszem észre, maga túl drága ajándékot kapott tőlem. Nagyobbat, mint aminőt megérdemel. Talán... egy országot!

ÁGI Az nem nagy dolog. Volt már eset, hogy egy lóért kínálták.

ALEXANDRA Még meg is sért. Úgy beszél, mint egy durcás gyerek.

ÁGI Nem, fenség. Ahogy én itt most beszélek, amit én ma cselekszem, ahogy én innen ma eltűnök, az az én válaszom a fenséged csókjára.

ALEXANDRA Azt nem kértem, hogy ezt a szót kimondja.

ÁGI Nem fájt kimondani. Kapni sokkal fájdalmasabb volt.

ALEXANDRA Fájdalmasabb, mint adni?

ÁGI Ó, igen. Benne éreztem minden szánalmát, de minden lenézését is. Gőgös dolog volt. Azt jelentette, hogy nem vagyok ember. Hogy engem szabad. Mint egy kisgyereket, vagy egy állatot.

ALEXANDRA Így érezte?

ÁGI Ha nem így éreztem volna...

ALEXANDRA Akkor?

ÁGI Akkor úgy visszaadtam volna, fenség, hogy talán még most is tartana.

ALEXANDRA *(idegesen)* Szóval ostobaság volt tőlem.

ÁGI Sok volt, fenség. Sok volt egyszerre. És ez tette gyanússá.

ALEXANDRA Gyanússá?

ÁGI Igen. Mert *ott* még nem tartottunk. És mégis... egyszerre megkaptam. Aztán hajnalban... tetszik tudni, lehűlt a levegő. A csók után... kimentem a parkba, a forró fejemet szellőztetni... virradatkor. Sokáig sétáltam. Nem a rózsák felé. A tölgyek közt, ahol illattalan és erős a levegő. Ott megnyugszik a szív és bírál. Ott aztán úgy éreztem magamat, mint a koldus, akinek egy ezrest dobtak a kalapjába... és aki szeretne utánaszaladni az adakozónak, mert fél, hogy tévedés volt... sok volt.

ALEXANDRA *(dacosan, idegesen)* Látja, nagyon-nagyon örülök, hogy ilyen fegyelmezetten gondolkozik.

ÁGI Reggel van, fenség. A nap süt.

Alexandra Nem a csillagok?

ÁGI Nem.

ALEXANDRA *(idegesen)* Nagyon-nagyon örülök.

ÁGI Én is. Én annak, hogy ön örül.

ALEXANDRA *(idegesen)* Nagyon-nagyon örülök. Ez így jó és így szép.

ÁGI Szebb nem is lehet.

Jácint belép jobbról, Ági meghajol

JÁCINT Na végre, fiam, hogy látlak. Dominika főhercegnő szeretne veled beszélni. Sőt a trónörökös is.

ÁGI A trónörökös?

JÁCINT Boldog volna, ha jóvátehetné ezt a... tegnapi félreértést.

ÁGI Bocsánat, atyám, de legyen szabad kitérnem előlük. Én elmegyek. A kofferem már a kocsin van.

JÁCINT Búcsú nélkül hagysz itt bennünket?

ÁGI Most búcsúztam őfenségétől.

ALEXANDRA Mégpedig igen furcsán.

JÁCINT Hogyhogy?

ALEXANDRA Hidegen, dacosan. Mintha én bántottam volna meg őt.

JÁCINT Hát nem érdekes? Másodszor találja el a gondolatomat. Bizony megbántottad, lányom. Mégpedig a hiúságát. Tán az önérzetét is... Azzal az alamizsnás puszival. Erről van szó ugye, fiam?

ÁGI Erről, atyám.

ALEXANDRA Egy ilyen tragikus pillanatot puszinak nevezni?

JÁCINT *(Ágihoz)* Látod, ezt a bölcsességet, ezt a józan ítéletet, ezt mind a sport teszi.

ALEXANDRA Tegnap miket mondott. Élete, végtelensége, halála. Ez mind nem volt igaz?

JÁCINT Dehogynem. A hirtelen fájdalom a legerősebb szavakat keresi. Ezen alapul például a népnél a káromkodás.

ALEXANDRA Hát ez csak ennyit ért?

JÁCINT Csak? Sok ez, lányom, mert a nagy fájdalmat jelenti. Kiáltás, aminek a szövege nem fontos.

ALEXANDRA Hát akkor mely szavait vegyem komolyan?

JÁCINT *(Ágira mutat)* Amiket most itt elhallgat. *(Kis szünet)* No... és te, lányom? Na! Őszintén!

ALEXANDRA Én, Jácint... hogy őszinte legyek, azt hiszem... szeretem egy kicsit.

JÁCINT Amíg meg nem csókoltad, én is azt hittem, hogy szereted.

ALEXANDRA Te is ezt mondod? Hogy beszéltek itt? Hát nem dűlt össze a világ ma éjjel?

JÁCINT Nem, lányom.
ALEXANDRA Maga is ezt érzi?
Ági Igen, fenség.
ALEXANDRA De hiszen...
JÁCINT Megint nem tudod, mi a bajod, lányom. Ez volt az a sajnálat, amit az éjjel kerestél magadban. Végül fél háromkor meg is találtad abban a savanyú csókban.
ALEXANDRA Savanyú?
JÁCINT Nem én kaptam, mégis éreztem.
ALEXANDRA Szomorú vagyok, Jácint. De ha így beszélsz velem... ha most itt maradsz egy-két napig... és mindig így beszélsz velem... megnyugszom.
JÁCINT Itt maradok, lányom. Itt maradok még két-három napig, hogy igazán megnyugtassalak.

Kis szünet

ÁGI Engedjék meg, hogy elbúcsúzzam. *(Meghajol)* Fenség.
ALEXANDRA *(nem tudva ebbe belenyugodni)* Csudálom ezt a nyugalmát. Ezt az önuralmat. Tudom, hogy ez mind nem igaz, ahogy itt most viselkedik. Mást szeretne tenni.
ÁGI Meglehet, fenség.
ALEXANDRA Mást szeretne mondani.
ÁGI Az is meglehet.
ALEXANDRA *(dacosan, idegesen)* De hát... ha ilyen csudálatos önuralma van... mért nem tegnap este mutatta ezt meg? *(Izgatottan)* Most még csak ezt az egyet szeretném tudni.
JÁCINT Ne légy ideges, lányom. Itt maradok két hétig.
ALEXANDRA *(egyre idegesebben)* Ha most ilyen nyugodt tud lenni, akkor mért csinálta ezt tegnap? Mit akart? Nem tudom!
ÁGI Nyugodjék meg, fenség, én se tudom. Az éppen a szép ennek az éjszakának a történetében, hogy nem tudtam, mit akarok.

ALEXANDRA Nem tudta?

ÁGI Nem.

ALEXANDRA Nem tudta és…

JÁCINT Csöndesebben, lányom. És nyugodtan. Egy hónapig maradok itt.

ALEXANDRA *(oda se hallgatva, egyre izgatottabban)* Nem tudta, hogy mit akar. És engem azért mégis vitt magával a jóságomnál fogva… az ügyetlenségemnél fogva… belevitt mindenbe… a legborzasztóbba. Nem tudta, mit akar… és én vele voltam a szívemben… és elszántam magam mindenre, még arra is, hogy vele együtt lázadjak fel… és kitartsak mellette… még… még ha összedűl is velem az egész világ! És ő…

Albert halkan belép

ALEXANDRA *(látja Albertet, de nem törődik vele és izgatottan folytatja beszédét)* Ő „nem tudta, mit akar". Csak rombolni akart. Engedett egy hiú pillanat szilajságának… ahelyett, hogy akkor lett volna okos és analitikus. De gyerek volt és bolond volt… mikor odaült mellém az asztalhoz… igenis rebellis volt…

ALBERT *(szerény hangon, finom gúnnyal)* Xaxa, te nem jól ítéled meg őt. Ő szabad szellem. Nem olyan, mint mi.

ALEXANDRA *(nem törődik vele)* Nem akart egyebet, csak lázadni… csak a botrányt akarta… és igenis modortalan volt és lelkiismeretlen volt és…

ALBERT Te igaztalan vagy. Ő csillagász.

ALEXANDRA És igenis most én mondom, hogy amit csinált, az tolakodás volt!

ÁGI Fenség!

ALBERT Egy szót se feleljen, Miklós. Megtiltom, Miklós. És ha megengedi, Miklós… most én csókolom meg. *(Hozzálép, megöleli és megcsókolja Ágit)*

JÁCINT Bravó! Holnap elutazom.

ÁGI *(jókedvűen)* Nagyon köszönöm, fenség. Erre igazán nem voltam elkészülve.

ALBERT Jólesett?
ÁGI Ez jól, fenség.
ALBERT Akar még egyet?
ÁGI Köszönöm, fenség, az sok volna. Így ez éppen elég.

A hátsó ajtón belép György és Arzén. Mindeniknél virágbokréta van. Egy pillanatra megállnak az ajtóban, aztán a szín közepére jönnek, ott elfogódottan megállanak, Ágira néznek. Albert átmegy balra, elöl

GYÖRGY Tanár úr... *(A meghatottságtól elakad)*

Mindketten egyszerre nyújtják Ági felé bokrétáikat

ÁGI Nekem? *(Átveszi a két bokrétát)*

György és Arzén elfordul, mind a kettő könnyeit törli. Arzén György vállára hajol. Háttal állnak a közönségnek

Ejnye... Indiánok! Híres indiánok!

György és Arzén megfordul, gyöngéden megöleli mind a kettő Ágit

Vígabban kell búcsúzni. Nem így. Örülni kell. Most nem következik több történelemóra. Most már maga a történelem következik. *(Meghajol és elmegy hátul)*

A fiúk utánamennek. Szünet

ALBERT Ne haragudjál, Xaxa, ezzel tartozom neki.
ALEXANDRA Neki?
ALBERT Ki kellett engesztelni szegényt azért a csókért, amit tegnap tőled kapott.

Alexandra gyanakodva néz Jácintra

JÁCINT *(mosolyogva)* Igen, igen. Ez így van.

ALEXANDRA Nem voltam bűnös?

JÁCINT Nem, lányom.

ALEXANDRA Még csak hős se voltam?

JÁCINT Nem, lányom.

ALEXANDRA Hát mi voltam?

JÁCINT Ne kérdezd, lányom.

ALBERT *(ünnepélyesen)* Alexandra... te ma éjjel jóvátetted egy hibámat, amely az én emberi gyöngeségemből fakadt. Most arra akarlak megkérni, hogy maradj mellettem végig az életen, és ha hibázom, mindig légy oly bátor, mint ebben az esetben voltál. Akarod? *(A kezét nyújtja)*

Alexandra kezet ad neki. Kis szünet

ALEXANDRA Albert... nekem kötelességem az igazat megmondani. Ha én most becsületesem megmondom neked, hogy e pillanatban nem érzek irántad egyebet, mint becsülést és... szeretetet?

ALBERT Akkor azt válaszolom, Xaxa, hogy ez nekem most elég.

ALEXANDRA *(kedves szomorúsággal)* Nem mi találtuk fel a szerelmi házasságot.

ALBERT Nem. Határozottan nem. *(Mindenik „nem"-nél megrázza a kezét)*

ALEXANDRA Nem.

JÁCINT Nem.

ALBERT Megengedsz ehhez egy pótlást?

ALEXANDRA Igen.

ALBERT Mi feltaláltunk... valami szebbet. A házasság után következő szerelmet. Ezt a klasszikus és erős boldogságot, ami... ami...

JÁCINT Később jön, de tovább tart.

ALBERT Roppant érdekes, hogy te mindig ki tudod fejezni, amit az ember gondol. Kérlek, Württembergi Katalin volt a legboldogabb feleség a világon. Pedig ezt a házasságot erőszakkal csinálta Napóle... *(Körülnéz)* Napóleon. És mégis.

Szünet. Dominika belép

DOMINIKA Alexandrám! *(Megöleli)*
ALEXANDRA Hozta Isten, Dominika néni. *(Kezet csókol, mély meghajlással)*
DOMINIKA Mondjátok, nem jelentkezett még az a tanár úr, akit hívattunk?
JÁCINT De, itt volt.
DOMINIKA És?
JÁCINT Elment.

Csönd. Hosszú szünet

DOMINIKA Mit jelent ez a csönd? Mért hallgattok?

Újabb szünet, mely alatt Beatrix belép

BEATRIX *(nézi a hallgató csoportot. Megrémül, erőset sikolt)* Szent Isten... megint történt valami?
JÁCINT Megcsókolta a tanárt.
BEATRIX Kicsoda?
JÁCINT Albert.

Beatrix fellélegzik

DOMINIKA Mi az, ti itt sorra csókoljátok ezt az embert? Úgy látszik, mégiscsak valami kitűnő férfiú.
JÁCINT Bizony az.
BEATRIX Te is megcsókoltad?
JÁCINT Még tegnap. De most megint meg fogom, mielőtt elmegy.
DOMINIKA Akkor nekem már nincs mit beszélnem vele. Megvan szegénykének az elégtétele.
ALBERT Úgy gondoltam, anyám, hogy aki ilyen nagy szolgálatot tett a családnak, annak ez kijár. Nemcsak a menyasszonytól, hanem a vőlegénytől is.

Dominika helyeslőleg bólogat

JÁCINT Sőt attól inkább.
DOMINIKA Nagyon helyes.
BEATRIX Esetleg, ha még nem ment el a házból… talán én is megcsókolhatnám… mi?
ALEXANDRA Én azt hiszem, anyám, hogy most már elég volt. Inkább engem csókolj meg… ha érdemesnek tartasz rá.

Beatrix megcsókolja

DOMINIKA *(szintén megcsókolja)* És én is megcsókollak, lányom, azzal a szerény tanáccsal, hogy most már jusson sokszor az eszedbe, hogy boldogult apád téged az ő fehér hattyújának szokott nevezni. Ez jusson sokszor az eszedbe. Hattyúnak lenni: mikor a hold fénylik a tavon, méltóságosan siklani, mint az álom… Fenségesen. Csak siklani a kék fényben, lányom… a partra nem menni.

Jácint, Beatrix és Albert bólogat

Gyalog sose járni. Ott a szárazon, ahol az emberek járnak, ügyetlen a hattyú. Tán nevetséges is.
ALBERT *(kérően)* Aber liebe Mama…
DOMINIKA A hattyú, ha gyalogol… ha a parton totyog… bizony valami más madárhoz hasonlít.
ALEXANDRA Liba?
DOMINIKA Majdnem, lányom. A természetrajz azt tanítja, hogy a hattyú csak egy fenséges kacsa. Ha a földre lép, ez ki is derül róla. Ezért kell neki a tó tükrén maradni, büszkén úszni, díszesnek lenni a néma fehér méltóságtól. Madárnak lenni és nem repülni. Egy dalt tudni, de mindhalálig el nem énekelni. Igen, lányom. *(Alexandra a keblére hajol)* Vissza a kék tóra, édesem… és ott emelt fő, reprezentatív némaság…

hűvös közöny azok iránt, akik a partról bámulnak...
és a dal: soha!

Szünet

CAESAR *(jobbról belép)* A reggeli.

Jácint karját nyújtja Dominikának és indul vele jobb felé. Utánuk Beatrix megy egyedül. Albert Alexandrát fogja karon és követi őket. Kimennek. Caesar méltóságteljesen lépdel utánuk. Függöny

AZ ÜVEGCIPŐ

VÍGJÁTÉK HÁROM FELVONÁSBAN
(1924)

SZEMÉLYEK

SIPOS
ADÉL
IRMA
ROTICSNÉ
CSÁSZÁR PÁL
RENDŐRTANÁCSOS
ŐRMESTER
VIOLA
HÁZMESTER
HÁZMESTERNÉ
ADÉL ANYJA
KECZELI ILONA
STETNER ÚR
RENDŐRORVOS
ÍRNOK
TÁRSALKODÓNŐ
GÁL KAPITÁNY
SZAKÁCSNÉ
FÉNYKÉPÉSZ
CIGÁNYPRÍMÁS
JULCSA
RENDŐR
AJTÓNÁLLÓ
LILIKE
URASÁGI INAS
LAKODALMI VENDÉGEK
KÉT SZEGÉNY EMBER

Történik a külső Józsefvárosban

ELSŐ FELVONÁS

Kis hónaposszoba a külső Józsefvárosban, földszintes házban. Hátul fülkében egyszerű ágy. A hátfalon virágos ablak az udvarra, ahol kert is van. Az ablak mellett a hátfalon ajtó, amely erre az udvarra nyílik. Mosdó. Szekrény. Asztal. Székek. Balról elöl ajtó. Déli tizenkét óra. Nyári vasárnap. Mikor a függöny felgördül, a szobában nincs senki. Delet harangoznak. Belép hátul Irma, tizenkilenc éves szegény kis cseléd, ebben a szegény házban. Körülbelül három-négy éves kis gyereket cipel, alig bírja

IRMA *(a harangütéseket olvassa)* Bimm, kilenc. Bamm, tíz. Bimm, tizenegy. Bamm, tizenkettő. *(Leteszi a gyereket)* Most ülj le ide szépen, Lilike, maradj csöndben, mert az Irma meg fog teríteni a drága nagy embernek. A rongyos Irma fog teríteni az édes, drága, mérges embernek. Pont tizenkettő. *(Kihúz egy fiókot)* Gyere, te lusta abrosz, ne aludj, kelj fel, gyere dolgozni. *(Terít)* Tanuld meg, Lilike, hogy kell teríteni. Ki lesz szépen simítva. Itt könyököl rá a drága mérges. Látod? Van rajta négy folt. Kettő spenót, kettő paradicsom. A szalvétát jobb kézhez tesszük. Ebbe törüli a száját, a drága mérges. *(Megcsókolja a szalvétát)* Itt törüli bele a száját. Csóküzenés a szalvétapostával. Dacára, hogy énrám mindig haragszik. Ez egy boldog szalvéta, és én vagyok a legrongyosabb muskátli Pesten. Tudod, Lilike? *(Tányért, evőeszközt rak az asztalra. Szavalva)* „Boldogságom hímpora, Lenge szellő lengedez, Fájdalmamnak angyala, Könnyeimnek zápora!" Szép vers? Én csináltam. Ezt már hallottad sokszor, Lilike.

Tányér pont a középre lesz téve. Villa balra, kés jobbra, kanál elöl keresztbe. *(Poharat tesz)* Pohár ide, kézhez. Ebből iszik boldogságom angyala, drága mérges. Itt iszik belőle. *(Megcsókolja a poharat)* Csóküzenés a pohárpostával. *(Szavalva)* „Nem leszek én boldog soha, Nem lesz nekem gyönyöröm!" Ez a legújabb versem. Bor és szódavíz csak később jön. Pont a leves után, mert megmelegszik, érted, te tökfejű? Te vagy a legbutább tücsök a Józsefvárosban. Nem te, Lilike. Én, személyesen. Drága mérges gazdám, a legdrágább mérges egész Pesten. Só, paprika, fogpiszkáló. Szúrd át boldogtalan szívemet, te boldog fogpiszkáló. *(Szavalva)* „Boldogságom hímpora, Lenge szellő lengedez, Fájdalmamnak angyala, Könnyeimnek zápora!" Kavics van a cipőmben. Gyere le, cipő. *(Lehúzza)* Van szerencsém, lábam, szerbusz kisujjam. Látod, én vagyok a legrongyosabb muskátli Pesten, de a lábam szebb, mint a gróf Guttmann kisasszonynak. Nézd, milyen rüsztöm van. Rüsztöm is van, rüsztöm is van, jaj de szép magas rüsztöm is van. Két kavics volt benne. Szép kis lábam van, de senkinek se kell. *(Szavalva)* „Boldogtalan lábam, gyönyör hímpora, Szomorú kis rüsztöm. Édes angyala!" Mars vissza a rongyos cipőbe! *(Épp húzni kezdi a cipőt, mikor Adél belép az udvar felől)*

ADÉL Mit csinálsz itt?

IRMA Terítek a Sipos úrnak.

ADÉL A lábaddal?

IRMA Kavics ment a cipőmbe.

ADÉL Kivel kiabáltál itt?

IRMA Senkivel. A Lilikével beszélgettem, boldogtalanságomban.

ADÉL Megint bolond vagy?

IRMA Mindig bolond vagyok, kezit csókolom. *(Kezet akar csókolni)*

ADÉL Ne csókold a kezemet, hanem húzd fel a cipődet és csöndben végezd a munkádat. *(Kinyitja az ajtót, kikiált az udvarra)* Kati! Mért nem tartja otthon a gyerekét!

A házmesterné megjelenik az ajtóban

KATI Mit csináljak, kérem, folyton elcipeli tőlem. *(Fölveszi a gyereket)*

ADÉL Mit cipeled mindig?

IRMA Imádom a Lilikét.

KATI Tessék neki megmondani, nagysága kérem, ne mondja a gyereknek mindig, hogy Lilike, van annak becsületes neve: Jánoska, ő meg rászoktatja, hogy Lilike, még megszokja a gyerek.

ADÉL Micsoda butaság ez? Hiszen nem is lány!

IRMA Én lánynak tekintem, olyan édes kis lányarca van. *(A gyerekhez)* Ez az én barátnőm, ugye, Lilike?

KATI Mindig cipeli, még leszoktatja a járásról, pedig milyen nehezen tanult meg. Azt hiszi, mert távoli rokon, neki mindent szabad.

ADÉL Ő távolról rokonom, de itt közelről cseléd, és maga csak bátran parancsoljon neki.

KATI Igenis, kezit csókolom.

ADÉL Úgy látszik, már egészen bolond vagy. Nem férsz a bőrödbe, de ki foglak dobni, el foglak küldeni falura az anyámhoz, a tehenek mellé. Így nem lesz belőled rendes cseléd soha. Mi van veled?

IRMA Semmi.

ADÉL Mit csináltál ma reggel?

IRMA Semmit.

ADÉL A házmesterné azt mondja, hogy meztelenül járkáltál az udvarban reggel hat órakor.

IRMA Nem igaz.

KATI De igaz, saját szememmel láttam.

IRMA Nem igaz, mert nem járkáltam.

ADÉL De meztelen voltál.

IRMA Fürödtem.

KATI Na, tetszik látni.

ADÉL Mibe fürödtél?

IRMA Az esővizes hordóban. Ott hátul az udvarban, senki se látta, még mindenki aludt a házban. Megfürödtem és rögtön felöltöztem.

ADÉL Jól van Kati, kimehet.

Kati kimegy a gyerekkel

ADÉL Hogy mersz te megfürödni az esővizes hordóban? Miért fürödtél?

IRMA Mert piszkos voltam.

ADÉL Most ez a legújabb mániád, a fürdés. A múltkor belefürödtél a mosóteknőbe.

IRMA Akkor boldogtalan is voltam, mert sok kékítő volt benne és két napig kék voltam, mint az édes tündér, mikor a hold rásüt.

ADÉL Hát majd adok én neked édes tündért, két pofont, hogy a szemed szikrázik. Kinek pucolod magadat?

IRMA Nem pucolom magamat, tetszik látni, milyen ronda vagyok.

ADÉL Ronda vagy, de azért folyton cicomázod magadat. Hol van a Sipos úr bora meg a szódavize?

IRMA A jégen van, nem hozom be, mert megmelegszik addig, és akkor ő ordít.

ADÉL Micsoda beszéd az, hogy ordít? Hogy mersz a Sipos úrról ilyet mondani?

IRMA Hát összeszidja az embert nagyon haragosan.

ADÉL Jól teszi.

IRMA Hát jól is teszi.

ADÉL Ne feleselj. Hallgass.

IRMA Hát hallgatok.

ADÉL Nem hallgatsz? Egy szót se. Nézd csak. Húzd fel a cipődet, mit állsz itt mezítláb?

Irma felhúzza a cipőjét

Délután itthon maradsz és vasalni fogsz, értetted? Az összes harisnyákat át fogod nézni, amelyik rongyos, azt megstoppolod, és aztán ki fogod mind vasalni. És ha azzal kész leszel, lehordod a padlásról a fehérneműt, lerakod a mángorló mellé. Ez lesz a vasárnapod. És egész héten nem mehetsz a Nemzetibe. Majd adok én neked. Az órásnál voltál?

IRMA Még nincs kész az óra.

ADÉL Nem azt kérdeztem. Azt kérdeztem, hogy voltál-e az órásnál?

IRMA Voltam.

ADÉL Mit mondott?

IRMA Hogy még nincs kész az óra.

ADÉL Nahát. Így felelj, ha kérdezlek. Majd mondd meg Sipos úrnak, hogy ott voltál, de még nincs kész az óra. Nyolc év óta kínlódok veled, és nem tudlak megtanítani tisztességes beszédre. Így sose lesz belőled rendes cseléd. Ki foglak küldeni Budaörsre, az istállóba, tehenet fejni, oda való vagy.

IRMA Nem vagyok oda való, tessék megbocsátani. *(Kezet akar csókolni)*

ADÉL Hagyd a kezemet. Nekem itt a panzióban rendes cseléd kell. Négy szobaúrra takarítani, teríteni, mosni, ahhoz komolyabb munkát kell végezni. De te sose fogsz megkomolyodni, mert te bolond vagy. Tízéves korod óta tanítalak, mert szegény anyád hű rokonom volt, és megígértem neki, hogy kinevellek. Azt hittem, hogy egyszer majd hasznodat veszem, de hiába minden, a fejedbe van a baj. Hátul van az eleje.

IRMA Nincs hátul az eleje, kezit csókolom, ne tessék rám haragudni, nem vagyok bolond, csak gyönge eszem van. De megjavulok. Most még boldogtalan vagyok.

ADÉL Azért adtál tegnap este cicit a kismacskának?

IRMA Mit adtam a kismacskának?

ADÉL Cicit adtál a kismacskának, meg akartad szoptatni a négynapos macskát, mert olyan buta vagy, mint a tök, és nem férsz a bőrödbe. A Szász úr látta, ő mesélte. Szégyellem magam miattad a szobaurak előtt.

IRMA Olyan boldogtalan vagyok.
ADÉL Azért mindjárt macskákat kell szoptatni?
IRMA Macskákat? Csak egy volt.
ADÉL Te félbemaradt majom. Hol a kenyér? Mért nincs kenyér az asztalon?
IRMA Jézus Mária! *(Kenyérért rohan a szekrényhez, kiveszi a kendőből, az asztalra teszi)*
ADÉL Ugye, erre nincs gondod? Fürdőre van gondod! Macskára van gondod! Szalagra van gondod!
IRMA Szalagra nincs is gondom.
ADÉL Ne járjon a szád. A kasznidban egész csomó szalagot találtam. Hol vetted?

Irma sír

Ne bőgj! Hol vetted a szalagokat?
IRMA A Sugár és Eisnernál.
ADÉL Miből?

Irma sír

Miből vetted a szalagot?
IRMA A Császár úr adott rá pénzt.
ADÉL Te pénzt fogadsz el a Császár úrtól? Te cifra!
IRMA Nem vagyok cifra, ne tessék ilyet mondani, isten bizony nem vagyok cifra, a Császár úrnak elvittem egy csomagot Budára az üzletbe, azért adott külön borravalót, a felit eltettem karzatjegyre a Nemzetibe, a másik feliből vettem a Sugár és Eisnernál három szalagot, tessék megkérdezni, ha nem tetszik hinni!
ADÉL Ha még egyszer pénzt mersz elfogadni a Császár úrtól, meglátod, mit csinálok veled! Nézze meg az ember!

Irma sír. Császár belép az udvar felől

Mi tetszik?
CSÁSZÁR Semmi.
ADÉL Mit akar itt? Ez a Sipos szobája.

CSÁSZÁR Hallottam, hogy veszekszik, hát bejöttem, mert épp a nevemet mondta, mondok éppen mérges, hátha én is kapok valamit.

ADÉL Ne viccelődjön, ma nincs kedvem viccelni. Maguk is azért mernek ilyen hangon velem beszélni, mert lány vagyok. De legyen nyugodt, ha most asszony leszek, majd magától is több tiszteletet kapok.

CSÁSZÁR Most asszony lesz? Mikor?

ADÉL Ma.

CSÁSZÁR Micsoda?

ADÉL Ha nagyon érdekli, ma. Asszony leszek.

CSÁSZÁR Még ma férjhez megy?

ADÉL Ha akarom, azt is. De csak a jövő héten akarom.

CSÁSZÁR Micsoda, kérem... ez komoly?

ADÉL *(Irmához)* Eridj ki innen.

Irma Még oda kell készíteni a mosdóvizet és a papucsot.

ADÉL Ne feleselj, menj ki, ha mondom. Majd odakészítsz aztán. Már nem bírok vele, ez is olyan idegessé tesz, ez a taknyos máma meztelenül fürdött az esővizes hordóban, és a kasznijában egy vagon szalagot találtam, maga adja rá neki a pénzt – mit akar tőle, nem szégyelli magát, egy tizenkilenc éves piszkos cselédet szuteníroz, nem sül ki a szeme, maga szépfiú, nem talál szoanyirtabb hölgyet a környéken?

CSÁSZÁR Nagyon ideges, nagyon ideges.

ADÉL Maga adta neki a pénzt?

CSÁSZÁR Én adtam neki egy útért, mert Óbudára küldtem. De téged meg, ha sokat jár a szád, légy nyugodt, hátbaváglak, ha úgy tüntetsz fel, hogy így, meg úgy.

IRMA Én nem tüntettem fel Császár urat, esküszöm boldogságomra, nekem nem kell a Császár úr se így, se úgy.

CSÁSZÁR Én nem akarok neked kelleni, de te ne csinálj nekem pletykákat.

IRMA Nem én csinálom a pletykákat, én dolgozok mint egy kutya, de mindenki ellenem van, a Szász úr is azért árulta el, hogy a macskát szoptatni akartam, mert ő is gyűlöl, mert szájazni akart velem, és én nem hagytam.

ADÉL Mit akart veled?

IRMA Fél cseresznyét akart velem szájazni, hogy ő majd a szájába veszi a cseresznyét és én harapjam le a felét, hogy cseresznyepuszit adjunk egymásnak. Egy félóráig nyúzott, hogy hát akkor vegyem én az ajkamba a cseresznyét, és majd ő harapja, de én utáltam őtet, pedig színházjegyet ígért, mert tudja, hogy rajongok, és mégse kellett, és ő most ezért gyűlöl és ellenem izgatja a nagysádot – én már nem is tudom mit csináljak, én belegyugom a fejemet az esővizes hordóba, és addig tartom benne, amíg meg nem fulladok! Én nem bírom… Hagyjanak engem békibe!

ADÉL Mars ki! Nézd csak! Azonnal menj ki dolgodra.

Irma sírva kimegy

CSÁSZÁR Mi baja magának, mondja! Egy órája vagyok itthon, azóta csak pörölni hallom ezen a szép vasárnapon, a szakácsnét öli, ezt a kis bogarat kínozza, férjhez megy, mi baja van?

ADÉL Épp az, hogy férjhez megyek.

CSÁSZÁR Kihez?

ADÉL Siposhoz.

CSÁSZÁR Megbolondult?

ADÉL Meg.

Szünet

CSÁSZÁR Üljön le, kérem. Borzasztó, hogy milyen ideges. Most nem tudom hamarjában, hogy tényleg megbolondult-e. Mi az? Meg mi az evvel a szalaggal?… meg hogy én főzöm a cselédet… *(Szenvedélyesen megöleli)* Bolond vagy? Féltékeny vagy? *(Megcsókolja)* Te buta… te… te…

ADÉL *(kibontakozik)* Eressz el. Hagyj békén. Micsoda ostobaság ez, a Sipos minden percben jöhet. Hallgass meg komolyan. Ennek vége van. Mit nézel? Ennek vége. Nem érted?

CSÁSZÁR Minek van vége?

ADÉL Annak, hogy a szeretőd voltam.

CSÁSZÁR Hogyan... Most egyszerre vége van, minden ok nélkül, pont negyed egykor?

ADÉL Pont negyed egykor. Hagyjon békében egy és mindenkorra.

CSÁSZÁR De még tegnap este... és éjjel...

ADÉL És máma már nem. És többé soha. Esküszöm az anyám életére.

CSÁSZÁR Miért? Miért?

ADÉL Mert szerelmes vagyok magába. Utálatos, kikent, hencegő boltoslegény, szerelmes vagyok magába, mint egy kutya, és most vége, mert nekem van eszem és erőm. Én magát megvetem és lenézem és gyűlölöm – és addig még csak ment a dolog, amíg csak tetszett, de én már öreg vagyok és most beleszerettem magába, és most meg akarok szabadulni magától és kilököm magát és férjhez megyek a Siposhoz, mégpedig rögtön, és egy napot se várok, mert különben elzüllök maga miatt. Nekem van egy kis pénzem és ez a házam és ez a panzióm, és harminchat éves vagyok és magának egy vasa sincs és komisz és huszonhárom éves és szemtelen és csinos, és feleségül akar venni egy gazdag majmot. És minden hiába, ha én meg nem mentem magamat, én ismerem magamat, én csupa temperamentum vagyok: az lesz a vége, hogy könyörögni fogok, hogy ne nősüljön meg, és beleharapok a nyakába és leöntöm vitriollal és megszúrom a konyhakéssel, de mégse engedem nősülni, és akkor itt állok és vagyok egy jómódú vén majdmitmondtammicsoda, akinek van egy fiatal szeretője és akkor maga mindennap meg fog engem verni, és én akkor fel fogom akasztani magamat. Ez az egész, édes fiam, semmivel se több, se kevesebb.

CSÁSZÁR Rettenetes, amiket beszél.

ADÉL Fáj?

CSÁSZÁR Nagyon.

ADÉL Nekem még jobban fáj. Sose fogod megtudni, hogy nekem fáj. Nem is érdemled meg, hogy megtudjad. Mi vagy te? Egy senki. Van jellemed? Nincs. Van pénzed? Nincs. Komoly vagy? Nem. Becsületes vagy? Nem is tudom. Szép fiú vagy és szemtelen voltál, és én tíz éve vagyok a szeretője egy mérges vénembernek – és minden, amit te értem tettél, az volt, hogy szemtelen voltál velem, szemtelen voltál a Balázsyéknál, mikor megismerkedtünk, aztán szemtelen voltál a Schöja-kávéházban – kétszer voltál szemtelen, és én ettől megvadultam és szobát adtam neked bérbe, és te nem is álltál velem szóba, és én ruhákat vettem miattad, én vagyok itt a legtiszteltebb nő a környéken és te nem köszöntél nekem, és csipkét varrtam az ingemre és lakkcipőt vettem, és te nem köszöntél nekem, rám se néztél, csak szemtelen voltál, nem is fizettél, csak csinos voltál és én mérges voltam és te megint nem köszöntél, és én beleharaptam a kezembe dühömben, és te a szemembe nevettél – és akkor, mikor a legszemtelenebb voltál és megríkattál, akkor bevittél a szobádba, és a Sipos Budaörsön volt az anyámnál, és én nálad aludtam és megint nálad aludtam és tetszettél nekem és sírtam miattad, de csak dühömben, és mégis megcsaltam veled a Sipost, folyton, folyton, te senki, te üres, te szívtelen. Csak mert szemtelen vagy és koldus vagy, és csinos vagy és mert most már köszönsz, azért kelljen nekem elzülleni és meghalni?

CSÁSZÁR Szent isten, de hát ez borzasztó, hogy milyen ideges. Mit akar? Minden a legnagyobb rendben van, boldogan élünk, én szeretlek, mint egy őrült, a Sipos nem is sejt semmit, esze ágában sincs téged feleségül venni, ez a kis panziód jól megy, a Sipos nem fizet, én se fizetek, de a többiek mind fizetnek, egészséges vagy, szép vagy, fiatal vagy, mit akarsz, minek rúgsz fel mindent egyszerre?

ADÉL El akarod venni a Balázsynak a lányát. A Balázsy asztalosnak a lányát el akarod venni.

CSÁSZÁR Az nem igaz.

ADÉL Mi az neked egyet hazudni? Persze, hogy azt mondod: nem igaz. El akarod venni a Balázsy asztalosnak a lányát.

CSÁSZÁR Nem igaz, nem igaz.

ADÉL Múlt vasárnap a Hűvösvölgyben voltál velük, igen vagy nem?

CSÁSZÁR Igen. De akkor előre megmondtam, hogy…

ADÉL Ne dadogj. Szerdán moziban voltál a lánnyal, igen vagy nem?

CSÁSZÁR Nem kérdeztem meg tőled előre?

ADÉL Voltál-e vele moziban, igen vagy nem?

CSÁSZÁR Igen.

ADÉL Miket beszéltél neki a fülébe a sötétben? Mért mentél az apjával a Schöja-kávéházba? Mért vitted el a gyűrűjét és a karperecét átalakítani?

CSÁSZÁR Mert ékszerész vagyok és az a mesterségem.

ADÉL Csaló, partivadász vagy, az a mesterséged!

CSÁSZÁR De Adél!

ADÉL Ma reggel egy óra hosszat könyörögtél a Brausz hentesnek, hogy adja kölcsön a kocsiját ma délutánra. Azt mondtad, hogy ki akarod vinni a menyasszonyodat Máriaremetére.

CSÁSZÁR Én mondtam, hogy a menyasszonyomat? Azt mondtam: ismerőseimet szeretném…

ADÉL Ne hazudj, azt mondtad, hogy a menyasszonyodat. Csaló vagy, csaló vagy, csaló vagy. El akarod venni a Balázsy asztalosnak a lányát, mert tele van dollárral az apja. Te csaló!

CSÁSZÁR Adél, te engem... te... engem...

ADÉL Csaló!!! Csaló!!!

CSÁSZÁR Adél, én megfeledkezem magamról!

ADÉL Na, üss meg!

CSÁSZÁR *(leint a levegőbe, otthagyja)* Meg van bolondulva. Ha így folytatja, elmegyek innen.

ADÉL Én megakadályozhatnám még most ezt az egészet. Legyen nyugodt, egy szavamba kerülne. De van eszem és erőm. Vegye el a Balázsy asztalosnak a lányát. Én a Siposhoz menekülök. A Sipos el fog engem venni. A Sipos egy tisztességes, komoly ember. És ha én Siposné leszek, nem nyúl hozzám más férfi soha többé, erre megesküszöm, ezt tudhatja, ha ismer. És akkor fellélegzem és megszabadulok tőled... mert te vagy az én szerencsétlenségem.

CSÁSZÁR A Siposhoz menekül. Egy vén asztaloslegényhez.

ADÉL Nem asztaloslegény. Bútortervező rajzoló.

CSÁSZÁR Szép kis parti.

ADÉL Ha tíz évig jó volt szeretőnek, most jó lesz férjnek is.

CSÁSZÁR Egy vasa sincs.

ADÉL Van nekem.

CSÁSZÁR Öreg.

ADÉL Az a jó. Még egy-két év, én is öreg vagyok.

CSÁSZÁR Sose szeretted.

ADÉL Az a jó. Szép csöndes, komoly dolog.

CSÁSZÁR Utáltad.

ADÉL Nem úgy, mint téged.

CSÁSZÁR És nem is fog elvenni.

ADÉL Azt majd én megmutatom neked. Fáj?

CSÁSZÁR Adél... drága Adél... *(Közeledik hozzá)*

Adél *(eltolja)* Fáj?

CSÁSZÁR Én ki se tudom mondani, hogy mit érzek most.

ADÉL Én ki tudom mondani. Szégyent érzesz, mert a hiúságod kapott egy nyaklevest. Én tudom, hogy ez fáj, te szép ékszerész. Éppen ez elől bújok én a Siposhoz. Én löklek ki téged, mert különben te löksz ki engem, és én akkor felakasztom magamat.

Az ajtó nyílik. Irma lép be. Megint hozza a gyereket

ADÉL Mit akarsz? Mért jöttél be?
IRMA Odakészíteni.
ADÉL Nem igaz. Hallgatózni jöttél be.

Irma kifelé indul

Hová mégysz?
IRMA Kimegyek.
ADÉL Mért mégysz ki?
IRMA Azt tetszett mondani, hogy azért jöttem be, mert...
ADÉL Ne feleselj. Hallgass és végezd a dolgodat. Készíts a Sipos úrnak kabátot, párnát, mosdóvizet, egykettő. És megint cipeled azt a gyereket?
IRMA Kérem, most az anyja adta ide, hogy vigyázzak rá, mert ő elment sörért a Morbitzerhez. Már igazán nem tudom, mit csináljak.
ADÉL Mért nem mégysz te a sörért?
IRMA Mert nekem a Sipos urat kell kiszolgálni, nem mehetek, már itthon van, az utcán beszél a Szász úrral.

Adél indul kifelé

CSÁSZÁR Adél, kérem...
ADÉL *(hirtelen megfordul)* Mit akar?
CSÁSZÁR Beszélni szeretnék magával... de nyugodtan... csak öt percet... Meg akarom magyarázni magának...
ADÉL Nekem ne magyarázzon semmit. *(Kimegy az udvarba, nyitva hagyja az ajtót)*

CSÁSZÁR De Adél, kérem, az istenért... hát így nem lehet ezt elintézni... *(Beszéd közben utána siet, kimegy ő is)*

Az ajtó nyitva marad

IRMA *(becsukja az ajtót)* Kezüket csókolom. Gyere, Lilike, odakészítjük a Sipos bácsinak a kabátot meg a párnát. Addig ülj ide, de meg ne mozdulj, maradj szép csöndesen. *(Az asztalra ülteti)* Adj egy puszit az Irma néninek, jó erőset. Úgy. Na látod, ez az a kabát, ez a házikabát. Ezt veszi föl a drága mérges a testire. *(Megszagolja)* Dohányszaga van. Az Irmának nem szabad az esővízben megfürödni. Az Irma csak legyen piszkos. Jól van. Az Irmának nem szabad kéknek lenni, mint a holdvilágos tündérnek, akiért elgyön a felhőkből a szép pilóta és letérdel előtte boldogsága gyönyörében, édes csókért, igaz fájdalomért, szívem gyönyöréből. Jól van. Adj egy puszit, Lilike. Cicit adtam a macskának. Olyan puhán feküdt a mejjemen. Négynapos macska, bársonymacska, tiszta selyembársony. Azt se szabad. Jól van. A Nemzetibe se szabad menni egy hétig. Jól van. Majd délután fölgyössz velem a falépcsőn a padlásra, Lilike, megstoppoljuk az összes harisnyákat, és aztán legyössz velem és nézed a vasalást. Jó? Gyere párna, megszagollak téged is. Az én édes drágám alszik rajtad. Ez is dohányszagú. Drága mérgest megcsalja a kedvese a Császár Pállal. Kérlek párna, mondd meg neki, mikor a fülivel rádfekszik, súgd bele a fülibe, hogy ne a hűtlen Adélt szeresse, inkább az én hű szívemet szeresse, ne szidjon engem mindig! Drága mérgest megcsalják... Úgy fáj a szívem érte. Mondd, Lilike: fáj.

LILIKE Fáj.

IRMA Jó. *(Leteszi a párnát, széket hoz)* Most idetesszük a széket, látod, ideállítjuk a helyire, mingyárt itt lesz a gazdája, és ráül és mindenkire mérges, mert nem tudja, hogy olyan édes nekem, mint a méz, mert ő a legszebb pilóta ezen a szép Budapesten, repülőpilóta, felhőpilóta és nincs szebb fénysugár, mint ő, még ha mérges is, az én egyetlen szerelmem és rózsaláncom, örök nefelejcs és gyönyörű pilóta. Mondd azt, Lilike, hogy: pilóta.

LILIKE Pilóta.

IRMA Nagyon jó. Megint kavics van a cipőmben. Nem veszem ki. Már késő. Inkább szenvedek, hogy boldogtalan legyek. *(Figyel)* Meggyött a mérges. Jaj, titkos szerelmem.

Sipos belép

SIPOS Nem veszed le azt a gyereket az asztalról?

IRMA *(lekapja a gyereket)* Jaj... kezitcsókolom.

SIPOS A terített asztalon van a gyereknek a helye? Hallottak már ilyet!

IRMA *(elveszi Sipos kalapját, elteszi)* Kezitcsókolom, bocsánat, tévedés volt. Hogy tetszik lenni?

SIPOS Ebéd előtt rossz kedvem van, ne kérdezz. Vidd ki azt a gyereket. *(Leveti a kabátját)*

IRMA Viszem. Gyere, Lilike. *(Felkapja, kiviszi, visszarohan)* A Sipos bácsi mérges.

SIPOS Kabát.

Irma szalad, veszi, elteszi

SIPOS *(leveti a nyakkendőjét)* Nyakkendő. Pfű.

IRMA *(szalad, veszi, elteszi)* Meleg van.

SIPOS *(levetve gallérját)* Nem kérdeztem. Gallér.

IRMA Gallér. *(Veszi, szalad, teszi, visszaszalad, hozva a házikabátot)*

SIPOS Nem kell.

IRMA Vissza?

SIPOS Vissza.

IRMA Ingujj?

SIPOS Ingujj. *(Felgyűri karján az inget)* Kézvíz.

IRMA *(a mosdóhoz rohan)* Kézvíz. Friss. *(Beönti)*

SIPOS Szappan.

IRMA *(átadja)* Szappan.
SIPOS *(kezét mosva)* Törülköző.
IRMA Törülköző. *(Átadja)* Tiszta.
SIPOS *(törülközve)* Papucs.
IRMA *(lihegve hozza, letérdel)* Papucs.
SIPOS *(kezét törölve, leül)* Cipő.
IRMA *(lehúzva egyik cipőjét)* Egyik cipő.
SIPOS *(törülközve, nyújtja a másik lábát)* Másik cipő.
IRMA *(lehúzza azt is)* Másik cipő.
SIPOS Egyik papucs.
IRMA *(ráadja)* Egyik papucs. És...
SIPOS Másik papucs.
IRMA És másik papucs. *(Azt is ráadta)*
SIPOS *(feláll, a levegőben tartja a törülközőt)* Kendő vissza.
IRMA Kendő vissza. *(Veszi és viszi a kendőt, a lavórból a vödörbe önti a vizet)* Kiöntés, lavór-visszatevés.
SIPOS *(ezalatt az asztalhoz ül)* Újság.
IRMA *(az ablakból hozza)* Újság.
SIPOS *(újságot olvasva)* Leves.
IRMA Leves. *(Kirohan, az ajtót nyitva hagyja)*
SIPOS *(az újságból hátraordít)* Ajtó!
IRMA *(visszarohan)* Ajtó! *(Csókot int, becsukja az ajtót kívülről)*

Kis szünet. Sipos újságot olvas

IRMA *(belép, levest hoz, leteszi)* Leves.
SIPOS *(a kanállal keveri)* Milyen?
IRMA Metélt.
SIPOS Hideg?
IRMA Meleg.
SIPOS *(miután megkóstolta)* Hideg.
IRMA *(a tányér után nyúl)* Visszavivés? Melegretevés?
SIPOS Nem. Itthagyás. *(Eszik egypár kanál levest)*
IRMA *(kiveszi a gyűrűből a szalvétát, elibeteszi, a sót közelebb tolja, a kenyeret megigazítja)*

SIPOS Mit ugrálsz annyit? *(Eszik)* Mindent kétszer annyi ugrálással csinálsz, mint kellene. Nyugodtan: egy, kettő, kabát, víz, szappan, cipő, papucs, leves. *(Eszik)* Megtanulhattad volna már nyolc év alatt. *(Eszik)* Ez mindennap így van pontosan. Ebben nem is lesz változás.

IRMA Nyolc év előtt még csak tizenegy éves voltam.

SIPOS Ezt mér mondod?

IRMA Azt tetszett mondani, hogy nyolc év alatt megtanulhattam volna. Hát most tizenkilenc éves vagyok, hát akkor tizenegy éves voltam.

SIPOS Mi ez? Társalgás?

IRMA Kis boldog csevegés, Sipos úr.

SIPOS Már megint jár a szád?

IRMA Már nem is jár, mert befogom.

SIPOS Nézd csak. Prücsök. *(Eszik)*

Szünet, Irma áll és boldogan nézi

IRMA *(szünet után, halkan)* Kezitcsókolom.

SIPOS Mi?

IRMA Semmi.

SIPOS Mit mondtál?

IRMA Kezitcsókolom.

SIPOS Hova mégysz?

IRMA Sehova.

SIPOS Hát mért mondtad?

IRMA Csak mondtam.

SIPOS Hülye vagy?

IRMA Igen.

SIPOS Prücsök. *(Tovább eszik)*

Szünet. Irma áll, fájdalmas mosollyal. Aztán megint megszólal

IRMA Kezitcsókolom.

SIPOS *(felbámul rá)* Mér csókolod a kezemet?

IRMA Tiszteletből.

SIPOS Hát akkor vidd a tányért tiszteletből és hozd a húst, tiszteletből. *(Az újság után nyúl)*

IRMA *(veszi a tányért)* Borjúvesés van, spenóttal.

SIPOS Kérdeztem?

IRMA Nem. Csak mert a többiek combot kapnak. Csak a Sipos úr kap vesést. *(Megy ki)*

SIPOS *(hátra se nézve)* Ajtó!

IRMA Még nyitva se hagytam!

SIPOS De fogod!

IRMA Ó, nem. *(Kinyitja az ajtót, a küszöbről csókot int, elfelejti becsukni, elsiet)*

SIPOS Ajtó!!!

IRMA *(rémülten ugrik vissza)* Ajtó! *(Becsapja kívülről)*

Sipos fejét csóválja és olvas

IRMA *(bejön, szódát és bort hoz)* Jéghideg. Gyönyörű kék üveg. Leves után kilenc csöppet. *(Kirohan)*

SIPOS *(a fiókból collstokkot vesz elő, megméri az üvegben a bort)* Tizenegy háromtized.

IRMA *(berohan, hozza a húsételt)* Hiányzik a borból?

SIPOS Nem.

IRMA Kevesebb lett?

SIPOS Mondom, hogy nem. Több. Tegnap tizenegy centiméter volt, most tizenegy és három tized. A házmester lop belőle és vizet tölt utána.

IRMA Tessék leütni a derekát.

SIPOS Csak bízd rám. Gyerünk.

IRMA *(elébe teszi a húst)* Felsálszelet krumplival.

SIPOS Te prücsök, az elébb azt mondtad: borjúvesés spenóttal.

IRMA Azt hittem, de tévedtem. Bocsánat.

SIPOS Nagy hiba. *(Enni kezd)*

IRMA Mért nagy hiba?

SIPOS *(italt tölt)* Mert most át kell kapcsolnom a gyomromat felsálra és krumplira. Mikor azt mondtad, hogy bornyú lesz spenóttal, akkor a gyomor berendezkedett... *(iszik)* ...bornyúra és spenótra. Azaz: megkezdte azon vegyműködést, ami a bornyúhoz és spenóthoz kell. Most aztán hirtelen meglepetés éri, bornyúra készült és marhát kap, most másféle savakat kell produkálni, olyanokat, amik a marhához valók. *(Eszik egy falatot)* Tanulj tinó, ökör lesz belőled.

IRMA Milyen nagy tudása van. Csodaszép esze van.

SIPOS Ne hízelegj mindig. *(Eszik)*

Szünet

IRMA *(minden ok nélkül)* Édes szép pilóta.

SIPOS Ki a pilóta?

IRMA Sipos úr.

SIPOS Én bútorasztalos vagyok.

IRMA Nekem pilóta. Mindenki pilóta, aki ideális.

SIPOS Én ideális vagyok?

IRMA Az én lelkemnek ideális. Ideál pilóta, a felhőkből száll alá a virágos mezőre, hogy eljöjjön a menyasszonyáért.

SIPOS Micsoda badarságokat beszélsz te össze?

IRMA Most minden éjjel azt álmodom, hogy pilóta volt a vőlegényem és felrepült a felhőkbe és leesett a tengerbe. És minden álomban Sipos úrhoz hasonlít a pilóta.

SIPOS És beleesik a tengerbe.

IRMA Bele.

SIPOS Köszönöm. És te mit csinálsz?

IRMA Én fel-alá bolyongok a tengerparton, fehér lepelben, ki van bontva a hajam és kinyújtom karjaimat a tenger felé és a viharban eszelősen énekelek. Olyan szép.

SIPOS Mikor eszelősen énekelsz?

IRMA Nem. Hanem az egész. Olyan szép fájdalom és oly ideális. És a Sipos úr mindig benne van.

SIPOS A tengerben.

IRMA Az édes álomban.

SIPOS Neked jó huszonötöt kéne verni a fenekedre, édes fiam. Te nagyon kezdesz mozgolódni. Ha apád volnék, leszoktatnálak az ábrándozásról.

IRMA Ó, bár csak apám lehetne Sipos úr.

SIPOS Még csak az kéne.

IRMA Oly szép lehet a gyermeki szerelem.

SIPOS Na, most már aztán elég volt. Nem szégyelled magad? Folyton hízelegsz.

IRMA Nem szégyellem magam, Sipos úr, büszke vagyok rá, hogy a Sipos úrnak hízeleghetek. *(Veszi a tányért és kiviszi. Az ajtót nyitva hagyja)*

SIPOS Ajtó!

IRMA *(ijedten)* Igen. Ajtó. *(Becsukja)*

Sipos szódát, bort tölt, újságot olvas

IRMA *(belép a tésztával)* Lekváros derelye dióval és cukorral. *(Leteszi)*

SIPOS Biztos?

IRMA Biztos. A többiek prézlivel kapták, Sipos úr dióval kapta.

SIPOS *(eszik)* Egész Pesten azt mesélik, hogy hajnalban meztelenül táncolsz az udvarban.

IRMA Jézusmária, hát már ezt mondják?

SIPOS Máma dolgom volt a városházán, ott mesélték a polgármesterek. A képviselőházban is mondták a képviselők. És a minisztérium is tele volt vele.

IRMA A minisztérium?

SIPOS Mind, az összes miniszterek.

IRMA Sipos úr, tréfálni tetszik, de én tudom, ez honnan jön. A Szász úr terjeszti bosszúból, pedig én csak titokban belefürödtem a hordóba, senki se látott.

SIPOS Hát a macskát ki adoptálta?

IRMA Mi az: adoptálta?

Sipos Gyermekének fogadta. Dajkálod a macskát, röhög rajtad az egész szomszédság.

IRMA Ezt is mesélik?

SIPOS Egész Pesten.

IRMA Szász úr terjeszti. Szász úr meg akart csókolni.

SIPOS Mért nem ütötted pofon?

IRMA Én, kérem? Egy albérlő urat?

SIPOS Ne add a szentet, te haszontalan. Mindenkire pislogsz. Majd beszélek Adél nagysáddal, kiteszünk falura.

IRMA Én nem pislogok senkire.

SIPOS Énrám is pislogsz. De tőlem kaphatsz egyet.

IRMA Az más. Igenis. Sipos úrra pislogok.

SIPOS Még be is vallod, te szemtelen.

IRMA Mért tetszik nekem ezt mondani?

SIPOS A szemembe mondod, hogy énrám pislogsz?

IRMA Az más. Az fájdalom és ideál.

Sipos A fenét. Micsoda?

IRMA Fájdalom és szerelmi ideál.

SIPOS Nem mégy ki innen? *(Feléje mozdul)*

IRMA *(elugrik)* Fájdalom és szerelmi ideál, mert én meghalok bele Sipos úr, ha meg tetszik nősülni. Én azt nem élem túl.

SIPOS Mi az, hogy én meg tetszem nősülni?

IRMA Megnősül és neje gyermekeket fog szülni. És hogy bírom én azt a sok fájdalmas zokogást?

SIPOS Hol veszed azt, hogy én meg fogok nősülni?

IRMA Ha becsületszavát adja, hogy nem tetszik elárulni, akkor megmondom.

SIPOS Nahát, ez hallatlan. Mars ki innen, te pocok! Majd épp neked adok becsületszót. Egyáltalán micsoda beszédek ezek, micsoda pletykázás? Nem is tudom, miért állok szóba veled, te taknyos, végezd a kötelességedet és ne beszélj hozzám. És majd intézkedni fogok, hogy kirepülj innen, mert nem vállaljuk a felelősséget az elzüllésedért. A Császár úrral mit csináltál? Mi? Mit csapod össze a kezedet? Felelj, mit csináltál a Császár úrral?

IRMA Sipos úr kérem, én nem is felelek, mert ez olyan sértő.

SIPOS Mars ki innen, majd lesz rád gondom. Hozd a feketekávét! Mars!

IRMA *(remegve, egyre nagyobb érzéssel)* Mért bántasz, egyetlen édes pilóta, mindig engem bántasz, holott ámbár mindenki csak engem bánt ezen a világon, mintha én volnék a legutolsó cafat, és igenis nem bánom, ha el is kergetsz, most már nem bírom tovább, ne nősülj meg, nem bánom, ha meg is versz... *(hátrál előre)* ...bevallom neked egyetlen titkos szerelmemet, ideálomat, mint kis gyermekkorom óta imádtalak és szerettelek, te drága mérges, édes, és te vagy oka halálomnak és álmaimnak, és a macskát is azért dajkáltam, ennek is te vagy oka, mert álmomban nejed voltam és gyermekünk született egymástól, és édes asszonyod voltam és gyermekünk volt a macska, dögöljön meg a Szász úr, mert bepiszkolta szerelmemet, és miattad fürdök, és miattad szenvedek, és miattad tűrök, és mindenki csak felrúg engemet, mert senki se érti ideális szívemet, én borongó lelkemet lehelem ajkaidra és te huszonötöt akarsz veretni a fenekemre. *(A falnak dől, úgy zokog)*

SIPOS *(kissé zavartan)* Hogy mersz engem tegezni? Hogy mertél engem tegezni?

IRMA *(bőgve)* Most már úgyis minden mindegy.

SIPOS *(zavartan)* Töröld meg az orrodat és eridj ki. Ne merj a szemem elé kerülni.

IRMA *(kifelé indul, a küszöbön megáll, sírva)* Tudom, tudom, ajtó. *(Becsukja kívülről az ajtót)*

Sipos idegesen ül vissza az asztalhoz, eszik és iszik, rágyújt, fölkel, leül, szivarozik. Az ajtó nyílik. Adél lép be. Egy csésze feketekávét hoz

ADÉL Itt a feketekávé.

SIPOS Ezt a gyereket egy pillanatig se lehet tovább itt tartani. Anyja nincs, apja nincs, te vagy a legközelebbi hozzátartozója, mi vagyunk felelősek érte. Most kezd mozogni benne a női hölgy, nyugtalankodik, meg az a sok színház is árt neki, attól vadul meg.

ADÉL Hallod, a Nemzetibe csak elmehet. És én különben sem engedem, csak klasszikusokhoz.

SIPOS Azok írják a legnagyobb disznóságokat.

ADÉL Arról én már nem tehetek.

SIPOS Maholnap húszéves, majd még valaki tönkreteszi.

ADÉL Azt hiszem, már tönkre is tette valaki.

SIPOS Kicsoda?

ADÉL Tudom is én... Császár úr... Szász úr... talán mind a kettő.

SIPOS Van benne cukor?

ADÉL Kettő. *(Leül hozzá)* Beszélni akarok veled.

SIPOS Na. Halljuk.

ADÉL Lajos... nem tudom, milyen kedved van máma.

SIPOS Rossz.

ADÉL Pedig már ebédeltél.

SIPOS Vasárnap ebéd után is rossz kedvem van.

ADÉL Tulajdonképpen mindegy. Jókedv, rosszkedv, ezen át kell esnünk egyszer. Két héten belül feleségül fogsz venni.

SIPOS *(leteszi a kanalat)* Drága jó fiam, légy szíves, mondd ezt még egyszer.

ADÉL Két héten belül feleségül fogsz venni.

SIPOS Jó. *(Kávézik)*

ADÉL Ne csinálj ebből viccet. A legkomolyabban beszélek. Sokkal okosabb, ha minden vita helyett már most rögtön kezded megszokni ezt a gondolatot. Kár minden percért.

SIPOS Olyan sürgős?

ADÉL Igen.

SIPOS Miért?

ADÉL Mert esedékes.

SIPOS Mi az... másállapotban vagy?

ADÉL Dehogy. Lelkileg esedékes. És társadalmilag. Ezt az állapotot rendezni kell. Én tudom, hogy te ezen nem szeretsz gondolkozni, csak rakod egyik napot a másikra és... majd csak lesz valahogy... és másnap tényleg úgy van, hogy a tegnap is elmúlt valahogy... de most nem megy tovább.

SIPOS Ez borzasztó.

ADÉL Miért?

SIPOS Mert szegény ember vagyok.

ADÉL Eddig is az voltál.

SIPOS A feleségemmel nem tartathatom el magamat. Eddig se fizettem a kosztér, tudom. De legalább adós vagyok vele.

ADÉL Maradsz vele adós továbbra is. Hát hogy gondolod? Örökre csak így lesz? Én szereztem egy kis köztiszteletet itt a kerületben, megbecsülnek, de mindenki tudja, hogy együtt élünk... és nem csinálsz asszonyt belőlem?

SIPOS Mindig azt mondtuk, hogy erre semmi szükség. Te is szabad vagy, én is szabad vagyok, ez volt benne a szép.

ADÉL Én szabad vagyok?

SIPOS Hát nem... úgy...

ADÉL Hát hogy? Nektek százféle szabadságotok van, a nőnek egy szabadsága van, az a bizonyos. És abba nem vagyok szabad.

Az ajtó nyílik. Irma lép be

IRMA *(izgatottan)* Sipos úr kérem, őnagysád azt mondta, hogy mondjam meg a Sipos úrnak, hogy voltam az órásnál és az órás azt mondta, hogy még nincs kész az óra. A jövő héten lesz kész.

SIPOS Jó. *(Hosszú szünet)* Mi az, a jövő hétig akarsz itt állni?

IRMA Nem. *(Kimegy)*

Szünet

SIPOS Hát kérlek, én ezt tudomásul veszem, és őszszel fogunk erről beszélni.

ADÉL Nem, fiam, ez nem évszakra megy. Most egy kicsit ugorj ki a nyugodt életedből. Majd adok én neked. Nem kell úgy élni, mint ahogy te élsz. Legyen neked is egy kis gondod. Most haragszol, mert kizökkentelek a kevékvágásból. Ismerlek én téged.

SIPOS Én nem vagyok férjnek való. Én agglegénynek születtem.

ADÉL De én asszonynak való vagyok. Engem itt mindenki nagyrabecsül, büszke lehetsz rám. És neked adtam a legszebb tíz évemet.

SIPOS Nekem adtad? Velem élted. Én is neked adtam.

ADÉL Az más.

SIPOS Mért más?

ADÉL Mert az enyém, az *én* tíz évem volt. A tied meg, a tied volt. Az nekem nem fáj.

SIPOS De a tíz éved előtt volt nyolc éved, amit nem nekem adtál. Az nem fáj?

ADÉL Akkor még nem ismertelek. Megint evvel gyösz?

SIPOS Mivel jöjjön egy tisztességes ember? Hát igenis kérlek, az a nyolc év neked nem fáj, és nekem fáj.

ADÉL Ezt most mondod, mikor a kötelességedre figyelmeztetlek.

SIPOS Ezt mindig mondom. Ha nem neked mondom, hát magamnak mondom. Ne izgass föl, mert ez az egy fájdalom van az életemben, ne kényszeríts, hogy erről beszéljek.

ADÉL Én húszéves koromban a gróf Seeburgné szobalánya voltam és a gróf Seeburgné fiának a szeretője lettem. Na, most kint van.

SIPOS Hát persze, hogy kint van. Ha ilyen nyugodtan mondod ki, hát nyugodtan van kint. Én nem tudom ezt ilyen nyugodtan kezelni, mert nekem a vér a fejembe megy, amikor erre gondolok. Én tíz év óta abból élek, hogy ezt el próbálom felejteni, de nem megy, mert ha eszembe jut, az egész testem elkezd reszketni tőle. Nézd, édes fiam, beszéljünk egyszer egészen tisztességesen. Jól van, nehogy azt hidd, hogy kibúvót keresek, én elveszlek, ha nagyon kívánod...

ADÉL Igenis, elveszel.

SIPOS Nem kell kiabálni, éppen azt mondom, hogyha nagyon kívánod, elveszlek.

ADÉL Mert kutya kötelességed.

SIPOS Nézd, én nyugodtan beszélek, te ne mérgesíts engem, hagyj engem nyugodtan beszélni.

ADÉL Kutya kötelességed.

SIPOS Nézd, ne izgass engem, én konstatálom, hogy higgadtan tárgyalok, és te direkt ilyen kifejezést használsz. Én nem vagyok kutya és nekem nincs kutya kötelességem, én egy szabad ember vagyok és azt csinálom, ami nekem tetszik. Értetted?

ADÉL El fogsz venni.

SIPOS Ki akarsz hozni a sodromból? Mit akarsz tőlem? Mit ismétled ezt mindig?

ADÉL Mert el fogsz venni.

SIPOS Te, hagyd abba!

ADÉL El fogsz venni és most azért vagy mérges, mert érzed, hogy most meg vagy fogva, egészen sápadt vagy a dühtől, nézd meg magad a tükörben, szégyelld magad.

SIPOS Én türtőztetem magam, Adél, amíg bírom. De figyelmeztetlek, hogy ha a végletekig viszed, valami nagy meglepetés talál téged érni.

ADÉL Nem hiszem. Tőled csak egy meglepetés érhetne, hogy úri módon viselkedel. De ez a meglepetés engem nem fog érni.

SIPOS Na, még egy szobalányhoz elég úriember vagyok.

ADÉL Nemcsak szobalány voltam, hanem a fiatal grófnak a metresszе is voltam, nyolc évig, kerestem ezen az üzleten egy kis házat és egy nagy gyereket. Kérem ezt is kinyilvánítani.

SIPOS Nahát most legalább te mondtad ki. Hát igenis, elveszlek, mert erkölcsi kötelességem. Úgy kell nekem, mért nem háborodtam fel előbb. De erkölcsileg lusta voltam.

ADÉL És nekem pénzem volt.

SIPOS Te... én... én...

ADÉL Pihenj egy kicsit, fiam. Egy csöpp vér sincs az arcodban. Most már egészen sápadt vagy. Ne mereszd rám a szemed, nem félek tőled. Ne komédiázz velem. Miután úgyis az lesz a vége, hogy elveszel, ezt sokkal szebbre csinálhattad volna. De mert egy nyomorult fáradt ember vagy, hát ilyen piszkosan kéred meg a kezemet. Piszkosan és úgy, hogy én kényszerítelek rá.

SIPOS Te engem sose szerettél.

ADÉL Az nem igaz. Egyszer egy hétig szerettelek.

SIPOS Az első héten.

ADÉL Neeem. Akkor igazán nem. Egyszer volt egy hét. Vagy két hét. Ti ezt sose tudjátok. Mikor tüdőgyulladásod volt és én azt hittem, hogy meghalsz. A nagy láztól nem maradt meg az étel a gyomrodban és azt mondtad, hogy most meg foglak utálni, mert utálatos vagy. Azon az egy héten szerettelek. Aztán sok éjszaka, mikor te azt hitted, hogy a mennyországba repültem, úgy gyűlöltelek, hogy reggelig sírtam.

SIPOS A gróf úr után.

ADÉL Bizony, az után.

SIPOS És most se szeretsz.

ADÉL Nem.

SIPOS És vegyelek feleségül.

ADÉL Igen.

SIPOS Mért éppen én?

ADÉL Mert én úgy határoztam, hogy te fogsz feleségül venni.

SIPOS És ha én se szeretlek? És ha én is csak, éppúgy mint te, megszokásból vagyok veled, fáradtságból és öregségből, és ha én éppen úgy gyűlöllek, mint te engem?

ADÉL Akkor is te fogsz feleségül venni.

SIPOS *(ordítva)* Mért?

ADÉL Ne ordíts. Mert én akarom. Nem vagyok elragadtatva tőled, ne félj, nem azért. Te vagy az utolsó ember ezen a világon.

SIPOS Te. Hát most hallgass jól ide. Most nézz jól rám, hogy ilyen sápadt vagyok-e vagy olyan sápadt. Édes fiam, most megtörténik a kijelentés. Nyugodtan és hidegen. Nem veszlek el. Ha akarod, marad minden a régiben. Ha nem, szedem a sátorfámat és megyek. Értetted? Majd én megmutatom neked, hogy én is ember vagyok. És most ebből az egészből elég volt. És ha egy szót mersz most szólni, összetörlek. Összetörlek. Na. Most hallottad. *(Leül, meggyújtja elaludt szivarját)* Mondtam, hogy téged még nagy meglepetés érhet. Hát most hallottad.

Szünet. Adél lassan sétál. Az ajtó nyílik, Irma csöndesen bejön, fogja a mosdó mellett álló vödröt, némán kiviszi, miközben aggódva figyel. Szünet

Most te vagy sápadt fiam.

Szünet

ADÉL *(megáll)* Nincs értelme, hogy így belelovaljuk magunkat a gyűlölködésbe. Tényleg, ülj egy kicsit és pihentesd ki az agyadat.

SIPOS Csak ne vedd ezt ilyen könnyedén. Csak most ne ravaszkodjál. Te most nagyon meg vagy ijedve, mert sok eszed van és tudod, hogy túlfeszítetted a dolgot és most elszakadt az egész. Most már nem is tudsz úgy komédiázni, mint az előbb.

ADÉL Nem törődöm semmivel. Komédia vagy nem komédia. Mit bánom én.

SIPOS Látod, fiam. Ilyen szép puhán kell beszélni. És nagyon jó is, hogy ez az egész ilyen csúnyán felfakadt, mert most legalább vége. Fájni fog neked is – ne félj: nekem is, de most legalább szétmegyünk. Aztán valahogy összefoldozzuk a rongyos életünket. Külön én is, meg külön te is.

Szünet

ADÉL Hát Lajos. Én megmondok most neked valamit. De te vagy az oka, hogy megmondom. Én nem akartam belehasogatni a szívedbe. Te vagy az oka. Én mondok neked valamit. Én szerelmes vagyok ebbe a Császár Pálba.

SIPOS *(ijedten)* Azt én tudom!

ADÉL Hála istennek. Legalább látod, hogy eddig gyöngéd voltam és most becsületes vagyok.

SIPOS Az nem igaz.

ADÉL Micsoda?

SIPOS Hogy becsületes vagy. Ha becsületes lettél volna, ezt az első napon bevallottad volna nekem.

ADÉL Micsoda első napon? Hol van itt első nap? Melyik az első nap? Napok vannak és én szerelmes vagyok, és minden nap első nap és minden nap utolsó nap, mert nem tudom, mikor kezdődött és nem tudom, mért nem akar végződni.

SIPOS A szeretője vagy.

ADÉL Pfuj, de nyomorult vagy.

SIPOS A szeretője vagy?

ADÉL Pfuj, de ostoba vagy. Pfuj, de gyáva vagy. Hogy tudnálak most gyűlölni, ha szeretnélek. Hát ezt kell erre mondani? Hát lehetek a szeretője? Hát ez az egész, ami most itt történt, hát ez történt volna, ha a szeretője volnék? Hát ideállnék elibéd és megmondanám neked, hogy szeretem? Hiszen magamnak se merem megmondani... Lajos... Lajos... segíts rajtam... segíts az én vén buta fejemen... segíts az én öreg szívemen...

segíts rajtam? Szerelmes vagyok egy fiatal emberbe! Tudod mit jelent ez? Az istenért… ne hagyd, hogy elhagyjalak és utánaszaladjak, és megalázkodjam… és én pénzeljem és ő megverjen… és én kezet csókoljak neki érte… Lajos… te okos ember vagy… én harminchat éves vagyok és ő huszonhárom… nem látod, hogy mi lesz ebből? Nem ismersz engem? Még most se érted, mért ordítottam fel hozzád a nyomorúságból, hogy vegyél el, vigyél el, védj meg!

SIPOS *(a homlokát törli)* Itt csak egy kérdés van.

ADÉL Istenem…

SIPOS Itt most már csak egy kérdés van.

ADÉL Milyen… kérdés…

SIPOS Akárhogy fogod fel… most igazán bocsáss meg, ne légy türelmetlen… minden izgalom nélkül… Az életünk fordulata előtt állunk… itt megint csak egy kérdés van. Meddig mentél vele.

ADÉL Hát kérdezhetnéd ezt tőlem, ha csak rá is néztem volna? Hát ki mondta el neked az egészet? Nem én? Hát elmondtam volna?

SIPOS Én tisztességes ember vagyok. Én elbocsátalak és neki adlak minden bosszú nélkül. Felelj becsületesen. Tudja, hogy szereted?

ADÉL Ha tudná, nem tűrném meg a házban.

SIPOS És még egy kérdés van.

ADÉL Ne kínozz.

SIPOS Nem, nem. Egy fontos kérdés van. Ő… szeret téged?

ADÉL Ne kínozz.

SIPOS Felelj, mert összetörlek. Szeret téged?

ADÉL Nagyon.

SIPOS Már mint… szerelmes?

ADÉL Igen.

SIPOS Honnan tudod?

ADÉL Azt igazán tudja az ember.

SIPOS És mért nem lökted ki? És mért nem mondtad meg nekem?

ADÉL Hiszen megmondtam! Most mondtam meg! És nem lökhetem ki, és te se lökheted ki. Olyan korrektül viselkedik a szenvedésében. Hiszen éppen ez az, ami úgy meghatott.

SIPOS Az nem szenvedés. Szerelem nem szenvedés.

ADÉL Hát mi a szenvedés?

SIPOS Szenvedés egy operáció, ahol nem altatják el az embert. Az szenvedés. És az, ha az ember csalódik abban, akiben hitt. És még egy kérdés van.

ADÉL Istenem, mért van annyi sok kérdés? Hát nem tudsz már mindent? Hát nem értesz már mindent?

SIPOS Még csak egy kérdés van, aztán vége. Illetve megismételek egy kérdést. Te... éreztetted vele, hogy szereted?

ADÉL *(siránkozva)* Istenem... hát verj meg inkább, taposs rám, de ilyen gyalázatosságot ne kérdezz.

SIPOS Nem is sejti?

ADÉL Hát hogy sejtené?

SIPOS Jól van, fiam. Adjál egy kis szódavizet.

ADÉL *(tölt neki)* Bort is bele?

SIPOS Nem. *(Átveszi)* Köszönöm. *(Iszik, de keveset)* – Hát kérlek.

ADÉL Pihenj egy kicsit, drágám.

SIPOS *(kábultan)* Igen.

ADÉL *(nagyon gyöngéden)* Most mindenféle gondolat nyüzsög a fejedben, ne izgasd magad drágám, mára elég volt. Nem akarsz egy kicsit ledűlni?

SIPOS *(maga elé bámulva)* Igen. – Majd később.

ADÉL *(megcsókolja a homlokát)* Milyen forró a fejed.

SIPOS *(elmélázva)* Igen.

Kopogtatás

Szabad.

Császár lép be az udvar felől

SIPOS Á, … a Császár úr. *(Feláll. Kínos szünet. Fel-alá jár)* Mivel szolgálhatok, Császár úr?

ADÉL *(szemrehányóan)* Kérlek szépen.

CSÁSZÁR *(elfogultan)* Őnagyságánál szerettem volna érdeklődni… Kérem, úgy látszik, megzavartam a beszélgetésüket.

ADÉL Nem baj, kérem, csak mondja meg, amit akar.

CSÁSZÁR Tudniillik… már voltam bátor említeni pénteken… hogy a Brausz Mártonnak, a hentesnek van az a kocsija… hiszen tetszik tudni… az a henteskocsi, ami átalakítható ülésekkel társaskocsivá. Most lakiroztatta, gyönyörű szép. És két jóvérű sárga lova van. Ma, vasárnap nekem egész délutánra rendelkezésemre áll ez a kocsi. Hat személy kényelmesen elfér rajta. És gondoltam, ha esetleg kedve volna a Hűvösvölgybe kimenni…

SIPOS Nincs neki kedve a Hűvösvölgybe kimenni.

ADÉL Azért… köszönöm szépen, Császár úr.

CSÁSZÁR Nagyon szívesen, nagysád.

SIPOS Pláne henteskocsin.

CSÁSZÁR *(szomorú mosollyal)* Hát bizony… autóm még nincs.

SIPOS Azt tudjuk.

Kínos szünet

Ez minden, amit kívánni méltóztatott, Császár úr?

CSÁSZÁR Igen, kérem.

SIPOS Hát most énnekem volna egy kis kívánni valóm Császár úrtól.

ADÉL *(aggódva)* Kérlek szépen.

CSÁSZÁR Méltóztassék.

SIPOS Azt méltóztatom kívánni, hogy ön ne adjon pénzt a cselédnek szalagra.

CSÁSZÁR De kérem…

SIPOS *(túlbeszéli)* Ezt a cselédet mi hoztuk ide gyerekkorában és mi vagyunk felelősek a sorsáért.

ADÉL De Lajos…

SIPOS Semmi Lajos, itt nincs Lajos, én nem fogom tűrni, hogy az urak közül bárki, legyen az maga Császár úr…

CSÁSZÁR De félreértés kérem…

SIPOS *(túlkiáltja)* …legyen az maga Császár úr, ehhez a gyereklányhoz nyúlni nem engedek, ha Császár úrban olyan nagyon ágaskodik a virtus, menjen az utcára a lányokhoz.

CSÁSZÁR De kérem, Adél nagysád a tanúm…

SIPOS Adél nagysád önnek nem tanúja. Kikérem magamnak.

CSÁSZÁR Hát kérem… mit csináljak… ha meg se tetszik hallgatni…

ADÉL Kérlek, Császár úr már igazolta…

SIPOS Neked igazolta, nekem nem igazolhat semmit. Amit mondtam, megmondtam.

CSÁSZÁR Hát kérem… erre igazán nem mondhatok semmit… igazán restellem, Adél nagysád…

ADÉL *(idegesen)* Jól van kérem, hagyja most már.

CSÁSZÁR Ha tudtam volna, hogy ebből a semmiségből ilyen…

SIPOS Ez nem semmiség, kérem. Kikérem magamnak ezt a kritikát.

CSÁSZÁR Ez nem kritika, kérem.

SIPOS Nahát kérem, elég volt.

CSÁSZÁR Kérem.

Kínos szünet

Bocsánat, hogy zavartam. Ajánlom magamat.

SIPOS Ajánlom magamat.

Császár kimegy. Sipos leül az asztalhoz, a fejét a karjára hajtja. Adél hozzámegy, sóhajt, a fejét simogatja. Ez eltart egy kis ideig

SIPOS *(föl se emelve fejét)* Vén… marha vagyok.

ADÉL *(még egyszer megsimítja a haját és elmegy tőle)* Feküdj le, aludj egy kicsit, fiam. Ezt megszoktad délután. Ez hiányzik neked. Ettől vagy ideges.

SIPOS *(szemét törölve)* Hány óra?

ADÉL *(karkötőjét nézi)* Félkettő.

SIPOS Mi van az órámmal?

ADÉL Az Irma már mondta...

SIPOS Ja, igaz. Egészen kiment a fejemből. – Lefekszem egy kicsit. Fáj a fejem.

ADÉL *(kiszól az ajtón)* Irma? *(Visszajön)* Hánykor költselek föl?

SIPOS Négy órakor.

ADÉL Pá, fiam. *(Balra elöl kimegy)*

Sipos nagyot sóhajt. Irma belép a gyerekkel

SIPOS *(az asztalra könyökölve ül, a fejét kezére támasztva)* Megint a gyereket dajkálod? Készítsd az ágyat, lefekszem.

IRMA *(leteszi a gyereket, az ágyhoz megy, közben nyugtalanul nézi Sipost, elhelyezi a takarót és nagyokat csap a párnára)* Mért búsul Sipos úr?

SIPOS Mert ráérek, fiam.

IRMA Én odavagyok, ha a Sipos úr ilyen szomorú.

SIPOS Mi van veled máma, hogy úgy szeretsz?

IRMA Én mindig szeretem, Sipos úr.

SIPOS Igaz szívedből?

Irma lehajtja a fejét

Mint a galamb a tiszta búzát?

IRMA Kicsúfolni tetszik engem.

SIPOS Most nem is olyan nagyon csúfollak ki, fiam. Most egy kicsit undorodom magamtól... mindenkitől, fiacskám.

IRMA Tőlem csak nem?

SIPOS Az a szomorú, fiam, hogyha most úgy körülnézek a világon, Európába, Ázsiába, Afrikába, Amerikába... ezen az egész világon egy jó emberem van, fiam, és az te vagy. *(Hirtelen szigorúan)* Na, ne nézz, ne kérdezz, gyerünk, egykettő, ebéd utáni lefekvés! Párna!

IRMA Megvan.

SIPOS Szék az ágyhoz!

Irma széket tol az ágyhoz

Bor.

Irma odateszi

Szóda.

Irma odateszi

Pohár.

Irma odateszi

Hamutartó.

Irma odateszi

Sipos *(az ágy szélére ül)* Papucs!

Irma lehúzza a papucsot

SIPOS *(az ágyra dől)* És most egy szó se, csöndes leszedés, aztán távozás és békében hagyás. Függönylehúzás a legyek miatt. *(Befordul a fal felé)*

IRMA *(leereszti az ablak rolettáját. Lábujjhegyen megy az asztalhoz, csöndesen szed le, suttogva beszél a gyerekhez)* Pszt... csöndesen maradj Lilike... mindjárt kimegyünk a homokba építeni... ülj csak szép csöndesen... *(Felfigyel, Siposhoz)* Tetszett valamit mondani?

SIPOS Nem fiam, csak sóhajtottam.

IRMA Ne tessék sóhajtani.

SIPOS Jó, édes fiam. Majd nem sóhajtok.

Kis szünet

IRMA *(halkan a gyerekhez)* Mindjárt megyünk... Csak leszedjük az asztalt... *(a kanalat fogja, hátranéz)*

...evvel ette szegényke a levest... *(megcsókolja a kanalat)* ...evvel ette a húst... *(megcsókolja a villát és hátranéz)* ...ebbe törülte a száját... *(megcsókolja a szalvétát)* ...abrosz vissza... kenyér vissza a kendőbe... só, paprika a helyére... *(Sipos felé figyel)* Már alszik. Csöndes maradj Lilike. Most tehát imádlak, te mártír... drágám, kedvenc csillagom, Göncölöm szekere, édesem, mérgesem... imádlak Európába, Ázsiába, Afrikába, Amerikába, csak én imádlak, senki más... Most szegény szolgáló vagyok... de elmegyek érted a bálba... aranyruhába, üvegcipőbe... Most nem hallja, elmondom: „Boldogságom hímpora. Lenge szellő lengedez, Fájdalmamnak angyala, Könnyeimnek zápora." Írta Szabó Irma. Most nem hallja, mert alszik... De lehet, hogy csak úgy tesz, mintha aludna, és akkor hallja... akkor hallja! *(Figyel, aztán bal karjára veszi a gyereket, jobb kezébe az edényt, lábujjhegyen az ajtóhoz megy, a lábával kitolja az ajtót és kimegy. Az ajtó nyitva marad. Pillanatnyi szünet. Aztán visszajön gyerek és edény nélkül a küszöbre. Suttogva mondja)* – Ajtó!... *(Igen lassan, óvatosan becsukja kívülről az ajtót)*

Függöny

MÁSODIK FELVONÁS

Adél házának tornáca és kis kertes udvara. Az udvar hátterében lakodalmi asztal körül ülnek a vendégek. Balról hátul, ajtó a konyhába. Jobbról elöl, ajtó a házba. A tornácon pohárszék. Egy kis söröshordó. A földön, a korlát mellett sorban rengeteg palack, fazekakba és vájdlingokba behűtött borok, szódavizek, néhány görögdinnye. Elöl jobbról, a tornácon pirossal terített asztal a cselédség számára. Nyár. Alkonyat.

Mikor a függöny felgördül, már vége felé jár az ebéd, amely dél óta tart. Jókedv, csöndes nevetgélés, beszélgetés. Az asztal körül ülnek: Sipos, vőlegénynek öltözve, Adél, menyasszonyi ruhában, Császár, Viola, Stetner és a többi vendégek, férfiak, nők vegyesen. Egy pap és egy hajóskapitány is van köztük. Kati, a házmesterné az asztalról szedeget edényt, és ki-bejár a konyhából az asztalhoz és vissza. Házmester elöl a tornácon a behűtött italok közt rakosgat. Irma a pohárszéknél áll és dolgozik rengeteg edény közt. Ő a pohárszék és a konyha közt járkál. Lilike huszárnak öltözve ül a tornácasztalnál. Előtte korsó sör.

Irma néha Lilikéhez is odamegy a továbbiak alatt

ADÉL ANYJA *(díszes ruhába öltözött jobbmódú falusi polgárasszony, épp előrejött a lakodalmas asztaltól a tornácra)* Feketekávét kérnek! Feketekávét kérnek!

IRMA Már kétszer főztünk újra.

ANYA Van elég kávé?

IRMA Nem tudom.

Kati épp arra jön az udvar felől

ANYA Mondja, van elég pörkölt kávéjuk?

KATI *(bekiált a konyhába)* Szakácsné, van elég kávé?

SZAKÁCSNÉ *(megjelenik a konyhaajtó küszöbén)* Még egyszerre van.

HÁZMESTER Hát mink mikor ebédelünk? Háromnegyed hat, kezitcsókolom, még nem jutottunk hozzá, hogy egy falatot együnk.

SZAKÁCSNÉ Pedig milyen kacsa vót!

IRMA Láttam, amikor élt. Fekete kacsa volt.

SZAKÁCSNÉ Mi az? Maga azt hiszi, egy kacsa volt?

IRMA Egy gyönyörű fekete kacsa volt. Olyan volt, mint a fekete hattyú.

SZAKÁCSNÉ Hat egész kacsa volt!

ANYA A kisfiúra vigyáz valaki?

IRMA Én vigyázok a Lilikére.

ANYA Csak nem adnak neki sört?

IRMA Az apja ad neki sört. Hogy kértem ugye, hogy ne adjon. Tetszik most hallani?

HÁZMESTER Egy korsóval nem árt.

IRMA Dehogynem árt.

SZAKÁCSNÉ *(a küszöbről)* Kati, hová tette a kávédarálót? *(Visszaugrik a konyhába)*

KATI Maga darált vele az előbb!

SZAKÁCSNÉ *(a konyha belsejéből, ordítva)* Jó, már megvan!

Sipos jön előre az asztaltól

SIPOS Drága anyósom, maga mindig a konyha körül van, ez nem járja. Menjen a vendégekhez. Itt van Gál kapitány a Magyar Folyamtól, foglalkozzék egy kicsit vele. *(Irmához)* Mi van a feketével, mért nincs fekete?

IRMA Megint velem tetszik mérgeskedni, nem én vagyok a szakácsnő, mit tudom én, mért nincs fekete. *(Csomó edénnyel siet a konyhába)* Dolgozok, mint egy kutya.

SIPOS Ne bőgj mindjárt! *(Utánamegy a konyha-ajtóig, oda beszél)* Mi van a feketével?

ANYA Főzik már, ne legyen ideges.

SZAKÁCSNÉ *(hangja a konyhából)* Főzzük! Főzzük!

SIPOS *(előrejön a borokhoz)* Hány üveg bort hoztak fel?

HÁZMESTER Nem tudom, kérem.

SIPOS Mi az? Nem tudja, hogy hány üveg bort hozott fel a pincéből?

HÁZMESTER Hát kérem, negyvenhatig olvastam, de aztán úgy kiabáltak folyton, hogy bort, bort, csak hordtam, kérem, mint a tűzifát, kosárban.

SIPOS Ez itt melyik?

HÁZMESTER Most már össze is keveredett. Ez itt csopaki. Ez meg olasz rizling.

SIPOS Hát csak úgy vigye, hogy előbb a csopaki fogyjon el, mert az zavaros. Azt megismeri, ha átnéz az üvegen. A plébános úrnak és a kapitány úrnak rizlingit. A többinek mindnek zavarosat.

Irma arra megy

HÁZMESTER Nagyobb baj van, kérem, szóda nincs. Ez a tíz üveg az egész.

SIPOS *(Irma felé)* Azt én tudom! Ez az egy dolog volt rádbízva, te prücsök, tudtam, hogy nem lesz szóda!

IRMA Mit csináljak, ha mind megitták!

SIPOS Hát arra való, te majom, hogy megigyák. Hány üveget hozattál?

IRMA Harminc üveg volt.

SIPOS Nahát, ez hallatlan. Te az én lakodalmamra harminc üveg szódát hozatsz? Hatvanat kellett volna!

IRMA De csak harminc volt kék üvegbe.

SIPOS Hát aztán?

IRMA Az az én kedvenc, imádott színem.

SIPOS Mit szól hozzá? Az az ő színe! *(Házmesterhez)* Küldjön át a kocsmába azonnal, ami szódájuk van, hozzák át rögtön.

IRMA Én vagyok a legszomorúbb vendég a Sipos úr lakodalmán.

SIPOS Te nem vagy itt vendég, te itt cseléd vagy. Mért traccsolsz?

IRMA A gratulánál mindenkinek adott csókot, csak nekem nem. Pedig én szerelmes vagyok a Sipos úrba, nagyon jól tetszik tudni.

SIPOS Hát gyere ide, te rongyos. Kapsz egyet.

IRMA Most már nem kell. Megvárom, amíg részeg lesz, akkor kapok kettőt. *(Elsiet a konyhába)*

HÁZMESTER *(a konyha felé ordít)* A Julcsa menjen át a Morbitzerhez szódáért!

SIPOS Ne ordítson! Egy pápai kamarás ül az asztalnál, és itt ordítanak, mint a sakálok. Menjen oda, és ott mondja meg!

JULCSA *(megjelenik a konyhaajtó küszöbén)* Megyek már! *(Kiszalad az udvarra és jobbra eltűnik)*

SIPOS Olyan ez, mint a bolondokháza. Minek ez a kapkodás? Nyugalom és rendszer. Egy, kettő, szóda, bor, kávé. Egy, kettő, kacsa, liba, rétes, dinnye. De nem összevissza mindent. A cigányokkal mi van?

HÁZMESTER Még nem jöttek.

SIPOS Mikorra rendelte őket?

HÁZMESTER Hat órára. Pedig most van hat óra.

SIPOS Micsoda pontatlanság.

Az udvaron mozgolódás, lárma

HÁZMESTER Talán most jönnek!

SIPOS *(az udvar felé)* Mi az?

STETNER Megjöttek a cigányok!

Újból mozgolódás és lárma

SIPOS *(hátrasiet)* Nem a cigányok! Ezek a fényképészek.

Közvetlenül a tornácnál, az udvaron jobbról megjelenik a két fényképész, eszközökkel

FÉNYKÉPÉSZ Van szerencsém jónapot kívánni. Itt van a fényképész az ő amerikai gépével és igaz magyar jókívánságaival. Nevem Stiaszni. Fogadja ifjú férjuram legbensőbb szerencsekívánataimat.

SIPOS Köszönöm, gyerünk, gyerünk, kevesebb beszéd, több felvétel.

IRMA *(a korláton át kiszól az udvarra)* Sipos úr, kérem!

SIPOS Ne zavarj most. Mit akarsz?

IRMA Én nem hagyom magamat levenni.

SIPOS Ne félj, nem is voltál tervbe véve.

IRMA Hát azért mondom.

HÁZMESTER Ha a Julcsa hozza a szódát, ide tegyék a jégre.

IRMA Mondja ezt a Julcsának.

HÁZMESTER Maga a szódaigazgató.

SZAKÁCSNÉ *(a konyhaküszöbön)* Kati, kérje el a nagyságától a kulcsot, elfogyott a kockacukor!

KATI Most nem lehet, most fényképezés lesz. *(Házmesterrel együtt beáll a csoportba)*

Házmester Ne zavarja a csoportot. Hagyja most a cukrot!

Közben a fényképészek felálltak a jobbszélen

SIPOS Csöndet kérek! Most maradjatok egy kicsit nyugton, le lesz fényképezve az egész társaság. Népség, cselédség, ide a háttérbe. Házmesterék! Szakácsné!

Házmesterék a konyhaajtó előtt állnak, boldogan

SIPOS Irma!

IRMA Nem megyek!

SIPOS Ha nem jössz, maradsz!

HÁZMESTER *(ordítva)* Állj! Állj!

SIPOS Mit ordít? Mit ordít?

HÁZMESTER *(az udvar túlsó végébe mutat)* Ott jön a Julcsa, hozza a szódát, még majd beleszalad a csoportképbe! Állj!

SIPOS *(Julcsa felé)* Maradj ott a szódával! Ne mozdulj!

FÉNYKÉPÉSZ Most kérem, szíveskedjék mindenki nyugton maradni és tessék mindenki énrám nézni. Ne tessék megijedni, magnéziummal lesz dolgozva, mert már nem elég erős a napfény. Vigyázat *(Nagy csönd)* Egy!... Kettő!...

SZAKÁCSNÉ *(a konyhaküszöbön, beleordítva a csöndbe)* Kati, kérje már a kulcsot, nincs kockacukor!

MIND Pszt!

SIPOS Csönd! Ne mozduljon! Álljon meg ott, ahol van.

FÉNYKÉPÉSZ Tehát újra kezdem az olvasást. Nyugalom és rám nézni mindenki! *(Nagy csönd)* Egy, kettő, három.

Nagy csönd és várakozás. Óriási magnéziumlobbanás. Általános fellélegzés, beszélgetés, nevetgélés. Lilike hangosan sírni kezd

IRMA *(odaszalad hozzá, megtapogatja)* Gyere gyorsan, Lilike!

SIPOS Mi az, mi történt?

IRMA Tengerész lett a huszárból! *(Gyorsan viszi hátrafelé)*

LILIKE *(bőgve)* A sörömet! A sörömet!

IRMA Jó, visszük a sört is. *(A kezébe adja a korsót, így sietnek a konyha mögötti ajtó felé)*

Lilike bőgve viszi a sört. Anya előresiet a pohárszékhez, és egy csomó edényt vesz el onnan. Házmesterné terítékeket tesz a tornácasztalra. Julcsa már keresztülszaladt az udvaron a szódákkal, és most Házmesterrel együtt rakja a jeges fazekakba

ADÉL *(előrejön az asztaltól a tornácra)* A kacsát, ami megmaradt, szépen összerendezni a tálakon és a jégszekrénybe tenni későbbre. Az uborkát is a jégre. Édesanyám, nem engedem, hogy fárassza magát, csak maga üljön vissza a vendégekhez.

ANYA De Adélkám, engedj segíteni, olyan boldog vagyok.

ADÉL Nem engedem, anyám, maga csak menjen az asztalhoz, maga itt a legfőbb vendég. *(Megcsókolják egymást)*

ANYA Oly boldog vagyok, hogy te ilyen köztiszteletben állasz. Milyen szép vendégkoszorú! Itt van a plébános, az elöljáró!

ADÉL És Gál kapitány a Magyar Folyamtól! Higgye el, anyám, tízévi munka után jólesik ez a megbecsülés. Jómodorral és tisztességgel szereztem.

ANYA Mondd, édesem, gondoskodtál hajnalra káposztalevesről?

ADÉL Lesz, anyám, gondoskodtam.

ANYA Kolbásszal?

ADÉL Hogyne, anyám, kolbásszal.

ANYA Belevagdalva?

ADÉL Belevagdalva.

ANYA Olyan boldog volnék, ha engednél segíteni!

ADÉL Nem lehet. *(Elveszi a kezéből az edényt)* Itt én dirigálok, drágám.

ANYA Ma is?

ADÉL Ma és mindörökké. Tessék leülni a helyére, enni és inni. Mi esne most jól, édesanya?

ANYA Egy kis tejeskávé.

ADÉL *(bekiált a konyhába)* Egy óriási csésze jó tejszínes kávét a mamának, azonnal! Minden félórában egy liter tejeskávét a mamának, amíg le nem fekszik.

Anya közben visszament az asztalhoz

SZAKÁCSNÉ Igenis, nagysád. És kérem a kulcsot, mert nincs kockacukor.

ADÉL *(meglátja a Lilikével visszaérkező Irmát)* Mindjárt! *(Irmához)* Mért nem volt szóda? Rendben van a szóda?

IRMA *(előrejön, Lilikét a helyére ülteti, a sört kiveszi kezéből és elébe teszi)* Hát hogyne volna rendben.

ADÉL Úgy beszélsz, mintha te hoztad volna. Szegény Julcsa szaladt érte, szegény lemaradt a fotográfiáról a te hibádból.

IRMA Én is lemaradtam.

ADÉL Téged rá se engedtünk volna.

IRMA Nem is kell.

ADÉL Nem hallgatsz?

HÁZMESTER Nagysád, kérem, az Irma pálinkát ivott. Azért olyan erőszakos.

ADÉL Te pálinkát ittál?

IRMA Igenis.

ADÉL Nahát még egyszer halljam ezt!

IRMA Hallani fogja, mert még iszok.

ADÉL Micsoda viselkedés ez! Na megállj, majd számolunk holnap!

IRMA Hol leszünk már holnap!

SIPOS *(az udvaron a korláthoz jön)* A szivarok hol vannak?

ADÉL Te tetted el.

SIPOS Én kihoztam mind.

ADÉL Hát elszívták.

SIPOS Házmester, szaladjon a trafikba, hozzon egy skatulya britanikát a plébános úrnak, a kapitány úrnak, meg az elöljáró úrnak. A többinek hozzon kubát. Van magánál pénz?

HÁZMESTER Igenis, kérem.

ADÉL Nem hagyjuk őket enni.

HÁZMESTER Mindjárt itt leszek, kérem! Egyszer van lagzi! *(Elszalad a jobb elülső ajtón, majd később visszajön az udvarba a szivarokkal)*

SIPOS Te meg ne rakosgass itt, gyere vissza a vendégeidhez. Beszélj egy kicsit a pápai kamarással. Máma nem kell tűzről pattanni. Nyugalom és rendszer. Most már rendben van minden. Csak a mamád mindig otthagyja Gál kapitány urat.

ADÉL Mert mindig a tengerről beszél neki.

SIPOS Hát miről beszéljen egy nagymarosi átkelő kapitány?

ADÉL Igen, de a mamám nem bírja. Egyszer Triesztbe utazott, akkor nagyon rosszul volt, és azóta szédül, ha a tengert dicsérik neki.

Az asztaltól előrejön Viola kisasszony, nyoszolyólány

VIOLA Adél néni, ez nem járja, ne dolgozzon máma, máma maga itt menyasszony. *(Elveszi tőle a tányérokat)*

ADÉL Asszony vagyok már, te csacsi. Ott álltál, mikor asszony lettem.

VIOLA Az mindegy. Amíg a fejin van a mirtuszkoszorú, addig menyasszony. Menjen, kérje maga is a Szász Bandit, hogy hegedüljön. Olyan utálatos, úgy kéreti magát.

SIPOS Na gyere vissza az asztalhoz! A Szász Bandi hegedülni fog.

Adél indul vissza, de mikor a konyhaajtó elé ér, akkor:

SZAKÁCSNÉ *(a küszöbön)* Nagysád, az istenért, a spájzkulcsot kérem, nincs kockacukor.

SIPOS Add oda már neki, mert megőrül!

ADÉL Dehogy adom! Majd én adok ki neki cukrot!

SIPOS Ma is te mész a spájzba?

ADÉL Ma is. Még a temetésemen se kapja meg a kulcsot. *(Beszalad a konyhába. Majd később kimegy a vendégekhez)*

Sipos visszamegy a vendégekhez

VIOLA Ez aztán a gazdasszony!

IRMA Tessék ideadni. *(El akarja venni Violától a tányérokat)*

VIOLA *(nem adja)* Mit kell csinálni ezekkel?

IRMA Semmit. Tessék csak ideadni. *(Elveszi tőle)* Vissza kell tenni ide. Az öreg nagysád vette el innen izgalmául, attól elvette az Adél nagysád, attól elvette a Viola nagysád, attól elvettem én, pedig nem is vagyok nagysád. *(Visszateszi a pohárszékre)* Minden nagysád izgatott.

VIOLA Nem csoda. Lakodalom van.

IRMA Elég baj.

VIOLA Ugyan miért?

IRMA Hagyjuk ezt most, kisasszony. *(Lilikéhez megy)*

VIOLA Ez a gyönyörű kis gyerek a magáé?

IRMA Már hogy volna az enyém, mikor a házmesteréké. Hogy lehet nekem gyerekem? Én még csak tizenkilenc éves vagyok.

VIOLA De cseléd.

IRMA Hát aztán.

VIOLA Cselédnek már tizenhat éves korában van gyereke.

IRMA Énnekem nem volt.

VIOLA Hány éves ez?

IRMA Nem tudom, de el van maradva. Pedig sört is kap. Ugye, Lilike?

VIOLA Ilyen szép neve van?

IRMA Bizony. Én adtam neki. Nem is János, mint a kocsis. Viola kisasszonynak is szép neve van.

VIOLA Én nem szeretem. Egyszerűbb nevet szerettem volna. Sári, Zsuzsa, Erzsi, Anna.

IRMA Viola is egyszerű. Az embernek mindjárt egy szag jut eszébe. De olyan jószagú, mint Rózsa, Ibolya.

VIOLA Azt nem szeretem. Kegyed, ugyebár, Ilona?

IRMA Nem kérem. Irma.

VIOLA Irma. Annak nincs szaga.

IRMA Nincs.

VIOLA De azért nem szép.

IRMA Nem szép, de jó.

VIOLA Férfiban Sipos Lajos sem szép név.

IRMA Lajos nem szép.

VIOLA Pál se szép.

IRMA Az én kedvenc ideálomnak van szép neve.

VIOLA Ki az?

IRMA Aki azokat a gyönyörű tragédiákat írja a Nemzetibe. A vezetékneve nagyon közönséges. Sepszkir. De a keresztneve, az aranyos.

VIOLA Hogy hívják?

IRMA Ciklus. – Nem kedves?

VIOLA De kedves. Maga sokat jár a Nemzetibe?

IRMA Fájdalom, keveset. De azt a karzatra.

VIOLA Az magas.

IRMA Ó, roppant magas.

VIOLA És vannak, akik még magasabbról nézik?

IRMA Ó, sokan. Az angyalok a plafonról. *(Odamegy Violához, meghatottan)* Viola kisasszony a Császár úr karján volt a templomban?

VIOLA Igen.

IRMA Én ott voltam a múlt héten, mikor a Sipos úr meg az Adél nagysád megkérték egymás kezét. A Sipos úr már akkor meg akarta verni az Adél nagysádot. *(Könnyeit törli)*

VIOLA Annyira sajnálja az Adél nagysádot?

IRMA Nem, kérem. Én a Sipos urat sajnálom.

VIOLA Miért?

IRMA Hát nem tetszik tudni, hogy én szerelmes vagyok a Sipos úrba? Az egész város tudja. Azért iszok, bánatomban.

VIOLA Kegyed iszik?

IRMA Már három pohár pálinkát megittam. Én azt hiszem, már részeg vagyok. A Viola kisasszony papája is részeg már.

VIOLA Az én papám minden esküvőn részeg. Máskor alig iszik. De ilyenkor mindig eszibe jut boldogult szegény mama, és ő bánatában sokat iszik és olyankor mindig sír.

IRMA Ma még nem sírt.

VIOLA Majd fog, ne féljen. Kegyed sokat sír?

IRMA Aránylag keveset. Máma akkor kezdtem sírni, mikor megláttam a Viola kisasszonyt a Császár úr karján. Viola kisasszony a Császár úrba szerelmes?

VIOLA Ó, igen, nagyon gyakran.

IRMA Nem mindig?

VIOLA Nem. Főleg csak akkor, ha látom. Császár úr nagyon előnyös.

IRMA Ó, igen, nagyon előnyös.

VIOLA És főleg, tudja, kifogástalan. Ez ma ritkaság. Sipos nem olyan kifogástalan.

IRMA Nem, kérem. Ő kifogásos.

VIOLA De puritán.

IRMA Milyen, kérem?

VIOLA Puritán.

IRMA Hogyne. Ó, hogyne.

VIOLA Tudja isten, én azt hiszem róla, hogy perverz.

IRMA Ó, igen. *(Elragadtatva)* Én inkább pilótának nevezem.

VIOLA Nem értem, hogy lehet őt szeretni.

IRMA Én ezen nem gondolkoztam, kérem. Én most csak arra gondolok, hogy ma megnősült, kérem. Tudja isten, mi lesz velem.

VIOLA Kegyed árva?

IRMA Igen, kérem. Törvénytelen.

VIOLA Kegyednek fáj a szíve?

IRMA Úgy fáj, kérem, mintha egy rossz fogam volna itt a bal mejjemben. Úgy sajog. A templomban majdnem elájultam. De most már nyugodtabb vagyok, kérem, mert már tudom, mi lesz itten máma.

VIOLA Mi lesz itten máma?

IRMA Itten nagy botrány lesz máma, kérem. Én fogom csinálni.

VIOLA Botrányt?

IRMA Igen, kérem. Még megiszok egy pohár pálinkát, attul jól elszédülök és akkor felfordítom a világot.

VIOLA Ne mondja. Annyira fáj?

IRMA Annyira. *(Lehajtja a fejét)*

VIOLA Milyen szép haja van.

IRMA Pedig nincs manikűrözve.

VIOLA Manikűrözni a körmöket szokták.

IRMA Igen? Azt hittem, az kombinés.

VIOLA Nem.

IRMA Vagy ondola.

VIOLA Azt a hajjal szokták. Ondolálni.

IRMA És akkor mi a kombinés?

VIOLA Az alsóruha.

IRMA Hát az nem kreppzsorzset?

VIOLA Nem. Bár lehet az is.

IRMA Sose fogom ezt megtanulni.

VIOLA Minek az magának?

IRMA Igaza van, minek az nekem? Pedig szerelmemhez jó volna. Ha kokkot volnék, Sipos úr is szeretne. Sipos úr oly vadregényes, mint egy nemes paripa.

VIOLA Nett ember, de nem tetszetős.

IRMA Hát az bizonyos, nem olyan daruszőrű ember, mint a Császár úr.

VIOLA Az arca visszataszító.

IRMA De a szeme nagyon szép. Ő kökényszemű.

VIOLA Én nem figyeltem meg.

IRMA Én igen. Császár úrnak drapp szeme van.

VIOLA De sokkal szuggesztívebb.

IRMA Mert többet keres, kérem. Sipos úr szegény, mert becsületes.

VIOLA Igen. Csak hát már éltes.

IRMA Nem, kérem. Ő friss. Ő soha nem köhög. Pedig éltesek mindig köhögnek. És én még nem láttam köpni se, soha.

VIOLA Az már intenzívebb lelki élet jele.

IRMA Ó, nagyon jele.

VIOLA Kegyed, mint látom, imádja.

IRMA Ó, nagyon hervadok utána. De most bánatomba elmegyek kokkotnak. Úgyis annak tart mindenki.

VIOLA Ugyan, ugyan!

IRMA Viola kisasszony is gyermekkel gyanúsított.

VIOLA Kokottnak nincs gyereke.

IRMA Miért?

VIOLA Kokott nem tud gyermeket világra hozni.

IRMA Mért nem tud?

VIOLA Mert nem akar.

IRMA Hát az tőle függ?

VIOLA Hogyne. Egyszerűen... nem ismerkedik férfival.

IRMA Hát mit csinál?

VIOLA Operába jár.

IRMA És attól nincs gyermeke?

VIOLA *(látja a közeledő Császárt)* Pszt!

Császár megjelenik

CSÁSZÁR *(kissé ivott)* Drága Violám, mi önt nélkülözzük. Jöjjön, a Szász Bandi hegedülni fog.

VIOLA Csakhogy eszébe jutottam.

CSÁSZÁR A konyhaprincesszel tetszik társalogni?

IRMA Ne tessék engem csúfolni.

VIOLA Hogy tehet ilyet?

CSÁSZÁR *(hetykén)* Nem csúfolom, becsületszavamra. Nézze meg, Violám, nem olyan ebben az egyszerű cselédi ruhában, mintha hercegnőnek született volna?

VIOLA Szóval ön udvarol neki?

IRMA Nem udvarol, kérem. Csak húzni akarja velem a Viola kisasszonyt. A Viola kisasszonnyal meg az Adél nagysádot húzza, mert azt szereti.

CSÁSZÁR Hogy mersz ilyet mondani?

IRMA Mer máma itten botrány lesz. Én megiszok még egy pohár pálinkát, és itten botrány lesz.

VIOLA Igazán? Milyen jó, hogy eljöttünk.

CSÁSZÁR Intézkedni fogok, hogy eltávolítsanak innen. Te rongyos.

VIOLA Szégyelje magát. Az előbb még udvarolt neki. Így beszélni egy nővel. Én önt lenézem. *(Lenézi és elsiet vissza az asztalhoz)*

Az asztalnál Szász Bandi hegedűszólót ad elő

CSÁSZÁR *(dühösen)* Hát most mit csináltál itt nekem?

IRMA Énnekem úgy fáj a szívem, hogy én nem tudom, mit csinálok. Ne uszítsanak, mert itt olyan lesz, amilyen még nem volt!

CSÁSZÁR Részeg vagy?

IRMA Maga is részeg. Mert magának is ma nősült a szerelme.

CSÁSZÁR Az én szerelmem nem nősült.

IRMA Hát férjhezment. Az éppúgy fáj. Neked is fáj, nekem is fáj.

CSÁSZÁR Most már tegezel is?

IRMA *(egyre vadabbul)* Tegezek én ma mindenkit! Majd meglátod. Mit adod a grófot? Rongyos ékszerész vagy!

CSÁSZÁR *(fenyegetőleg)* Mi vagyok?

IRMA Én mosom az alsóruhádat, én tudom, hogy rongyos vagy.

CSÁSZÁR Hát te mi vagy?

IRMA Én született hercegnő vagyok.

CSÁSZÁR Csak tévedésből a szemétre születtél.

IRMA Ott bizony. De nézd meg a nyakamat, nézd meg a kezemet, nézd meg a rüsztömet, nézd csak meg, ez nem cseléd-láb, biztos, főúr volt az apám. „Szomorú kis rüsztöm, Édes angyala!"

Adél megjelenik

ADÉL Jöjjön, a Szász Bandi hegedül. Mi történik itten?

CSÁSZÁR A hercegnő titokban pálinkát iszik, végleg megbolondult és kezd életveszélyes lenni.

ADÉL *(idegesen)* Holnap reggel vonatra ülsz. Vége. Nem tűröm tovább. Kilöknélek már most, csak nem akarok botrányt csinálni.

IRMA De én akarok!

ADÉL Micsoda?

CSÁSZÁR Mondom, ugye?

ADÉL Már reggel óta idegessé tesz. Nem lehet ráismerni. Az öltözködésnél segített nekem, és olyan közel hajolt a nyakamhoz, hogy azt hittem, meg akar harapni. És most még ez a pálinka!

IRMA Tessék engem szenvedni hagyni!

CSÁSZÁR Ne kiabálj most, mikor a Szász úr hegedül!

IRMA Fütyülök a Szász úrra!

ADÉL Nézze... hogy villog a szeme, most is úgy néz rám, mint egy gyanús macska.

CSÁSZÁR Sie ist verliebt in ihrem Mann.

IRMA Nem értem, mit mond, de ha azt mondja, hogy szerelmes vagyok a Sipos úrba, akkor igaza van neki németül is.

ADÉL Azonnal eredj, hozz egy tiszta zsebkendőt a sárga szekrényből.

IRMA *(Lilikét kivezetve)* Gyere, Lilike, egyedül akarnak maradni. *(Lilikével jobbra el)*

ADÉL Hallotta, mit mondott?

CSÁSZÁR Most ne ezzel törődj. Egy pillanat időnk van. Hát persze, hogy magunkra akartunk maradni.

ADÉL Nem akartunk.

CSÁSZÁR De akartál. Ne hazudj. Egészen el van borulva a szemed. Szeretsz.

ADÉL Nem igaz.

CSÁSZÁR Sose szerettél úgy, mint ma. Mit tettél velem? Tönkretetted az életemet.

Adél Nem igaz.

CSÁSZÁR Most jól érzed magad?

ADÉL Én most… rettenetesen érzem magam. De iszonyú erőt érzek ebben a ruhában és abban a társaságban, amely ott ül és becsül engem. Ezt meg kellett tenni. Majd csak beletöröm magamat.

CSÁSZÁR És én?

ADÉL El fogsz menni innen lakni.

CSÁSZÁR Utánam fogsz jönni.

ADÉL Soha.

CSÁSZÁR Néha.

ADÉL *(fájdalmasan)* Mit akarsz tőlem? Mért suttogsz itt velem?

CSÁSZÁR Mért felelsz a suttogásomra?

ADÉL Mit akarsz?

CSÁSZÁR Szeretni akarlak.

ADÉL Nem fogsz soha. Csak én foglak szeretni, mint egy kutya, még sokáig. Egyre kevésbé, vagy egyre jobban, még nem tudom. De nem látsz többé.

CSÁSZÁR De látlak.

ADÉL Főzöl? Van lelked?

CSÁSZÁR Te főzöl engem. Mirtusszal a fejeden és lobog a szemed, úgy nézel rám, mintha fel akarnál falni.

ADÉL Te gazember… mért nem tűröd, hogy okos legyek és becsületes legyek?

CSÁSZÁR Akkor lettél volna okos, mielőtt először megöleltél. Tudod te milyen nehéz tégedet abbahagyni? Hát lehet azt kibírni?

ADÉL *(remegve)* Nem szégyelled, így beszélni… egy menyasszonnyal?

CSÁSZÁR Az én menyasszonyom vagy. Azt csináltál volna velem, amit akarsz. Az ujjadra csavartál volna. Mért hamarkodtad el?

ADÉL Becsülj meg. Segíts rajtam. Ne mondj ilyen szavakat! Nézd, egész testemben reszketek ez alatt a rabruha alatt.

Császár közelebb lép hozzá

ADÉL *(megijed tőle)* Mit akarsz?

CSÁSZÁR Azt mondtad… reszketsz.

ADÉL Hát aztán? *(Holtra válva, remegve)* Ne nyúlj hozzám. Istenem, segítsd meg a te szegény szolgálódat. Mi lesz velem, ha hiába tettem ezt az egészet? Mért állok én most itt? Mért beszélek vele? Mért jöttél ma ide?

CSÁSZÁR Nem akartam, te követelted.

ADÉL Mért követeltem? Mért vagy itt? Mért van ez a ruha rajtam? Nézd, milyen verekedés van itt bent a mellemben… Alig tudom visszafogni. Hát ilyen nehéz ez? Holnap elmégy.

CSÁSZÁR El. De itthagyom a címemet.

ADÉL Gazember vagy?

CSÁSZÁR *(melegen, őszintén)* Nem! *(Bátran a szemébe néz)*

ADÉL *(szerelmesen néz rá)* Mondd… mért tettem én szerencsétlenné magamat?

Irma jön balról

IRMA Tessék a zsebkendő.

ADÉL *(kábultan)* Mit akarsz?

IRMA A zsebkendőt hoztam.

ADÉL Igen. Jó. *(Átveszi)* Mit bámulsz?

IRMA Mindent bámulok.

ADÉL Neked… neked, valami rossz fény van a szemedben! Azonnal menj és feküdj le!

IRMA Nem megyek! És jó fény van a szememben! És a legszebb fény van a szívemben! Mért félsz tőlem, te halvány mirtusz-menyasszony, talpig fehérben!

Az asztalnál Szász Bandi bevégezte a hegedűszólót. Taps

ADÉL Eredj innen, ne nézz így rám. Nem bírom a nézésedet!

SIPOS hangja Adél, hol vagy?

ADÉL Mindjárt! Mindjárt! *(A konyhába szalad)*

IRMA *(vadul)* Most a konyhába szaladt, hogy a Sipos úr ne lássa, hogy magával sugdolózott.

CSÁSZÁR *(nagyon izgatottan)* Mi közöd neked ehhez?

IRMA Amióta részeg vagyok, mindent ki kell mondani. Neked tizenkét ingedből kilenc rongyos. Semmit se tudok magamba tartani. Kilyukadt a szívem, most folyik, mint a rossz fazék!

Sipos előrejön

SIPOS Adél, hol van? Azt hiszem, be kéne hurcolkodni az ebédlőbe, mert eső lesz.

CSÁSZÁR Nem hiszem.

SIPOS De már kaptam egypár kövér csöppet a fejemre. Adél hol van?

IRMA *(bátran)* A konyhába szaladt, hogy a Sipos úr ne lássa, hogy a Császár úrral sugdolózott.

CSÁSZÁR *(felháborodva)* Le kell csukni ezt egy szobába, kulccsal bezárni, mert pálinkát ivott, és nem lehet vele bírni!

SIPOS Pálinkát ittál?

IRMA Igenis, végtelen fájdalmamban, mert maga megnősült. Kiszakadt a szívem tőle.

SIPOS Mit mertél mondani a feleségemről?

IRMA Nem akartam mondani, de nem tudtam visszatartani. Te édes drága mártír, csak most ne legyél mérges.

CSÁSZÁR De hát mért kell ezt tűrni, kérem? Ki ez, kérem? Nincs ez ellen védelem?

SIPOS Menjen csak vissza, kérem, a társasághoz. Majd én megkurancolom őnagyságát.

CSÁSZÁR Nevetséges. Csak azért ön se izgassa fel magát.

SIPOS Kérem, csak bízza rám.

Császár visszamegy az asztalhoz, ahova később Adél is visszasiet a konyhából

SIPOS *(szigorúan)* Zárjalak be egy szobába?

IRMA *(vadul)* Igen, de gyere te is velem, te szép őszi felhő. És zárkózzunk be együtt.

SIPOS Ha itt nem bír veled senki, én tényleg felviszlek a padlásra és bezárlak.

IRMA Akkor úgy fogok dörömbölni és ordítani, hogy olyan még nem volt.

SIPOS De hát mi ez? A legutolsó cseléd akarja megzavarni a lakodalmamat? Rendőrrel foglak elvitetni!

IRMA Nem fog!!

SIPOS Mért?

Irma Mert akkor felakasztom magamat.

SIPOS *(nagy nehezen türtőztetve magát)* Mondd: nem lehet veled okosan beszélni?

IRMA De lehet.

SIPOS Mit akarsz tulajdonképpen? Mondd meg, fiam, nyugodtan: mit akarsz?

IRMA A feleséged akarok lenni.

SIPOS Éppen máma?

IRMA Nem. Egyszer valamikor, mégis! Mondd, mikor leszek a tied?

SIPOS Pont, amikor a kakas kotlik.

IRMA Ne keseríts engem. Mondd, mikor leszel az enyém?

SIPOS Amikor az oroszlán fütyül.

IRMA Csúfolsz? Pedig énnekem ég most az egész kis testem.

SIPOS Látom a szemedből. Puskapor van a szoknyádban. Szégyelld magad. Te nem vagy tisztességes.

IRMA *(fenyegetőleg)* Ne mondja ezt!

SIPOS Terád nem lehet vigyázni. Te odavaló vagy, a rossz lányok közé.

IRMA Amért szeretlek?

SIPOS Aki ilyen szemtelenül tud szeretni, az odavaló.

IRMA Hát hogy szeresselek, ha nem hagyod magad másképp?

SIPOS Így se hagyom magam.
IRMA Csókolj meg kétszer.
SIPOS Akkor nyugton maradsz?
IRMA Igen.
SIPOS Megígéred, becsületedre?
IRMA Megígérem. De akkor háromszor csókolj meg.
SIPOS Te részeg csirke.
IRMA Azt is miattad tettem.
SIPOS Na, gyere ide!
IRMA *(hozzáhajol)* Nézd milyen szép vagyok, mikor így könnyben úszik a szemem. Csak egyszer mondd, hogy igen.
SIPOS Na, gyerünk, gyerünk! *(Utána nyúl)*
IRMA Ne csináld ilyen üzletiesen. Én olyan szegény vagyok, de olyan szép vagyok! Azért fürdök mindig. Láttál volna meztelenül, mikor égszínkék voltam!
SIPOS Ne beszélj annyit. *(Magához kapja, megcsókolja erősen)* Na, most nyugton maradsz?
IRMA *(szédülve)* Hogyne, kérem szépen. *(Lélegzetet vesz)* Hány csók volt ez?
SIPOS Pont három.
IRMA Én azt hittem... milliárd.
SIPOS Most eredj és feküdj le. Aludd ki magad. Mit csináltál itt a Császárral?
IRMA Mit bánja azt maga?
SIPOS Nem is bánom.
IRMA De bánja.
SIPOS Ugyan mért bánnám?
IRMA Mert minek szeresse el magától mind a kettőt?
SIPOS Melyik kettőt?
IRMA Az Adélt már elszerette, hát most fél, hogy engem is elszeret.
SIPOS *(dühösen, komolyan)* Most azonnal meg fogod magyarázni, amit mondtál. Egy-kettő! Addig nem mégy el innen, amíg ezt meg nem magyarázod!
HANGOK az asztaltól Sipos! Sipos!
SIPOS Mindjárt! Beszélj! Egy-kettő!

STETNER hangja Ne mindjárt, hanem rögtön!

ADÉL Lajos! Gyere már!

SIPOS Mindjárt jövök! Beszélj, mert összetörlek!

IRMA Elszerették a feleségedet, te vérző szív! Én mindent tudok!

HANGOK az asztaltól Sipos Lajos! Sipos Lajos!

ADÉL Gyere már, a Stetner felolvassa a verset!

HÁZMESTER *(Katival jön balról, tányérokkal)* Menjen a konyhába, hozza ki az ebédjét.

SIPOS *(nagyon idegesen)* Nem mégy. Itt maradsz, amíg visszajövök. Mindent el fogsz mondani. Majd adok én neked! Megállj! *(Visszamegy a türelmetlenkedő asztaltársasághoz)*

IRMA *(vadul)* Igenis megállok! Igenis mindent el fogok mondani! Most gyön a dolog! *(Iszik egy üvegből)*

Közben Sipos az asztalhoz ért, ahol éljenzéssel fogadták

HÁZMESTER Este van, már feljött a vacsoracsillag, mi meg most jutunk hozzá, hogy ebédeljünk. *(Leül az asztalhoz)*

KATI *(szintén leül enni)* A Jánoskát hova tetted?

IRMA A Lilikét? Lefektettem. *(A tornác bal szélén áll, fölfelé fordított tekintettel, mintha az égre nézne)*

KATI Mért nem hozod az ételedet? Mit csinálsz ott?

IRMA Hálát adok a jó istennek, hogy háromszor megégette a szájamat a Lajos.

HÁZMESTER Ennek nincs ki mind a négy kereke.

KATI Bizony nincs.

Esznek

STETNER ÚR *(az asztalnál, harsányan)* Tisztelt Társaság!

HANGOK Halljuk, halljuk! Halljuk Stetnert!

STETNER Hölgyeim és uraim!

MINDENKI Halljuk!

EGY NŐI HANG Esik az eső!

HANGOK Pszt! Csönd!

A NŐI HANG Menjünk be, esik az eső!

HANGOK Csönd! – Halljuk! – Nem esik! – Halljuk Stetnert! – Esik az eső!

STETNER Leszek bátor az ifjú párt verses költeményben felköszönteni. Kérek egy kis figyelmet.

ADÉL Halljuk!

STETNER Felvirradt a szép nap hajnala,
Szalonkabátot öltött Sipos Lala.
Mialatt Lala a kabátban erősen szorul,
Romajzer Adélka öltött mirtuszkoszorút.
Mindnyájan összegyűltünk jóbarátok,
Pap a templomban áldást adott rátok.
Itt e fényes lakomán, hű baráti körben
Látjátok magatokat mint igaz tükörben.
Szépséges menyasszony bennünket jól tartott,
Sipos Lajos olaszrizlinggel vette a startot.
Felvonultak ételek, italok és borok,
Isten tartsa meg e jó szokásotok.
Áldás legyen minden lépteteken,
Szerdán, csütörtökön és pénteken.
A biblia szerint megszaporodjatok,
Kis trónörökösről sürgősen gondoskodjatok!

MINDENKI Éljen! Ohó! Éljen!

STETNER Harsány üdvkiáltás zengjen a tájékon!
Áldás és boldogság Sipos Lajosékon!

Általános óriási éljenzés és taps, koccintás, nevetés

SOK hang Halljuk Sipost!

IRMA *(elöl egyedül)* Halljuk Sipost!

KATI Gyönyörűen szavalt a Stetner úr.

HÁZMESTER Nem hiába litografus.

HANGOK Halljuk Sipost!

IRMA Halljuk Sipost!

Sipos feláll az asztalnál, pohárral a kezében. Óriási éljenzés és taps, Irma vadul tapsol

SIPOS Tisztelt hölgyeim és uraim!
NÉHÁNY hang Halljuk!

Általános „pszt!"

SIPOS Kedves barátaim! Mindenekelőtt hálás köszönet Stetner barátomnak a gyönyörű költeményért, mellyel bennünket felköszöntött. Én nem vagyok költő...
IRMA *(süvítve)* A Császár elszerette a Sipostól Adélt!

Halotti csönd

SIPOS Kedves barátaim! Én nem vagyok költő, tehát én csak egyszerű prózában válaszolok az én kedves Stetner barátomnak.
IRMA *(süvít)* A Császár elszerette a Sipostól az Adélt!
MINDENKI Pszt!
HÁZMESTER Mit kiabál ez?
KATI Bolond maga?
IRMA Hagyjuk, maguk ezt nem értik, ez meg van beszélve.
SIPOS Mindenekelőtt azt válaszolom...
ADÉL Gyerekek, tényleg esik az eső!
HANGOK Esik! – Csöpög! – Én is érzem! – Menjünk be!
SIPOS Rövid leszek, aztán rögtön behurcolkodunk az ebédlőbe. Az a jó ebéd, amit ma itt kaptunk...

Mennydörgés

IRMA *(süvítve)* Az Adélnak gyereke van Szegeden az intézeti gimnáziumban, egyenruhája van, mint katonának! Az Adél a Császárt szereti, nem a Sipost! A Sipos meg van csalva! A Sipos meg van csalva!

Az asztalnál mozgás, nyugtalanság

SIPOS *(dörgő hangon)* Csöndet kérek! *(Nagy csönd, folytatja)* Tisztelt barátaim, az a jó ebéd, amit ma itt kaptunk, nem az én érdemem, sem az én kedves feleségem érdeme. Azt hiszem, nem árulok el államtitkot, midőn elárulom azt, hogy ezt a jó ebédet özvegy Romajzer Károlynénak, az én drága anyósomnak köszönhetjük!

Ez alatt a beszéd alatt

CSÁSZÁR *(előreszaladt Irmához, fojtottan kiált rá)* Mit kiabálsz itt? Fogd be a szádat? Megöllek, leütlek!
ANYA *(rögtön Császár után szaladt előre)* Az istenért, mi van itt! Ne bántsa! *(Közibük áll)* Minek csinálod ezt, mi?
IRMA *(magánkívül, szinte ihletetten, harsányan)* Én nem félek senkitől! Én nem tudom magamba tartani! A Sipos Lajos már egy év óta lesz csalva! Én nem hagyom a Sipos Lajost megcsalni! Május huszadikán bement az Adél a Császárhoz délután négykor, mikor a Sipos fénysugár Budaörsön volt, és kigyött tőle este kilenckor slafrokban és visszament hozzá szerelmezni és ottmaradt nála reggel négyig, én egész éjjel virrasztottam, esküszök az istenemre, úgy legyek boldog!

Növekvő zaj az asztalnál

SIPOS *(dörgő hangon)* Csöndet kérek! Hálás köszönetemet fejezem ki tisztelt vendégeinknek...
IRMA *(már az első szóba belevág, túlharsogja)* Slafrokban volt, úgy legyek boldog. Zöld selyem slafrokban volt! *(Dulakodik Császárral, aki le akarja fogni)* Öljetek meg, de nem hagyom a Sipos Lajost megcsalni! Június negyedikén, kéremszépen, csütörtökön, egész éjjel a Császárnál aludt a menyasszony, még ha megölsz is, akkor is megmondom, én bementem oda reggel nyolckor, mert láttam a Császárt elmenni hazulról és az

Adél menyasszony ott aludt a Császár ágyában, mert elfelejtett fölkelni, engem vágjatok szét, tépjetek szét, én felakasztom magamat, de nem hagyom a Sipos Lajost megcsalni!

Óriási mennydörgés, zápor

EGY ÉLES HANG Itt a zivatar!

GÁL KAPITÁNY *(részegen előugrik)* Mindenki a fedélzetre!

HÁZMESTER Szent isten, hamar bevinni mindent! Ugorj Kati! *(Kirohan az udvarba)*

KATI *(rohanás közben)* Szakácsné! Esik az eső, gyöjjön hamar!

SZAKÁCSNÉ *(kirohan a konyhából)* Julcsa! Julcsa!

GÁL KAPITÁNY Vihar! mindenki a fedélzetre!

Császár kirohan az asztalhoz

ANYA *(az udvar felé szaladva)* Bevinni mindent az ebédlőbe!

GÁL KAPITÁNY Mindenki a fedélzetre!

JULCSA *(előrohan a konyhából)* Jézus Mária, itt a zivatar!

Villám, mennydörgés. Általános zaj, kapkodás, az asztalt leszedik, vendégek és cselédek vegyesen, mindent kicipelnek az udvarban jobb felé

HANGOK *(e közben)* Az ebédlőbe! Az abroszt! A poharakat! Jaj, a ruhám! Elájult! Az Adél elájult! Nem ájult el! Mindenki a fedélzetre! Siess! Szaladjunk! Vigye a tálat! Az uborkát. Ne az uborkát, annak nem árt! Kapitány úr, a süteményt! Mindenki a fedélzetre! Megmenteni a csokoládétortát! Julcsa! Irma! Irma!

Irma ezalatt sápadtan, komolyan, mereven áll, háttal az egésznek

ANYA *(a tornác közelében)* Hála istennek, hogy jött ez a kis zivatar! Nem is jöhetett volna jobbkor.

KATI *(az udvarból)* Irma, segíteni!

IRMA Én nem segítek. Én meghalok.

Lassan elvonul a lárma jobbra, az udvar kiürül. Tompa dörgés távolról. Az eső sűrűn, hangosan zuhog. Mindenünnen csurgás, locsogás. Nyári zápor. Sötétség. A tornácon kigyullad két villanylámpa. A jobb felé vezető ajtó mögött világosság támad. Világosság van a konyhában is. Dörgés. Az udvaron három bőrig ázott alak rohan át a konyha felé. Ott megállnak és lihegve rázzák le magukról a vizet. A cigányok, hangszerekkel

PRÍMÁS Hüj, azt a hétkerekű tüzes szekerit, annak is, aki kitalálta! Az ingem is vizes lett. *(Előrejönnek)* Itt vannak a cigányok.

IRMA Jóestét, cigányok.

PRÍMÁS Merre van a lakzi?

IRMA Arra ni! *(A jobb ajtó felé mutat)*

A cigányok bemennek a jobb ajtón az ebédlőbe, ahol diadalordítás fogadja őket. Az ajtó becsukódik. Rövid idővel ezután már meg is szólal benn a zene és fojtottan hallatszik, végig. A jobb ajtó nyílik, Sipos jön

SIPOS *(nekimegy Irmának)* Most mit csináljak veled? Agyonvágjalak?

IRMA *(ünnepélyesen, hangosan, elnyomott zokogással a hangjában)* Engem nem lehet bántani, mert én most fölemelkedek.

SIPOS Hova?

IRMA Az égbe. Én már búcsúzok tőletek. Isten veled, egyetlen szerelem.

SIPOS Mit tettél! Mit tettél!!!

IRMA Holnap reggel meghalok. De nem hagylak megcsalni. Nem félek. Én a halál menyasszonya vagyok, és reggel lesz az esküvőm. A supniban van egy nagy szög, arra akasztom magamat. Én meg akarok halni.

SIPOS Majd akkor halsz meg, amikor én megöllek. Most előbb beszélj, tudni akarok mindent.

IRMA Nem beszélek.

SIPOS Összetörlek. Mindent mondj el, amit tudsz.

IRMA Nincs több.

SIPOS Agyonváglak!

Adél jön jobbról

ADÉL Mi történik itt?

IRMA A Sipos úr agyonvág.

ADÉL Nem fog agyonvágni.

SIPOS Én... még téged is!

ADÉL Engem legkevésbé. Engem nem lehet. Mit csinálsz, te ostoba?

SIPOS Ezt agyonverem... és pakolok és megyek.

ADÉL *(mindvégig erélyesen, felindultságát leküzdve, harsány határozottsággal)* Nem nyúlsz hozzá. Pakolni pakolsz, ha akarsz. De előbb mást csinálsz. Majd én mondom meg, hogy mit.

SIPOS Én...

ADÉL Egy szót se! Nem a te ügyed. Az én ügyem. Itt baj történt, de velem. Ne félj, nem mosakszom. Sürgősebb dolgom van. És én veszem át az intézkedést.

Császár jön jobbról

ADÉL *(keményen)* Mit akar?

CSÁSZÁR Kérem, én rendelkezésre állok.

ADÉL Ölni akar? Kit? Maga is a bolondot? Vagy engem? Vagy Sipost?

CSÁSZÁR Rendelkezzék velem, azért jelentkezem, mert nem akarom, hogy azt mondják, megszöktem. Aztán csomagolok és megyek.

ADÉL Mind csomagolni akar. Hát senki se csomagol. Senki se megy. Mindenki itt marad. Ha én most elvesztem a fejemet, végem ebben a kis világban. Most ez itt lakodalom, és ez lakodalom is marad. Nem kell bámulni, nem kell kapkodni, itt van az én fejem, majd én elintézek mindent. Maga visszamegy és táncol. Érti?

CSÁSZÁR De kérem...

ADÉL Érti?!!!

CSÁSZÁR Értem.

ADÉL Rögtön azután én is bemegyek és akkor maga velem táncol. Minket itt összetörtek, de az ő számukra nem történt semmi. Táncközben, jól figyeljen ide, mosolyogni fogunk. Nem szemtelenül, hanem szerényen. Mintha én boldog volnék és maga örülne ennek. Nem kérdezni. Szót fogadni. Bemenni és táncolni.

CSÁSZÁR Tényleg?

ADÉL Tényleg és azonnal. Bemenni és táncolni. Nevetni és énekelni. Egy-kettő. És mosolyogni velem együtt, majd úgy, ahogy én. Indulás.

CSÁSZÁR Parancsára. *(Elsiet jobbra)*

ADÉL És most mi ketten.

SIPOS Ami ezt a lányt illeti...

ADÉL Az most nem számít. Rosszabbat már nem kiabálhat, mint amit kiabált.

IRMA Én megmutatom neked, te mirtusz-menyasszony, hogy hogy kell egy férfit szeretni!

ADÉL Ne felelj neki!

IRMA Ne is ő feleljen, te felelj!

SIPOS Úgy foglak megbüntetni...

ADÉL Ne beszélj. Most nincs büntetés, most elintézés van. A bolondot futni hagyom. Mindig szabad haragudni, csak akkor nem, amikor intézkedni kell. Ez nagyon nehéz. De én bírom. Neked azt parancsolom...

SIPOS Mi jogon parancsolsz te nekem?

ADÉL Azon a jogon, hogy erősebb vagyok, mint te. Én tisztán állok előtted.

SIPOS Nem igaz!

ADÉL *(egész testében remegve)* Én megmondtam, hogy nem szeretlek. Én megmondtam, hogy kit szeretek. Megmondtam, hogy nem szerelemből megyek férjhez, hanem orvosságnak veszlek be, szerelem ellen. Mégis, elvettél, felöltöztél és engem ebbe felöltöztettél. Itt baj történt, de új dolog nem történt. Ami fontos, azt tudtad, a többi egy részeg, félbolond gyereknek a hisztérikus visítása. De én azt se cáfolom. Becsületesen megmondom, nem is igen lehet. Ez egy katasztrófa.

SIPOS Te most őszintén viselkedel, hogy evvel megint megkaparíthass.

ADÉL Én nem kaparítlak téged többé. Lesz, ami lesz. De ezen a napon és ezen a részeg csirkén én nem fogok elbukni. Én ma idecsődítettem mindenkit, akire adok. Itt van az anyám, itt a pap, itt az elöljáró, itt van Gál kapitány, itt a Morbitzer, a Schöja, a Balázsy, a Viola, itt vannak a rokonaim és a szobauraim és a cselédeim és a szomszédaim, itt most nincs harag és erkölcs és igazság és büntetés, itt okosság van és elintézés.

SIPOS De én tisztességes ember vagyok!

ADÉL Te csak olyan tisztességes vagy, mint minden férfi. És az nagyon kevés. *Én* vagyok most tisztességes.

SIPOS Én pedig csomagolok és megyek.

ADÉL Csomagolsz, de csak holnap. Akkor még segítek is. A nászéjszakát elengedem neked.

SIPOS Én is neked.

ADÉL Kvitt. Most csak azért tartalak itt, mert…

SIPOS Nem tartasz itt. Én erkölcsi alapon állok.

ADÉL Majd adok én neked erkölcsi alapot a fejedre, hogy meg ne sántulj. Nem fogsz ma engem csúffá tenni. Nem leszek lakzin otthagyott menyasszony. Nem hagyom magamat! Tőled most azt követelem…

SIPOS Köztünk minden kötelék megszakadt!

ADÉL Majd ha levetettük az egyenruhát és ha hazament a lakzi. Addig én vagyok a kapitány. Most én bemegyek a vendégeim közé és énekelni fogok velük és táncolni fogok velük.

SIPOS Képes vagy rá.

ADÉL Ha nem volnék rá képes, alulmaradnék. De többet mondok: te is képes leszel rá.

SIPOS Én?

ADÉL Igenis.

SIPOS Komédiázni?

ADÉL *(remegve)* Be fogok menni az ebédlőbe a vendégekhez. Igenis komédiázni fogsz, eleget ittál, ne józanodj ki. Most valcert játszik a cigány. Egyet táncolok a Császárral. Aztán csárdást rendelek. Mikor te itt kint meghallod a csárdást, bejössz te is. A szoba közepén fogok állni a kapitány úrral és a plébános úrral, a lámpa alatt. Te odajössz, jól megfogod a derekamat és csárdást fogsz velem táncolni.

SIPOS Csárdást?

ADÉL Mégpedig előbb lassút, aztán frisset. És nemcsak úgy markirozva, hanem jól ki fogod rakni, ahogy szoktad. Érted?

SIPOS Szeretném érteni.

ADÉL Át fogod kapcsolni a gyomrodat felháborodásról csárdásra. Nem fogtok a víz alá nyomni. Erkölcsös iparos urak. Csábító iparos urak. Ezt még kicsikarom tőled, aztán nem reflektálok rád. Ezzel a tánccal kvitt vagyok veled. Elhagyhatsz. Grófnak a babája voltam, úr vagyok. Egy csárdásért visszaadom a becsületedet. Megértetted?

SIPOS Most végre meg. Na, de fiam, most csak *te* vagy sápadt?

ADÉL *(szinte büszkén)* Most, azt hiszem, nagyon sápadt vagyok.

SIPOS Megértettelek, fiam. Én ugyan nem tartozom neked semmivel, legföljebb mától kezdve megint a régi házbérrel, de megteszem, amire kértél, csak hogy lásd: nem félek attól, hogy visszacsábítsz. Pedig te *ezért* ragaszkodol olyan nagyon még ehhez a pár perchez.

ADÉL Magyarázd, ahogy akarod. Engem csak egy érdekel: amint a csárdást hallod, bejössz. A lámpa alatt fogok állni, arccal az ajtó felé fordulva. Előbb lassú, aztán friss. És a szemembe nézel. Aztán megcsókolsz. Aztán kvitt. Megértetted?

SIPOS Tökéletesen.

ADÉL Nahát. Ehhez tartsd magad. Szakácsné! Egy liter tejeskávét a mamámnak! *(Elsiet jobbra)*

SZAKÁCSNÉ *(egy pillanatra megjelent a konyhaajtóban és ezt mondta:)* Igenis!

Szünet

SIPOS Na, most megvalósult az álom. A pilóta beleesett a vízbe.

IRMA Ne tessék bemenni hozzá.

SIPOS Hát mit csináljak?

IRMA Tessék megölni engem. *(Odamegy hozzá)*

SIPOS Mit érek vele? Látod, mit tettél? Eridj mellőlem, ne lehelj rám, forró vagy, eridj innen.

IRMA Neked vagyok forró. Tönkretettem magamat miattad ilyen fiatalon. Vedd el az életemet. Ne menj vissza hozzá.

SIPOS Mit akarsz tőlem? Ki vagy te, hogy így belenyúlkálsz az életembe?

IRMA Szerelmes vagyok beléd.

SIPOS Ez nem szerelem. Érzéki gyerek vagy! Megkívántál engem, mert bajuszom van és mély hangom van. De őrült vagy, szemérmetlen vagy. Rossz véged lesz. A te utad egy nagyon csúnya házba vezet.

IRMA Ne mondd annyiszor, mert odamegyek.

SIPOS Ha odamégy, odavaló vagy.

IRMA *(lázasan)* A tied vagyok. Ne mondd, hogy nem tetszem neked. Most már szabad vagy, te nagy ember. Te tornyosulsz a többi fölött. Vegyél be abba a szomorú életedbe. Meglátod, kivirágzol, mint a rózsa.

SIPOS Te csábítasz engem? Te kis piszkos.

IRMA *(lelkesen, nagy hévvel)* Tiszta vagyok, mint az angyal, folyton fürdök, mindig neked, mindig mosakszok, mindig neked! Nézz meg, milyen tiszta vagyok! Olyan tiszta vagyok, mint a lelkem!

SIPOS Hallgass… te bolond.

IRMA Virág vagyok a tengeren!

SIPOS Hát még mi vagy?

IRMA Kőszálon termett sajgó liliom.

SIPOS Na, hát akkor ereszd el a karomat. Vedd el a fejedet. Te romlott.

IRMA Ne mondd ezt. Vegyél be a táncba. Szeretlek te mártír, mert megcsaltak és ki is nevettek! Én nem is azért szeretlek! Tudod, mért szeretlek! Mert senki se szeret, csak én. *(A mellére borul)*

SIPOS *(keserűen maga elé)* Szép lakodalom. Itt állok, szerelmeskedem a cseléddel.

IRMA *(egyre lelkesebben)* Én tündércseléd vagyok! Látod, szegény hamupipőke voltam, mégis eljöttem a bálodba, ahol a királyok táncolnak… itt marad az üvegcipőm, amit a tündértől kaptam, mezítláb megyek haza… de megtetszettem neked… majd jössz utánam a cipővel… keresel majd az egész világon, amíg megtalálsz és szerelmesen borulsz rám, te Lajos király, reámborulsz, te Sipos király, te drága Lajos király, mért nem halok meg mostan mindjárt ott, a te erős kebleden?!

Az ajtó mögött pillanatnyi szünet, aztán nagy robajjal megszólal a bús csárdás

SIPOS *(elhúzódik Irmától)* A csárdás…

Figyelnek. A csárdás zúg

IRMA *(reszketve)* Ne menj be.

Szünet

Visszacsábít.

Szünet

IRMA *(halkan)* Ravaszabb, mint mink.
SIPOS Bizony ravaszabb.
IRMA Ne menj be. Én belehalok.
SIPOS *(az ajtó felé néz, habozva)* Ne menjek?...

Az ajtó nyílik. Adél kilép a küszöb elé. Az ajtó nyitva marad. A zene szól

ADÉL A csárdás! Nem hallja?
SIPOS *(határozatlanul)* Igen...

Közelednek egymáshoz. Adél Sipos karjába karol és lassan elindulnak ketten, be a muzsikus szobába

ADÉL *(fölemelt fejjel, élénken mondja)* Föl a fejet, Sipos!

Bemennek, az ajtó becsukódik

IRMA *(utánuk lép néhányat, figyel a duhaj csárdásra. Aztán fojtottan sírva, gyorsan nagykendőt kerít a nyakába, az asztalhoz szalad, ott egy darab kenyeret piros szalvétába kötöz, kis batyuvá, aztán az ajtó felé fordul)* Isten veled! „Fájdalmamnak angyala, könnyeimnek zápora”... Isten veled! *(Átszalad balra a tornácon, a konyhaajtónál kiszalad az udvarba. Tompa mennydörgés végig. Ebbe kiáltja fájdalmasan)* Isten veled, drága mérges!... *(Átszalad az udvaron, kiszalad jobbra. Mintha az utcán futna a viharban, a távolodó tompa dörgésben egyre messzibbről hallani zokogó, fájdalmas kiáltását)* Isten veled! Isten veled!

Függöny

HARMADIK FELVONÁS

Földszinti városzoba a kerületi kapitányságon, ódon kültelki házban. Hosszúkás, fehérre meszelt hivatalszoba, melynek hátul két ablaka és egy üveges ajtaja van. Ez mind egy kis udvarra nyílik. Balról elöl ajtó, mely a rendőrtanácsoshoz vezet. Hátul, a bal ablaknál íróasztal, mögötte aktaszekrény. Jobb szélen íróasztal, fölötte a falon a főkapitány arcképe. Ez alatt valami hivatalos táblázat. Néhány szék. Hátul, a hátfal mentén, szemben a közönséggel, két hosszú fapad a felek számára. Mindegyik padon öt ülőhely.

Másnap reggel.

Mikor a függöny felgördül, a bal íróasztalnál ül és dolgozik az Írnok. A jobb íróasztalnál ül az Őrmester, őszes hajú, derék, öreg rendőr. Hátul a padon sorban ül: a bal szélen Sipos, még a tegnapi ruhában, mellette a földön utazóbőröndje, ezen kabátja és kalapja. Mellette sok üres hely. Aztán jó messze Adél, már kipihenve és átöltözve, majd Adéltól jó messze, a pad másik végén, egymás mellett Házmester és Kati.

Hosszú, igen hosszú szünet. Az Írnok és az Őrmester egykedvű, Adél maga elé néz, házmesterék meg vannak ijedve, Sipos nyugtalan. Csönd

SIPOS *(az írnokhoz, cédulával a kezében)* Kérem szépen, nem lehetne megtudni, mért vagyunk mi ide beidézve?

ÍRNOK Nem.

SIPOS Sejtelmünk sincs róla, kérem, és már itt ülünk egy félórája. Tíz órára voltunk idézve sürgősen és már féltizenegy.

ÍRNOK Sajnálom. Sőt, hogy úgy mondjam, mélyen fájlalom. *(Tovább ír)*

Szünet

SIPOS Nem lehetne bemenni a tanácsos úrhoz?
ÍRNOK *(írás közben)* Nem.
SIPOS Mért nem lehetne bemenni?
ÍRNOK Mert nem lehet bemenni.
SIPOS Az más. Köszönöm. *(Visszaül, vállat von)*
ŐRMESTER A tanácsos úrnál kihallgatás folyik. Várjanak türelemmel a sorukra.
SIPOS Köszönjük szépen.

Szünet

Sejtelmem sincs, mit akarnak tőlünk. *(Nézi a cédulát)* „Tíz órakor." Oldalt, kék ceruzával: „Sürgős."
HÁZMESTER Nekik, úgy látszik, nem sürgős.
SIPOS Tényleg, magának lesz igaza. Nem lehet más, mint a cigányzene miatt. Meddig nyúzta az a három vályogvető?
HÁZMESTER Reggel hét óráig.
SIPOS Érdekes, én elaludtam éjfél felé a tornácon, nem is hallottam.
HÁZMESTER Fél nyolcig tetszett aludni, csak úgy, az asztalra borulva.
SIPOS Azt viszont hallottam, úgy félálomban, hogy a Stetner még ordított sokáig.
HÁZMESTER A Stetner úr reggel ötig vonyított.
SIPOS Mit csinált?
HÁZMESTER Vonyított kérem, mint az eb. A verseit szavalta.

Szünet

SIPOS Talán nagyon erősen vonyított?
HÁZMESTER Borzasztóan. Reggel ötkor ráborítottuk a jeges vizet, akkor elhallgatott és hazament.

SIPOS Biztos, hogy a szomszédok jelentettek föl, éjjeli csendháborításért.

KATI Miféle csendet háborítottunk, kérem? Szép kis csend volt az! Folyton dörgött az ég, mintha le akarna szakadni.

SIPOS Hja, annak szabad.

Az üvegajtó nyílik, két szegény ember jön be

ŐRMESTER Mit akarnak? *(Cédulát vesz át tőlük)* Várjanak kint, maguk tizenegy órára vannak idézve. Ezek itt most a tízórások. *(Rájuk nyomja az ajtót, visszaül a helyére)*

Szünet. Az üvegajtó nyílik, belép Roticsné és Társalkodónője. Roticsné drága, bús, fekete selyemruhában, gyászban

ROTICSNÉ *(cédulát ad az Őrmesternek)* Tessék. Be lettem idézve.

ŐRMESTER *(ránéz a cédulára)* Tízórások. Oda üljenek a tízórásokhoz.

Roticsné és Társalkodónője leül a padra

SIPOS Ez is tízórás? Velünk együtt?

HÁZMESTER Úgy látszik.

SIPOS Ez ott volt a lakodalmon?

HÁZMESTER Én nem láttam.

SIPOS Ki ez?

HÁZMESTER Nem tudom. *(Adélhoz)* Nagyságos asszony, nem tetszik ismerni?

ADÉL Nem.

HÁZMESTER Lehet, hogy ez valamelyik szomszéd, aki minket följelentett.

SIPOS Ilyen finom hölgy nem lakik arra mifelénk egy se.

HÁZMESTER Biztos, méltóságos asszony.

Szünet

ADÉL Szeretném tudni, hogy mit határozott?

Sipos nem felel

Azt kérdeztem, hogy mit határozott?
SIPOS *(nem néz a szemébe)* Ez a koffer itten, ez felel helyettem.
ADÉL Vagyis elmegy.
SIPOS El.
ADÉL Hova?
SIPOS Azt még nem tudom. De oda magához, soha többé.
ADÉL Én el vagyok mindenre készülve, de tudnom kell, mihez tartsam magamat. Szóval elhagy?
SIPOS El.
ADÉL Örökre.
SIPOS Ez olyan tiszta munka, mint az angol politúros bútor. Erről nem is érdemes beszélni. Kérem, kíméljen meg.
ADÉL Meg fogom kímélni. Megígértem tegnap, állom a szavamat. Csak az érdekel, mi lesz a fehérneműjével.
SIPOS A nagy kofferemben van fölül.
ADÉL És a ruhái?
SIPOS A nagy kofferemben, alul. Este érte küldök két inast a műhelyből.
ADÉL Itt a kis kofferben mi van?
SIPOS Napi szükséglet.
ADÉL Fésű, kefe?
SIPOS Benne van.
ADÉL Inggombok?
SIPOS Benne.
ADÉL Fogkefe, fogpor, szappan, sósborszesz?
SIPOS Benne.
ADÉL Aszpirin?

SIPOS Benne. Ecset, zsilett, timsó, cipőkanál, hálóing, nyakkendő, zsebkendő, szivar, bajuszkötő, hajvíz, gallér, ne féljen, minden.

ADÉL Papucs?

SIPOS Az nincs, az istállóját neki.

ADÉL Elküldöm.

SIPOS Köszönöm.

Szünet. Az üvegajtó nyílik, Császár lép be izgatottan

CSÁSZÁR Most hallom... hogy itt vannak. Mi az? Mi történt?

Senki se felel

ŐRMESTER A cédulát kérem.

CSÁSZÁR Nekem nincs cédulám. Én az uraságok barátja vagyok.

SIPOS Nekem nem.

ŐRMESTER Mi tetszik?

CSÁSZÁR De hát... Adél, az istenért, mit keres maga a rendőrségen?

ADÉL Nem tudjuk, miért idéztek be. Valószínűleg nagy volt a lárma a lakodalmon, és feljelentettek éjjeli csendháborításért.

CSÁSZÁR Ez hallatlan. Kérem, én rendelkezésre állok, én itt maradok, én tanú vagyok, bármit akarnak maguktól. *(Őrmesterhez)* Kérem, én tanú vagyok.

ŐRMESTER Akkor üljön le, oda a többihez.

CSÁSZÁR *(leül Roticsné mellé)* Én úgy meg voltam lepve. Mikor fölkeltem és szétnézek, az egész ház üres, csak a Julcsa van otthon, azt mondta, hogy mind idejöttek. *(Adélhoz)* Kik ezek?

ADÉL Nem tudjuk. Lehet, hogy a feljelentők.

Szünet

CSÁSZÁR *(Roticsnéhoz)* Bocsánat. Kihez legyen szerencsém?

ROTICSNÉ Roticsné vagyok.

CSÁSZÁR Bocsánat. Most se tudok többet.

ROTICSNÉ Sajnálom. Én önt nem ismerem. Legyen szíves bemutatkozni.

CSÁSZÁR Pardon. Császár Pál vagyok.

ROTICSNÉ *(fejbiccentéssel)* Roticsné. Mi tetszik?

CSÁSZÁR Miért méltóztatik itt lenni?

ROTICSNÉ Ahhoz önnek semmi köze.

CSÁSZÁR Köszönöm. Több közölnivalója nincs?

ROTICSNÉ Nincs.

CSÁSZÁR Újból köszönöm ezt a keveset is.

Csönd. Szünet. Az ajtó nyílik, Ilona lép be cédulával a kezében, az Őrmesterhez megy

ŐRMESTER *(a cédulát nézve)* Keceli Ilona?

ILONA Igen.

ŐRMESTER Felügyelet alatt álló leány?

ILONA Igen, kérem.

ŐRMESTER Tízórás maga is. Üljön oda a többihez.

Mozgás

SIPOS Ez is tízórás? Most már aztán igazán kezdek összekavarodni.

ŐRMESTER Mért nem ül le?

ILONA Köszönöm, én inkább állok. *(Szerényen áll meg a pad jobb vége mellett. Kati elhúzódik tőle. Mind balra rukkolnak, még Adél is)*

SIPOS Nahát, most már aztán nevezzenek Pinkásznak, ha egy szót értek az egészből. *(Fölkel, erélyesen)* Kérem szépen, bocsánatot kérek, de most már igazán bátorkodom komolyan megkérdezni, mit akarnak itt tőlünk és miféle társaságba vagyunk itt keverve? *(Elakad a szava, mert a bal oldali ajtó, mely a rendőrtanácsoshoz vezet, kinyílik és kilép rajta Irma)*

Irma narancsszínű, legmodernebb, mélyen kivágott báli ruhában van, tele csillogó aranyflitterrel. A ruha agyon-

gyűrött, viselt, piszkos. Fején csillogó fejdísz. Narancsszínű harisnya, piszkos fehér báli cipő. Az egyik harisnyája lelóg. Irma megtörten, a zokogástól fáradtan, senkit meg nem ismerve, megy végig a szobán, lezökken az Őrmester íróasztala mellett jobbról álló székre, elrejti arcát és keservesen sír

SIPOS *(némán kísérte a szemével odáig)* Irma! Te vagy az?

Irma felelet helyett felzokog

SIPOS Irma! Mi az? Irma! Nem beszélsz!?

IRMA *(zokogva)* Nem!

SIPOS Én tegnap részeg voltam, azt tudom. Biztos, hogy most alszom valahol, a kertben vagy az ágyban és ezt mind álmodom. *(Fogdossa magát)*

Mindenki csodálkozva nézi Irmát

HÁZMESTER Ez nem álom, kérem, ez az Irma.

ADÉL Irma!

IRMA *(sírva)* Nem! Nem!

SIPOS Kérem, tessék engem azonnal bevezetni a méltóságos tanácsos úrhoz, mert én megőrülök és szétverem ezt a korcsmát.

ŐRMESTER Tessék tartózkodni az ilyen kifejezésektől. Ez nem korcsma.

SIPOS Én be akarok menni a vezetőséghez. Hol van itt a vezérigazgató? *(Indul)*

ÍRNOK Nem lehet bemenni, mert még a rendőrorvos úr van bent.

SIPOS Az is tízórás?

ÍRNOK Igen. Ő a feljelentő.

SIPOS Kit jelentett fel?

ÍRNOK A Roticsnét.

SIPOS Micsoda Roticsnét?

ÍRNOK Azt, aki ott ül. Özvegy Roticsné, úgynevezett bűnbarlang-tulajdonosnő.

CSÁSZÁR Pardon. *(Messze elhúzódik tőle)*

SIPOS *(keservesen vigyorogva)* Most aztán igazán biztos kezd lenni, hogy otthon alszom valahol a Tavaszmező utcában. Borzasztó mélyen aludhatom, hogy még erre se ébredek fel. *(A bal ajtó nyílik, kijön onnan a Rendőrorvos és a Rendőrtanácsos. Mögöttük az ajtónálló. Írnok és Őrmester feláll)*

AJTÓNÁLLÓ *(cédulát tart a kezében)* Sipos Lajosné!

ADÉL *(feláll)* Én vagyok.

AJTÓNÁLLÓ Tessék bemenni.

Adél balra el. Ajtónálló utána. Az ajtó becsukódik

RENDŐRORVOS Ne fáradj, tanácsos úr, köszönöm szépen, a viszontlátásra.

TANÁCSOS Én köszönöm. Szervusz, doktor. És még egyszer köszönöm, hogy így vigyázol a becsületemre. Légy nyugodt, ellátjuk ezt a dolgot. Este hol vagytok?

RENDŐRORVOS Kérlek, Margiték megjöttek Szegedről, vacsora után átmegyünk a Morbitzerhez cigányt hallgatni. Nem jönnétek ti is?

TANÁCSOS Én szívesen jönnék, de tudod, Lina milyen.

RENDŐRORVOS Hát mindenesetre nagyon fogunk örülni, ha jöttök. Szervusz.

TANÁCSOS Szervusz. Ha csak lehet, jövünk. Kézcsókomat Herminnek és Margitnak. Kézcsókomat Vilmának, Erzsikének és Piroskának.

RENDŐRORVOS Kézcsókomat Linának.

TANÁCSOS Köszönöm, átadom. Szervusz.

RENDŐRORVOS Szervusz. *(Elsiet az udvar felé)*

Tanácsos indul visszafelé, Sipos elébe áll

SIPOS Engedelmet kérek, van szerencsém magamat bemutatni. Sipos Lajos vagyok.

TANÁCSOS Mi tetszik?

SIPOS Azt mondják, kérem, a rendőrorvos úr a följelentő, itt ülünk kérem egy ijedtségben, kérem, miről van itt szó, tanácsos úr?

TANÁCSOS Igenis ő a feljelentő. Talán valami kifogása van ellene?

SIPOS Dehogy van, kérem, csak nem tudjuk, mért idéztek be ide bennünket.

TANÁCSOS Őrmester, micsoda illat van itt? Mint valami drogériában.

Irma hangosan felzokog

ŐRMESTER *(feláll)* Tanácsos úrnak alásan jelentem, én nem tudom, de valaki be van itt szagosítva, már én is alig bírom.

TANÁCSOS *(Roticsnéhez)* Biztosan maga parfümös, de megálljon, beparfümözöm én magát máma azért, amit evvel a lánnyal csinált.

ROTICSNÉ Nagyságos tanácsos úr, itt folyjon ki a két szemem, ha én egyáltalán szóba álltam vele.

TANÁCSOS Fogja be a száját.

SIPOS Úgy látszik, mégse méltóságos asszony.

TANÁCSOS *(Siposhoz)* A maga felesége az, aki most bement?

SIPOS Még igen.

TANÁCSOS És maga nem tudja, miről van szó?

SIPOS Nem, kérem.

TANÁCSOS Ez a lány itt a maguk szolgálatában van?

SIPOS Igen, kérem.

TANÁCSOS Ma reggel dr. Ságody Tibor úr, kötelességéhez híven, mint rendőrorvos, sorrajárta a kerületben levő úgynevezett rosszhírű házakat. Az egyikben, amely Roticsné őnagysága tulajdonát képezi, reggel nyolc órakor ott találta az önök szolgálóját, Szabó Irmát, ebben a díszöltönyben, így, ahogy itt látja, amikor Roticsné őnagysága éppen fel akarta venni tanoncnak az intézetébe.

ROTICSNÉ Bocsánatot kérek...

TANÁCSOS Kuss.

ROTICSNÉ Kérem, tanácsos úr. *(Visszaül)*

TANÁCSOS Őrmester, nyisson ki itt valamit, mert megfájdul a feje az embernek ettől a pacsuliszagtól.

ŐRMESTER Igenis. *(Kinyitja az ajtót)*

TANÁCSOS A lány biztosan jól ki volt tanítva, ez a báli ruhás hölgy, mert nagyon hevesen védte Roticsné őnagyságát. Azt mondta, amit ilyenkor szoktak, hogy saját jószántából jelentkezett, szerelmi bánatában akarta magát erre a piszok életre adni, az orvos úr pedig rendőrt hívatott, és behozatta őt ide, miután megállapította, hogy hazugságokat beszélt és ártatlan.

SIPOS Hogyan, hogy ártatlan?

TANÁCSOS Úgy, hogy ártatlan.

SIPOS Igen, kérem.

TANÁCSOS Igen, kérem. Mit bámul?

SIPOS Nem bámulok, kérem. Ez rettenetes, kérem.

TANÁCSOS Nem is olyan rettenetes.

SIPOS Nem.

TANÁCSOS A lány el volt keseredve, összevissza beszélt mindent. Nekem azt hazudta, hogy neki van egy gyereke, valami Lilike.

IRMA *(felzokog)* Lilike!

KATI Hazudik, kérem. Az az én gyerekem, ő nevezte el Lilikének, hazudik, kérem.

TANÁCSOS És azt is mondta, hogy egész éjjel egy huszárral mulatott.

KATI Az is az én gyerekem, kérem.

TANÁCSOS Mi az, magának huszár fia van?

KATI Nem, kérem. Az az a bizonyos Lilike.

TANÁCSOS A huszár? Maga őrült.

KATI Az ugyanaz a gyerek, kérem. Az csak huszárnak volt öltözve. Az még fiatal ahhoz, hogy lányokkal mulasson.

TANÁCSOS Hány éves?

KATI Három és fél.

TANÁCSOS Az tényleg még fiatal. Nekem mindjárt gyanús is volt ez az önvádolás. Fiatalkori hisztéria. Azért vettem különös gondjaimba.

SIPOS Ez rettenetes, kérem.

TANÁCSOS Bizony rettenetes, hogy a gazdái így vigyáztak rá. Majd ellátjuk mi a maguk baját is. A lány azt vallotta, hogy szerelmes valami rajzolóba és az halálra kínozta, úgyhogy bánatában ment oda abba a rosszhírű házba.

ROTICSNÉ Bocsánatot kérek...

TANÁCSOS Mit mondtam az elébb?

ROTICSNÉ Azt tetszett mondani: kuss.

TANÁCSOS Nahát, ahhoz tartsa magát.

ROTICSNÉ Kérem, tanácsos úr. *(Visszaül)*

TANÁCSOS Most benn Rácz kapitány úr megállapítja, hogy csábítás, leánykereskedés esete forog-e fenn vagy igaz az, hogy ezt a szegény teremtést a bűnbe kergette valami disznó.

SIPOS Kicsoda, kérem?

TANÁCSOS Valami disznó.

SIPOS Igen, kérem. Az lehet.

TANÁCSOS És akkor majd azt is megkeressük és ellátjuk a baját annak is.

SIPOS Igen, kérem. Nagyon helyes.

TANÁCSOS *(Irma felé)* És majd téged is ellátunk. Majd te leszel szíves megnevezni.

SIPOS A disznót?

TANÁCSOS Azt, igen. *(Roticsnéhoz)* Mit fészkelődik, mit akar?

ROTICSNÉ Lehet beszélni?

TANÁCSOS Lehet.

ROTICSNÉ Nem kuss?

TANÁCSOS Nem.

ROTICSNÉ Kérem. Milliószor bocsánatot kérek, de azt tetszett mondani, hogy nekem rosszhírű házam van.

TANÁCSOS Hát milyen háza van?

ROTICSNÉ Pardon, nekem van a legjobbhírű rosszhírű házam Pesten.

TANÁCSOS Tudomásul szolgál.

ROTICSNÉ Én nem lehetek, kérem, úgy kezelve, mint a többi. Azt a rendőrség is tudja rólam, hogy a legkorrektebben vagyok szervezve, kérem, én híres vagyok arról, hogy humánus vagyok, mint valóságos anya bánok a leányaimmal, nálam, kérem, vannak lányok, akik harmincöt év óta vannak ott.

TANÁCSOS Bravó!

ROTICSNÉ Az én intézetem legelső Pesten, olyan nincs a világon még egy.

TANÁCSOS Úgy dicséri, Roticsné, mintha az volna az ambíciója, hogy mi mind odaadjuk a leányainkat nevelni.

ROTICSNÉ Kérem, én azt nem kívánom.

TANÁCSOS Hála Istennek.

ROTICSNÉ Csak azért mondom, mert nálam ki van zárva az, amiért a doktor úr tetszett feljelenteni. Én nem csábítok senkit sem, én tudom, hogy ez büntetendő, annyi eszem nekem is van. A hölgy becsöngetett nálam reggel nyolckor, mint egy bolond, kérem, ebben a kosztümben, kérem, és evvel az illattal kérem, és azt kérdezte, hogy mikor nyitjuk az intézetet. Mondom, mi az, hogy mikor nyitjuk? Most csuktuk be. Hát hogy ő rossz nő akar lenni. Mondom menjen a fenébe, hagyjon engem békén, legyen rossz nő máshol. Azt mondja, ha én nem hagyom őtet rossz nő lenni, ő beugrik a Dunába. Mondom, jó, tiszteltetem a halakat. Pont akkor tetszett bejönni a doktor úr és mindjárt olyan idegesen tetszett neki fellépni, hogy mi ez és hogy én lányokat csábítok – ez mind azért van, mert a hölgy elkezdett sírni, az tűnt fel a doktor úrnak. Igaza is van, én életemben nem hallottam, hogy valaki föl akarja magát vetetni, mint örömleány, és ehhez úgy sír, mint egy búbánatleány. Én tudom méltányolni a doktor úrnak a felháborodását, de én tisztán fogok kigyönni ebből a dologból, mert én nem csináltam semmit, csak pechem volt. Mi az, hogy pechem volt? Még csak pechem se volt. Én éppen ki akartam dobni.

TANÁCSOS Kész?

ROTICSNÉ Kész.

TANÁCSOS Mondja, Roticsné. Mért van maga gyászban?

ROTICSNÉ Mert meghalt a férjem.

TANÁCSOS Mikor?

ROTICSNÉ Ezerkilencszázkilencben.

TANÁCSOS És tizenöt év óta gyászolja?

ROTICSNÉ Kérem, én kénytelen vagyok gyászban járni, mert másképp nem kapok sehol tiszteletet.

TANÁCSOS Kitől?

ROTICSNÉ Az emberiségtől.

TANÁCSOS És minek magának a tisztelet?

ROTICSNÉ Pardon. Én több adót fizetek, mint a Gerbeaud.

TANÁCSOS Na de több segéddel is dolgozik.

ROTICSNÉ Az én életem egy nyitott könyv, kérem. Én az Ellynor Glyn olvasok kérem, eredetiben, én a Pester Llyod vagyok előfizetve, én minden nap leszek villanyozva kérem. A doktor úr engemet üldöz. *(Sír)*

TANÁCSOS Na ne sírjon, drága szép gyermekem. Nem kell félni, mi igazságos emberek vagyunk, ha magának igaza van, itt nem harapják le a fejét.

ROTICSNÉ Nahát, aki az én fejemet leharapja, annak gönnolom azt az ebédet.

Tanácsos leint a levegőbe. A bal ajtó nyílik, Adél kijön

TANÁCSOS Felolvasták önnek a leány vallomását?

ADÉL Igenis, kérem.

TANÁCSOS Jó. Küldje be a következőt. *(Elmegy balra)*

AJTÓNÁLLÓ Özvegy Roticsné!

ROTICSNÉ Jelen. *(Be akar menni a Társalkodónőjével együtt)*

AJTÓNÁLLÓ Halt! Ez kicsoda?

ROTICSNÉ Ez az én társalkodónőm.

AJTÓNÁLLÓ Az nem lett behíva. Az ittmarad.

ROTICSNÉ Hát itt marad. *(A társalkodónőhöz)* Please stay here and wait till I come back.

TÁRSALKODÓNŐ Yes, Mylady. *(Visszaül a helyére)*

Roticsné és Ajtónálló bemegy, az ajtó becsukódik mögöttük. Adél visszaül a helyére

SIPOS Mit akartak magától?

ADÉL A maga eszelős hölgye egy bűnbarlangban felvételre jelentkezett.

SIPOS Azt már hallottam.

CSÁSZÁR Szörnyűség.

ADÉL Azzal indokolta, hogy maga küldte oda.

SIPOS Én?

Irma fájdalmasan felzokog

CSÁSZÁR Borzalmas.

ADÉL Engem tesznek felelőssé, mint bejelentett munkaadót.

CSÁSZÁR Hallatlan. De hát mi ez az egész? Hogy jutott eszébe neki?

ADÉL Nekem felolvasták a vallomását. Ő halálosan szerelmes Sipos Lajos bútorrajzoló úrba. Sipos Lajos bútorrajzoló úr visszautasította az ő szerelmét. Ettől végleg elkeseredett. Akkor Sipos Lajos úr reményt nyújtott neki.

SIPOS Én?

ADÉL *(oda se néz)* Sipos Lajos úr a saját esküvőjén háromszor forrón megcsókolta.

Irma felzokog

Őnagysága akkor boldog lett, mert azt hitte, hogy bírja Sipos Lajos bútorrajzoló úr szerelmét. De Sipos úr akkor kacéran ellökte magától, azzal az indokolással, hogy ő érzéki. Sipos úr kacér ember. Később féltékenységi jelenetet csinált a hölgynek.

SIPOS Én?

ADÉL *(oda se néz)* Saját lakodalmán féltékenységi jelenetet csinált a mindenes szolgálójának. Azzal gyanúsította őt, hogy viszonyt folytat Császár Pál műötvössel.

CSÁSZÁR Velem?

ADÉL Azt mondom, amit felolvastak nekem.

CSÁSZÁR Ez szemtelenség. *(Ijedten)* A hölgytől.

ADÉL Sipos úr aztán felváltva hol csókolta, hol ellökte a hölgyet, és ezt addig ismételte, amíg a hölgy elkeseredése a tetőpontra ért. Sipos úr ekkor biztosította őt, hogy tehetsége van az érzékiséghez és unszolta őt, hogy erre a pályára lépjen.

SIPOS Én unszoltam? Szemtelen hazugság!

ADÉL Miután ezt az atyai jótanácsot többször és nyomatékkal megismételte, a hölgy elkeseredésében elszaladt tőle. A ládájában volt megtakarított pénze, két dollár és tíz cseh korona. Ezt magához vette és elment a Schöja-kávéházba.

CSÁSZÁR Miért?

ADÉL Hogy a Sipos úr által ajánlott pályára lépjen. A kávéházban megismerkedett egy leánnyal, aki már rálépett erre a pályára. Ez kicsalta tőle a két dollárját.

IRMA *(felzokog)* Nem igaz!

ILONA *(izgatottan)* Kérem az nem igaz, a hölgy jogosan zokog. Én vagyok az a lány. Én nem csaltam ki tőle a két dollárját.

ADÉL Hát ki csalta ki tőle?

ILONA Kérem az úgy volt, hogy ő bejött a kávéházba, csupa víz volt, mert esett az eső, és én ott ültem a kassza mellett, mert nem lehetett kimenni az utcára, úgy esett az eső. És akkor megismerkedtünk, és ő ezt elmondta nekem, éppen úgy, ahogy mondani tetszett. És én elmondtam neki az én életrajzomat kérem, én is éppúgy voltam, mint ő, Becskereken, egy epebajos gyógyszerész miatt és ezt elmeséltem neki kérem, reggel hat óráig. Akkor ő mondta nekem kérem, hogy neki kokottruha kell, mert ő úgy nem mehet jelentkezni. Én mondtam, hogy nekem van egy orange-crèpe georgette-ruhám, flitterrel és laméval, én nem viseltem, szívesen átadom neki akár ingyen is, mert egy kicsit át van táncolva. De ő követelte, hogy két dollárért adjam és én eladtam neki kérem. És tíz cseh koronáért egy fejdíszt kérem, az megér húsz cseh koronát, tessék nézni, hol tetszik ezt megkapni annyiért?

CSÁSZÁR Na? És aztán?

ILONA Aztán eljött hozzám, én felöltöztettem és kifestettem, ő kifizette a csekély összeget és visszamentünk a kávéházba.

ADÉL Ott aztán leitatta.

ILONA Ő itatott le kérem engemet, mert én nem bírom az italt, kérem, Unicumot ittunk, mert nekem savanyú gyomorbajom van és ő egyre józanabb lett kérem, én meg alig bírtam a fejemet, mikor a főpincér őtet haza akarta vinni.

Irma felzokog

SIPOS Micsoda szörnyűség!

ILONA A főpincérnek megtetszett kérem és mindjárt látta, hogy privát, hát el akarta vinni kérem, de én megmentettem.

SIPOS Hogyan?

ILONA Behíttam kérem a főpincért a telefonfülkébe, ott felvilágosítottam, és lekentem neki két pofont kérem, és tiszta szívjóságból én kísértem haza a főpincér urat.

SIPOS Szegény mártír.

ILONA Hiába tetszik gúnyolni kérem, ha tudná, hogy fájt a gyomrom és milyen fáradt voltam és álmos voltam!... Már hét óra volt reggel, már gyöttek kávézni a reggeli vendégek.

SIPOS Förtelmes ezt hallani is.

ADÉL Még szörnyűködik!

ILONA Csak mert azt tetszett mondani, hogy én kicsaltam tőle a pénzét.

Irma felzokog. Kis szünet. A bal ajtó nyílik, kijön Roticsné és az Ajtónálló

AJTÓNÁLLÓ Sipos Lajos!

SIPOS Jelen. *(Fölkel és indul)*

AJTÓNÁLLÓ Popovics András! Popovics Andrásné!

Házmester és Kati feláll

SIPOS Ki az?

HÁZMESTER Én.

SIPOS Magát Popovicsnak hívják? Sose tudtam, hogy Popovicsnak hívják.

HÁZMESTER Popovics András.

SIPOS Én nem tudtam.

AJTÓNÁLLÓ Menjenek be.

Sipos, Házmester, Kati bemegy a bal ajtón, utánuk az Ajtónálló, az ajtó becsukódik. Roticsné leül a helyére. A telefon megszólal az Őrmester mögött, a falon

ŐRMESTER *(a telefonhoz lép)* – Halló! – Halló! – Igen. – Igen, az. – Az beszél, nem hallja? – Igen. Itt van, igen. Itt van a vezérigazgató úr. – Lent a fogdába. – Nem marad itt. Átviszik a központba. – Azt nem lehet. – Értse meg, le van csukva, fogoly, nem jöhet a telefonhoz. Ezt már tudhatná a méltóságos asszony, elég gyakorlatuk van. – Azt lehet. Ebédet küldhet. Igen. Párnát is, paplant is. Joga van. Ágyneműt is, ebédet is szabad. Igen. Kérem szépen. – Jó napot. *(Visszaül az asztalhoz)*

TÁRSALKODÓNŐ *(rossz magyar kiejtéssel)* Nem mehetünk haza?

ROTICSNÉ Legyen nyugodt, mindjárt mehetünk. Csak még igazolva lesz, hogy azelőtt nem is ismertem ezt a hölgyet.

Kis szünet

ADÉL Császár, kérem, maga menjen haza.
CSÁSZÁR Mért?
ADÉL Itt már nincs szükség magára.
CSÁSZÁR Amíg maga itt van, addig én ittmaradok.
ADÉL Menjen haza.
CSÁSZÁR Hova haza?
ADÉL Oda, ahol eddig lakott.
CSÁSZÁR Hát nem parancsolja, hogy elköltözzem?
ADÉL Nem. Azt parancsolom, hogy ott maradjon.
CSÁSZÁR Kérem. *(Feláll)* Akkor ma nem is megyek munkába. Otthon várom.
ADÉL Azt se bánom. Ezt így rendelte a jó Isten. Engem megbüntetett, mert okos akartam lenni. Nem szabad okosabbnak lenni, mint ő. Pechem volt. Az az okos, akinek szerencséje van. Menj haza és várj, amíg hazajövök. És ha hazajöttem, várj, amíg megöregszem. És ha megöregedtem, hagyj el. És akkor én majd személyesen megyek el a jó Istenhez, számon kérni tőle, hogy mért nem engedi az embert becsületesnek lenni ezen a rossz világon.

Császár kezet csókol neki és elmegy az üvegajtón. Irma felzokog

ADÉL Mért zokogsz?
IRMA *(zokogva)* Mert ő most a Sipos úr szobáját kapja!
ADÉL Most boldog vagy, mi?
IRMA *(felzokogva)* Igen!

Az udvari üvegajtó nyílik, Rendőr lép be

RENDŐR *(az Őrmesterhez lép)* Őrmester úrnak alásan jelentem, eljártam a megbízatásban. A nevezett utcasarkon a gyermeknapi gyűjtést végzi kegyelmes grófné. Eng… engen… *(Nem tudja elolvasni)*

ŐRMESTER Ne ordítson itt a felek előtt hivatalos titkot. Mondja ide a fülembe. *(Feláll, hozzáhajol)*

Rendőr feszes haptákban hosszasan súg a fülébe

Jól van. *(Átveszi tőle a cédulát, visszaül a helyére és sokáig ír)*

Rendőr feszesen szalutál. Kimegy az üvegajtón az udvarra. Kis szünet

ROTICSNÉ *(a Társalkodónőjéhez)* Please, wait patiently Miss Burnaby. I don't think we shall have to wait long. In some minutes we shall come on and then we may go home.

TÁRSALKODÓNŐ Oh, please! I don't mind to wait.

ŐRMESTER Ne gajdoljanak itten idegen nyelven. Tilos a tanúknak összebeszélni.

ROTICSNÉ Mi nem beszélünk össze. Ez a hölgy nem tanú. Ez az én társalkodónőm.

ŐRMESTER Nem mintha nem érteném, amit föcsög. Tíz évig voltam Amerikában. I know English as well as you. But the rule is, that witnesses are not allowed to speak with one another. That's why I am here: to take care of this.

TÁRSALKODÓNŐ Well done, policeman!

A bal ajtó nyílik, Sipos, Házmester és Kati kijön. Sipos leül

HÁZMESTER *(Adélhoz)* Mivelünk mi legyen most, kérem?

ADÉL A rendőrség elengedi magukat?

KATI Igen, kérem. De ha szüksége van itt ránk a nagysádnak…

ADÉL Nekem a világon senkire sincs szükségem. Menjenek haza rendet csinálni. Az üveges csinálja meg a tükröt, amit a Stetner betört. A számlát majd vigye a Stetnerhez. A tornácot felmosni. Sipos úr szobáját kitakarítani, a nagykofferjét kivinni a tornácra, a szobát lezárni. Egy liter tejeskávét adni a mamának. Elmehetnek.

HÁZMESTER és KATI Kezitcsókolom. *(Elmennek)*

AJTÓNÁLLÓ *(balról belép)* Sipos Lajosné!

Adél feláll

ROTICSNÉ *(feláll)* És én, kérem?

AJTÓNÁLLÓ Özvegy Roticsné elmehet.

ROTICSNÉ *(az Őrmesterhez)* Na látja. Ajánlom magamat. Goan! *(Elmegy a Társalkodónővel)*

Adél bemegy a bal ajtón, az Ajtónálló künnmarad

AJTÓNÁLLÓ Maga Sipos Lajos?

SIPOS Az vagyok.

AJTÓNÁLLÓ *(miután cédulára nézett)* Maga is elmehet.

SIPOS Muszáj elmenni?

AJTÓNÁLLÓ Dehogy muszáj.

SIPOS Hát akkor még ittmaradok.

AJTÓNÁLLÓ Tőlem akár újévig. *(Bemegy Adél után)*

Sipos visszaül a pad bal szélére. Ilona a pad jobb széle mellett áll. Szünet. Sipos a csöndesen sírdogáló Irmára nézeget igen nagy zavarban

SIPOS Te Irma, mondd fiacskám…

Irma felnéz rá bátran

SIPOS *(lesütött szemmel, zavartan)* Te tudtad… hogy a házmestert Popovicsnak hívják?

IRMA *(könnyáztatott hangon, szipogva)* Igen. A… a felesége… a Popovicsné… *(Zokog)*

SIPOS Azt mindjárt gondoltam.

Szünet

SIPOS Hát most mi lesz veled?
IRMA Nem tudom. Most szeretnék odaülni maga mellé. Szabad?
SIPOS Hogyne volna szabad.
IRMA Ilyen nagy gyalázat után?
SIPOS Még nagyobb után is.
IRMA *(boldogan odaül Sipos mellé)* Nagy gyalázat volt?
SIPOS Nem.
IRMA Kis gyalázat?
SIPOS Olyan... középgyalázat.
IRMA De ugye azért nekem tiszta lelkem van.
SIPOS Hallottad mit mondott? A szobámat lezárni.
IRMA A Császár megy oda lakni.
SIPOS Menjen is.
IRMA Csillagsugár és gyönyörű főangyal, most mért nem mérges?
SIPOS Nagyon megszelídültem én, fiam.
IRMA Én most boldog leszek, Sipos úr.
SIPOS Hol?
IRMA Budapesten.
SIPOS Igen?
IRMA Magánál.
SIPOS Ne mondd.
IRMA Örök boldogság és szép tavaszi május.
SIPOS Most, nyáron?
IRMA Mindig. Koporsómig... csupa virágzat és pilótarepülés. Ne legyen szomorú, bíborcsillag és egyetlen centercsatár.
SIPOS Fáradt csatár vagyok én. Tegnap reggel óta vagyok talpon. Lakodalmon voltam. Ha három éjszaka összeragadna, azt is kialudnám.

Kis szünet

Mért csináltad azt?
IRMA Mit?
SIPOS Hogy odamentél. Abba a házba.
IRMA Öngyilkosságból tettem.

SIPOS Így akartál öngyilkos lenni?

IRMA Így. Ha a Dunába ugrok és meghalok, nem tudom többé siratni magamat. Így meg örökké sirattam volna tiszta szerelmemet és ifjú lelkemet.

Ilona a könnyeit törli

SIPOS Micsoda hülyeség. Borzalom. Bemenni ilyen gyereknek... abba a házba.

IRMA Azt mondta, odavaló vagyok.

SIPOS Nem vagy odavaló.

IRMA Aki odamegy, az már odavaló.

SIPOS Nem igaz. Te bánatodban mentél oda.

IRMA Más is úgy megy oda.

SIPOS Honnan tudod?

IRMA A Keczeli Ilona mondta. Ő is úgy ment oda.

SIPOS Ő se odavaló.

IRMA Hát hova való?

ILONA Kis virágos kertbe való vagyok, öntözni kérem, kertészlánynak való vagyok, füvet szeretnék kaszálni! *(Csöndesen sír)*

SIPOS Hát... mért nem kaszál?

ILONA Nincs énnekem ahhoz pénzem, kérem. Majd ha vagyonom lesz, férjhezmegyek. Az sok pénzbe kerül.

IRMA Nekem már két dollárba van.

SIPOS Te férjhezmégy?

IRMA Igen.

SIPOS Kihez?

IRMA Hozzád.

SIPOS Biztos?

IRMA Biztos.

SIPOS A dologban az a különös, hogy valószínűleg igazad van. Püspököt úgyse kapsz.

IRMA Nem is kell, mert te vagy az én selyemnadrágos hercegem, akiért én elmentem a bálba aranyruhában.

SIPOS Na, ez egy kis túlzás.

IRMA Te már régen szereted a Hamupipőkét... és jársz, jársz, a kezedben az üvegcipővel... és most már belátod, hogy csakis az én lábamra illik...

SIPOS *(Ilonához, aki Irma lábát nézi)* Nézd csak meg. Azt megnézheted. Olyan lába van, mint egy princesznek. Mutasd neki, fiam.

Őrmester ágaskodik, szintén nézi

Mutasd az őrmester úrnak is. Ő is szereti.

ŐRMESTER Nem szeretem. *(Visszaül)*

SIPOS Mért?

ŐRMESTER Mert vikony.

SIPOS Hát milyen szeret?

Őrmester vigyorog, óriási gömböt rajzol a kezével a levegőbe

SIPOS *(Ilonához)* És a keze milyen úri. És az a kis félbolond lelke milyen kedves.

Ilona sír

Már megint sírsz?

ILONA Mert olyan szép, hogy kegyed ilyen büszke rá. Ez tiszta szerelem. Én azt úgy imádom nézni. Istenbizony, ez egészen békebeli szerelem.

Szünet

SIPOS *(elfogultan, a kezében tartva Irma kezét)* Nagyon részeg voltál tegnap?

IRMA Nagyon. De nem a pálinkától.

SIPOS Hát mitől?

IRMA A három csóktól. *(A vállára hajlik)*

SIPOS Ne mondd. Olyan édes vagyok?

IRMA Nem is tudod.

SIPOS Ezt nekem sose mondta senki.

IRMA Én mindig mondani fogom.

SIPOS Mikor?

IRMA Most, hogy a tied leszek. Ugye?

SIPOS Igen, fiam.

IRMA Ne mondd nekem mindig: fiam. Én nem vagyok fiú. Meg fogod látni.

SIPOS Remélem!

IRMA Mondd... hát már fütyül az oroszlán?

SIPOS Határozottan kezd fütyülni.

ILONA *(könnyekkel a hangjában)* Hogy én hogy imádom nézni, mikor privátok így szeretik egymást!

SIPOS Nem különös, hogy ez a szép lány ilyet szeret, mint én?

ILONA Ó, nem!

SIPOS Te tudnál szeretni ilyet, mint én?

ILONA *(elragadtatva)* Ó, én csak ronda embert tudnék igazán szeretni! Én gyűlölöm a szép fiúkat. Azoktól csak szenvedünk.

IRMA Kellett ez neked?

SIPOS Hogyne. Ez mindig kell, mert még elbizakodik az ember.

IRMA Mondd, ugye szép életünk lesz és virágzó kikelet?

SIPOS Csakis.

IRMA Fogunk sokat fürdeni?

SIPOS Egész nap.

IRMA És megyünk a klasszikusokhoz?

SIPOS Soha.

IRMA De elveszel feleségül!

SIPOS Amint lehet.

IRMA És, ugye, lesz gyerekünk?

SIPOS Rögtön.

IRMA És, ugye, én leszek az anyja?

SIPOS Ha jól viseled magad.

IRMA És te mije leszel neki?

SIPOS A nagyapja.

A bal ajtó nyílik, Adél jön ki, mögötte az Ajtónálló

AJTÓNÁLLÓ Keczeli Ilona!

Ilona bemegy balra. Ajtónálló utána megy. Irma elhúzódik Sipostól

ADÉL Van még mondanivalója számomra?
SIPOS Koffer beszél. Én hallgatok.
ADÉL Hajlandó tudomásul venni, hogy döntöttem a sorsomról?
SIPOS Kérem.
ADÉL Hogy mit határoztam, arra nem kíváncsi?
SIPOS Ha jól megvizsgálom magamat, azt hiszem, nem vagyok kíváncsi.
ADÉL Így is jó. Hát akkor nem lesz olyan nehéz segíteni a mi dolgunkon. Vannak még ügyvédek a világon.
SIPOS Még csak az kéne, hogy kivesszenek.
ADÉL Ez az egész? Így válunk el tíz év után?
SIPOS Így. Én nem vagyok síber, aki minden nyáron megbocsát a feleségének. Én asztalos vagyok. Én egyszer se bocsátok meg.
ADÉL Ez az egy, amit még tisztelek magában. De én nem kértem bocsánatot.
SIPOS Én meg ezt tisztelem magában. Nekem nincs autóm. Nekem becsületem van. Én már nem tudom a szívemet összeragasztani. Össze tetszett törni, most már így marad.
ADÉL Szép szárazon mondja. Könnyet se ejt.
SIPOS Mink iparosok befelé nedvesedünk.
ADÉL Ki fogja a holmiját rendbetartani?

Szünet

IRMA Én.
ADÉL Hja... úgy!

Szünet

SIPOS Lássa, hogy én vagyok az árva, ha elszakadunk. Magát nem kell félteni.

ADÉL Nem is. Elég baj, hogy eddig féltettem magamat. Hát jól van, Sipos, menjen. Én azt hittem, most jön a nyugalom és a csendes öregség. Együtt. Magának is, nekem is. Jól van. Nem így lesz. Jön egy szép esztendő, talán csak egy szép hónap. Romajzer Adél még egyszer kivirágzik, megfiatalodik, kifesti magát, sír és nevet, szenved és örvendezik, szeretni fogják, szerelmes lesz, királyné lesz, kutya lesz, megkínoz egy szép fiút, kap tőle boldogságot és éjjeli sírást, végül is elpucolja a pénzét és levitézlik. Az volt a baj, hogy a becsületet jobban akartam szeretni, mint magamat. Legalább ezt ismerje el.

SIPOS Maga egy derék asszony, csak én nem tudok többé a szemébe nézni. De azért fogok magára gondolni.

ADÉL Azt el is várom. Én nemigen fogok magára gondolni.

SIPOS Isten vele.

Adél elindul. Rövidke út után hirtelen megáll. Ugyanekkor Irma is megszólal

IRMA Kérem… } *egyszerre*
ADÉL Hja, igaz… }

ADÉL Na… mit akarsz mondani?

IRMA Csak tessék előbb… én majd aztán…

ADÉL Nem, nem, csak mondd fiam, mert attól félek, hogy mind a ketten ugyanazt akartuk mondani. Te figyelmeztetni akartál, hogy ne felejtsem el…

IRMA A papucsot.

ADÉL Úgy van. Én meg azt akartam mondani, hogy nem felejtettem el. *(El, az udvar felé)*

Szünet

SIPOS *(szomorúan bólogat)* „Harsány üdvkiáltás zengjen a tájékon – Áldás és boldogság Sipos Lajosékon!”

IRMA *(visszaborul a mellére)* „Boldogságom hímpora, Lenge szellő lengedez, Fájdalmamnak angyala, Könnyeimnek zápora!”

SIPOS Nagyon szép.

URASÁGI INAS *(belép az udvar felől. Bal kezében ételhordó, jobb karján piros selyempaplan, csipkés párna, lepedő)* Jó napot.

ŐRMESTER Mit akar?

INAS A vezérigazgató úrnak hoztam ágyneműt és ebédet.

ŐRMESTER A vezérigazgató urat már átszállították a főkapitányságra. Oda vigye utána a holmiját.

INAS Köszönöm. *(Indul)*

ŐRMESTER A főkapitányságra. Tudja, hol van az?

INAS Hogyne tudnám, az idén már hatodszor alszunk ott. *(Elmegy)*

A bal ajtó nyílik, belép a Rendőrtanácsos, utána jön Ilona, utána az Ajtónálló, aki ott marad az ajtónál. Mindenki feláll

TANÁCSOS Itt van még Siposné?

SIPOS Elment, kérem.

TANÁCSOS Maga Sipos?

SIPOS Az vagyok, kérem.

TANÁCSOS Mennyi megtakarított pénze volt ennek a lánynak?

SIPOS Úgy tudom két dollárja volt és tíz cseh koronája. *(Irmára néz)*

IRMA Igen.

TANÁCSOS Honnan volt az neked?

IRMA A verejtékemből, kérem.

TANÁCSOS Az nem válasz.

IRMA Bánatomba gyűjtöttem, kérem, hozományra.

TANÁCSOS Ez a lány nem akarja visszaadni a két dollárt. Azt mondja, hogy ma reggel odaadta a gyermeknapi gyűjtésre a Mária Terézia-téren. Mi azonban ennek utánajárunk, hogy igaz-e.

ILONA Tessék utánajárni.

ŐRMESTER Nagyságos tanácsos úrnak alássan jelentem, Horvát rendőr lett erre a nyomozásra kiküldve és már visszajött jelentést tenni. *(Céduláról olvassa)* A Mária Terézia-tér délkeleti részén kegyelmes grófné... Engen... enger... engen...

TANÁCSOS Na, mindegy a neve. Tovább.

ŐRMESTER Kegyelmes grófné végzi a gyűjtést. Azon kérdésére, hogy lett-e leadva két dollár, a kegyelmes asszony igazolta, hogy reggel nyolc órakor egy leány két dollárt szorított a perselybe. Onnan emlékszik rá, mert ez volt az első fizető vendég.

TANÁCSOS Rendben van. Mutassa. *(Elveszi a cédulát)* Hogy hívják azt a grófnét?

ŐRMESTER *(belenéz a cédulába)* Engem...

TANÁCSOS Engem?

ŐRMESTER Nem, kérem. Nem a tanácsos urat. Ütet. Úgy híjják: Engem...

TANÁCSOS De oda még valami van írva.

ŐRMESTER *(belenéz a cédulába)* Csics.

TANÁCSOS Engemcsics?

ŐRMESTER Nem a tanácsos urat csics. Ütet csics. Úgy híjják: Engemcsics.

TANÁCSOS Képtelen vagyok elérni, hogy rendesen írják be a neveket a jelentésekbe. Kétségbeejtő. *(Ilonához)* Szóval gyorsan leadtad a pénzt, megijedtél az idézéstől.

ŐRMESTER Nagyságos tanácsos úrnak alásan jelentem, ez nyolckor volt, az idézést meg csak kilenckor vittük ki.

TANÁCSOS És a tíz cseh korona?

ILONA Azt még az éjjel visszaadtam neki, hogy ne rongyoskodjon.

TANÁCSOS Igaz ez?

IRMA Igaz, kérem.

TANÁCSOS Hol a pénz?

IRMA Itt van, kérem. *(A harisnyából veszi elő a pénzt)*

SIPOS Szent isten, te ott tartod a pénzed?

IRMA *(Ilonára mutat)* Tőle tanultam, kérem, én nem tudtam hova tenni, ő mondta, hogy így szokták, ő tudja, mert ő kokkot.

TANÁCSOS *(Ilonához)* Mi vagy te?

ILONA Én nem értem kérem, amit ő mond, már az éjjel is ezt mondta kíméletből. Pedig nekem nem kell szégyelni magamat, nekem van a rendőrségtől nyomtatott prostitúcióm.

TANÁCSOS Az van. – *(Irmához)* Hát ha ő visszaadta a pénzt, te add vissza neki a kalapját.

Irma *(miközben leveszi)* Ez nem kalap, kérem.

TANÁCSOS Látom, harisnyakötő.

Irma átadja Ilonának a fejdíszt, Ilona átveszi sírva

Hát most mi bajod van? Semmi okod bőgni. Kijelentem itt a hivatalos helyiségben, hogy tisztességesen cselekedtél. Nyugodt lelkiismerettel távozhatol mégpedig a fenébe és minél hamarább.

ILONA Nem is azért sírok. Csak mert olyan szép tiszta szerelmet láttam itten az előbb. *(Elmegy az udvari ajtón)*

TANÁCSOS *(miután Ilona kiment)* Mi az, őrmester! Itten szép tiszta szerelem látható, nálam a hivatalos helyiségben?

ŐRMESTER Csak beszélgettek, könyörgöm. És az úr mutogatta az ü lábát.

TANÁCSOS *(Siposhoz)* Maga itt a lábát mutogatja?

ŐRMESTER Nem az üvét, könyörgöm, a leány lábát mutogatta.

TANÁCSOS Maga itt a leány lábát mutogatja? Micsoda mesterséget űz maga?

SIPOS Asztalos vagyok kérem.

TANÁCSOS Hát mutogasson széklábakat. Azt is otthon. Ez itt hivatal.

IRMA Elmehetek, kérem?

TANÁCSOS Elmehetsz. *(Siposhoz)* Hova megy ez most? Van ennek gyámja?

SIPOS Van, kérem. Egy magyar ügyvéd.

TANÁCSOS Hát persze, hogy magyar.

SIPOS Azért mondom így, kérem, mert Bécsben él állandóan.

TANÁCSOS Hát persze, hogy az nem vigyáz rá. De látom, maga egész jól szíveli. Mi?

Csönd

IRMA Ő nagyon szível, kérem. Ő csak nem felel.

TANÁCSOS Hát én azt meg tudom csinálni az árvaszéknél egy-kettőre. Akar a gyámja lenni?

SIPOS Nem én, kérem. Nem lehet erre vigyázni. Én nem vállalom azt a felelősséget. Én inkább feleségül veszem, kérem.

TANÁCSOS Mi az, hát nem tegnap volt az esküvője?

Csönd

IRMA Tegnap volt, de nem folytatja.

TANÁCSOS Hány éves maga?

SIPOS Negyvennyolc.

TANÁCSOS És a lány?

SIPOS Húsz lesz.

TANÁCSOS Az előbb nekem odabent azt mondtad, hogy huszonhárom éves vagy. Mért hazudtál?

IRMA Hogy egy kicsit közelebb legyek a Sipos úrhoz.

SIPOS Kéremalássan, evvel úgy vagyunk, hogy most még van egy kis korkülönbség köztünk vagy harminc év. De ez csak most tűnik fel, nagyságos uram. Hetven év múlva ő lesz kilencven, én meg száztizennyolc, akkor azt fogják mondani: két öreg ember.

TANÁCSOS Hát ez is szempont, uram. Fantasztikus. Na, elmehetnek. Isten áldja meg. *(Írnokhoz)* Higgye el, sehol nincs annyi nyomorúság, mint ezen a világon. *(Berobog balra)*

ÍRNOK Igenis, tanácsos úr.

Sipos és Irma mély meghajlással köszöntik. Sipos veszi a bőröndjét, Irmára néz

IRMA *(a bőrönd után nyúl)* Majd én viszem.

SIPOS Nem.

IRMA Dehogynem. *(Elveszi tőle a bőröndöt, kis szünet)* Hát most hova megyünk, Lajos?

SIPOS Lajos?

IRMA De mennyire!

SIPOS Mi az, már nem pilóta?

IRMA Nem. Most már csak: te Lajos.

SIPOS Miért?

IRMA Mert a pilóta beleesett a vízbe és az oroszlán fütyül.

SIPOS *(az Őrmesterhez)* Hallja ezt? Mondja, mi a véleménye rólunk?

ŐRMESTER Nagy marha és kis marha.

SIPOS Köszönjük szépen.

IRMA Gyerünk, Lajos.

SIPOS Most így menjek veled végig az utcán, fényes nappal? Hol a régi ruhád?

IRMA Bemegyünk érte a Keczeli Ilonához.

SIPOS Nem, fiam, hát most már ezeket az összeköttetéseket beszüntetjük. Jó?

IRMA Ahogy akarod, Lajos.

SIPOS Majd veszek neked a boltban, itt a sarkon valami olcsó ruhát.

IRMA *(szomorúan)* Olcsót?

SIPOS De még milyen olcsót! Gyere, pajtás, lesz, ahogy lesz, vágjunk neki együtt ennek a keserves világnak. Add ide azt a koffert.

IRMA Nem adom. Engedd, hogy én vigyem. A koffert mindig én fogom vinni.

SIPOS Jó. A koffert mindig te fogod vinni. *(Átöleli és kimennek a nyitott ajtón át az udvarra. Irma cipeli a koffert)*

Mikor már kimentek

ŐRMESTER *(az asztalnál ülve felordít)* Ajtó!

IRMA *(lelkendezve visszarohan)* Ajtó! *(Beteszi kívülről és elrohan)*

Függöny

OLYMPIA

VÍGJÁTÉK HÁROM FELVONÁSBAN
(1928)

SZEMÉLYEK

PLATA-ETTINGEN HERCEG, *tábornok*
EUGÉNIA, *a felesége*
OLYMPIA, ÖZV. ORSOLINI HERCEGNÉ, *a leánya*
KOVÁCS, *huszárkapitány*
ALBERT
KREHL, *osztrák csendőr-alezredes*
LINA

Történik egy osztrák fürdőn a háború előtt

Mind a három szín:
kis szalon a Palace Hotelben

ELSŐ FELVONÁS

A magas rangú vendégek számára elkülönített kis társalgó szalon a Palace Hotelben, földszint, a bálterem és az olvasószobák közt. Jobbról és balról elöl függönyös ajtók. A szalon hátsó felét nagy, nehéz függöny képezi, mely most elzárja a szalonhoz tartozó teraszt. A hotel nagytermeiben bál van, őfelsége születésnapjának tiszteletére. Eleinte igen halkan beszűrődő tánczene. Pár perccel éjfél után.
Mikor a függöny felgördül, jobbról belép Lina grófnő, igen csinos, negyven-negyvenöt éves dáma. Utána rögtön Albert gróf, ötvenöt éves, frakkban, nagy rendjelekkel. Lina leül és helyet mutat Albertnek

LINA Ülj le, kérlek.

ALBERT *(leül)* Kérlek. Mit parancsolsz, kérlek? Most itt vagyok. Rémesen idegessé teszel evvel a sok integetéssel. És különböző titkos jelekkel. Mit óhajtasz?

LINA Beszélni akarok veled.

ALBERT Kérlek. Tessék. Most itt ülök. Halljuk.

LINA Olyan kellemetlen neked az, ha beszélni akarok veled? Hátha fontos és sürgős az, amit mondani akarok?

ALBERT Ez ugyan nem valószínű, édes Linám, de… kérlek. Itt ülök. Halljuk.

LINA Te nemcsak rokonunk, hanem a császár őfelsége főistállómestere is vagy.

ALBERT Úgy van.

LINA Te szívvel-lélekkel ragaszkodol a felséges császár családjához és annak minden érdekéhez.

ALBERT Nem is lehet jobban. Tovább.

LINA Ma őfelsége születésnapja van, és még ezen a kis osztrák fürdőhelyen is minden a felséges császár dicsőségét zengi. Csodálatosan mély monarchisztikus hangulat van. A néphimnuszt játszták. Én sírtam. Reggel dörögtek az ágyúk.

ALBERT Dörögtek. Sírtál. Tovább.

LINA A hangnem ellen, amelyet velem szemben használsz, nem tiltakozom, mert ez már tradíció a mi családunkban. Linával mindenki így beszél. A tárgyra térek. Kedves cousin. Ez az az óra, amikor komolyan meg kell neked mondanom, hogy bátyád sógora cousinjének elsőszülött leánya ellen kifogásom van.

ALBERT *(felkel)* Minek ez a hosszú genealógia?

LINA Ülj le. Ez az én jogcímem a beavatkozásra. Fájdalom, ilyen hosszú. Ülj le. Hallgass meg. Olympia hercegnő nem becsüli meg magát.

ALBERT *(szemrehányólag)* De Lina!

LINA Ez erős szó, belátom. De szándékosan használom. Te tudod legjobban, milyen szigorú ilyen dolgokban a császár őfelsége.

ALBERT Azt a rettenetes szót magyarázd meg, hogy: „nem becsüli meg magát". Ezt indokolni tartozol.

LINA Tudom. Íme az indokolás: Olympia hercegnő, a trónörökösné első udvarhölgye egy közönséges huszárkapitánnyal flörtöl egy osztrák fürdőhelyen. És a föld nem mozdul meg alattuk.

Albert hallgat és nagy füstöt fúj

Én látom a hallgatásodat, bár füstfelhőbe burkolod. *(Albert mozdulatára)* Nem, nem! Te hallgattál. Úgy látszik, nem alaptalan a vád. Egy kapitánnyal. Mit Herrn Rittmeister Kovács vom k. u. k. nem tudom, melyik Husarenregimenttől. Herr Kovács. Még csak nem is „von" Kovács. Összesen két hete, hogy itt vannak. Két hete ismerik. Ez sok, ameddig ő elment. Pedig milyen óvatos anyja van! És az ezt tűri. És az apja egy herceg Plata-Ettingen, lovassági tábornok, őfelsége hadsegédje. És a leánya ezt meri! Mit szólna Fülöp, ha ezt tudná? Ő, aki úgyszólván oroszlánként küzdött, míg leányát erre a polcra emelte. Nos, mit felelsz?

ALBERT Ezen a polcon te szerettél volna ülni.

LINA Úgy van. Miért tagadjam? De én másként is viselkedném.

ALBERT Lina, te igen veszélyes intrikát folytatsz. Lina, te elvesztetted a mértéket. Lina, te énreám ne számíts. Én nem tűröm ezt a hangot, amelyen te Olympiáról beszélsz. Ezt nyíltan kimondom. Nem tűröm. Olympia egy hófehér és jéghideg hölgy. Az ő női tisztasága minden kritikán felül áll. Ezért is lett azzá, amivé lett. Mintája a szoborszerű fenségnek. Hogy merészelsz te ezzel a görög istennővel szemben ilyen szót használni: „flört"? Egyáltalán hol tanultad ezt?

LINA Bocsáss meg, ő is ember. Ezt onnan tudom, mert rokonom. Húszéves volt, mikor férjhez ment Orsolini herceghez, és egy év múlva már özvegy volt. Gondold meg, azóta tizenegy év telt el és ő...

ALBERT Úgy él, mint egy szent. *(Parancsolóan)* Mint egy szent!

LINA Úgy van. Tehát illenék, hogy ezt most ne hagyja abba. Elismerem, hogy nehéz az élete. Egy ilyen szép, különös, érdekes asszonynak...

ALBERT *(türelmetlenül)* Szóval: mi a konkrét vád?

LINA A kapitány. A kemény magyar kapitány. Aki naponta a mamájával bridzsezik.

ALBERT Igen kitűnően. Úgy kártyázik, mint egy ördög.

LINA Táncol.

ALBERT Csárdást pompásan, valcert kevésbé.

LINA Olympiával lovagol.

ALBERT Nagyszerűen, bár túl merészen. Nem is lehet vakmerőbben.

LINA Nekem antipatikus ez a vadsága. Katona a háborúban legyen vakmerő.

ALBERT Azt nem tudja kivárni. Száz évig nem lesz háború. Én élvezettel és csodálattal nézem a lovaglását.

LINA Mi az? Te is imádod? Hát ezt mindenki imádja?
ALBERT És te?
LINA Nekem mindegy. Egy katona a császár egymillió katonája közül. Egy magyar paraszt.
ALBERT Ez a kifogásod ellene?
LINA Nem. Tudod te már, mi a kifogásom. De most azért ülök itt veled, úgyszólván félrevonulva ebben a hotelhelyiségben, mert ami ma délután történt, az túlment a határon. Ma délután a díjlovagláson, amelyen te természetesen nem vettél részt...
ALBERT Mi az, hogy „természetesen"? Nem vettem részt, mert nem akartam. Mit akarsz kérlek te azzal mondani, hogy „természetesen"? Talán félek lóra ülni?
LINA Azt éppen nem mondtam.
ALBERT Mi az, hogy „éppen"? Hallatlan, milyen csípős nyelven beszélsz velem!
LINA Ne akadj fenn mindenen, Albert.
ALBERT Mi az, hogy „mindenen"?
LINA Hát nem hallgatsz meg?

Albert int, hogy beszéljen, amit akar

Szóval, ezen a mai díjlovagláson a kapitány úr megnyerte az első díjat.
ALBERT Teljes joggal.
LINA Ez nem érdekel. A lovasság lovagoljon jól, ez kötelessége. De a vállán egy dupla szalag lobogott. Az Ettingen-színek. Piros és kék. A szép udvarhölgy családjának a színei. Feltűzte kokettériából. És kérlek, az a tisztelgés a végén, mikor a díjat megkapta! Az a vad odagaloppírozás Olympia páholyához! Az a roham szinte szimbolikus volt! Én ott ültem Olympia mellett. Az az elvörösödés, amit mindenki látott!
ALBERT Ki vörösödött el?
LINA Olympia. A kapitány már vörösen lovagolt oda. Vállán a család színeivel. Piros és kék. Ez tüntetés, kedves Albert. Ezt azért merte csinálni, mert felbátorította az, hogy folyton együtt vannak, nap nap

után. Én nem értem sem Ettingennét, sem Olympiát. A hatalmi mámor elvette a józan ítéletüket. Azt hiszik, mindent szabad. Ha ezt a császár megtudja! Ha csak a felét, ha csak a tizedrészét tudja meg!

Kis szünet

ALBERT Drága Linám, énreám ne számíts, mert én nem mondom meg neki. Ez az egy biztos.

LINA Mert te is félsz az öreg Ettingentől. Hja, őfelsége hadsegédje nagyhatalom!

ALBERT Nézd, Lina. Nekem van egy eszmém. Ebből elég volt. Végighallgattalak, és most azt indítványozom, hogy zárd le azt a több éves akciót, amely azzal végződött, hogy nem te lettél az udvarhölgy, hanem Olympia hercegnő. Hagyj te nekem ezekkel az intrikákkal békét. Én az ő barátjuk vagyok. Hiába kínozol, én még csak el se szólom magamat. Ezt ne reméld. Soha az életben nem szóltam el magamat, és soha semmiféle intrikában nem vettem részt. *(Kis szünet után)* Fantasztikus! Én félek lóra ülni!

LINA Te ezt intrikának nevezed?

ALBERT Hát mi?

LINA Kritika. A felséges császári család érdeke szívemen fekszik, mindhalálig. A trónörökösné egyszer császárné lesz. És Olympia akkor a legnagyobb női hatalom lesz a monarchiában, fájdalom. Márpedig, ha nem becsüli meg magát, akkor ez a... ez a...

Ettingenné belép

LINA *(szemrebbenés nélkül folytatja)* ...ez a csodálatos, méltóságteljes, rendkívüli nő... Olympiáról beszélek, édesem, és épp mondom Albertnek, hogy arra a csodás perspektívára gondolok, ha valaha Olympia a legnagyobb női hatalom lesz...

ETTINGENNÉ Te nem arra gondolsz, Lina. Te valami más gonoszságot beszéltél. Csak én nagyon hirtelen jöttem be, és te most ebbe az irányba kanyarítottad a mondatot. Ismerlek.

LINA Már megint ez a hang?

ALBERT *(magában)* Éppen én vagyok az, aki félek lóra ülni!

ETTINGENNÉ Igenis, már megint ez a hang, és örökké ez a hang. Én téged állandóan ellenőrizlek. Ne érezd magad egy pillanatig se kontroll nélkül.

LINA Miért?

ETTINGENNÉ Mert rögtön leszúrsz. Mi van a kezedben?

LINA Legyező. Miért?

ETTINGENNÉ Csak látni akarom, hogy nem tőr-e?

LINA Te csipkedsz engem, édesem.

ETTINGENNÉ Csak csipkedlek, édesem? Azt hittem, csíplek, édesem.

LINA Nem is érzem.

ETTINGENNÉ Fájdalom. *(Otthagyja és leül)*

LINA Ti Ettingenek mind idegesek vagytok, mert sok az ellenségtek. De ezt a ti családotoknak nagy sikere hozza magával, édesem.

ETTINGENNÉ Jó, jó. Mi Ettingenek mind idegesek vagyunk.

Kis szünet

ALBERT Van egy indítványom. Ne izgasd magad, Jenny. Tartsatok rövid szünetet ebben a párbajban.

ETTINGENNÉ Ah, engem úgy kifárasztott ez az estély.

LINA Kicsit látni rajtad.

ETTINGENNÉ Köszönöm. Engem igenis fáraszt, az idegeimet fárasztja ez a... keveredés. A néppel. A nép nem az én esetem. De ma nem lehetett kitérni. Őfelsége születésnapján.

LINA Éljen sokáig!

ETTINGENNÉ Ezek a vágyódó, bámuló tekintetek! A fürdőközönségnek ez a respektusa irántunk, akik itt úgyszólván a császári udvart képviseljük! Fárasztó, ah, mily fárasztó! Ah, jó itt ebben a kis zugban. Milyen kedves a hoteldirekciótól, hogy ma estére rezerválta ezt a kis reggelizőszobát a mi klikkünk részére. Valóságos menedék.

ALBERT Sokáig néztem a leányodat, Jenny. Soha nem volt ilyen szép. Ez a két hét jót tett neki.

LINA Sportolások, gyaloglások, lovaglások...

ETTINGENNÉ De elég volt. Holnapután ilyenkor Velencében vagyunk.

LINA Az még szebb.

ALBERT Itt is szép.

ETTINGENNÉ Itt jó volt. Csak sok az ember. Polgárság. Én nem bírom a keveredést. Velencében idegenek közt vagyunk. Inkognitó. De ez itt a mi népünk. Mindenféle iparosok és bankárok. Sőt főszerkesztők is vannak itt. Ugyanabban a vízben, amiben én. Ez a borzasztó a gyógyforrásoknál. Hegyeket, tengert, erdőt el lehet keríteni, hogy az ember egymás közt legyen. De a gyógyforrást nem. Ha ezt úgy csöveken el lehetne vezetni valahogy innen... a nép közül...

ALBERT Ugyan eredj, a nép oly kedves volt a mai estélyen!

ETTINGENNÉ Igen, azt lehet mondani. Boldog vagyok, hogy a császár ilyen népszerű. Szép volt utolsó napnak. Reggel hétkor jön az uram a bécsi gyorsvonattal. Albert, menj, hozd ide a lányomat, ő is fáradt.

LINA A lányod gyönyörű volt ma délután a páholyban.

ETTINGENNÉ Gondolod? *(Az induló Alberthez)* Albert, akarsz egy órát bridzsezni?

ALBERT Nem bánom.

ETTINGENNÉ Most éjfél múlt. Este kilenc óra óta próbálok egy bridzset összehozni és képtelen vagyok.

ALBERT Hányan vagyunk eddig?

ETTINGENNÉ Ketten.

LINA És én?

ETTINGENNÉ Miért kérdezed, mikor tudod, hogy veled nem játszom.

LINA Persze, a kapitány úr kell.

ETTINGENNÉ Úgy van. Te nem tudsz játszani. A kapitány pedig egy bridzs-művész. Úgy kártyázik, mint egy angyal. Albert, kerítsd elő nekem Kovács kapitányt. Majd hárman együtt kinevezzük a negyediket.

LINA Ennyire szereted?

ETTINGENNÉ Én nem szeretem. Én imádom.

LINA Mert mindig veszít.

ETTINGENNÉ Azért is. De mert egy... Prachtkerl. Én politikailag nem szeretem a magyarokat... de egy ilyen példányt csak ők tudnak produkálni. Kemény és mégis hajlékony. Úgyszólván mint az acél. És ez a kedves, szerény lépés az úritársaságban! Akcent nélkül beszél németül. Franciául, mint egy párizsi. És angolul!

LINA Megtanulta.

ETTINGENNÉ Ezt nem lehet tanulni. Ez speciális tehetség. És ez a lovaglás! Hozd, hozd, Albert, siess!

Albert Hol keressem?

LINA Valahol Olympia közelében.

Albert, rosszallólag csóválva fejét, kimegy

ETTINGENNÉ Mit mondtál megint? Te gúnyolsz bennünket, ha jól veszem észre.

LINA Most egyenesen a téma közepébe fogok ugrani, kedves Jenny. Figyelj ide. A lányod túlzásba megy. Ezt meg kell mondanom, még ha megölsz is. A lányod túloz.

ETTINGENNÉ És te túlzod azt, hogy ő túloz. Te ezt aláhúzod.

LINA Erre nincs szükség. Feltűnik ez nélkülem is. Mikor ma délután a kapitány olyan vadul a páholy elé vágtatott, vállán a ti színeitekkel, valóságos moraj volt a publikum közt.

ETTINGENNÉ Talán te morajlottál.

LINA Én voltam az egyetlen, aki nem morajlott. A főszerkesztők noteszkönyvekbe jegyeztek. És ők ketten elvörösödtek. És azt hallom, ő is Velencébe készül. Most kérlek, add ezt mind össze.

ETTINGENNÉ Nem adom össze. Az egészhez semmi közöd, Lina. *(Idegesen)* Mit mondtál? Mit csináltak a főszerkesztők?

LINA Noteszekbe jegyeztek kis maradék irónokkal.

ETTINGENNÉ Honnan tudod te, hogy a sok polgár közt melyikek a főszerkesztők, és melyikek nem azok?

LINA Akik kis noteszkönyvbe maradék irónnal jegyeznek, azok gyanúsak arra, hogy főszerkesztők. Gondolj az uradra! És őfelségére!

ETTINGENNÉ Intézkedni fogok a direkciónál. Ezt nem. Látod, ezt köszönöm, hogy mondtad. Csak ezt nem. Egyszer nyomtatták bele a nevünket az újságba, tíz év előtt, énmiattam, egy örökségi ügyben... Akkor mérget akartam venni.

LINA Na látod.

ETTINGENNÉ A császár nem nézett rám két hétig. És az uram két hónapig. Jobb erre nem gondolni. Akkor az uram állása komolyan megingott. *(Szívére tett kézzel)* Még most is szívdobogást kapok, ha erre gondolok.

LINA Látod, hogy vigyázni kell!

ETTINGENNÉ Erre a figyelmeztetésre nem volt szükség. Olympia még az apjánál is gőgösebb és rezerváltabb. Olympia mindig tudta és mindig tudni fogja a határokat.

LINA Te se tudtad, mikor fiatal voltál.

ETTINGENNÉ Te szerelmes voltál az uramba. És ma mégis én vagyok a felesége.

LINA Mert én nem léptem át a határaimat.

ETTINGENNÉ Vagy mert az uram nem lépte át a határaidat.

LINA Jenny, ez már nem csípés, ez szúrás.

ETTINGENNÉ Legalább fáj, édesem?

LINA Nem annyira, mint ahogy te szeretnéd.

Olympia és Albert belép

ALBERT Az egyik parancs teljesítve van. A görög istennőt elhoztam.

ETTINGENNÉ És a másik?

ALBERT Nem volt a közelben.

LINA Csodálom.

OLYMPIA Megbíztuk azt a... francia nagykövetet, hogy keresse meg és küldje ide. Már érte ment a bárba.

ETTINGENNÉ *(Alberthez)* Rendeltél asztalt?

ALBERT Igen, az olvasószobában fogunk játszani. Ott egyedül leszünk. *(Linához, aki szólni akar hozzá)* Hagyj engem, kérlek, én félek lóra ülni, jó, már hallottam.

Leülnek. Csend

ETTINGENNÉ Ugye, jó itt ez a kis csend, ez a kis nyugalom, lányom?

OLYMPIA Fellélegzem. Most megy el a polgári elem nagy része. Végre!

LINA Szép volt az estély. Nem?

OLYMPIA *(hidegen)* Igen.

Szünet

LINA Őfelsége olyan népszerű. Ugye te is tapasztaltad?

OLYMPIA *(hidegen)* Igen.

Szünet

LINA Fáradt vagy?

OLYMPIA *(hidegen)* Igen.

LINA Kissé hideg vagy hozzám. Te is gyűlölsz?

OLYMPIA Ideges vagyok.

ETTINGENNÉ A keveredés. Ő aztán igazán nem bírja a népet.

OLYMPIA Nem bírom. Nézni sem bírom.

ETTINGENNÉ Ha ezt a gyógyvizet innen csöveken el lehetne vezetni! Vagy ha legalább nekem nem volna rá szükségem! Mi van a kapitánnyal? Jön vagy nem jön?

ALBERT Biztosan ünneplik valahol. Ő a nap hőse. Ez aztán az elszánt lovas! Ma délután az életével játszott. De nem csuda. *(Olympiához)* Te félelmesen szép voltál. Látni lehetett, hogy azért oly vakmerő, mert te oly szép voltál. Nem gondolod?

OLYMPIA Nem. Lovas. Lovagolt.

Kis szünet. Kovács belép

KOVÁCS *(feszes állásban)* Hercegnő, a francia nagykövet őexcellenciája közvetítette a parancsát, hogy jelentkezzem főméltóságtoknál.

ETTINGENNÉ Végre, hogy megtalálták.

KOVÁCS Óh, kérem. Rögtön megtalált.

ETTINGENNÉ És mégis csak most jön? Csak nem kérette magát?

KOVÁCS Óh!

ETTINGENNÉ Úgy kell nekem, mert kényeztetem.

ALBERT Mindenki kényezteti.

LINA Mindenki. Mindenki. Mindenki.

ETTINGENNÉ Sejti, miért hívattam?

KOVÁCS *(mosolyogva)* Bridzs?

ETTINGENNÉ Úgy van. Albert egy nagyszerű magányos asztalt szerzett az olvasószobában. De csak egy órát játszunk, mert fáradt vagyok. *(Feláll)* Gyerünk, jöjjön tisztelt kártyaművész, ez az utolsó nap, ne vesztegessük a drága időt.

LINA Milyen szenvedéllyel mondod ezt!

ETTINGENNÉ Ha bridzsről van szó? Nálam ez az, amit a regények „nagy szenvedélynek" neveznek. Ajánlom negyediknek a francia nagykövetet. Albert, megint neked kell kimenni, küldd hozzánk az olvasóba a grófot.

KOVÁCS *(oldalt állva, Olympiához)* Beszélni akarok önnel.

Olympia nem felel

ALBERT Csak menjetek be, hozom rögtön. *(Kimegy jobbra)*

ETTINGENNÉ Olympia, nézed a játékot egy kicsit, ugye?

OLYMPIA Anyám, egy percre kérlek. Mielőtt bemégy.

ETTINGENNÉ Addig játsszál helyettem, Lina.

Lina Hogyan? Mégis?

ETTINGENNÉ Pardon: csak *veled* nem játszom. Helyettem játszhatsz. Ülj csak be. Játsszál rosszul. Veszíts, hogy mérgelődjem. Itt a jó alkalom. *(Olympiához lép)*

Lina és Kovács balra el

OLYMPIA Láttad, milyen voltam Linához?

ETTINGENNÉ Jól tetted.

OLYMPIA Albert, mikor idekísért, nagyon határozottan figyelmeztetett, hogy Lina intrikál. Albert hű barát, jó rokon, és a mi emberünk. Lina életveszélyes. Lina ma este a bálon bemutattatott magának egy főszerkesztőt és egy fényképészt.

ETTINGENNÉ Köszönöm az információt, lányom. Intézkedni fogok, mégpedig erélyesen. De most legyünk tárgyilagosak. Tudod, hogy ilyesmiről soha nem szóltam neked. Most szólok. Vigyázz evvel a huszártiszttel. Légy okos. Először látlak vigyázatlannak. Mi az irigység rettenetes ellenőrzése alatt állunk. Egész családok lesnek arra, hogy valami kis hibát csináljunk. Nem egy Lina van, hanem ezer. Egész Bécs egy nagy Lina. Kell többet mondanom?

OLYMPIA Nem, anyám. És ezt őszintén köszönöm.

ETTINGENNÉ Azt hallom, ő is Velencébe akar jönni.

OLYMPIA Honnan tudod?

ETTINGENNÉ Linától.

OLYMPIA Ő honnan tudja?

ETTINGENNÉ Nem tudom. Képes és beszélget egy olyan hivatalnokkal a menetjegyirodában. De tudja, ez tény, és légy nyugodt, nem tartja titokban. A kapitány nem utazhatik Velencébe. A kapitány sehova se jöhet, ahol mi vagyunk. Ennek vége örökre. Már előbb kellett volna.

OLYMPIA Semmi se volt.

ETTINGENNÉ Épp azért. Ő szerelmes, ez tény. És nem képes ezt titkolni. Ezt még passzíve sem szabad tűrni. Gondolj őfelsége könyörtelen, hideg kék szemére. Nekem borzongás jár a hátamban.

OLYMPIA Tehát?

ETTINGENNÉ Le kell tiltanod. Nyíltan, tisztességesen, kegyetlenül végezni vele. És rögtön. Miért csukod le a szemedet?

Olympia nem felel

ETTINGENNÉ Nehezedre esik?

OLYMPIA Igen.

ETTINGENNÉ Muszáj.

OLYMPIA Tudom. *(Elfogódottan)* Még valamit be kell vallanom, anyám.

ETTINGENNÉ Jaj.

OLYMPIA Nem jaj, anyám. Én írtam apámnak egy levelet... a kapitány érdekében.

ETTINGENNÉ És nekem nem szóltál?

OLYMPIA Nem, ezt magam akartam csinálni. Tudod, hogy őfelsége lovaglómestert keres Leonóra főhercegnőnek, és tudod, mennyit utasított már vissza. A legkedvesebb leánya mellé tökéletes embert akar.

ETTINGENNÉ Te ajánlottad a kapitányt.

OLYMPIA Azt írtam a papának, hogy *én* kérem, ezt vigye keresztül. És tudod, ha én kérek valamit a papától... *(Ránéz)* Rosszul tettem?

ETTINGENNÉ Nem, édesem. Jól tetted. Őfelségének szolgálatot tettél. Ennél tökéletesebb lovaglómestert nem kap a legkedvesebb gyermeke számára. Sőt kötelességed volt. Ez az ember tetőtől talpig gentleman. A császár hálás lesz neked. De...

OLYMPIA De?

ETTINGENNÉ De ez most egy okkal több, hogy eltávolítsd magadtól. Ha pletyka támad, még azt mondhatják, hogy érzelmi okokból ajánltad. Ő... az a tiszt... tud erről?

OLYMPIA Nem. Csak akkor akartam szólni neki, ha meglesz. Meglepetésnek szántam. Igen. Elfogott... hirtelen fogott el a vágy... valamit adni szegénynek... valami értékeset... Segíteni rajta! És leültem, megírtam a levelet. Azóta nyugodtabb vagyok, ha azt a hűséges, rajongó tekintetét rám szegzi. *(Melegen)* Érzem, hogy tettem érte valamit.

ETTINGENNÉ Egy újabb okkal több, hogy eltávolítsd.

OLYMPIA Tudom, anyám.

ETTINGENNÉ Mégpedig rögtön. Ha szabad tanácsot adnom... ifjúságom praxisából: nem elég megsebezni. Férfit nem szabad kínozni. Humánusnak kell lenni. Meg kell ölni. A férfi nemes vad. És a nő legyen úri vadász. Néha elég egy szó, hogy leterítse. De a szíve közepébe. Érted, lányom?

OLYMPIA Értem. Kérlek, anyám... küldd ide. Azonnal.

Ettingenné sietve el balra. Olympia mereven, mozdulatlanul áll és vár. Kovács belép. Feszesen áll meg és vár

Kérem, mit óhajt tőlem? Az előbb azt mondta, beszélni akar velem.

KOVÁCS Elutaznak. Holnap este.

OLYMPIA Igen.

KOVÁCS Én kérem önt... engedje meg, hogy én is felbukkanhassak Velencében.

OLYMPIA Önnek már megvan a jegye.

KOVÁCS Igen.

OLYMPIA Hol vette?

KOVÁCS A jegyirodában.

OLYMPIA Nem bukkanhat fel.

KOVÁCS Úgy gondoltam... kísérőnek...

OLYMPIA Atyámmal utazunk.

KOVÁCS Említettem, hogy van szerencsém ismerni a főméltóságú urat. Tavaly Karlsbadban gyakran sétáltunk együtt.

OLYMPIA Velencében nem fognak. Ön kerülni fogja még azt az országot is, ahol mi vagyunk.

KOVÁCS Én önt halálosan szeretem.

OLYMPIA Épp azért.

KOVÁCS Nem vagyok gyerek. Maholnap ősz szálak keverednek a hajamba. Ez az érzés az életem katasztrófája. És ez az utolsó alkalom ezt önnek megmondani.

OLYMPIA *(fagyosan)* Mit akar?

KOVÁCS Nem értem a kérdést.

OLYMPIA Azt kérdezem: mit akar. Mi a célja?

KOVÁCS A célom? Ha ön kívánja, a napot eloltani, a világot felgyújtani...

OLYMPIA *(közbevág)* Ne oly fellengősen. Maradjunk a realitásnál.

KOVÁCS Nem élek a realitásban, mióta önt szeretem. Én...

OLYMPIA Azt kérdezem: mi a célja.

KOVÁCS A célom: Isten, ember és törvény előtt...

OLYMPIA *(közbevág)* Halt. Ez a mondat úgy kezdődik, mintha... *(Nagyon szigorúan néz rá)* Így a házasságról szoktak beszélni.

KOVÁCS Igen.

OLYMPIA Ön megtébolyodott.

Szünet

KOVÁCS Bocsásson meg... a fantáziámért.

OLYMPIA Nekem önt most itt kellene hagynom, ha nem volna mondanivalóm.

KOVÁCS Belátom, hogy lehetetlent mondtam.

OLYMPIA Igen.

KOVÁCS Hát könyörgöm: lehessek... alázatos rabszolgája.

OLYMPIA Viszony?

KOVÁCS Miért nevezi így?

OLYMPIA Nevezzünk mindent a nevén. Gyorsan akarok magával végezni.

KOVÁCS Milyen változott hang.

OLYMPIA Minden szóra figyelnie kell. Házasság? Ez tréfa volt, feltételezem. Viszony? *(Ránéz, sötéten)* Ki vagyok én?

KOVÁCS Asszony.

OLYMPIA De nem kapitány úr számára.

KOVÁCS Akkor én...

OLYMPIA Hallgasson, kérem. Józanul, most kikapcsolva kettőnk között minden ostoba poézist és úgynevezett társalgást. Ez annak való, aki közeledni akar a másikhoz.

KOVÁCS De én ismerem... ismerem önnek egy érzését.

OLYMPIA *(közbevág)* Azt épp most verem agyon, ebben a percben. Amíg nagyra nem nőtt. Mert akkor visszaüt.

KOVÁCS Tehát szeret.

OLYMPIA Csak hogy lássa, mennyire vége van itt mindennek, még azt is megmondom, hogy: igen. Én vágyat éreztem... és érzek ön után. De ez a vágy, vágy marad. Ennek a vágynak én majd ellátom a dolgát.

KOVÁCS De miért?

OLYMPIA Nem vagyok polgári nőstény. Felsőbb ember vagyok. Hiszek még az élettani értelemben vett felsőbbségemben is. Én több vagyok, mint ember. Mi kötelezve vagyunk így cselekedni, mikor egy piszkos világ megbolondult körülöttünk.

KOVÁCS Még tegnap... lovon, mellettem... mikor rámszegezte a szemét... Még most is... a szeme... mást mond.

OLYMPIA Énnekem így kell élnem.

KOVÁCS Tíz év óta.

OLYMPIA Tizenegy év óta.

KOVÁCS Soha... senki...

OLYMPIA Maga előtt most nincs kedvem hazudni. Úgy áll előttem, mint holmi orvos, vagy cseléd. Férjem halála óta volt egyszer valaki az életemben.

KOVÁCS Kicsoda?

OLYMPIA Meg fog lepődni, mert felelni fogok erre a groteszk kérdésre. Tudnia kell, hogy kinek merészelt ajánlkozni, Kovács úr. Engem egy király szeretett.

KOVÁCS Egészen belesápadt.

OLYMPIA A nagy emlék. Most képzelje magát az én helyembe és nézzen le ebből a magasságból – Kovács úrra!

KOVÁCS Igen.

OLYMPIA Ért engem?

KOVÁCS Értem. *(Támadóan)* De akarom is. *(Feléje mozdul)* Nem tágítok. Ezen a világon semmivel sem fog elkergetni magától.

OLYMPIA Szegény paraszt.

Kovács felkapja a fejét. Szünet

KOVÁCS Az vagyok. De éreztem a vérét lüktetni. Táncolt velem.

OLYMPIA Mert tiszt. Ha püspök volna, kezet csókolnék önnek. Megcsókolnám a gyűrűjét, mint ahogy táncoltam az egyenruhájával. Nem önnel.

KOVÁCS *(keserű gúnnyal)* És... ettől a pár kis csillagtól fénylett úgy a szeme?

OLYMPIA Nem. *(Bátran)* Érdekelt, mint egy érdekes népies típus.

KOVÁCS Nem igaz. Az érzékeit érdekeltem.

OLYMPIA Önnek most mindent szabad, mert siralomházban van. Az érzékeimet? Egy ékszerboltban egyszer talán megőrülök és elrablok egy követ. Vagy tán egyszer könnyelműen kivégeztetek valakit. Ezt el tudom képzelni. De az érzékeim? Csak nem képzeli! Szegény parasztnak a fantáziája.

Kovács összeszorított szájjal hallgat. A szemébe néz

Végezzünk. Ne bánkódjék. Én kárpótoltam önt.

KOVÁCS *(keserűen)* Kárpótlás?

OLYMPIA Talán ebben az órában, ebben a percben őfelsége a császár önről beszél. Említettük egyszer ön előtt, hogy a császár a legkedvesebb gyermekének mestert keres, aki lovaglásra tanítja. Így kezdődnek az igazi nagy karrierek. Én írtam az apámnak. Száz meg száz közül ön lesz a szerencsés.

KOVÁCS Kifizet?

OLYMPIA Igen.

KOVÁCS Menjek el… lovásznak. Erre jó a paraszt.

OLYMPIA Cselédnek? Hogyne. *(Idegesen)* Ne beszélgessünk sokat. Jöjjön tisztába magával. A modora kedves. De a kedvessége paraszt. Az ügyessége paraszt. A lóimádata paraszt. Az agyafúrtsága paraszt.

Kovács feléje mozdul

OLYMPIA *(elhúzódva)* Csak a tolakodása nem paraszt.

Kovács felkapja a fejét

Az őseim az ilyen ambíciókért a maga őseit nyársra húzatták. Nekem csak szavak maradtak. Paraszt. Vissza a fajtájához. Bearanyozott paraszt.

KOVÁCS *(nagyon halkan, de határozottan)* Ennek a sértegetésnek a magyarázata… már… talán az orvost érdekelné. Ez az az ismert beteges vágy… embert vérig kínozni. Nem akarom kimondani a nevét.

OLYMPIA Kis szegény fantázia. Komikus. Képtelen elhinni, hogy egyszerűen eldobom. Ehhez betegnek kell lenni? Menjen, szegény fiam. Szeszély volt. Még az se. És akármi volt, vége. Felejtsen. Igyék erős italokat. És... elég kellemes külsejű ember: szeressen szép nőket. De ott lent... maguknál.

Szünet

KOVÁCS *(szinte haptákban)* Elmehetek, hercegnő?
OLYMPIA Igen.

Ettingenné belép

ETTINGENNÉ Olympia, nagyon sokáig vagy itt külön.

Csend

És maga? Jöjjön, kapitány úr, izgatottan várjuk.
KOVÁCS Nem mehetek, hercegnő. Búcsúzom tisztelettel. *(Feszesen hajol meg)*
ETTINGENNÉ Hová megy?
KOVÁCS Inni erős italokat. Szeretni szép nőket. *(Megfordul és kisiet jobbra)*

Pillanatnyi szünet

ETTINGENNÉ Ez azért fantasztikus evvel a bridzspartival. Már voltunk most hárman: én, Albert, és a kapitány, és vártuk a nagykövetet, aki azt üzente, hogy rögtön jön. Most ebben a percben jött a nagykövet, de elment a kapitány, most megint csak hárman vagyunk. Most félegy van, és kilenc óra óta szervezem ezt a bridzset és képtelen vagyok három játékosnál többre vinni. Itt volt Lina, de avval nem játszom.
OLYMPIA Te szándékosan beszélsz most ilyen részletesen a bridzsről?
ETTINGENNÉ Igen.
OLYMPIA Miért?
ETTINGENNÉ Úgy gondoltam, hogy a te ügyed annyira el van intézve, hogy még mi se beszélünk róla soha többé.
OLYMPIA Miért ne beszéljünk róla?
ETTINGENNÉ Megölted?

OLYMPIA Meg.

ETTINGENNÉ Hát akkor… *(Kis szünet)* Vagy szeretnél talán most könnyíteni egy kicsit a lelkeden? Akkor beszéljünk. Szívesen. *(Kis szünet)* Fáj?

OLYMPIA Igen.

ETTINGENNÉ Akkor nagyon kegyetlen lehettél.

OLYMPIA Igen.

Ettingenné Nagyon?

OLYMPIA Még soha ilyen nem voltam.

ETTINGENNÉ Ne mondd.

OLYMPIA Kevesebb nem használt volna.

ETTINGENNÉ Ugyan.

OLYMPIA Kevesebbért holnap megbocsátott volna. Meg kellett sérteni úgy, ahogy csak egy nő egy katonát meg tud sérteni.

ETTINGENNÉ És?

OLYMPIA És ez megtörtént. *(Szünet)* Miért hallgatsz, anyám? Őt sajnálod?

ETTINGENNÉ Nem. Téged csodállak. Milyen erős vagy. Hogy bírtad ezt?

OLYMPIA Mert szeretem. E nélkül nem tudtam volna gyilkolni. És hiszek abban, amivel megölöm. Hiszek az emberek egyenlőtlenségében. Hiszek abban, hogy ő engem beszennyez még a vágyódásával is. Ebben hiszek, hiszek.

ETTINGENNÉ Most… fáj?

OLYMPIA Jobban, mint vártam. De így kell lennie. Így tökéletesen sikerült.

ETTINGENNÉ Szóval: vége.

OLYMPIA Örökre. Kivégeztem, mint Nagy Péter cár a fiát, akit szeretett, államérdekből, hitből.

ETTINGENNÉ Mily megnyugtató, hogy a történelem mindenre tud egy példát a legmagasabb körökből.

OLYMPIA Ennek annyira vége van, anyám, hogy ma éjjel nyugodtan fogok aludni. Megvallom, két hét óta először.

Lina belép

LINA Jenny, azt hiszem végre sikerült az organizációd. Most már benn vannak ketten: Albert és a francia, itt vagy te, a harmadik... és... hol van a kapitány?

ETTINGENNÉ Azt hiszem, kiment a bálterembe.

LINA *(Olympiához)* Mi van, hát nem bridzsezik?

Olympia *(idegesen)* Nem tudom, miért kérdezed ezt éntőlem?

ETTINGENNÉ Én feladom ezt a bridzs-partit, Olympia. Aludni fogunk menni.

OLYMPIA Igen, anyám. Fáradt vagyok. Ezt a cigarettát még elszívom.

ETTINGENNÉ Lina, kérlek, én itt maradok Olympiával. *(Vár, hogy Lina elmenjen, de Lina nem mozdul)* Exkuzálj a franciánál, és mondd meg Albertnek, hogy holnap reggel találkozunk a pályaudvaron: pont hétkor jön az uram.

LINA Szóval bridzs...

ETTINGENNÉ Nem lesz. *(Szünet)* Jó éjszakát, Lina.

LINA Jó éjszakát. Nem akarok indiszkrét lenni, de ebből az egész szituációból, amely most itt van, úgy érzem, hogy valami történt, ami nagyon helyes volt, és ami engem boldoggá tesz.

ETTINGENNÉ Jó éjszakát, Lina.

LINA Jó éjszakát. Én is ott leszek a pályaudvaron.

ETTINGENNÉ Reggel hétkor?

LINA Mit csináljak? A szívem parancsolja. Drága Jennym, ha tudom, hogy csak egy kicsit is bosszankodol miatta, bevallom, hogy még most is szerelmes vagyok az uradba. *(Elsiet balra)*

Kis szünet

ETTINGENNÉ Akarsz egy kicsit sétálni velem a parkban?

OLYMPIA Nem.

ETTINGENNÉ Akarsz aludni menni?

OLYMPIA Nem. A bálterembe szívesen mentem volna. Zaj, fény, zenelárma jólesne most... de már vége.

ETTINGENNÉ Pár ember lézeng csak. Nem lehetünk az utolsók. Innál valamit? Valami nehéz likőrt?

OLYMPIA Én nem. De ha te akarsz...

ETTINGENNÉ Én nem merek. Nagyon erős havannaszivart szívtam. Dobog tőle a szívem. *(Kis szünet)* Istenem... holnapután: Velence! Örülök neki. Korán reggel... a napfényben fürdő Canal Grande! Ah, minden évben szép ez az első reggel Velencében... gondolán végig a Canal Grandén, a palazzók közt! Mindig új és friss ez a látvány. És szegény boldogult uradra gondolok, az ő családjára. Az Orsoliniak dózsék voltak. Ők uralkodtak ott. Tulajdonképpen az ő birodalma volt... sőt a te birodalmad! Milyen szép álmodozás a kis hajón...

Halkan belép jobbról és némán megáll előtte Krehl, a csendőr alezredes, teljes díszben

ETTINGENNÉ *(ránéz. Hidegen)* Kérem?

KREHL Ezer bocsánatot kérek, főméltóságú hercegnő. Bár néhány órával ezelőtt a bálon volt szerencsém bemutattatni főméltóságodnak, most megismétlem: Krehl János Farkas, császári királyi csendőr alezredes, a kerület főparancsnoka. Tisztelettel kérem, kegyeskedjék megengedni, hogy valami fontos dologról jelentést tegyek.

ETTINGENNÉ Tessék.

KREHL Ha parancsolna engem négyszemközt meghallgatni, úgy is állanék rendelkezésére.

ETTINGENNÉ Ez a hölgy a lányom.

KREHL Ahogy parancsolni méltóztatik. *(Olympiához)* Krehl János Farkas, császári királyi csendőr alezredes. Főméltóságú hölgyeim, szóról szóra úgy mondom el, ahogy történt. Ebben a pillanatban jövök a telefonfülkéből, megállás nélkül, egyenesen ide. A hivatalomból jelentik, hogy Bécsből kerestek telefonon tizenkét óra negyven perckor. Személyes beszélgetést kívántak. Az inspekciós altisztem jelentette, hogy nem tartózkodom a hivatalomban, hanem itt vagyok, ahol a helyem van ma este: őfelsége születésnapi ünnepélyén. Alig veszem át ezt a jelentést, kettő perccel ezután, tizenkettő negyvenkettőkor, már telefonhoz hívnak itt a Palace-ban. Odasietek. A bécsi rendőrigazgatóság szólít és a következőket mondja: értesülésünk van, hogy Mejrovszky, a híres nemzetközi szélhámos itt van, fürdőhelyünkön. Azonnal figyelés alá veendő, szökés gyanúja esetén letartóztatandó. Rendőrtisztviselő már elindult Bécsből, reggel hét órakor itt lesz, további intézkedéseket ő foganatosítja.

ETTINGENNÉ Igen, kérem. De bocsánat… mi közünk nekünk ehhez?

KREHL A szélhámos huszártiszti egyenruhában tartózkodik itt. Ez ismert szokása. Kovács kapitány nem Kovács és nem kapitány, hanem Mejrovszky, a börtönviselt szélhámos. A világvárosok rendőrségeinek régi ismerőse. Legutóbb a párizsi nagykövetet csapta be. Nemzetközi, úgynevezett úri szélhámos, hamiskártyás, vasúti és szállodatolvaj. Tizenegy nyelven beszél.

Pillanatnyi szünet

ETTINGENNÉ *(félájultan)* A frafrafrafrafrancia nagykövet mutatta be. *(Megkapaszkodik)*

KREHL Mit tudhatta ezt őexcelenciája?

Pillanatnyi szünet

OLYMPIA És ön… most mit akar tőlünk?

KREHL Az én helyzetem végtelenül kényes. Volt szerencsém főméltóságtokat gyakran látni a… kapitány társaságában. Együtt lovagolni reggelente. Kártyázni, minden este. Én tudom a kötelességemet őfelsége hadsegédjének családjával szemben. Kötelességemnek tartottam, mielőtt bármit is cselekedném, ezt főméltóságodnak bejelenteni. Ezt akkor is megtettem volna, ha nem is szólt volna a bécsi utasítás határozottan úgy, hogy: „szigorúan kímélendők ott időző magas rangú személyek érdekei”. A két detektívem, aki itt volt az estélyen, most kizárólag őt figyeli. Nem szökhetik meg.

ETTINGENNÉ *(félájultan)* Köszönöm. Nagyon köszönöm. Rettenetes. *(Kis szünet után)* Olympia!

OLYMPIA Anyám, ez halálos.

KREHL De főméltóságú asszonyom!

ETTINGENNÉ Most mindenekelőtt hagyjon bennünket néhány percre magunkra. Aztán rögtön beszélni fogunk erről. Csak pár perc, amíg magamhoz térek. Itt valami nagyon okosat kell csinálni. Csak botrányt ne.

KREHL Úgy van.

ETTINGENNÉ Istenem... *(Meginog)*

OLYMPIA Anyám!

ETTINGENNÉ És reggel érkezik apád. Pont hétkor. És a főszerkesztők, itt vannak és jegyeznek. Ezt meg kell beszélni. Fenn a lakásunkon. Nem, azt nem lehet. Ön jöjjön ide vissza. Feltűnés nélkül. Mondja kinn, hogy valami protekciót akar tőlünk. Valami kegyes közbenjárást a kabinet irodánál.

KREHL Parancsára, főméltóságú asszony. Hány perc múlva parancsolja, hogy visszatérjek?

ETTINGENNÉ Öt perc... Négy perc... Pár perc, amíg levegőt kapok.

Krehl szalutál és jobbra elmegy

Egy kis levegőt... Gyere... két percre a parkba... Istenem... *(Indul, de hirtelen megáll, nagyot sikolt és megtántorodik)*

OLYMPIA Anyám! Mi az?

ETTINGENNÉ A leveled! Most jut csak eszembe! Apád talán éppen ebben a percben áll a császár előtt... és lelkesen ajánlja neki, hogy a legkedvesebb leányát bízza egy... börtönviselt rablóra! Levegőt kérek! Kérlek... levegőt akarok! Gyere! *(Indul)*

OLYMPIA Erőt mutatni, anyám. Még találkozhatunk emberekkel. Itt, erre, az olvasószobán keresztül. *(Támogatja)*

ETTINGENNÉ Úgy van. Mégpedig mosolyogva. Mosolyogj.

OLYMPIA Jó, anyám, én már mosolygok. De mosolyogj te is.

ETTINGENNÉ Mindjárt, fiam. Várj egy kicsit. *(Erőlteti a mosolygást)* Így. Mosolygok?

OLYMPIA Meglehetősen, anyám.

ETTINGENNÉ Akkor gyerünk gyorsan, fiam, amíg bírom.

Keserves vigyorgással gyorsan kisiet balra, Olympia közvetlenül utána. Függöny

MÁSODIK FELVONÁS

Ugyanott történik, tíz perccel később. Mikor a függöny felgördül, balról belép Ettingenné és Olympia

ETTINGENNÉ Hála Istennek, egy kicsit magamhoz tértem. Persze, csak testileg. *(Leül, fellélegzik)* Soha nem hittem volna, hogy ilyen fontos, hogy elég levegőt kapjon az ember. Mennyi ideig sétáltam a kertben?

OLYMPIA Tíz percig.

ETTINGENNÉ Talán már itt is volt azóta az a csendőr őrmester.

OLYMPIA Alezredes.

ETTINGENNÉ Hát alezredes. *(Kínosan vigyorog)*

OLYMPIA Kérlek, anyám, úgy látom, még mindig mosolyogsz.

ETTINGENNÉ Ez nem mosoly. Ez vigyorgás. Tudniillik most nem tudom abbahagyni. Várj csak. *(Erőlködik)* Már nem vigyorgok?

OLYMPIA Már nem annyira, anyám.

ETTINGENNÉ A monogramos melltű is megvan?

OLYMPIA Ne aggódj, anyám, minden megvan. A nagy ékszerek a széfben vannak, a kicsikből pedig semmi sem hiányzik, pontosan megnéztem minden gyöngyöt, minden követ.

ETTINGENNÉ Rettenetes. És még azt mondja, a papát ismeri. Együtt sétáltak Karlsbadban. *(Sírva)* A papa biztosan nem engedte olyan közel magához, mint mi.

OLYMPIA *(türelmetlenül)* Jó, jó, de most mit cselekszünk, anyám?

ETTINGENNÉ *(letörölve könnyeit)* Én tudni fogom, az biztos. Öt perc múlva tudni fogom, mit kell tenni.

De most még nem tudom elkezdeni. Csak addig a rendőrség ne hamarkodja el a dolgot. Az biztos, hogy intézkedni kell. Cselekedni kell. Tehát először is vallj be mindent.

OLYMPIA Nincs mit.

ETTINGENNÉ Mi volt köztetek?

OLYMPIA Semmi.

ETTINGENNÉ Mennyi semmi?

OLYMPIA Semennyi semmi. Mondjunk már sokat, anyám: ha nagyon akarok túlozni: flört.

ETTINGENNÉ Szerencsétlenség. Apád! Apád, ha megtudja, hogy ki ez az ember!

OLYMPIA Ha arra a percre gondolok, mikor az apám ezt megtudja... Csak azért nem lövöm agyon magamat, mert az apámat oly végtelenül szeretem.

ETTINGENNÉ *(szemrehányással)* És anyádat?

OLYMPIA Ó!

Megcsókolják egymást, Olympia szemeit törli

ETTINGENNÉ És az udvar! És Lina! *(Kiáltva)* Lina! Lina! És a többi százezer Lina! És őfelsége! Ha arra a hideg kék szemére gondolok, legjobb szeretnék rögtön mérget venni. Ilyen dolgokban még a saját családját se kíméli. Mily magasztos a kegyetlenségében. *(Kiáltva)* És apád! És ismét apád! Apád, aki rablót csempész a császári családba. Ez ráadás a flörtre. Mit írtál neki? Legalább hűvösen ajánltad?

OLYMPIA Még ha hűvösen ajánltam volna is: ismered a papát, ha *én* kérek tőle valamit. De melegen ajánltam.

ETTINGENNÉ Milyen melegen?

OLYMPIA Azt írtam: „apám, most mutasd meg, hogy szeretsz."

ETTINGENNÉ Őrült voltál?

OLYMPIA Nem. Csak valami formában ki kellett, hogy törjön belőlem ez az érzés.

ETTINGENNÉ Na most kitört. Jól kitört. Egy remény van. Hogy apád nem kapta meg a levelet. *(Kis szünet után felkiált)* Szentisten! Ajánlva küldted.

OLYMPIA Igen.

ETTINGENNÉ *(vigyorogva)* Én csudálkozom magamon, hogy már nem választottam a legegyszerűbb megoldást. Tíz gramm morfium, és minden rendben van örökre. Ha apádra nem gondolnék... már odaát volnék a túlvilágon. Nekünk végünk van. *(Hirtelen más hangon)* Vallj be mindent.

OLYMPIA Nincs több.

ETTINGENNÉ *(hitetlenül emeli fel ujját)* Du... Olympia!

OLYMPIA Ich schwöre Dir. Du kennst mich ja.

ETTINGENNÉ Ich kenne Dich, el is hiszem, fiam.

OLYMPIA *(önmagát gúnyolva)* Paraszt. A bearanyozott paraszt. Ó, de okos voltam, hogy nem engedtem.

ETTINGENNÉ Ördögöt voltál okos. Hát most nem volna mindegy?

Kopogtatás

ETTINGENNÉ *(sóhajtva)* A csendőr. – Szabad.

Krehl jobbról belép

KREHL Már kétszer bátorkodtam itt jelentkezni.

ETTINGENNÉ Igen. Kicsit a levegőre mentem. És a lányom felszaladt az ékszereket megnézni.

KREHL Remélem... semmi hiány...

ETTINGENNÉ Nem. Nem hiányzik semmi. *(Sírva)* Csak az életünk boldogságát vitte el! *(Hirtelen letörli könnyeit és összeszedi magát)* Hát kérem. *(Hirtelen)* Nem hallanak itt bennünket?

KREHL A bálnak vége. *(Széthúzza a hátsó függönyt. Látszik a park)* És a parkban... egy lélek sincs... csend és sötétség. *(Összehúzza a függönyt)*

ETTINGENNÉ Hát kérem. Tiszta fejjel és okosan. Először is, mi a tényállás. A tényállás: lányomnál:

flört, nálam: bridzs. Ön értelmetlenül néz rám. Talán nem tudja mi az: flört?

KREHL Hogyne tudnám, főméltóságú asszony. Négy gyermekem van.

Olympia megrémül

ETTINGENNÉ Annak ahhoz semmi köze. Ön téved. Flörtnek nevezzük azt az ártatlan évődést…

KREHL *(közbevág)* Ó! Pardon! Ezer bocsánat! Hogyne! Tudom! Flört az a szelíd kis finom kokettéria, ártatlan kacérkodás…

ETTINGENNÉ Úgy van.

KREHL Hogyne! Én ostoba! Ezer bocsánat! Összetévesztettem a bridzzsel.

Ettingenné megrémül

ETTINGENNÉ Ön ismét téved. Bridzs egy kártyajáték.

Krehl bámul

Bridzs egy ártatlan játék, amit négyen játszanak. Flört egy ártatlan játék, amit ketten játszanak.

KREHL Köszönöm. Bocsánat tudatlanságomért. De vidéken élek.

ETTINGENNÉ Szóval bridzs és flört. Bridzs részemről. Részemről, alezredes úr. Flört, fájdalom, lányom részéről. Figyelmeztetem, hogy legyen okos. Ön drága árat fizet azért, hogy családi titkainkba beavatjuk. Nem szeretek túlozni, de az életével játszik. Azt mondta: vannak gyermekei.

KREHL Igen.

ETTINGENNÉ Nahát. Ön apa és katona. Úgy beszéljünk egymással, mintha itt ülne őfelsége és ránk nézne avval a hideg kék szemével.

Krehl haptákban áll

Köztünk most nincs hazugság, nincs színlelés és nincs titok. Olympia, beszélj nyíltan, mint az orvos előtt.

OLYMPIA Könnyű, múló szimpátiával fogadtam ezt az embert. Bíztam az egyenruhájában. Tiszt! Ő félreértette jóságomat és szemtelen lett. Most már megértem. Tolakodó lett. Megsértettem, elkergettem. Most itt tartunk.

ETTINGENNÉ Ön belátja, hogy itt nem lehet a normális szabályok szerint eljárni. Így van?

KREHL Igenis.

ETTINGENNÉ Ne csudálkozzék azon, amit mondani fogok. Mi most e nélkül az ember nélkül nem határozhatunk. Mondtam, hogy ne csudálkozzék, de ön ismét értelmetlenül néz rám. Úgy látszik, ez szokása. De nem baj. Azonnal ide kell hívatni.

KREHL Kit?

ETTINGENNÉ Azt az embert.

KREHL A szélhámost?

ETTINGENNÉ Azt.

KREHL Az étteremben ül. Idehozatom.

ETTINGENNÉ Ön ne „hozassa". Ön nem „hozatja". Ön kimegy, keres egy boyt, a boy menjen Kovács kapitány úrhoz, én hívatom ide, bridzs-ügyben.

KREHL *(feszesen)* Kimegyek, keresek egy boyt, a boy menjen Kovács kapitány úrhoz, főméltóságos hívatja ide flört... pardon... bridzs-ügyben.

Ettingenné Úgy van.

Krehl jobbra kisiet

OLYMPIA És én, anyám?

ETTINGENNÉ Itt maradsz.

OLYMPIA De anyám...

ETTINGENNÉ Itt maradsz. Most már egy szó ellenvetést ne halljak. Most ávettem a kommandót, most én parancsolok. *(Szünet, várnak)*

Krehl belép

KREHL A boy érte ment.

ETTINGENNÉ Akkor várjunk. *(Szünet)*

KREHL Kies gyógyfürdőnk rádiumtartalmú hőforrása remélhetőleg jót tett főméltóságtok egészségének.

ETTINGENNÉ Nagyon jót tett. *(Szünet)*

KREHL *(Olympiához)* Főméltóságodnak is.

ETTINGENNÉ Neki pláne. *(Szünet)*

KREHL Remélhetjük, hogy a jövő szezonban ismét meg méltóztatik tisztelni kies gyógyforrásunkat?

ETTINGENNÉ Feltétlenül. Egyáltalán, soha máshová nem fogunk menni, mindig csak ide jövünk. Képzelheti.

Krehl meghajol. Hosszabb szünet

OLYMPIA *(súgva)* Nem kellene leültetni ezt a csendőrt?

ETTINGENNÉ Nem. Csak álljon.

Kis szünet. Kopogtatás

ETTINGENNÉ Szabad.

Kovács belép, jókedvűen

KOVÁCS Kezüket csókolom. Bridzs-ügy? Hát mégis lesz bridzs? Ilyen későn?

Senki nem felel. Kínos hallgatás

KOVÁCS *(mosolyogva néz szét, Krehlt nézi)* Mi ez, kérem?

KREHL Csendőr alezredes vagyok, a kerület főparancsnoka. A törvény nevében felszólítom, igazolja személyazonosságát.

Kovács csudálkozva néz rá Krehlre

Újból felszólítom, igazolja magát.

Kovács bámulattól szótlanul néz a hölgyekre

Ön Mejrovszky, a szélhámos. Hamiskártyás, vasúti és szállodatolvaj.

KOVÁCS Ön megbolondult.

KREHL Ön Mejrovszky, a szélhámos.

KOVÁCS Ön oly rettenetesen blamírozza most magát, hogy becslésem szerint negyvennyolc órán belül nyugdíjba megy.

KREHL Ön Mejrovszky, a szélhámos. Reggel hétkor itt lesz egy úr Bécsből, az ön egész anyagával.

KOVÁCS Egy úr Bécsből?

KREHL Egy detektív a bécsi rendőrségtől. Már a gyorsvonaton ül. Ön reggel hétig tagadhat. Addig azonban az én vendégem. Nos? Még tagadja?

Kovács tanácstalanul néz egyikről a másikra

Nincs sok értelme. Reggel hétkor itt lesz az ujjlenyomata. Nos?

Kovács idegesen vonogatja a vállát

Ön Mejrovszky. Igen?

KOVÁCS *(vállát rándítva, halkan)* Igen.

KREHL Na végre!

Általános mozgás

KOVÁCS Igaza van. Nincs értelme.

KREHL A törvény nevében őrizetbe veszem. De mert szemtelen viselkedésével egészen a legmagasabb körökig merészkedett…

ETTINGENNÉ Jó, jó, alezredes úr, csak ne gorombán. *(Kovácshoz)* Kérem. Hogy mi közünk nekünk ehhez. Ön ezt kérdezi.

KOVÁCS Nem kérdezem.

ETTINGENNÉ Nem kérdezi. *(Nyel egyet)*

KOVÁCS Nem. Mert tudom.

KREHL *(dühösen kardjához kap)* Viselkedjék…

ETTINGENNÉ Kérem, ne kapkodjon. És különösen fémtárgyakhoz ne kapkodjon. Ez egy konfliktus, amelyet nem a fegyverek fognak eldönteni. *(Kovácshoz)* Hát kérem: hogy is kezdjem el. Oly nehéz.

KOVÁCS Majd én segítek. Hát... ha már rájöttek, hogy ki vagyok, hát: igen. Mejrovszky vagyok. Többször büntetve. Ausztriából kitiltva.

KREHL Tudjuk. Ismerjük uraságod életrajzát. A dolog világos. Az ön magyarázatára nincs szükség. Mindenesetre letartóztatom és a fogházba szállítom.

ETTINGENNÉ Ön nem tartóztat és nem szállít. Ezt nem lehet. Én megállapítom, hogy ön botrányt akar. Világraszóló udvari botrányt. Ide figyeljen. Ön katona és önnek gyermekei vannak. Ezt az embert futni kell engedni. Ez a kívánságom. Hogy hogyan, az az ön dolga. Ön már tudni fogja ennek a technikáját. Értette?

KREHL *(haptákban)* Értettem.

ETTINGENNÉ *(Kovácshoz)* Hallotta ezt?

KOVÁCS Hallottam. Futni.

ETTINGENNÉ Úgy van.

KOVÁCS Csakhogy én nem futok.

ETTINGENNÉ Ön nem fut?

KOVÁCS Nem.

ETTINGENNÉ Ön azt mondja, hogy nem fut.

KOVÁCS Szó sem lehet róla. Mit tettem? Semmit. Nem lehet nekem itt semmi bajom. Itt jogrend van. Itt vannak ügyvédek és bíróságok. Nekem minden büntetésem pontosan le van ülve, az utolsó percig. Ha az alezredes úr lefog, elítélhetnek pár napra egyenruha tiltott viseléséért, kihágás, száztizenötödik paragrafus, három-négy napi elzárás. Azonkívül hamis név használata, kihágás, kétszáznegyvenhetedik paragrafus, pár napi elzárás. Mindössze egy hét az egész. Tán annyi se. Itt minden számlám az utolsó fillérig ki van fizetve. Senkinek nem hiányzik semmije. Táncoltam, ez nem bűn. Lovagoltam, az se bűn. Bridzseztem, és ön a tanúm, hercegnő, minden egyes esetben veszítettem. Ön volt oly szerencsés a pénzemet elnyerni.

ETTINGENNÉ Lehet ezt túlélni?

KREHL Nem, főméltóságú asszony.

KOVÁCS Én nem futok. Én megyek. Mégpedig az újságokhoz megyek.

A két hölgy rémülten mozdul

Legfeljebb egy héttel későbben. Nagy külföldi lapokhoz megyek. Tanúm az egész fürdőközönség. Nem mondom, hogy világszenzáció lesz, de el fogja olvasni mindenki. Emlékirataim! Mejrovszky ausztriai kalandjai udvari körökkel! Mejrovszky... aki talán már ki is van nevezve lovaglómesternek a császár kedvenc leánya mellé... hála udvari összeköttetéseinek. Érdekes cikksorozat, ugye? Teljes nevekkel. Ezért sok pénzt szoktam kapni Párizsban a Matin-től. Egymillió példány. Hétköznap. Vasárnap több.

KREHL Zsarolni akarsz, gazember!?

KOVÁCS Igen.

KREHL *(neki akar menni)* Én téged összevissza vagdoslak.

ETTINGENNÉ Ne! Ne! Csak hagyja zsarolni. Hiszen ezt várom már, mióta bejött. Én csak nem ajánlhattam fel neki! Hála Istennek, hogy már zsarol. Csakhogy itt tartunk! *(Kovácshoz)* Hát kérem, szélhámos úr. Mint látom, maga okos és modern ember. Mit akar a csendes eltűnésért és az örök hallgatásért?

KOVÁCS Nézze. Én hajlandó vagyok holnap elutazni. Svájcból sürgönyzök, hogy leestem a lóról, kitörtem a lábamat, nem lehetek lovaglómester. Küldök orvosi bizonyítványt is. És hajlandó vagyok garanciákat adni, hogy soha nem tud meg senki semmit. Kovács kapitány volt, elutazott, kitörte a lábát, nincs többé. Ezt a nevet, ezt a ruhát nem használom többé.

ETTINGENNÉ Mennyi kell?

KOVÁCS Nem pénz kell.

ETTINGENNÉ Szentisten! Mit akar?

KOVÁCS *(Olympiára néz. Kínos csend)* Én szerelmes vagyok a hercegnőbe.

Krehl a kardjához kap nagy zörgéssel

ETTINGENNÉ Ne mindig azt a kardot! Az Isten szerelméért! Hidegvér! *(Kovácshoz)* Beszéljen, fiam. Beszélni szabad.

KOVÁCS *(Ettingennéhez)* Hercegnő, én a szerelmem áldozata vagyok. A szó szoros értelmében. Én csalni jöttem ide. Mint mi mondjuk: dolgozni. Ilyen helyen pár napig szoktam maradni, valamit elkövetni és eltűnni. De itt megjártam. Szerelmes lettem, nem követtem el semmit és nem voltam képes elmenni. Pedig tudtam, hogy ez lesz a vége. Ezt már napok óta várom. De... őrült vagyok. Igen. Ilyen szerelmes még nem voltam életemben.

ETTINGENNÉ *(rövid szünet után, fagyosan)* Szóval: mi kell?

KOVÁCS Azt nem mondhatom meg másnak, csak a szép hercegnőnek.

KREHL *(a kardjához kap)* Én téged leváglak!

ETTINGENNÉ Maga nem vág. Se le, se föl. És egyáltalán, ne ugráljon, mert maga aztán igazán megjárhatja.

KREHL *(csodálkozva)* Én?

ETTINGENNÉ Igenis, maga. Az én türelmemnek is van határa.

KREHL Főméltóságod úgy bánik itt velem, mintha én volnék a vádlott.

ETTINGENNÉ Még lehet! Nézze meg az ember! *(Nagy csend, Olympia némán zokog)* Te pedig ne zokogj. Itt most ebben a pillanatban mindenünk kockán van. Ki lehet mondani, mert a szélhámos jobban tudja, mint mi. Atyád őfelsége hadsegédje, te pedig a leendő császárné udvarhölgye vagy. Ez sorsdöntő perc. Itt cselekedni kell, mégpedig gyorsan.

OLYMPIA Mit értesz, anyám, az alatt, hogy: cselekedni?

ETTINGENNÉ Nem vagyok hajlandó magyarázatokban bocsátkozni.

OLYMPIA Nem tudom, mit kívánsz, anyám.

ETTINGENNÉ Én semmit se kívánok. Rendre utasítlak azért, mert azt mondtad, hogy én bármit is kívánok. Itt most minden rád van bízva. Ha a világbotrányt akarod, én és szegény apád, mi téged oda is követünk. Elutazunk Dél-Amerikába, örökre. Illetve nem utazunk, mert apád ezt nem éli túl. De ha csak egy perccel is túléli, azt a percet arra fogja felhasználni, hogy a családját kiirtsa. Te tudod, hogy én most nem túlzok. Mejrovszky úr, a mi színeinkben. Mejrovszky úr a császári családban, mint bizalmi ember. Mejrovszky úr, a kedvenc táncosod. *(Olympia mozdulatára felelve)* Jó, jó, igen. Ezt a megjegyzést vártam. Az én bridzspartnerem. De te hoztad hozzám. Jó, jó, ezt a második megjegyzésedet is vártam. Én nyertem tőle. Mindegy. Választani nem nehéz. Ennek viselni a következményeit? Nem. Inkább a halál.

Szünet

KREHL *(haptákban)* Főméltóságú asszonyom. Én távozom. És rendelkezésükre egész éjszaka a közelben fogok tartózkodni. *(Meghajol és indul)*

ETTINGENNÉ Menjen a pokolba.

KREHL *(visszafordul)* Parancsol?

ETTINGENNÉ Semmi.

KREHL Valamit méltóztatott mondani... Nem hallottam jól.

ETTINGENNÉ *(nagyon idegesen)* Valamit mondtam, ami pillanatnyi felháborodásommal függött össze. Most lecsillapodtam, és nem tudnám ismételni, mert hiányzik hozzá a hirtelen harag. Ön ismét értelmetlenül néz rám. Legyen nyugodt, ez így van jól. Távozhatik.

Krehl némán tiszteleg és jobbra elsiet. Szünet

KOVÁCS Ha szabad egy szerény kérdést megkockáztatnom: mit szándékozik válaszolni, szép hercegnő?

Szünet

OLYMPIA *(félájultan)* Anyám. Mit válaszolnál most te az én helyemben?

ETTINGENNÉ *(lorgnonjával megnézi Kovácsot)* Hogy felelhetek én erre, mikor a szélhámos úr ezt nem tőlem kérdezte. Ha ő ezt tőlem kérdezte volna, attól félek, tudtam volna neki felelni, mikor... *(könnyekkel a hangjában)* egy hatszázéves család becsületéről van szó. De tőlem nem kérdezte.

KOVÁCS *(határozottan)* Nem. *(Szünet)*

OLYMPIA Borzalom... Anyám... *(Szünet)*

ETTINGENNÉ Ez ama ritka esetek egyike, amikor egy anya nem áldozhatja fel magát gyermekéért. *(Szünet)*

OLYMPIA *(félájultan, halkan)* Kérlek, anyám, hagyj magamra vele.

ETTINGENNÉ Nem félsz?

OLYMPIA Nem.

ETTINGENNÉ Jó. Magadra hagylak... ha követeled! Te védeni fogod magadat a végletekig. Itt vagyok a szomszéd szobában. Ha szükséged van rám, szólíts.

Megcsókolják egymást, Ettingenné sírva balra el. Nagy szünet

OLYMPIA *(halkan)* Mit akar?

KOVÁCS *(halkan, határozottan)* Magát.

OLYMPIA Ön gazember. Ön börtöntöltelék.

Kovács lehajtja fejét

Ezért akart olyan sürgősen beszélni velem.

KOVÁCS Ezért.

OLYMPIA Érezte a csendőrt.

KOVÁCS Igen. Megszökhettem volna már délután. Nem tettem. Egy paraszt megtette volna.

OLYMPIA Nem paraszt. Visszavonom. Dehogy! *(Ránéz)*

KOVÁCS Nem félek a szemétől. Ez most már egy egészen más affér. Most le vagyok leplezve. Börtönember. Micsoda könnyebbség. *(Fellélegzik)* Most másképp is beszélünk majd, édesem. Most nem kérek. Most követelek. Hogy szikrázik a szeme! Minden gondolatát tudom. Most lecsukatna engem a várbörtönbe, étlen-szomjan. Hogy ott haljak meg, lassan, kínosan.

OLYMPIA Igen. Szórul szóra.

KOVÁCS De ennek vége. A középkornak vége.

OLYMPIA Felkérem, ne folytasson egy társalgást, amit egy más emberrel kezdtem. Beszéljen a maga nevében, börtönviselt zsaroló.

KOVÁCS Az arcán gőg és fájdalom. Így indultak a vérpadra a francia forradalomban az arisztokraták.

OLYMPIA Így.

KOVÁCS Irtózva és örülve.

Olympia csodálkozva néz rá

Örülve, hogy feláldozhatják magukat a királyért.

OLYMPIA Ebből a szennyből, amit ez a perc jelent, felemel engem a szenvedés, amit érzek.

KOVÁCS Ez nagyon szép mondat volt, bár egy kicsit fellengős. Szóval főméltóságod mártírnak érzi magát.

OLYMPIA Igen.

KOVÁCS Csodálom, hogy nem méltóztatik öngyilkosságra gondolni.

OLYMPIA Ha segíthetnék ezzel a szüleimen, a császárom házának hírnevén és az én nevemen, már megtettem volna. De csak rontanék mindezen. Szemébe nézek a hóhérnak.

KOVÁCS Méltóztatik parancsolni valami erős italt?

OLYMPIA Nyomorult ajánlat.

KOVÁCS Az ötlet nem az enyém. De jó. Ez elkábítja az embert.

OLYMPIA Talán mindjárt narkózis. Mártír, aki előbb elaltattatja magát.

KOVÁCS Csak azért ajánlottam, mert csodálom, hogy így bírja ezt a helyzetet.

OLYMPIA Amit ön most tesz, azt a balkáni hegyek közt megtehetné velem egy fegyveres rabló. Ez nem piszkol.

KOVÁCS Na ennek igazán nagyon örülök. Érdekes, milyen bátran tud a szemembe nézni.

OLYMPIA Hiába akarja folytatni a huszártisztet. Az nincs itt. Mi két idegen új ember vagyunk: a merénylő és az áldozat.

KOVÁCS Egy órával ezelőtt szeretett.

OLYMPIA Nem magát. Őt.

KOVÁCS Lehet ezt különválasztani?

OLYMPIA Igen.

Kis szünet

KOVÁCS Szeretném... pardon... illetve: az a másik... szeretné megkérni, hogy üljön le.

OLYMPIA Ne udvariaskodjék. Ezt visszautasítom.

KOVÁCS Megkönnyíteném a helyzetét, ha goromba volnék?

OLYMPIA Igen. *(Leül)* Kérem. Leültem.

KOVÁCS Vagyis még maradhatok egy kicsit.

OLYMPIA Ne gúnyolódjék, mert minden, amit teszek, nem én vagyok.

KOVÁCS Hát kicsoda?

OLYMPIA Egy rab, az ön hatalmában. Rabló. Pénzt vagy életet.

KOVÁCS Tévedés. Csak életet. Egy órai életet. Én mint ember...

OLYMPIA Ön nem ember.

KOVÁCS Hát mi vagyok?

OLYMPIA Ön a szerencsétlenség. Az öné vagyok, de úgy vagyok az öné, mint a fuldokló a viharos tengeré.
KOVÁCS Szabad érdeklődnöm főméltóságodnál, hogy mi az utolsó kívánsága?
OLYMPIA Néhány kérdés kínoz.

Kovács udvariasan int, hogy kérdezzen

Ölt embert?
KOVÁCS Nem.
OLYMPIA *(fellélegzik)* Csak csalt. Lopott.
KOVÁCS Igen.
OLYMPIA Persze... ékszert.
KOVÁCS Többnyire.
OLYMPIA Nőktől.
KOVÁCS Ideadták.
OLYMPIA Nem értem.
KOVÁCS Nem érti, hogy ideadták?
OLYMPIA Ön ellopta.
KOVÁCS De csak akkor, ha nem adták ide maguktól, kéjjel.
OLYMPIA Kéjjel?
KOVÁCS Hagyjuk. Ezt maga nem érti.
OLYMPIA És a házassági ajánlat?
KOVÁCS Mindig evvel kezdjük.
OLYMPIA És mivel végzik?
KOVÁCS Értéktárggyal.
OLYMPIA Itt... mit akart elkövetni?
KOVÁCS Gyöngysort.
OLYMPIA Tőlem? *(A gyöngysorához nyúl)*
KOVÁCS Nem. Öntől semmit. Soha.
OLYMPIA Szentimentális tolvaj. Szamár.
KOVÁCS A mamájától akartam.
OLYMPIA Hogyan? Kéjjel? Vagy...
KOVÁCS Nem, nem! Rendesen!
OLYMPIA Ezért vesztett a bridzsben.
KOVÁCS Igen.
OLYMPIA És ezért lovagolt velem.

KOVÁCS *(szünet után)* Nem. Magával…

OLYMPIA *(közbevág)* Köszönöm, társalgást nem kérek, csak választ arra, amit kérdezek.

KOVÁCS Tessék.

OLYMPIA Sokat ült börtönben?

KOVÁCS Sokat.

OLYMPIA Rabruhában?

KOVÁCS Igen.

OLYMPIA Rettenetes. A rózsám ott van a vállán.

KOVÁCS Az *ő* vállán. *(Leveszi, mosolyogva morzsolja össze)*

OLYMPIA Hol tanult lovagolni?

KOVÁCS Amerikában.

OLYMPIA Akkor hogy hívták?

KOVÁCS Monsieur Legrand.

OLYMPIA Mi volt?

KOVÁCS Műlovar.

OLYMPIA Hol?

KOVÁCS Cirkuszban.

OLYMPIA Mi az apja?

KOVÁCS Suszter. Rigában.

OLYMPIA És… hol tanult kosztümöt viselni?

KOVÁCS Uniformist?

OLYMPIA Ez most már nem uniformis. Egy katona leánya előtt ne merje így nevezni. Ez legföljebb jelmez.

KOVÁCS Jelmezt viselni nem tanul az ember. Tehetség dolga.

Szünet

Több kérdés nincs?

OLYMPIA Nincs.

KOVÁCS Mindent tud?

OLYMPIA Igen. *(Hirtelen felijed)*

KOVÁCS Mi az?

OLYMPIA Mintha… jönne valaki.

KOVÁCS Legyen nyugodt, hercegnő. Amíg az a csendőr alezredes él, addig ide nem jön be senki.

Szünet

Az idő múlik.

OLYMPIA Maga rendelkezik. Mire vár?

KOVÁCS Egy jó szóra. Kapok?

OLYMPIA Nem.

KOVÁCS Egy tekintetet.

OLYMPIA Nem.

KOVÁCS Szeret.

OLYMPIA Nem.

KOVÁCS De... őt? A tegnapit?

OLYMPIA Igen.

KOVÁCS Mit változtat a kosztüm azon, amit egy nő egy férfiban szeret.

OLYMPIA Kosztüm?

KOVÁCS Amit az ember cselekszik, az majdnem mindig csak kosztüm. Maga a példa.

OLYMPIA Én?

KOVÁCS Egy órával ezelőtt maga volt hóhérnak öltözve.

OLYMPIA Igen.

KOVÁCS Amögött egy vágyódó asszony volt. Nem lehetek én e mögött az elfuserált tolvajélet mögött egy szeretnivaló ember?

OLYMPIA Rabló. Rabló.

KOVÁCS Ne szidjon. Feleljen.

OLYMPIA Nem.

KOVÁCS Ez a programja?

OLYMPIA Igen.

Kis szünet

KOVÁCS Az idő múlik. Egy jó szót kérek.

OLYMPIA Nem.

KOVÁCS Még csak percei vannak. Aztán itt áll főméltóságod, átmenet nélkül.

OLYMPIA Rabló.
KOVÁCS Az Isten szerelméért... de hát csak mégis jobb, hogy én vagyok a rabló és nem más?
OLYMPIA Nem.
KOVÁCS Ki volna jobb?
OLYMPIA Egy kínai. Akivel nem lehetne beszélni.
KOVÁCS És akkor?
OLYMPIA Tiszta volna a szenvedésem.
KOVÁCS Így nem az?
OLYMPIA Nem.
KOVÁCS Mert szeret.
OLYMPIA Igen. Nem! Nem magát. Őt.
KOVÁCS És én mint férfi...
OLYMPIA *(közbevág)* Nem férfi.
KOVÁCS Hát?
OLYMPIA Szerencsétlenség. Erőszak.
KOVÁCS És nem érdekli főméltóságodat egy ilyen új helyzet: erőszak attól, akit szeret?

Olympia hirtelen feláll

Parancsol?
OLYMPIA Ne kínozzon tovább.
KOVÁCS Meg méltóztatik engedni, hogy ezt sürgetésnek fogjam fel?
OLYMPIA Nem bírom tovább.
KOVÁCS *(megfogja a kezét)* Ne reszkessen. Hisz most már igazán nem vagyok paraszt. Fél?
OLYMPIA *(emelt fővel)* Nem.
KOVÁCS *(gyengéden átkarolja)* Ha már rabló... talán mégis csak jobb, hogy... ismerős rabló... régi, jó, megszokott rabló... úgyszólván házi rabló... akit szeretünk is egy kicsit... ugye?
OLYMPIA *(remegve)* Nem! *(Könnyezve)* Szenvedni akarok!
KOVÁCS Azt nem fog, édesem.

OLYMPIA Ne mondja ezt! A tiszta szenvedést akarom! Könyörgöm... segítsen ebben... utáltassa meg magát! Legyen rossz, gonosz, durva!

KOVÁCS Van eszemben! *(Hosszan megcsókolja)* Szenved?

OLYMPIA *(a vállára hajolva)* Nem. Gazember. *(Pillanatnyi szünet után)* Gazember.

KOVÁCS *(kedvesen, súgva)* Ezt tessék csak ismételni, folyton hangoztatni, nehogy elfelejtse, hogy itt erőszak történik. *(Megcsókolja)*

OLYMPIA Gazember. *(Mereven áll és nézi)* Gazember.

KOVÁCS *(suttogva)* Hol várjam? Beszéljen. Egy óra az életem. Hajnalban el kell tűnnöm.

OLYMPIA Maga...

KOVÁCS *(megragadja a két kezét)* Pssszt!

OLYMPIA *(suttogva)* Maga nem ember. Hóhér.

KOVÁCS Igen. Hóhér. Tenger.

OLYMPIA Szerencsétlenség.

KOVÁCS Úgy van. Nem ember. Tűz. Víz. Vihar. Rabló.

OLYMPIA Gyilkos. Gazember.

KOVÁCS *(fél kézzel még mindig Olympia kezét fogva, fellebbenti a hátsó függönyt és kinéz a sötét teraszra)* Senki. Sötétség. Csend. Innen ki... átszaladunk a parkon... el messzire... *(Hirtelen Olympiára dobja katonaköpenyét. A derekát átkarolva kiviszi)*

OLYMPIA *(közben, elhalón)* Gazember. Gyilkos. Gazember.

A függöny becsapódik mögöttük. Szünet. Ettingenné balról belép, körülnéz. Leül. Az angol folyóiratot, amelyet magával hozott, olvasni kezdi. Felsóhajt. Aztán tovább olvas. Kopogtatás

ETTINGENNÉ Ki az?

Krehl belép. Feszesen áll meg és hallgat, várakozóan. Ettingenné miután ránézett, tovább olvas. Szünet

KREHL Bátorkodom jelenteni... hogy a teraszon keresztül mintha suhanó, elsuhanó alakokat láttam volna... amint suhantak... egy nőt és egy férfit.

ETTINGENNÉ *(lebocsátja ölébe a folyóiratot)* Hány gyereke van?

KREHL Négy, főméltóságú asszony.

ETTINGENNÉ Mennyi idős a legfiatalabb?

KREHL Ötéves.

ETTINGENNÉ És a legidősebb?

KREHL Tizennégy.

ETTINGENNÉ Fiú?

KREHL Igen.

Ettingenné tovább olvas. Szünet

A suhanó alakokban határozottan felismertem...

ETTINGENNÉ *(felnéz a füzetből)* Abból a fiúból én tábornokot csinálok. Nem most mindjárt. Idővel. Most csak intézetbe adjuk. A fiú jelentkezzék nálam Bécsben, szeptember elsején.

KREHL Parancsára, főméltóságú asszony.

Ettingenné tovább olvas. Szünet

A suhanó alakokban határozottan felismertem...

ETTINGENNÉ Ön bizonyára álmos.

KREHL Parancsára, főméltóságú asszony.

Ettingenné tovább olvas. Szünet

A suhanó...

ETTINGENNÉ *(felnéz a füzetből)* Ha az ember álmos... akkor az ember aludni megy, alezredes úr.

Krehl feszesen áll

ETTINGENNÉ *(felkel és odalép hozzá. Méltóságteljesen)* Mi most mind a ketten nyugovóra térünk, alezredes úr. Ön azzal a boldog érzéssel, hogy áldozatot hozhatott a gyermekéért. Ezért nagyon, nagyon irigyli önt, mint apát, egy anya, akitől a sors megtagadta azt, hogy ezt a kötelességét teljesíthesse. *(Csókra nyújtja kezét)* Isten önnel.

Krehl kezet csókol, hosszasan

ETTINGENNÉ Isten önnel. *(Elhúzza a kezét)* És... köszönöm ezt a forró könnyet, amelyet a kezemre csöppentett... alezredes úr. *(Meghatva lebeg el balra)*

Krehl rajongó pillantást vet rá, sarkon fordul és elsiet jobbra. Függöny

HARMADIK FELVONÁS

Ugyanaz a szín. Másnap reggel. A nagy háttér-függöny most szét van húzva. Napfényes terasz látszik, jobbról és balról néhány lépcsővel le a parkba. Fák, virágok. A szoba közepén terített reggelizőasztal, virággal, négy székkel. Jobbról és balról elöl egy-egy karosszék.

Mikor a függöny felgördül, Ettingenné egyedül ül az asztalnál.

Reggelizik. Teát iszik. Vajat ken.
Kis szünet után balról belép Olympia

OLYMPIA Jó reggelt, anyám.

ETTINGENNÉ Jó reggelt, drága gyermekem.

OLYMPIA Miért nem keltettél fel reggel? Most, látod, nem voltam kinn a pályaudvaron, mikor a papa megjött.

ETTINGENNÉ Oly mélyen aludtál. Sajnáltalak felkelteni.

OLYMPIA Pedig tudod, mily boldogság nekem látni, mikor a papa így megjön valahová… hogy felderül a szigorú arca… mikor meglát. Ilyenkor oly világosan érzem, mennyire szeret.

ETTINGENNÉ Úgy beszélsz apádról, mintha nem apád volna, hanem… anyád.

OLYMPIA Szeretem a papát.

ETTINGENNÉ Már találkoztatok?

OLYMPIA Hogyne. De csak egy pillanatra. Megcsókolt, és szaladt átöltözni. Örültem, hogy nem beszéltünk. Én nem tudok hazudni neki.

ETTINGENNÉ Majd én, édes fiam. Majd én. *(Folyton Olympia arcát vizsgálva)* A papa nagyszerű színben van.

OLYMPIA Hála Istennek.

ETTINGENNÉ Micsoda pompás szervezet. Ötvennyolc éves. Negyvenet mutat. És harmincötnek látszik. Ülj le, drága gyermekem. Apád mindjárt lejön. Okvetlenül meg akar fürdeni a rádiumos vízben. Szereti ezt a vizet. Hisz benne.

OLYMPIA Igen.

ETTINGENNÉ Ülj le, drága gyermekem.

Olympia leül

Egy kis teát? *(Vizsgálva nézi)*

OLYMPIA Kérek.

ETTINGENNÉ *(miközben önt neki)* Tegnap este óta nem láttalak. Azért nézlek.

OLYMPIA Ne olyan sötéten.

ETTINGENNÉ Mit ne olyan sötéten?

OLYMPIA A teát.

ETTINGENNÉ *(vizet tölt a teához)* Egy kis forró vizet töltök utána. Így elég világos?

OLYMPIA Köszönöm, most jó.

ETTINGENNÉ *(pillantással a terasz felé)* A nap már kora hajnalban oly melegen tűzött, hogy úgy nézem, ma nagy hőség lesz. Négy órakor felébredtem, már meleg volt.

OLYMPIA Igen?

ETTINGENNÉ Aztán nem is tudtam elaludni. Sírtam.

OLYMPIA Ugyan. Miért sírtál?

ETTINGENNÉ Oly nyugtalan voltam...

OLYMPIA Na és most már megnyugodtál kissé?

ETTINGENNÉ Hogy megnyugodtam... azt talán nem lehet mondani. De valamivel több bizalmam van a jövőben, mint éjfél után egy órakor volt. Örömmel látok... ha nem tévedek... a te arcodon is... némi bizalmat a jövőben. *(Vár, de nem kap választ)* Bár nem tudom, hogy jól látom-e. *(Sóhajt)* Oly optimista vagyok! *(Vizsgálódva nézi lányát)* Gondolod, hogy indokolt a nyugalmam?

OLYMPIA Egy csepp tejet kérek, anyám.

ETTINGENNÉ *(felkel, a tejért nyúl)* Egy csöpp tejet. *(Felemeli a kannát)* Nem felelsz anyádnak a kérdésére. *(Nem kap választ, tejet önt)* Egy nő élete az áldozatok sorozata. *(Leül)* Kenjek egy kis vajas zsemlét?

OLYMPIA Kérek, anyám.

ETTINGENNÉ *(vajat kenve)* Pedig hidd el, vannak titkok, amelyek befogadására csak egy anyaszív képes.

OLYMPIA Ne oly vastagon, anyám.

ETTINGENNÉ Mit ne oly vastagon?

OLYMPIA A vajat.

ETTINGENNÉ Jól van, drága gyermekem. Nagyon jól van. *(Sóhajt)* Vékonyan fogom kenni. *(Kenve)* Mikor még nem volt egyház a világon, az anyaszív volt az egyetlen gyóntatószék.

OLYMPIA Milyen szép gondolat, anyám. Olyan, mint egy költemény.

ETTINGENNÉ *(már könnyekkel a hangjában)* Én nem kérdezek tőled semmit. Itt a zsemléd, fiam. Én nem kérdezek tőled semmit. Vékonyan kentem. A mai világban egy anyának csak kötelességei vannak. Eheted, fiam, a vaj friss. *(Sírós hangon)* Úgy látszik, jogai már nincsenek az anyának. *(Kis szünet. Idegesen)* Nem felelsz anyádnak a kérdésére? *(Nem kap választ)* A gyermek éli a maga életét. *(Kis szünet)* A maga életét éli a gyermek. Az anya pedig aggódva áll itt… és könnyekkel a szemében kérdezi önmagától… *(Majdnem sírva)* Miért nem tudom én a gyermekemről éppen azt, amit legjobban szeretnék tudni? Kérdezi az anya. *(Szünet)* Ezt kérdezi az anya. Egyre hangosabban kérdezi ezt az anya. *(Szünet)* És a válasz? Hallgatás.

OLYMPIA A legtöbb esetben.

Lina belép

LINA Zavarlak benneteket?

ETTINGENNÉ Se jobban, Lina, se kevésbé, Lina, mint máskor, Lina, kedves Lina. *(Vajat ken, dühösen)*

LINA *(leül reggelizni. Olympiához)* Apád oly szép és friss, mint ifjúkorában volt, mikor szerelmes voltam belé. Kenj nekem is egy kis vajas kenyeret, Jenny, ha már benne vagy. – Hirtelen vonultatok vissza tegnap éjjel.

ETTINGENNÉ Nagyon elfárasztott az estély. A keveredéstől mindig fejfájást kapok.

LINA Ne kend olyan vékonyan. Szeress jobban egy kicsit.

ETTINGENNÉ Azt hittem, fogyni akarsz.

LINA Miért? Szeretnéd, ha kevesebb volna belőlem?

ETTINGENNÉ Kérlek, édesem. Vastagon fogom kenni. *(Dühösen ken)*

LINA *(Olympiához)* Neked is fájt a fejed?

ETTINGENNÉ Igen. *(Egyszerre)*

OLYMPIA Nem.

LINA Már most igen vagy nem?

OLYMPIA Mama úgy kényeztet engem.

LINA Csak mert úgy láttam, mintha sétáltatok volna a parkban.

ETTINGENNÉ Pár percig. Levegőre volt szükségem. Nem éreztem jól magam.

LINA De azért mégis későn mentél aludni.

ETTINGENNÉ Olvastam itt az olvasóban. De nem sokáig.

LINA Én nem tudtam aludni. Meleg volt. Egész éjjel az ablaknál ültem.

ETTINGENNÉ Az ablaknál ültél.

LINA Az ablaknál ültem. És kinéztem.

ETTINGENNÉ Kinéztél.

LINA Olyan szép ez a park éjszaka. Ezek a nagy, sötét fák. És alattuk az árnyak. Bokrok és más magasabb zöldségek. És ha az ember figyel: titkos zörejek.

ETTINGENNÉ Zörejek?

LINA Halk zörejek... mintha suttogó árnyak suhannának el a fák alatt.

ETTINGENNÉ Poétikus.

LINA Poézis és biztonság. Mily megnyugtató: egy csendőrtiszt, aki némán fel-alá jár a ház előtt. Mint egy őr. Ez a figyelem, úgy látszik, nekünk szól.

ETTINGENNÉ Igazán nagyon figyelmesen viselkednek itt velünk szemben.

LINA *(kis szünet után)* A kapitány még nem jelentkezett?

ETTINGENNÉ Nem.

LINA *(Olympiához)* Ma reggel nem lovagoltok?

OLYMPIA Nem hiszem. Ma a papa... *(Meglátja Ettingen tábornokot, aki jön a terasz felől. Örömmel)* A papa! *(Feláll)*

Tábornok belép

TÁBORNOK *(Olympiához)* Nem, nem... ze zavartassátok magatokat. Téged megcsókollak még egyszer, mert te vagy az én büszkeségem. *(Megcsókolja, gyengéden leülteti)* Folytassátok. *(Leül, háttal a terasznak)* Folytassátok.

Albert belép

ALBERT Jó reggelt!

TÁBORNOK Ülj le, Albert.

ALBERT Köszönöm, én már reggeliztem.

LINA Természetesen az ágyban.

ALBERT Nem „természetesen az ágyban", hanem „az ágyban". Negyven éve ott reggelizem.

LINA Természetesen.

ALBERT *(mérgesen)* Mit akarsz ezzel a „természetesen"-nel? Olyan jellemző az rám nézve, hogy az ágyban reggelizem? Már korán reggel kezded?

TÁBORNOK Lina, én katonai rangom minden tekintélyével neki adok igazat. A megjegyzésednek ironikus hegye volt. Vagy hogy mondják? Éle vagy hegye?

ETTINGENNÉ Éle.

TÁBORNOK *(igen erélyesen)* Akkor: éle. Éle volt.

LINA Ha te mondod, akkor úgy van. *(Rajongó arccal)* Neked mindig igazad van. Az egész világon csak neked van igazad.

TÁBORNOK Lina, ne légy érzéki.

ETTINGENNÉ *(Tábornokhoz)* Akarsz enni valamit?

TÁBORNOK *(nagyon erélyesen)* Köszönöm, nem kérek. Fürdő előtt ki van zárva. *(Feleségére néz)* Azt mondod, hogy egyem?

ETTINGENNÉ Igen.

TÁBORNOK *(nagyon erélyesen)* Akkor eszem.

ETTINGENNÉ Egy kis sonkát?

TÁBORNOK Az aztán ki van zárva! Sonkát reggel? Nem vagyok egy vad őrült!

OLYMPIA Oly jó, papa. Egyél.

TÁBORNOK *(nagyon erélyesen)* Ha olyan jó... add ide. *(Érte nyúl)* Majd később megyek fürdeni. *(A tálra mutat)* De saláta nélkül.

OLYMPIA *(kérlelően)* Salátával!

TÁBORNOK *(harsányan)* Salátával! *(Vesz belőle)* Ezt az egy napot ki akarom használni. Kétszer fogok fürdeni.

OLYMPIA Az sok.

TÁBORNOK *(harsányan)* Egyszer fogok fürödni! Most délelőtt. *(Átveszi a teáscsészéjét)* Kezedet csókolom. *(Iszik egy kortyot)* Higgyétek el, nincs kolosszálisabb üdülés egy tábornok számára, mint ha mások parancsolnak neki. Én így pihenem ki magamat a sok fárasztó parancsolástól. Ennél a két angyalnál. Csak ne féljetek, édeseim. Parancsoljatok parancsolni.

ALBERT *(jobboldalt ülve a falnál)* Különös, hogy abban is van valami kritizálni való, hogy az ember az ágyban reggelizik.

LINA Kicsoda kritizálta azt?

ETTINGENNÉ Hagyjátok ezt, kérlek. Fülöp tiszteletére rendezitek ezt a veszekedést?

TÁBORNOK Lina nem változik. Ilyen volt húszéves korában is.

LINA Ezt köszönöm. Látod, épp az előbb mondtam, hogy te se változtál ifjú korod óta.

TÁBORNOK Lina, ne légy érzéki.

ETTINGENNÉ Rendeltél fürdőkabint?

LINA Ez a... kabin most arra való, hogy az érzéki társalgást más irányba térítse?

ETTINGENNÉ Úgy van. – Rendeltél kabint?

TÁBORNOK Nem. *(Erélyesen)* Nem is rendelek! Ha én odamegyek, legyen kabin! *(Felháborodva)* Csak nem állok oda előjegyeztetni!

ETTINGENNÉ Akkor nem kapsz.

TÁBORNOK *(harsányan)* Tehát odaállok előjegyeztetni! Odasétálunk Alberttel. Asszonyokra mindig hallgatni kell. – Kevés kompótot kérek!

ETTINGENNÉ Kitűnő.

TÁBORNOK *(harsányan)* Sok kompótot kérek. *(Átveszi)*

LINA Mondd, Fülöp, hogy tudsz te meglenni e nélkül a két asszony nélkül, csak egy napig is?

TÁBORNOK Tudod, hogy? *(Erélyesen)* Sehogy! – Mondd, kérlek, és te hogy tudsz meglenni egy percig is megjegyzések nélkül?

ETTINGENNÉ Lina úgy tele van élettapasztalattal, okossággal és kritikával, hogy ha nem tudnám, hogy ez csak a mondanivalónak a túltengése nála, azt kellene hinnem, hogy nem szeret bennünket.

LINA Igazságtalan vagy.

ALBERT *(magában, oldalt, hangosan)* Azon fennakadni, hogy az ember ágyban reggelizik és nem asztalnál. Nem megy a fejembe, hogy mi ebben a rendkívüli. A walesi herceg, a spanyol király ágyban reggelizik.

Sándor cár az ágyban ebédelt, viszont Napóleon az ebédlőben született. Ki-ki a gusztusa szerint.

TÁBORNOK Elég! Elég! Jól van. Fogadjátok az eddigiért forró köszönetemet, de azzal aztán családi diszharmóniában mai szükségletem fedezve van. Akinek a hangját leginkább szeretném hallani, az hallgat.

ETTINGENNÉ Ma hallgat. Anyja kérdéseire sem felel.

TÁBORNOK Pedig jó hírem van számodra! – Miért vagy oly szótlan, gyermekem?

OLYMPIA Téged nézlek, apám. A szemedet. Ezt a szép szigorú tekintetedet.

TÁBORNOK Szigorú? Pedig most igazán igyekeztem kedélyes lenni. Jó kedvem van, mert jó hírt hozok.

ALBERT Én inszcenálok családi diszharmóniát?

TÁBORNOK *(hirtelen)* Erre ne te felelj, Lina! Ezt ő önmagától kérdezte.

ALBERT Én nem inszcenálok családi diszharmóniát!

TÁBORNOK Látod, már felelt is önmagának. Pont. Hát most hagyjatok engem is szóhoz jutni. Igen? *(Linához)* Szabad?

LINA De Fülöp…

TÁBORNOK Nahát. Drága Olympiám, azt hiszem, mindjárt jobb kedved lesz, ha ezt meghallod. Abban az órában, mikor a leveledet megkaptam, jelentkeztem őfelségénél.

OLYMPIA Drága, jó apám…

TÁBORNOK Elmondtam neki a leveled tartalmát. És hozzátettem: ha az én lányom ezt írja erről a Kovács Andrásról, akkor ez csak a fele a jónak, amit róla tud. Lányom oly óvatos, mint egy nagykövet. Őfelsége megköszönte a jelentésemet és ezt mondta.

Mindenki közelebb hajlik a tábornokhoz, feszült figyeléssel

„Meghatottan köszönöm, hogy leánya még nyári frissességében is rám gondol…" *(Diadalmasan néz körül)*

Mindenki visszahajlik

„Mily gyöngédség ez” ...folytatta...

Mindenki megint visszahajol és figyel

...„Mily gyöngédség ez az ön kedves leányától. Ő tudja, mennyire szeretem gyermekemet, és milyen nagy gondom az, hogy feddhetetlen tanítót találjak számára.” Ezt mondta őfelsége, talán nem szóról szóra, esetleg a szavak másképp voltak elhelyezve az ő nyilatkozatában, de a lényeget garantálom. *(Diadallal néz körül)*

ETTINGENNÉ *(szívén a kezével)* Istenem...

TÁBORNOK *(Olympiához)* Nos? Mit szólsz ehhez?

OLYMPIA A császár Európa első gentlemanje.

TÁBORNOK Ez egy frázis a lapokból. Melegebben kellene tudomást venned ilyen meleg szavakról. Őfelségének remegett a hangja, mikor azt mondta: „Köszönöm, Ettingen, nagyon köszönöm”. *(Szeméhez nyúl)* Öreg katona vagyok. Nekem mindenem felséges császárom kegye.

ETTINGENNÉ Amelyet bírsz is.

TÁBORNOK A legteljesebb mértékben. Dacára ellenségeinknek. Most az elbeszélésben itt egy pillanatra megállok, mert ünnepélyesen meg akarom köszönni az én drága leányomnak... *(feláll, a többiek is)* hogy alkalmat adott nekem arra, hogy felséges császáromnak bizalmi szolgálatot tehessek. Te jóságos gyermek! Íme, te még segítesz is atyádon, te még erősíted is atyád pozícióját! Ez jólesik annak, akit oly sokan szeretnének elmarni a császár oldala mellől. Fogadd izgatott köszönetemet. *(Szeméhez nyúl, könnyet töröl le)* De gyerünk tovább. *(A nők leülnek)*

ETTINGENNÉ Kihűl a teád, igyál egy kortyot.

TÁBORNOK *(erélyesen)* Ha beszélek, nem iszom! *(Csend)* Igyam?

Iszom! *(Iszik, leül)* Szóval ez tegnap reggel történt. Tegnap délután aztán ezzel kapcsolatosan újabb kijelentést tett őfelsége, öt óra körül, a Práterben, a kocsiban.

LINA Mit mondott a kocsiban?

TÁBORNOK A felség mindig kegyes hozzám és mindig elégedetten szokott nyilatkozni családomról. Máskor is dicsér benneteket. De tegnap délután...

LINA ...a kocsiban.

TÁBORNOK ...a kocsiban egyszerre megszólalt és... és... Most nem értem, miért hangsúlyozod azt, hogy a „kocsiban"?

LINA Én hangsúlyozom?

TÁBORNOK Igenis, a kocsiban. Mellette ültem a kocsiban.

LINA Igen! Tudom!

TÁBORNOK Hát akkor mit akarsz?

LINA Én?

TÁBORNOK *(rosszallólag csóválja fejét, aztán folytatja)* Egyszerre megszólalt és ezt mondta: „Az ön asszonyai nemcsak mintaképei a viselkedésnek, hanem a legokosabb asszonyok is Ausztriában." Ezt mondta. *(Linához)* A kocsiban.

LINA *(helybenhagyólag)* Kérlek.

TÁBORNOK Ezt mondta, aztán komor arca gyengédebb kifejezést öltött.

ETTINGENNÉ *(boldogan)* Gyengédebb kifejezést!

TÁBORNOK Azt hiszem, nem tévedtem. Gyengédebbet.

ETTINGENNÉ *(kéjjel)* Ó!

TÁBORNOK És ezt mondta. *(Előveszi noteszkönyvét, mind közelebb hajolnak. Albert is feláll és odalép)* De szóról szóra! *(Szemüveget tesz fel, olvas)* „Ettingen, ön nekem hű tanácsadóm. Sohase bántam meg, ha önre hallgattam. De tudom, hogy önnek is van tanácsadója: az ön szép és okos leánya. Ettingen, ha az ön leánya valakit méltónak tart arra, hogy az én imádott gyermekem tanítója legyen, akkor én azt az embert elfogadom. Már egy fél éve keresek lovaglómestert, akire rábízhassam és nem találok. Pedig azalatt háromszor találtam miniszterelnököt Magyarország számára és négyszer Ausztria számára. De most meg vagyok győződve, hogy végre megvan az ideális ember. Felírtam a nevét. Mondja meg a lányának, hogy hálás leszek neki ezért." *(Meghatottan néz körül. Nagy csend. Visszateszi a noteszkönyvet)* „Hálás leszek neki ezért!" *(Egy könnyet töröl le)*

A nők csészéikbe néznek

TÁBORNOK Bocsássátok meg könnyeimet. Öreg katona vagyok.

Kovács megjelenik a teraszon és megáll. Tábornok észreveszi, hogy a hölgyek most mind a teraszra néznek. Megfordul. Odanéz. Pillanatnyi szünet

KOVÁCS Főméltóságú uram, Kovács András százados a császári és királyi huszonhatodik huszárezredtől alázatosan jelentkezik.

Ettingenné lassan felemelkedik a székéről, kezével a szívén. Olympia rögtön utána szintén feláll lassan. Pillanatnyi csend

TÁBORNOK *(még mindig Kovács felé fordulva, mosolyogva, közvetlen hangon)* Ne ilyen ünnepélyesen, kapitány úr. Gyere be szépen és mondd: jó reggelt. *(Kezet nyújt neki)*

Kovács belép, kezet fog a tábornokkal, mélyen meghajolva

Tegnap nem is tudtam, hogy ismered a hölgyeimet.

LINA Oh, ismerjük! Sőt! Nagyon jól ismerjük!

KOVÁCS *(kezet csókol Ettingennének)* Az a szerencse ért, hogy.... *(kezet csókol Olympiának)* már itt tartózkodásom első napján... *(kezet csókol Linának és megy Albert felé)* Dupuy gróf őexcellenciája bemutatott őfőméltóságaiknak. Jó reggelt. *(Meghajol Albert előtt)*

ALBERT *(kezet fog vele)* Jó reggelt.

TÁBORNOK Látod, ezt nekem akkor nem írták meg.

KOVÁCS Nem vagyok olyan fontos személy, főméltóságú uram.

TÁBORNOK Egyáltalán, olyan rövid leveleket írtak, hogy csuda. Ilyen nagy betűkkel írnak. Két mondat négy oldal. Ülj le, kérlek.

KOVÁCS Köszönöm. *(Határozott léptekkel megy a baloldalt álló karosszék felé és leül)*

TÁBORNOK *(mosolyogva nézi Kovácsot)* Számodra szenzácionális jó hírt hoztam.

KOVÁCS Ah!

TÁBORNOK Olympia azt írta, nem tudsz róla. Ő meglepetésnek szánta. Nem rontom el az örömét. Majd ő közli veled. Helyesen cselekszem, lányom?

OLYMPIA Mint mindig, papa.

TÁBORNOK *(Kovácshoz)* Mióta vagy itt?

KOVÁCS Két hete.

TÁBORNOK Ah! Tavaly Karlsbadban, ha jól tudom... csak pár napig...

KOVÁCS Öt napig.

TÁBORNOK Aztán egyszerre váratlanul eltűntél.

KOVÁCS *(zavartan mosolyogva)* Igen.

Ettingenné és Olympia, akik eddig Kovácsot nézték, most hirtelen a reggelihez nyúlnak

TÁBORNOK Titokzatos ügyek. Mi? Fiatalság. Úgy nézzetek rá, hogy ez az egyetlen ember, akivel órákig tudtam sétálni Karlsbadban. Mikor ti Svájcban voltatok.

LINA Ő igen jól sétál.

TÁBORNOK Nehezen szoktunk össze. De aztán határozottan összeszoktunk. Remélem, az asszonyaimat is olyan jól mulattattad, mint akkor engem. Érdekes kalandos történeteket mesélt. Tréfákat is. Nehezen nevettem. De aztán határozottan nevettem. Te az egész világot bejártad, ugye?

KOVÁCS Sokat utaztam. Úton sokat tanul az ember.

TÁBORNOK Az már igaz.

Kínos szünet

LINA Nyelveket is úton tanult?

KOVÁCS Nem. Úton csak gyakoroltam. A nyelvtanhoz elmélyedés kell. Magányosság. Négy fal közt pár hónap alatt egy nyelvet meg lehet tanulni.

TÁBORNOK Csak nem akarod elhitetni velünk, hogy kolostorban tanultad?

KOVÁCS *(nevetve)* Nem!

Mindenki kínosan nevet. Ettingenné tovább nevet, mint a többi és csak a tábornok szigorú pillantására hallgat el

LINA Jenny azt mondja, nyelveket nem lehet tanulni.

ETTINGENNÉ Én mondtam?

LINA Tegnap este mondtad. Hogy ez speciális tehetség.

ETTINGENNÉ Lehet, hogy mondtam, lehet, hogy nem mondtam.

LINA Mikor kártyázni mentetek, akkor mondtad.

Kínos szünet

KOVÁCS Kártyázni, azt úton tanultam. Tengeri hajón.

ETTINGENNÉ Úgy?

KOVÁCS Igen.

TÁBORNOK *(Ettingennéhez)* Bridzseztél vele?

ETTINGENNÉ *(kínos mosollyal)* Óh, igen.

TÁBORNOK Azt nagyon megtanulta azon a tengeri hajón. Kártyaművész! Nekem elszedte az egész pénzemet Karlsbadban, bridzsben.

Ettingenné összerezzen

LINA Jenny visszanyerte tőle.

ETTINGENNÉ *(kínos nevetéssel)* Igen.

TÁBORNOK Mi az, peched volt? Nagy peched lehetett.

KOVÁCS Nagy pechem volt. Illetve a főméltóságú asszonynak volt nagy szerencséje.

ETTINGENNÉ Óriási szerencsém volt.

TÁBORNOK Jenny nagyon szeret nyerni.

LINA Az kellemes is. *(Kovácshoz)* Nem gondolja?

KOVÁCS Nem mindig kellemes. Néha jön aztán egy pillanat, amikor nem kellemes.

Kínos szünet

TÁBORNOK Igen. És az én Olympiám… hallgat. Komoran hallgat.

OLYMPIA Csak véletlen, papa.

TÁBORNOK Meddig maradsz itt?

KOVÁCS Ma elutazom.

TÁBORNOK Hova?

KOVÁCS Őszintén megvallva, még nem tudom. Mindenesetre északnak megyek.

LINA Azt hittem délnek megy.

TÁBORNOK Te is? Mi is.

KOVÁCS Gondoltam rá, de… nem mehetek délnek. Északra megyek.

LINA Miért?

TÁBORNOK Ilyet sohase kérdezz, Lina. Ilyesmi mögött mindig asszony van.

KOVÁCS Kelet-Poroszországban… most lovas-versenyek vannak.

TÁBORNOK *(a többiekhez)* Jó lovas, mi? Megérdemli azt a... *(Szájára teszi a kezét)* Hallgatok. Nem árulok el semmit. Jól teszem, lányom?

OLYMPIA Igen, papa.

LINA Tegnap elvitte az első díjat a díjlovagláson.

ALBERT Teljes joggal.

TÁBORNOK Szép volt a díjlovaglás?

ALBERT Nagyon szép.

TÁBORNOK Te természetesen nem vettél részt.

Albert dühösen feláll és elfordul tőlük

LINA Látod, hogy természetes?

TÁBORNOK *(feláll, Kovácshoz)* Sajnálom, hogy nem láttam a kunsztjaidat. Viszont örülök, hogy egyáltalán látlak ismét... és... *(Szájára tette a kezét)* Nem szóltam semmit.

Kovács katonásan meghajol

TÁBORNOK De viszont most nem fogsz megszökni előlem, mint tavaly. Elutaztál, mielőtt meghívtalak volna. Hát most hívlak meg. Látni akarlak télen, Bécsben.

KOVÁCS Köszönöm a nagy megtiszteltetést. Ha ugyan a garnizonból el szabad mozdulnom.

TÁBORNOK Onnan el fogsz mozdulni. Majd meglátod, mennyire el fogsz onnan mozdulni. *(Végignéz rajta)* Pompás példány vagy. Határozottan örülök neked. Nem is tudod, mennyire örülök!

KOVÁCS Végtelenül köszönöm, főméltóságú uram.

Pillanatnyi szünet

TÁBORNOK Nna. Egy kérdés, Jenny. Most nem emlékszem hamarjában: megyek én most fürdőt rendelni, vagy nem megyek fürdőt rendelni.

ETTINGENNÉ Te mégy fürdőt rendelni.

TÁBORNOK Köszönöm. *(Kovácsra néz)* És te?

KOVÁCS Én... búcsúzni jöttem a főméltóságú hölgyektől.

TÁBORNOK Hát csak búcsúzzál. Mi megyünk fürdőt rendelni. Előre, Albert. Te búcsúzzál el az asszonyoktól és te mindig mulattasd őket. Este úgyis elutazunk.

LINA Milyen kár.

A következőket igen gyorsan

ETTINGENNÉ És milyen kár, hogy te nem jöhetsz velünk.

LINA *(igen gyorsan)* Nem tudom ugyan, hogy miért nem mehetek veletek...

ETTINGENNÉ *(még gyorsabban)* Úgy tudom, a te kúrád még egy hétig tart.

LINA *(még ennél is gyorsabban)* Kedves Jenny, ami az én kúrámat illeti...

TÁBORNOK *(kommandírozva)* Állj! *(Hirtelen csönd: mind a kettő elhallgat. Karonfogja és elhúzza Linát)* Majd nekem fogod elmondani kúrádat, drága Linám.

Lassan indulnak a teraszon balra, Albert követi őket. Távozás közben beszélnek

És meg fogod nekem mondani, hogy az előbb mért hangsúlyoztad azt, hogy „a kocsiban"!

LINA Én hangsúlyoztam, hogy „a kocsiban"? Hangsúlyoztam: „a kocsiban"?

ALBERT Igen, hangsúlyoztad. *(Utánozza)* „A kocsiban". „A kocsiban".

LINA *(hadarva)* Te azt mondtad, hogy „a kocsiban", és én gépiesen ismételtem: „a kocsiban".

TÁBORNOK De miért ismételted?

LINA „A kocsiban"?

ALBERT Úgy van. Miért ismételted?

LINA Én azt mondtam…

TÁBORNOK Gúnyosan mondtad: „a kocsiban”!

LINA Én…

TÁBORNOK Gúnyosan mondtad: „a kocsiban”!!

Eltűnnek mind a hárman, de még kívülről is hallatszik: „A kocsiban!” „Én?” Gúnyosan! „Én?” „A kocsiban?” Ezt a szalonban álló három személy némán, mozdulatlanul várta végig. Szünet, amíg elmennek

ETTINGENNÉ Mi ez, kérem?

KOVÁCS Hogy méltóztatik érteni ezt a kérdést?

ETTINGENNÉ Mi ez az egész? Mi történik itt?

KOVÁCS Semmi különös.

ETTINGENNÉ Ön még itt van? Ön még nem utazott el, és nem törte ki a lábát? Ön még idemerészkedik az uramhoz?…

KOVÁCS Voltam bátor említeni, hogy tavaly Karlsbadban…

ETTINGENNÉ *(gúnyosan)* Kártyázott vele. Én… én… *(Olympiához fordul)* én hozzád fordulok felvilágosításért.

OLYMPIA Ha a betyároknak van becsületük, akkor neki már ma hajnalban el kellett volna utaznia.

KOVÁCS *(lehajtott fejjel)* Nem voltam rá képes.

OLYMPIA Meg akar ölni engem? Mert most aztán már nincs más hátra.

KOVÁCS *(halkan, szerényen)* Hercegnő, most egy kis kellemetlen meglepetés következik. *(Szünet)* Én nem vagyok Mejrovszky, a szélhámos.

ETTINGENNÉ Hát?

KOVÁCS Kovács András kapitány.

Ettingenné egy székhez támaszkodik, aztán lezökken rá. Olympia felkapott fejjel, vadul bámul Kovácsra. Szünet

KOVÁCS *(egyszerűen, közvetlenül)* Kovács András kapitány, a császári és királyi huszonhatodik huszárezredtől. Egy kis tréfa. Tulajdonképpen tényleg csaló vagyok, de csak azért, mert kiadtam magamat csalónak. Ritka eset a logika történetében, hogy valaki azzal, hogy kiadja magát valaminek, automatice azzá is válik.

OLYMPIA Én ezt önnek nem hiszem el.

KOVÁCS Meg fog róla győződni, idővel.

ETTINGENNÉ Ön oly vakmerő, hogy képes most valami újabb csavarintással... *(Nézi)* Magyarázza meg, amit mondott!

KOVÁCS Mondtam már: kis tréfa volt. *(Olympiához)* A parasztnak a tréfája. Egy kis büntetés. Meg méltóztatott engem sérteni. Nem a becsületemben. De valahol egész mélyen, ott valahol a becsület körül, hercegnő. Mikor kimentem... „erős italokat inni"... és „szép nőket szeretni"... elhatároztam, hogy... *(Abbahagyja)*

Szünet

OLYMPIA Mit határozott el?

KOVÁCS Bementem a kávéházban a telefonfülkébe. Ennél egyszerűbb dolog nincs is a világon. Felhívtam a csendőrt, és azt mondtam neki, hogy a bécsi rendőrség beszél. Én mondtam neki, hogy Kovács, az Mejrovszky. Ez volt az egész. A többit méltóztatik tudni.

OLYMPIA Hazudik.

KOVÁCS Dehogy. – A kávéházból telefonáltam a hotelbe. Máskor április elsején szoktam ilyet csinálni. Most nem tartottam magamat a dátumhoz. Telefontréfa. Telefonáltam neki, aztán letettem a kagylót és visszaültem a bárba erős italokat inni. És várni, hogy mi lesz ebből. Aztán értem jött a boy. Aztán én... bejöttem ide főméltóságtokhoz.

ETTINGENNÉ És miért csinálta ezt? Mit akart?

KOVÁCS Mondtam már. Büntetni. Ha szégyenlik a parasztot, jó, kapnak egy gazembert. Tudtam én, hogy avval szóba állnak. Csak a paraszttal nem.

ETTINGENNÉ Mindennek az az ostoba csendőr az oka.

KOVÁCS Miért? Nem volt az ostoba. Még olyan csendőr nem született a világra, aki az ilyenbe be nem esik. Mit csinált volna szegény?

ETTINGENNÉ *(nagy beszédbe kezd)* Én most a leghatározottabban kikérem magamnak, hogy ön...

Tábornok a terasz felől jön

TÁBORNOK *(Ettingennéhez)* Ő esküszik, hogy csak gépiesen ismételte.

ETTINGENNÉ Mit? Kicsoda?

TÁBORNOK Lina. Azt, hogy „a kocsiban".

ETTINGENNÉ Miféle kocsiban?

TÁBORNOK Hagyjuk. Nem ezért jöttem vissza. Csak azt akartam mondani, hogy ne várjatok, rögtön kaptam kabint. De a fürdővel eltelik egy óra is. Hát hol találkozunk?

ETTINGENNÉ Ahol parancsolod, Fülöp.

TÁBORNOK Én majd megparancsolom, de előbb te tégy egy propozíciót.

ETTINGENNÉ Proponálom, hogy mi felsétálunk előre a Kurhausba és te gyere oda.

TÁBORNOK Jó. Kitűnő. Hát egy óra múlva. *(Olympiához)* Tudja már a titkot?

OLYMPIA Még nem.

TÁBORNOK Miért kínozod? Mamádnak van egy nagyon okos mondása: férfit megölni, de nem kínozni.

ETTINGENNÉ *(nagyon idegesen)* Mit akartál az előbb... valami kocsival?

TÁBORNOK *(mosolyogva)* Semmit. Hisz ismered Linát.

ETTINGENNÉ Mi az, megint mondott valamit?

TÁBORNOK Hagyjuk ezt. *(Kovácshoz)* Te ma délután revánsot fogsz adni nekem. Kihasználom a pechedet. Kártyázni fogsz velem. *(Ettingennéhez)* Az apja is kitűnő kártyás volt. De ebből a fiúból nem nézett ki ez. Olyan csendes, komoly fiatal tiszt volt.

KOVÁCS Szerénységem tiltotta a főméltóságú hölgyeknek azzal büszkélkedni, hogy főméltóságod tanítványa voltam.

TÁBORNOK Hogyne, hogyne. A hadiiskolában. Hogyne. Nem mondom, hogy a legjobb tanítványom volt…

KOVÁCS *(nevetve)* Nem!

TÁBORNOK De határozottan a tanítványom volt. Egyike volt a legközepesebbeknek. Ha az apja nem lett volna régi bajtársam… hát… Igaz! Édesapád hol van most?

KOVÁCS Nyugdíjban. Visszament parasztnak a falujába.

TÁBORNOK Jól van az öregúr? *(Karon fogja)*

KOVÁCS Hála Istennek jó egészségben van.

TÁBORNOK *(melegen)* Ha írsz neki, nagyon szépen tiszteltetem.

Krehl megjelenik a teraszon. Mindenki odanéz. Krehl nagyot bámul

KREHL Főméltóságú uram, Krehl János Farkas császári királyi csendőr alezredes alázatosan jelentkezik, mint a kilencedik csendőrkerület parancsnoka.

TÁBORNOK Köszönöm. Akar valamit?

Krehl Ettingennére néz

ETTINGENNÉ Miért néz ön rám? Tőlem akar valamit?

KREHL Főméltóságodnak…

ETTINGENNÉ Nos? *(A tekintetével belefojtja a szót)*

KREHL Mély tisztelettel meg akarom köszönni…

ETTINGENNÉ Hja úgy, Fülöp, én voltam olyan merész és kilátásba helyeztem a te pártfogásodat az ő fia számára. Neki van egy tizennégy éves, derék, csinos, rendkívül tehetséges fia, aki tábornok akar lenni.

TÁBORNOK Bravó.

ETTINGENNÉ Nem most rögtön. Hálás szeretnék lenni az alezredes úrnak. Ő olyan önfeláldozóan őrzött bennünket... engem és Olympiát... hogy mind a ketten nagyon kérünk.

TÁBORNOK Nagyon szívesen, angyalom. Gratulálok, hogy ilyen kitűnő protekciót szerzett, mint a feleségem és a lányom. Jelentkezzék nálam a fiúval szeptember elsején. Én elismerésemet fejezem ki önnek, amiért őrizte az asszonyaimat.

Krehl némán szalutál

Bár őket nem kell őrizni. Ők határozottan kitűnően tudják őrizni magukat.

Krehl Ettingennére néz

ETTINGENNÉ Ön ismét értelmetlenül néz. Ez többször előfordult. De nem von le az ön értékéből. Ön kitűnő közeg és kitűnő ember.

KOVÁCS Én ki is próbáltam az éjjel. Felhívtam telefonon, mintha Bécs beszélt volna és azt mondtam neki, hogy figyelje Kovács kapitányt, mert az csak kiadja magát huszártisztnek, pedig nem huszár, hanem valami híres szélhámos.

TÁBORNOK *(nevetve)* Kitűnő! Az egyetlen ember, aki engem meg tud nevettetni. És figyelt téged?

KOVÁCS Egy ideig figyelt. Aztán abbahagyta. *(Nézik egymást Krehllel)* Igaza van a főméltóságú asszonynak: néha értelmetlenül néz.

TÁBORNOK *(harsogva)* Általában nekünk olyan kitűnő csendőrségünk van, hogy igazán keresni kell a párját az egész világon. Komoly, tapintatos, lelkiismeretes csendőrség. Nagyon örültem, alezredes úr. Nagyon örültem.

Krehl szalutál, indul

KOVÁCS Szervusz!

KREHL *(megáll, zavartan)* Szervusz. *(Elsiet)*

KOVÁCS *(Ettingennéhez)* Most szeretett volna megint értelmetlenül nézni, de nem mert.

TÁBORNOK *(Ettingennéhez)* Úgy látszik, tőled fél. *(Órájára néz)* Tehát fél tizenkettőkor a Kurhausban. Igen?

ETTINGENNÉ Úgy parancsoltad.

TÁBORNOK Úgy van. *(Elmegy)*

Szünet. Olympia mereven, a távolba nézve áll a balszélen. Kovács jobbról áll. Ettingenné, aki az urát két lépésnyire a teraszig kísérte, most visszajön és Kovács elé lép. Kovács szerényen lehajtja a fejét

ETTINGENNÉ Gyilkos.

KOVÁCS Nem vagyok az. A látszat csal. Még az se mindig gyilkos, aki pénzért szúr kést másnak a testébe.

ETTINGENNÉ Hát mi?

KOVÁCS Sebész.

Szünet

ETTINGENNÉ Önt én ma nagyobb bűnösnek tartom, mint tegnap éjjel. Egy pillanatig kedvem lett volna az uramnak elmondani mindent. *(Olympiára néz)* Már amit tudok. Ön agyonlőhette volna magát.

KOVÁCS Úgy van.

ETTINGENNÉ Még most is kedvem volna.

Olympia felsikolt

Na végre, hogy feleltél az anyád kérdésére! *(A teraszon át mérgesen elsiet)*

Szünet

OLYMPIA Maga…

KOVÁCS Pardon, hogy már az első szónál megállítom. Ki az a „maga”?

Olympia csodálkozva néz rá

Ki az a „maga”, akihez beszél? Mejrovszky vagy Kovács?

OLYMPIA Hogyan?

KOVÁCS Csak válasszuk külön. A boldog Mejrovszky, az nincs. A boldogtalan kapitánnyal pedig tegnap este végzett. Kihez beszél most?

OLYMPIA Ahhoz az emberhez, aki egy hazugsággal csempészte magát a bizalmamba…

KOVÁCS Bizalmába?

OLYMPIA Illetve egy olyan helyzetbe… *(Zavarban)* Mindegy. A hangsúly a „hazugság” szón van.

KOVÁCS Tehát?

OLYMPIA Tehát érvénytelen nemcsak az a…

KOVÁCS Érvénytelen.

OLYMPIA Nem is tudja, mit akartam mondani.

KOVÁCS Minden érvénytelen.

Kis szünet

OLYMPIA Úgy látom, nem akarja, hogy most közöljük egymással a gondolatainkat.

KOVÁCS Jobb szeretnék most… hallgatni.

OLYMPIA *(halkan)* Boldogtalan?

KOVÁCS Nem.

OLYMPIA Boldog?

KOVÁCS Kicsit. Megnyertem egy előkelő szellemet a demokratikus gondolat számára.

OLYMPIA *(idegesen)* A boldogsága tehát… tisztán… szociálpolitikai jellegű.

KOVÁCS Igen.
OLYMPIA Hazudik.
KOVÁCS Az nagyon valószínű.

Kis szünet

OLYMPIA És most mi a terve?
KOVÁCS Elutazom.
OLYMPIA Hova?
KOVÁCS Messzire. Nem tudom. Mindenesetre hamarosan beváltom Mejrovszkynak azt az ígéretét, hogy ezt a ruhát nem viselem többé.

Olympia felkapja a fejét, meglepetten bámul rá

Én egy kicsit játszottam az emberi méltóságommal. Én megsértettem ezt az egyenruhát. Nem vagyok korlátolt ember, se szentimentális, de... *(mellére teszi a kezét)* ebben hinni kell, vagy nem kell viselni. Minden tréfáért meg kell fizetni. És... tanítsa más lovagolni a kis főhercegnőt.

Szünet

OLYMPIA Most egy különös és váratlan kérdést fogok intézni önhöz.
KOVÁCS Tessék?
OLYMPIA Szeret?
KOVÁCS Igen.
OLYMPIA Köszönöm.
KOVÁCS Szívesen.
OLYMPIA *(lehajtja a fejét)* Mit tett velem.
KOVÁCS Megsértett. Elégtételt vettem. Ezzel tartoztam magamnak és minden parasztnak ezen a világon.
OLYMPIA *(lehunyt szemmel gépiesen ismétli, halkan)* Mit tett...
KOVÁCS Büntettem.

OLYMPIA Ez… büntetés volt?
KOVÁCS Igen.

Szünet

OLYMPIA *(alig hallhatóan)* Szeretlek. Te kedves gazember.

Szünet

KOVÁCS *(nagyon szerényen)* Megengedi, hercegnő, hogy legalázatosabban búcsút vegyek.
OLYMPIA Elmegy?
KOVÁCS Elmegyek.
OLYMPIA Látom… ősszel… Bécsben?
KOVÁCS Nem, édes. Sehol és soha többé. *(Összevágja a sarkantyúját és a teraszon át elmegy)*

Olympia lehunyt szemmel áll a helyén. Függöny

„Amint tehetségét mintaszerűen kibányászta, azonképpen a sikereit is egészen kiélte. Fölvette az értük járó összes tiszteletdíjakat és szerzői illetékeket. Ezzel pedig nem kisebbedett. A dicsőség csalóka játék. Néha értékelés, de néha csak kárpótlás. Az utókor gyakran azokból a kis bronzfillérekből öntet szobrot a költőknek, melyeket életükben megtagadott tőlük." (Kosztolányi Dezső: Molnár Ferenc, *Írók, festők, tudósok,* 1934)

AZ ÖRDÖG

Az ördög alapötlete egy Faust-előadás nyomán született meg. Molnár a modern korba helyezi Mefisztót, aki természetesen egy tiltott szerelem – festőművész és férjes asszony – beteljesülésén munkálkodik. A darabot 1907. április 10-én mutatták be a Vígszínházban Hegedűs Gyula *(Ördög)*, Varsányi Irén *(Jolán)* és Fenyvesi Emil *(János)* főszereplésével, az előadást maga Molnár rendezte. A bemutató nagy sikert aratott nemcsak Budapesten, hanem világszerte. 1908-ban New Yorkban négy színház is a műsorára tűzte, kettő angolul, egy németül, egy pedig jiddisül. Ermete Zacconi, aki híres társulatával 1908-ban a Magyar Színház meghívására Budapesten vendégszerepelt, az előadást látva annyira beleszeretett a darabba és a főszerepbe, hogy még aznap éjszaka lefordíttatta a darabot franciára. Ebből a fordításból készítette el saját átiratát, melynek premierje 1908-ban volt Torinóban, ahol olyan nagy sikert aratott, hogy majd húsz évig játszotta Zacconi *Az ördög*-öt szerte Olaszországban. Hamarosan Londonban is színre került az Adelphi Theatre-ben, a főszerepet a kitűnő Shakespeare-színész, Lyn Harding alakította. Elkészült a német fordítása is – amely német környezetbe helyezi az alapszituációt –, a bemutatóra Berlinben, a Lessing Theaterben kerül sor, Otto Brahm kitűnő rendezésében. Ettől kezdve *Az ördög*-öt folyamatosan játsszák Európa és Amerika színpadain.

Jelentősebb magyarországi bemutatók a közelmúltból: 1972, 1987 Madách Színház (címszerepben Huszti Péter).

LILIOM

1908-ban jelenik meg Molnár *Muzsika* című novelláskötete, melyben van egy fanyar és expresszionista történet egy vásári kikiáltó és egy kis cselédlány szerelméről *(Az altató mese)*. Ez lesz a *Liliom* alapötlete. A színművet 1909. december 7-én mutatja be a Vígszínház Hegedűs Gyula *(Liliom)*, Varsányi Irén *(Julika)*, Haraszthy Hermin *(Muskátné)* főszereplésével. A bemutatón megbukik a darab és csak két évvel később a bécsi premier után – ahol viszont tombolt a közönség – kezdi meg máig tartó világkarrierjét. Első állomása London, ahol Benjamin F. Glazer fordításában mutatják be, Charles Laughtonnal a címszerepben. A húszas években kétszáz német színház tűzi műsorára a *Liliom*-ot, amely a New York-i közönséget is meghódítja. (1940-ben Ingrid Bergman alakítja Julikát a Brodwayn.) A darab megmozgatja a zeneszerzők fantáziáját is; két jelentős mester kéri hasztalan Molnártól a megzenésítés jogát: az egyik Puccini, aki operát írna belőle, a másik Gershwin, aki musicalt. Molnár azonban ekkor még nem áll kötélnek, félti a darabot, hogy a megzenésített változat mögött eltűnik az író neve, mint ahogyan ez történt Murger *Bohémélet*-ével is. Csak jóval később járul hozzá a zenés átirathoz, melyet a Rodgers és Hammerstein szerzőpáros készít el *Carousel* – azaz Körhinta – címmel. Az 1945-ös New York-i bemutató páratlan siker, 840-szer adták a *Carousel*-t a Majestic Theatre-ben, és azóta is Berlintől New Yorkig, Londontól Tokióig mindenütt sikerrel játszották. A színpadi hírnév meghozza a filmipar érdeklődését is: 1933-ban Fritz Lang, 1956-ban Henry King készít filmet a *Liliom*-ból.

Jelentősebb magyarországi bemutatók a közelmúltból: 1982 Szolnoki Szigligeti Színház: rendezte Babarczy László, szereplők: Lukács Andor *(Liliom)*, Fehér Anna *(Julika)*; 1997 Zalaegerszegi Hevesi Sándor Színház: rendezte Paulo Magelli, szereplők: Kaszás Géza *(Liliom)*, Olasz Ági *(Julika)*.

A HATTYÚ

1920. december 18-án mutatta be a Vígszínház Rákosi Szidi *(Beatrix)*, Varsányi Irén *(Alexandra)*, Hegedűs Gyula *(Jácint)*, Csortos Gyula *(Ági)*, Tanay Frigyes *(Albert)* főszereplésével. Ez a szellemesen elegáns darab azonnal elnyeri a közönség tetszését. Budapest után nemcsak Európában, hanem Amerikában is nagy siker: a Merville-Baker-féle adaptáció 225 előadást ér meg a Cout Theatre-ben. 1927-ben mutatják be Párizsban, az Odéon Színházban, ahol nemcsak a közönség ovációját vívja ki, de a francia kormány is úgy határoz, hogy Molnárt a Becsületrenddel ajándékozzák meg ezért a darabjáért. A II. világháború után a Jób Dániel vezette Vígszínház második bemutatója *A hattyú* volt. Az ötvenes években film készült belőle Grace Kelly *(Alexandra)* és Alec Guiness *(Albert)* főszereplésével.

Jelentősebb magyarországi bemutatók a közelmúltból: 1988 Madách Kamara, rendezte: Puskás Tamás, szereplők: Moór Mariann *(Beatrix)*, Varga Mária *(Alexandra)*, Gyabronka József *(Albert)*, Horváth Lajos Ottó *(Ági)*; 1998 Szolnoki Szigligeti Színház, rendezte: Benedek Miklós, szereplők: Hernádi Judit *(Beatrix)*, Szávai Viki *(Alexandra)*, Rátóti Zoltán *(Albert)*, Szirtes Balázs *(Ági)*.

AZ ÜVEGCIPŐ

Ezzel a Hamupipőke-történettel tért vissza Molnár Budapestre, a Józsefvárosba. Ez a tény annál érdekesebb, ha tudjuk hogy a darab ősbemutatója nem Budapesten, hanem Bécsben volt 1925. szeptember 19-én, majd hamarosan a Vígszínház (1925. november) is műsorára tűzte parádés szereposztásban: Darvas Lili *(Irma)*, Hegedűs Gyula *(Sipos)*, Varsányi Irén *(Adél)*.

Jelentősebb magyarországi bemutatók a közelmúltból: 1978 Vígszínház, rendezte: Kapás Dezső, szereplők: Benkő Gyula *(Sipos)*, Pap Vera *(Irma)*, Szegedi Erika *(Adél)*; 1990 Madách Színház, rendezte: Szirtes Tamás, szereplők: Huszti Péter *(Sipos)*, Györgyi Anna *(Irma)*, Piros Ildikó *(Adél)*; 1997 Pécsi Nemzeti Színház, rendezte: Balikó Tamás, szereplők: Újlaki Dénes *(Sipos)*, Gát Csilla *(Irma)*, Füsti Molnár Éva *(Adél)*; 1997 Kaposvári Csiky Gergely Színház, rendezte: Bezerédi Zoltán, szereplők: Spindler Béla *(Sipos)*, Varga Zsuzsa *(Irma)*, Schöptei Annamária *(Adél)*.

OLYMPIA

Molnár, aki a húszas évektől kezdve sokat élt külföldön és imádta a fürdőhelyeket, talán Karlsbadban hallott vagy látott valamit, ami az *Olympia* megírásához szolgált ötletül. (Nem véletlen, hogy a darab színhelye egy monarchiabeli fürdőváros, melynek leírása igencsak emlékeztet Karlsbadra.) A darab 1928-ban készült el, sokáig *A császár kék szeme* címet viselte, amelyet a szerző mondhatni az utolsó pillanatban változtatott meg *Olympiá*-ra. Még ugyanebben az évben mutatta be a Magyar Színház fergetes sikerrel. Egy évvel később, 1929-ben már el is készült az első filmes adaptáció, melyet 1960-ban egy újabb követett. Híres előadása volt az 1965-ben rendezett Madách színházi bemutató, amelyben az egyébként New York-ban élő Darvas Lili játszotta Eugénia hercegnő szerepét.

Jelentősebb magyarországi bemutatók a közelmúltból: 1983 Veszprémi Petőfi Színház, rendezte: Koltai Róbert, szereplők: Kolti Helga *(Olympia)*, Trokán Péter *(Kovács)*; József Attila Színház, rendezte: Léner Péter, szereplők: Hegyi Barbara *(Olympia)*, Mihályi Győző *(Kovács)*.

Világos Beatrix

TARTALOM

EURÓPA KÖNYVKIADÓ, BUDAPEST
FELELŐS KIADÓ OSZTOVITS LEVENTE IGAZGATÓ
SZEDTE A TYPOSTÚDIÓ KKT.
NYOMTA A SZEKSZÁRDI NYOMDA KFT.
FELELŐS VEZETŐ KOSÁRI JÓZSEF ÜGYVEZETŐ IGAZGATÓ
KÉSZÜLT SZEKSZÁRDON 1999-BEN
FELELŐS SZERKESZTŐ OSZTOVITS LEVENTE

MŰSZAKI SZERKESZTŐ SZ. BODNÁR ÉVA
MŰSZAKI VEZETŐ NÉVERY TIBOR
KÉSZÜLT 23,985 (A/5) ÍV TERJEDELEMBEN
ISBN 963 07 6611 6

Kedves Olvasónk!

Az Önt érdeklő Európa-kiadványokat
megrendelheti
közvetlenül a kiadótól is.